Pour Robert Knecht, et pour Madame Knecht,

avec mon amitié,

Madeleine Lazard

LES AVENUES DE FÉMYNIE

Les femmes et la Renaissance

DU MÊME AUTEUR

Pantagruel, Gargantua, Paris, Hachette, 1977 (collection «Classiques Hachette»).

La Comédie humaniste et ses personnages, Paris, PUF, 1978.

Rabelais et la Renaissance, Paris, PUF, 1979 (collection «Que sais-je?»).

Le Théâtre en France au XVIe siècle, Paris, PUF, 1980 (collection «Littératures modernes»).

Images littéraires de la femme à la Renaissance, Paris, PUF, 1985 (collection «Littératures modernes»).

Le Laquais de Pierre de Larivey, édition critique (en collaboration avec L. Zilli), Paris, SFTM, 1987.

Registre-Journal du règne d'Henri III de Pierre de L'Estoile, édition critique (en collaboration avec Gilbert Schrenk), Genève, Droz, t. I, 1992; t. II, 1996; t. III, 1997; t. IV, 2000; t. V, 2001.

Michel de Montaigne, Paris, Fayard, 1992 (prix d'Aumale de l'Institut de France décerné par l'Académie française, prix du Nouveau Cercle de l'Union interalliée).

Rabelais l'humaniste, Paris, Hachette, 1993.

Pierre de Bourdeille, seigneur de Brantôme, Paris, Fayard, 1995.

Agrippa d'Aubigné, Paris, Fayard, 1998 (Prix Bodin de l'Académie des inscriptions et belles-lettres).

Madeleine Lazard

LES AVENUES DE FÉMYNIE

Les femmes et la Renaissance

Fayard

PRÉLUDE

L'évocation des femmes de la Renaissance fait surgir d'ordinaire des figures de princesses ou de grandes dames, élégantes et raffinées, chantées par les poètes et prétextes à d'amoureuses passions. C'est oublier que l'immense majorité de la population féminine française était constituée de paysannes, d'ouvrières, d'artisanes, de petites bourgeoises, de marginales aussi, oubliées de l'histoire et de la littérature. Ce n'est que tout récemment d'ailleurs que l'on s'est mis à étudier le travail de ces femmes, écrasant pour la plupart d'entre elles, mais important dans l'économie du pays.

Le présent ouvrage tente de rappeler leur présence et leur rôle dans la société du XVIe siècle, sans négliger pour autant celles qui illustrent le destin des femmes dans la noblesse et la haute bourgeoisie, les combats qu'elles ont livrés, pour conquérir le savoir, pour défendre leur foi ou pour exercer le pouvoir.

A la célébration de la femme dans les arts à la Renaissance répond l'extrême richesse du discours qu'elle suscite dans tous les genres littéraires, comme dans les traités de médecine ou de morale domestique. Les jugements qu'on porte sur elle, les controverses sur la place qu'il convient de lui assigner dans la société trahissent l'idéologie d'une époque, ses refus, ses espoirs, ses rêves.

Les écrits polémiques qui l'exaltent ou la méprisent relèvent souvent du jeu intellectuel. Leur abondance prouve du moins l'actualité du sujet dans la conscience contemporaine. Les voix masculines ont été longtemps les seules à se faire entendre. La floraison d'œuvres féminines à la Renaissance, encore que peu de filles, de l'aveu d'une des «écrivaines», se mêlent d'un tel exercice, va permettre l'expression de certaines protestations, en contrepoint au discours des hommes.

L'esprit novateur du premier siècle moderne, qui s'est manifesté dans tant de domaines, a-t-il entraîné une mutation dans la condition féminine? Les femmes eurent-elles une Renaissance? Tel est le débat lancé, notamment par l'article d'une Américaine en 1976 et qui s'est poursuivi, depuis deux ou trois décennies au travers d'une impressionnante profusion d'ouvrages et d'articles, essentiellement américains et anglo-saxons, et consacrés à l'Italie et à l'Angleterre.

Nous voudrions apporter ici une contribution très modeste à la découverte des femmes de la Renaissance française, encore fort mal connues, et tenter d'apprécier, au moins chez certaines d'entre elles, l'expression d'une «conscience féministe». Poser le problème de la femme, de sa nature et de son rôle dans la vie sociale, c'est aborder aussi la question du «féminisme» de l'époque. Autrement dit apprécier l'amélioration de son statut par rapport à celui de l'homme et les modifications dans l'attitude de celui-ci à son égard.

De la place grandissante des femmes à la cour de France et du pouvoir de quelques-unes demeurent bien des témoignages. L'un des plus suggestifs est cette exclamation d'un contemporain assistant aux fiançailles de François Ier et de Claude de France, au Plessis en 1506. Il décrit la procession menée par Anne de France, ex-régente, et par la future régente Louise de Savoie, avec toute une suite de dames et de demoiselles, et ajoute : «Il semblait que le royaume de Fémynie y fût arrivé». Cette expression – empruntée à la célèbre *Cité des Dames* (1405) de la première féministe de notre littérature, Christine de Pisan – s'appliquait seulement aux dames de la Cour. Mais, de ce royaume nous chercherons à explorer aussi les avenues, voire les sentiers, où apparaissent, dans leur diversité, les habitantes de Fémynie, des plus humbles aux plus brillantes. Projet bien ambitieux sans doute, qui veut inciter d'abord au plaisir de la découverte. Il permettra peut-être de mieux comprendre les débats autour de la condition féminine, et de mesurer le long et difficile chemin parcouru depuis la Renaissance.

Avant d'esquisser l'étude de diverses conditions féminines, il est nécessaire de rappeler quelles représentations de la femme sont présentes dans l'imaginaire de l'époque. Avouons-le, le XVIe siècle professe, à son égard, bon nombre d'opinions qu'il tient pour évidentes et qui nous sont devenues plus ou moins étrangères. La théologie, le droit, la médecine, la littérature ont repris alors un ensemble de vues traditionnelles, venues du fond des âges, pour affirmer sereinement l'infériorité de la femme, moitié subalterne et humiliée de la société. Ces affirmations définissent ce que nous appelons la femme théorique, créature abstraite, née des écrits des hommes les plus savants.

Au problème de la femme est lié celui des rapports entre les deux sexes. Le mariage, acte social par excellence, le célibat, le concubinage, l'amour et le plaisir constituent le lot commun. Qu'apportent-ils aux femmes? C'est ce que nous envisagerons avant de passer en revue quelques catégories sociales, puis les protestations et les revendications féminines, les réussites et les échecs dans la conquête du savoir ou du pouvoir.

I

La femme théorique

LE DISCOURS THÉOLOGIQUE

Le dogme de l'infériorité féminine remonte loin. Les Pères de l'Église – dont saint Augustin –, saint Thomas d'Aquin, les commentateurs de la Bible l'ont toujours affirmé. Catholiques ou protestants, les théologiens de la Renaissance les ont fidèlement suivis. La Genèse affirme que Dieu créa Adam à sa ressemblance : « A son image, mâle et femelle, il les créa. » Mais la création d'Ève est postérieure, puisqu'elle est tirée de la côte d'Adam pendant son sommeil. Aussi saint Paul, vigoureusement misogyne, déclare-t-il, dans la première épître aux Corinthiens : « L'homme est l'image et la gloire de Dieu, mais la femme est la gloire de l'homme. Ce n'est pas l'homme, bien sûr, qui a été créé pour la femme, mais la femme pour l'homme » (XI, 1-16). On oublia que le contexte démentait, en partie, cette affirmation.

Au paradis, avant la chute, Ève était-elle l'égale d'Adam ? La majorité des théologiens, supposant que Dieu l'a faite plus petite et plus jeune que lui, n'hésite pas à conclure à la supériorité masculine dès l'origine de l'humanité. Et saint Paul de légiférer en ces termes : « Que les femmes soient soumises à leur mari comme au Seigneur : en effet le mari est chef de sa femme comme le Christ est chef de l'Église. Or l'Église se soumet au Christ ; les femmes doivent donc, et de la même manière, se soumettre en tout à leurs maris » (Ép V, 22-24).

L'opinion courante dans les milieux d'Église est que la soumission de la femme à l'homme existait avant le péché. Elle était alors volontaire et naturelle tandis qu'elle devint contrainte et pénible après la chute.

Le grief le plus lourd qui pèse sur la femme consiste en ce que la Bible fait d'Ève celle par qui le péché est arrivé en ce monde. Sa responsabilité dans la faute est plus grande que celle d'Adam. Le couple chassé du paradis sera contraint au travail pour assurer sa subsistance. Mais Ève se verra infliger des punitions supplémentaires : les douleurs de l'accouchement, la soumission à l'homme et la tristesse.

La croyance à sa naturelle faiblesse qui la prédispose au mal, fait d'elle l'agent de Satan, l'«arme du diable», un «abîme de perdition». Car, identifiée à la sensualité, elle entraîne les hommes dans la luxure. La sexualité étant le péché par excellence aux yeux des premiers écrivains chrétiens, l'exaltation de la virginité et de la chasteté «qui peuplent les sièges du paradis» contribue à renforcer leur misogynie. Le mariage habitue à la volupté et détourne de la contemplation de Dieu. Il n'est pour saint Paul qu'un pis-aller – «Mieux vaut se marier que brûler» –, et pour saint Jérôme «la porte du péché».

La prédication des ordres mendiants, qui, au XIIIe siècle, prend une extension étonnante en Europe, va véhiculer la peur et le mépris de la femme dans des sermons dont les méfaits de filles d'Ève deviennent des thèmes inépuisables.

Coquetterie, sots bavardages, futilité, sensualité avide sont dénoncés au XVe et au XVIe siècle, dans les sermons de Menot, de Maillard et de Glapion notamment, qui jouissent alors d'une grande célébrité. Et la prédication prendra une ampleur accrue après les deux Réformes, la protestante et la catholique.

L'antiféminisme agressif des XIVe, XVe et XVIe siècles était pourtant en contradiction avec la lettre et l'esprit de l'Évangile. L'enseignement du Christ, totalement novateur (ses disciples eux-mêmes en furent choqués) impliquait l'égalité entre l'homme et la femme, dont le mariage ne faisait qu'une seule chair, et l'impossibilité de la répudiation sans motif. Jésus tenait pour des personnes à part entière les pécheresses les plus méprisées, filles publiques, femmes adultères. Il s'entoura de femmes qui s'associaient à son œuvre de prédication et lui resteront fidèles jusqu'à sa mort, quand tous ses disciples, saint Jean excepté, l'auront abandonné. Elles furent les premières à être témoins de sa résurrection (le confesseur de Charles Quint refusait de croire à ce témoignage de femmes, créatures inconstantes auxquelles on ne peut se fier).

Mais le contexte culturel dans lequel se répandit le christianisme joua contre l'enseignement évangélique, qui préconisait l'égale dignité de l'homme et de la femme. La tradition judaïque et gréco-latine plaçait l'épouse dans une position de subordination. Saint Paul, citoyen romain et fils de pharisien, a subi l'influence de son milieu et de son temps en exigeant la sujétion de l'épouse au mari et l'obligation pour les femmes de paraître à l'Église la tête couverte en signe de soumission, imposant ainsi le premier le port du tchador! Ce que Calvin réclamera à son tour, en ajoutant qu'une femme chauve est monstrueuse, mais que la chevelure féminine, si elle est belle, éveille chez les hommes de voluptueuses pensées.

Saint Paul interdit également aux femmes de prendre la parole dans les assemblées («qu'elles se tiennent dans la soumission comme la loi elle-même le dit»), de prêcher, d'enseigner et de gouverner l'homme (I Co XIV, 34-35). Les paroles enjôleuses d'Ève n'ont-elles pas poussé Adam à pécher? Exclue de l'administration de la vie spirituelle de l'Église et des fonctions rituelles, la femme ne peut ni exercer la prêtrise ni servir la messe, ni entendre un fidèle en confession, ni administrer les sacrements. La sage-femme peut toutefois, en l'absence d'un prêtre, donner le sacrement du baptême au nouveau-né en danger de mort.

Le pouvoir exercé par les abbesses n'est qu'un pouvoir temporaire accordé par procuration. Quant aux prophétesses (la Bible en cite des exemples, Déborah, Élisabeth, la mère de Jean Baptiste, et les sibylles antiques sont célébrées dans les écrits mystiques de la Renaissance), elles ne transgressent pas d'interdit car la prophétie, don divin, est un privilège accordé à quelques-unes. Les figures bibliques de «femmes fortes» sont d'autant plus dignes d'admiration qu'elles triomphent de la faiblesse naturelle de leur sexe. Judith, Jael ou Déborah montrent d'ailleurs que le Très-Haut se plaît à confondre les puissants grâce aux êtres les plus faibles.

La malédiction divine due à la faute originelle impose à l'un et l'autre sexe la nécessité de travailler pour subsister, mais elle implique entre eux des différences physiologiques. Selon la loi judaïque, la femme est souillée par la menstruation et la grossesse, ce qui l'exclut de certaines cérémonies ou de certains lieux de la vie sociale. Cette association de la femme à l'impureté est passée dans le christianisme : la messe des relevailles est destinée à la débarrasser de la souillure de l'accouchement, et lui permet de reprendre sa place au sein de la communauté. Des tabous ancestraux inspirent aux auteurs ecclésiastiques une profonde horreur du sang menstruel, de ses pouvoirs maléfiques qui font dépérir ou mourir plantes et bêtes. Horreur qui alla jusqu'à interdire l'accès à l'église et la communion à la femme ayant ses règles.

Les philosophies antiques, des doctrines de Pythagore, de Platon à celles des stoïciens, cherchaient à inspirer à leurs disciples le détachement des biens terrestres et le mépris de la chair. Cette tradition intellectuelle, qui remontait loin, fut reprise par les premiers écrivains chrétiens et les Pères de l'Église. Les «souillures» et les «maladies» féminines (la grossesse est tenue pour une maladie), la sexualité provoquent le dégoût des théologiens et leur aversion pour le mariage. D'où l'exaltation de la chasteté et de la virginité, bien préférables à l'union conjugale qui permet de dangereux plaisirs et y accoutume. Saint Ambroise conseille ainsi à une jeune vierge de s'en abstenir : «Ce n'est point rabaisser le mariage que de lui préférer la virginité... Personne ne compare un mal à un bien.»

Si Ève a fait le malheur de l'humanité, la Vierge Marie, seconde Ève, a conçu son sauveur. Symbole de la perfection féminine, incarnation des vertus de chasteté, d'humilité, de soumission (envers les pires vices féminins, la sensualité, la rébellion, le bavardage), elle a fait l'objet d'une vénération dont on ne saurait sous-estimer l'importance au Moyen Age et sous la Contre-Réforme. Le culte marial a-t-il contribué à donner de la femme une image plus favorable? La mère du Christ a conçu sans péché, sans concupiscence, sans douleur. Elle peut bien offrir le modèle d'une inaccessible perfection au sexe féminin mais elle ne lui appartient pas vraiment puisqu'elle a été exempte de la malédiction divine, de l'imperfection et des épreuves qu'elle entraîne. Figure d'exception, nullement représentative de son sexe, la Vierge a plutôt servi à en dénoncer les défauts et à dévaluer la sexualité. La théologie chrétienne a, tout au long du Moyen Age, rationalisé et théorisé l'antiféminisme foncier des traditions culturelles dont elle était l'héritière. La prédication répandait largement les griefs misogynes bien organisés dans les ouvrages des théoriciens, dont l'imprimerie allait accroître encore la diffusion.

La civilisation chrétienne, qui imprègne toutes les représentations mentales et sociales à la Renaissance, a imposé l'image de la femme tentatrice et corruptrice. Depuis le Moyen Age, les intellectuels et les écrivains sont pour la plupart des clercs célibataires auxquels la féminité inspire d'autant plus de mépris et de crainte qu'ils sont contraints à la chasteté et que leur frustration sexuelle se mue aisément en haine. La littérature satirique comme la littérature monastique qui se déchaîne contre la femme et le mariage en donnent la preuve. Très forte est donc leur intention d'utiliser les dogmes religieux pour justifier la situation d'infériorité du sexe féminin. Lorsque la Réforme accorde aux femmes comme aux hommes le droit de lire et de commenter la Bible, les théologiens catholiques s'indignent. Saint Paul n'a-t-il pas déclaré «que les femmes se doivent taire en l'Église»? Les pasteurs réformés se serviront à leur tour de ce verset contre celles qui veulent prêcher en public ou se mêler des affaires du consistoire. Et surtout ils estiment, avec le juriste Florimond de Raemond, qu'elles «contreviennent aux lois naturelles qui les ont privées de l'intelligence nécessaire à la compréhension de la Sainte Parole».

Les attaques des réformés contre le célibat des prêtres, qui entraînent une revalorisation du mariage, semblent instaurer une certaine égalité entre les sexes. Mais ni Luther ni Calvin ne remettent en cause la sujétion de l'épouse à l'époux, car la faiblesse de la nature féminine leur inspire les mêmes soupçons qu'aux catholiques.

Le XVIᵉ siècle héritera, sans y changer grand-chose, l'antiféminisme clérical. Savants ouvrages de casuistes, comme la *Somme des péchés* de Benedicti, manuels de confesseurs, comme les *Instructions* de saint Charles Borromée, véhiculent à l'envi cette image féminine inquiétante auprès de directeurs de conscience, qui la répandent à leur tour. La femme n'est pas l'égale de l'homme, personne n'en disconvient. Mais si cette inégalité des sexes est universellement reconnue dans la vie humaine, l'est-elle encore dans la vie de l'au-delà? La plupart des théologiens concèdent à celle qui, par nature, est inférieure à l'homme, de devenir son égale par la grâce divine et de connaître la béatitude du paradis.

LE DISCOURS MÉDICAL

Il peut sembler étrange, au XXIᵉ siècle, de chercher dans les traités médicaux une image de la femme. Il en va tout autrement à la Renaissance. Le latin reste la langue médicale mais les textes scientifiques, en latin comme en français, sont dépourvus d'un langage spécifique et relèvent de la littérature. En outre, la démarcation entre les domaines du médecin, du moraliste et du juriste est très mal définie, bon nombre de lettrés s'intéressant également à diverses branches du savoir.

La médecine médiévale, à la suite de Galien, professait que les organes génitaux féminins ne diffèrent en rien de ceux des hommes, sinon dans leur situation et leur distribution. La médecine de la Renaissance marque de sensibles progrès sur sa devancière : non seulement les humanistes offrent les éditions, les répertoires et les commentaires des œuvres d'Aristote, Hippocrate et Galien dans la première moitié du siècle, mais les travaux d'André Vésale, de Gabriele Falloppio, de Realdo Colombo permettent la naissance de l'anatomie expérimentale, tandis que se multiplient les dossiers sur la physiologie de grands auteurs comme Jean Fernel.

Pourtant, le prestige de Galien reste intact auprès de la majorité des savants. Nourris des préjugés des traditions savantes et populaires, ils ne rendent pas compte de l'anatomie, de la physiologie ou de la pathologie féminines d'après ce qu'ils expérimentent, mais d'après ce qu'ils ont lu dans les livres d'Hippocrate ou de Galien, chez les médecins arabes du Moyen Age ou dans la tradition de l'école de Salerne. Malgré les observations nouvelles apportées par les dissections de plus en plus fréquentes, les médecins célèbres, Charles Estienne, considéré plutôt comme chirurgien et anatomiste, Ambroise Paré, Jean Huarte reprennent l'a priori galiénique qui leur sert de caution. Ainsi Ambroise Paré pense-t-il que «les organes de la femme ne diffèrent en rien de ceux de l'homme car ce que l'homme a hors du ventre, la femme l'a en dedans». En 1584, Guillaume Bouchet écrira encore dans son recueil de contes, les *Serées* : «Ainsi que tiennent les Anatomistes la matrice de la femme n'est que la bourse et verge renversée de l'homme.»

La différence des sexes tient à une différence de tempérament, lequel résulte de l'abondance relative de telle ou telle des quatre humeurs : la femme est «froide» et «humide» alors que l'homme est «chaud» et «sec». Le tempérament explique l'anatomie et implique l'essentiel de la physiologie. Le seul point – mais il est essentiel – sur lequel Galien diffère d'Aristote, c'est qu'il croit à l'existence et à l'efficacité de la semence féminine.

Le flux menstruel – dont l'origine et même le mécanisme sont encore totalement méconnus – est dû à l'«humidité» de la nature de la femme, plus fragile, «qui n'est pas capable de convertir tout le nourrissement en bon sang» (la «sécheresse», rendant au contraire l'homme robuste). La stérilité, provenant d'un manque de chaleur, est, par essence, une maladie féminine. Selon la science aristotélicienne, la créature la plus sèche et la plus chaude est celle qui approche le plus de la perfection. Telle est encore l'opinion de la plupart des médecins du XVIe siècle, dont Ambroise Paré se fait l'écho. Et selon l'Italien Cesare Cremonini (1550-1630), la femme est moins accomplie que l'homme dans le contexte de la procréation puisque c'est elle qui porte le fœtus et qu'elle n'est que le réceptacle de la conception. De même que la semence est plus noble que la terre où elle est plantée, le mâle est plus noble et plus proche de la perfection que la femelle.

La nature qui a fait la femme pour enfanter et pour allaiter, l'a placée dans la dépendance absolue de sa génitalité instinctive. Plus animale que l'homme, plus faible, car son mécanisme humoral est défectueux, elle est tenue pour un «mâle mutilé», un «mâle imparfait» par Aristote et Galien comme par saint Thomas, qui concluent de son imperfection et de sa fragilité physique à son instabilité et à sa débilité psychologiques.

Selon la tradition héritée d'Aristote, le médecin Jean Huarte, posant en principe que «la froideur et humidité sont qualités qui nuisent à la partie raisonnable», en déduira encore au XVIe siècle l'infériorité de la femme dans le domaine des lettres et des sciences. La médecine justifie ainsi les représentations mentales élaborées par la société et se montre aussi misogyne que la théologie et la littérature.

Les médecins de la Renaissance vont toutefois, malgré eux, remettre en cause l'analyse traditionnelle de la nature féminine. Certes le corps de référence reste le corps masculin. Mais une meilleure connaissance de l'anatomie de la femme permet de nuancer la théorie des tempéraments et d'établir la spécificité de ses organes génitaux. Cette reconnaissance de sa «différence» prive de leurs arguments ceux qui identifiaient les deux sexes pour mieux souligner l'infériorité de la femme. Elle contribue donc, paradoxalement, à une amélioration de son statut.

Cette mutation du discours médical devait être lourde de conséquences. Aristote et Galien admettaient déjà que si la femme est une version imparfaite du mâle, c'est un être parfait dans l'ordre de la création puisque de sa mutilation résulte une grande utilité. Or «Nature ne fait rien en vain.»

Admettre l'imperfection de la femme, n'était-ce pas y voir une imperfection, un hasard de la nature ? Opinion insoutenable qui remettait en cause la création divine. Le problème est débattu par les devisants du *Courtisan* de Castiglione (1528), l'un des ouvrages les plus lus du siècle, preuve que le sujet est d'actualité. La femme est-elle « un animal produit par cas fortuit, une erreur ou un défaut de nature » ? La conclusion se conforme à l'opinion des milieux cultivés dans ce bréviaire du parfait gentilhomme : les deux sexes voulus par Dieu sont également indispensables à la conservation de l'espèce humaine et égaux en dignité. Différentes et complémentaires des hommes, les femmes sont capables des mêmes vertus fondamentales du cœur et de l'esprit.

A son contradicteur, qui soutient que généralement toute femme aspire à être un homme, par un certain instinct de nature qui lui « enseigne à désirer sa perfection », Julien le Magnifique, « ami des femmes », réplique que, si elles nourrissent cette ambition, c'est pour jouir de la liberté et fuir le pouvoir que les hommes se sont arrogés sur elles de leur propre autorité, distinguant ainsi clairement nature féminine et condition féminine.

Cette prise de position, commune aux lettrés et aux médecins de la Renaissance, n'entraîne pas l'abolition des préjugés antiféministes. On peut convenir que la différence des sexes n'est pas un accident fâcheux de l'ordre naturel sans pour autant s'abstraire des contingences sociales et mentales et reconnaître l'égalité des sexes. Le progrès dans l'étude de l'anatomie se borne à la seule connaissance de l'utérus, le fonctionnement ovarien demeure inconnu.

Certains médecins, comme Jean Liébault, peuvent bien tenir la matrice pour « la partie la plus noble, plus principale et plus nécessaire », destinée à élaborer une « petite créature de Dieu », la physiologie féminine reste, pour l'ensemble du corps médical, une énigme déconcertante et inquiétante. Tel semble être le sentiment du médecin Rondibilis qui représente la voix de la science dans le célèbre exposé du *Tiers Livre* (chap. XXXII) souvent utilisé pour affirmer l'antiféminisme de Rabelais. Il débute, à vrai dire, par une description satirique traditionnelle : « Quand je dis femme, je dis sexe tant fragile, tant variable, tant muable, tant inconstant et imparfait que Nature me semble [...] s'être égarée de son bon sens par lequel elle avait créé toutes choses, quand elle a bâti la femme... »

Rondibilis recourt ensuite à l'autorité du *Timée* où Platon se demande s'il faut placer la femme au rang des animaux raisonnables ou des bêtes brutes car « Nature leur a dedans le corps posé en lieu secret et intestin un animal, un membre [...] auquel quelquefois sont engendrées certaines humeurs salées, nitreuses... âcres, mordicantes, lancinantes, chatouillantes amèrement; par la pointure et frétillement douloureux desquelles [...] tout le corps est en effet ébranlé, tous les sens ravis, tous pensements confondus.»

Ce que Rondibilis oublie de mentionner, c'est que Platon, s'il démontre l'existence, chez la femme, d'un «animal avide de procréation» reconnaît chez l'homme l'existence d'un animal semblable. Oubli antiféministe? Il n'est pas propre, en tout cas, au médecin du *Tiers Livre*: Galien et après lui Ambroise Paré, Jean Riolan, Vésale restreignent de même la comparaison du *Timée* à la seule femme. L'interprétation de Rondibilis se conforme à l'opinion médicale de son temps. Elle s'appuie sur l'autorité des anciens, dont elle ne retient que ce qui s'accorde avec les préjugés sur la fragilité du sexe faible et sur une observation clinique en apparence objective: «comme est évident en l'anatomie».

Rondibilis réfute la théorie galénique selon laquelle l'utérus est un animal autonome dont les «mouvements sont propres et de soi», pour admettre celle de Platon, cher aux humanistes, mais il rend responsable de tous les facteurs physiques et moraux qui bouleversent l'équilibre du corps et de l'esprit. Cette théorie de l'utérus «animal» détermine la représentation de la femme dont elle justifie l'infériorité. L'hystérie (ou «suffocation de la matrice») est alors tenue pour une maladie exclusivement féminine, due à la frustration des désirs sexuels et susceptibles de provoquer les plus vives souffrances ou de ruiner la santé. Plus dépendantes que les hommes de leur sensualité débordante, de leurs pulsions génitales, moins capables de les dominer, les femmes ne disposent pas des mêmes moyens (le travail, l'étude, les armes) pour canaliser leur énergie.

Rondibilis se garde pourtant de généraliser. Il sait reconnaître la vertu des femmes de bien – il en existe! – capables de ranger «à l'obéissance de la raison» un animal rebelle à sa voix. Leur continence exceptionnelle est d'autant plus digne de louange que la loi de nature pèse plus tyranniquement sur elles.

La précision de l'érudition, le sérieux de l'exposé laissent entendre que Rondibilis est le porte-parole de l'autorité médicale. L'auteur a rassemblé certes tous les arguments de ses confrères en faveur de la suprématie masculine. Il tient la femme pour un être imparfait parce que les besoins de l'espèce l'emportent chez elle sur ceux de l'individu. Ainsi reste-t-elle, à la différence de l'homme, privée de la perfection que permet d'atteindre l'équilibre, le contrôle de soi. Rabelais se réfère même à l'astrologie pour comparer son instabilité à celle de la lune, comme le fait aussi Jacques Lefèvre d'Étaples, théologien et humaniste, dans ses *Commentaires sur l'Épître à Tite* (1512).

Satire ou réquisitoire antiféministe que cet exposé de Rondibilis ? C'est tout simplement la consultation d'un médecin philosophe qui se réfère aux dernières données de la science et reflète l'attitude intellectuelle des médecins de son temps.

LA FONCTION GÉNITALE

Laurent Joubert, docteur, régent, chancelier et juge de la faculté de médecine de Montpellier, écrit ainsi, dans un ouvrage de vulgarisation en français consacré à dénoncer les *Erreurs populaires* (1578) et dédié à la reine Marguerite, épouse d'Henri de Navarre, que « le mâle est plus digne, excellent et parfait que la femelle ». Comme lui, Ambroise Paré tient pour assuré que la nature privilégie les garçons : « la semence plus chaude et plus sèche engendre le mâle, la plus froide et humide la femelle » et « la femelle est plus tard formée que le mâle ». C'est pourquoi Dieu insuffle l'âme au quarantième jour chez le garçon et au cinquantième seulement chez la fille.

Celle-ci rend sa mère (qui la porte à gauche, le côté de mauvais augure) moins « gaillarde », moins joyeuse et moins alerte que si elle est enceinte d'un garçon (porté, lui, à droite, du côté noble).

La naissance d'une fille est toujours une déception. Il est déraisonnable de trop s'en affliger et d'en vouloir à sa femme, estime Laurent Joubert. Mais c'est une source d'ennuis, il en est lui-même convaincu. Les filles amoindrissent le patrimoine, il faut les doter pour les marier ou les faire entrer en religion, surveiller leur santé fragile, leur esprit léger et capricieux, préserver soigneusement leur virginité jusqu'à ce qu'un autre homme la prenne en charge à son tour. Aussi Joubert s'emploie-t-il à indiquer quelques conseils d'un *Art de procréer à volonté*, d'un *Art de faire des garçons* dont les médecins, jusqu'au XVIIIᵉ siècle, s'efforceront de trouver le mode d'emploi : pour être récompensé par la naissance d'un mâle, il importe de choisir judicieusement la bonne partenaire et le moment le plus favorable. (L'acte sexuel doit avoir lieu juste après les règles lorsque la matrice est sèche et chaude. Si elle est froide et humide, du fait de l'abondance du sang menstruel, la semence « dégénère en femelle ».)

Ce problème de la procréation suscite précisément nombre de débats théoriques : la femme a-t-elle une participation effective dans la génération ou son rôle reste-t-il purement passif ? La théorie de la double semence lui confère un pouvoir aussi décisif que celui de l'homme dans la transmission à l'enfant de ses caractères fondamentaux. Erronée sur le plan scientifique, cette théorie qui devrait revaloriser le statut de la femme n'entraîne pourtant pas la disparition des vieux préjugés, puisque persiste la croyance hippocratique dans la situation privilégiée de l'embryon mâle.

L'abondance des livres d'obstétrique, des *Livres de la génération*, prouve qu'aux yeux des médecins la femme est avant tout une mère et une épouse. Aussi, comme les humanistes, tentent-ils de revaloriser le mariage dont la fin essentielle est d'«avoir lignée». D'où leur souci de voir respecter la personnalité féminine, dont ils jugent la physiologie particulièrement fragile, vulnérable, et leur conviction que l'harmonie sexuelle est nécessaire pour bien procréer.

Ambroise Paré estime le plaisir de la femme indispensable comme celui de l'homme. La femme étant naturellement passive, l'initiative revient à l'homme, car sa responsabilité est la plus grande. Et le médecin d'insister sur la maladresse à l'égard de la femme, dont le plus souvent, en mauvais laboureur, il pénètre «le champ de nature à l'étourdi». Jean Liébault va jusqu'à légitimer l'acte sexuel sans souci d'avoir lignée, comme le protestant Henri Estienne, grand humaniste, éditeur, auteur, dans sa vigoureuse satire, l'*Apologie pour Hérodote*, réhabilitant ainsi la femme stérile.

L'opinion médicale traditionnelle et conforme à la morale censura ces médecins libéraux : on reprocha à Ambroise Paré d'inciter la jeunesse à la luxure, et plus tard, à Laurent Joubert de révéler aux filles des choses «lubriques» dans des ouvrages qui, écrits en français, leur étaient donc accessibles.

Admirateurs de la machine humaine, les «fisiciens» entonnent un hymne à la beauté féminine, à condition qu'elle reste naturelle car, avec les moralistes, ils condamnent l'abus des artifices, de la parure et des fards. La distinction entre ouvrages médicaux et recueils de recettes ou de conseils de beauté reste pourtant très indécise, ceux-ci voisinant avec ceux-là dans le même volume. Une tradition bien établie laisse aux auteurs de traités savants le soin de dévoiler les «secrets des dames». Le médecin Le Fournier rédige ainsi *La Décoration d'humaine nature* (Lyon, 1530) : la beauté est une marque de la santé, et il paraît légitime de chercher à la conserver.

Les conseils d'esthétique suivent souvent les chapitres sur les accouchements, les ouvrages d'obstétrique expliquent les causes de l'avortement, en dévoilant ainsi implicitement la méthode, certains textes médicaux indiquent les moyens de remédier à la stérilité et de «r'accoutrer» les virginités. La littérature paramédicale, associée parfois à la littérature occultiste, tend à confondre soins de beauté et pratiques illicites.

On conçoit que la médecine ait pu sembler suspecte, et que Corneille Agrippa, savant et philosophe, l'ait accusée d'être «l'art qui sert le plus au maquerellage». Ces attaques, fréquentes dans les recueils satiriques, amenaient sans doute les médecins, pour se disculper, à adopter une attitude d'autant plus rigoriste en protestant de leur accord avec la morale établie.

Après les travaux de Vésale et d'Ambroise Paré notamment, la médecine ne met donc plus en doute que la femme possède une anatomie indépendante de celle de l'homme. Elle tente d'affranchir l'étude anatomique de préoccupations étrangères à la science et semble avoir élevé le statut de la femme en la déclarant également parfaite dans son sexe. Un grand nombre d'ouvrages s'intéressent à la gynécologie, et à la pédiatrie devenues des thérapeutiques spécialisées. Mais si la femme est tenue pour un être à part entière, elle n'en est pas moins considérée comme un être chroniquement maladif, les effets psychologiques de ses humeurs froides et humides la faisant échapper au contrôle de ses émotions. «Il y a toujours quelque chose de détraqué dans ces machines-là», dira encore un héros de Stendhal, M. de Rénal.

Aussi est-il nécessaire et naturel de la protéger, de la reléguer à la maison, et de l'exclure de la vie sociale.

L'image physique de la femme, qui en détermine l'image psychologique et morale, apparaît donc singulièrement ambiguë dans le discours médical de la Renaissance. Marqué par l'idéologie humaniste et par le naturalisme antique, conscient des découvertes récentes dans le domaine de l'anatomie et de la physiologie, il traduit une évolution favorable à la femme en affirmant la spécificité des sexes, en revalorisant le mariage et la maternité. Il reste cependant prisonnier d'attitudes mentales séculaires en inférant de la différence des sexes une inégalité corporelle et spirituelle au détriment du «deuxième sexe». Il rejoint dès lors le discours officiel de l'époque pour maintenir la hiérarchie traditionnelle.

II

Le regard de la société

Au regard de la loi, la femme en tant que personne n'a guère d'existence. Sa place dans la hiérarchie sociale, sa situation légale sont déterminées par celles du père et du mari. Fille, puis épouse, elle demeure soumise à une autorité masculine, paternelle ou maritale. Car les juristes, en plein accord avec les théologiens, partagent les mêmes préjugés et affirment l'infériorité de la femme. Sa physiologie, sa psychologie en font un être physiquement et intellectuellement faible, donc irresponsable comme l'enfant ou le fou. On ne saurait considérer cette éternelle mineure comme l'égale de l'homme.

Aux yeux de la plupart des juges par exemple, l'adultère de la femme est un crime beaucoup plus grave que celui du mari, qui est tenu pour négligeable, car une grossesse intempestive met en péril la lignée. Certains légistes, dont André Tiraqueau, l'ami de Rabelais, prenant en compte son « imbécillité » (faiblesse) témoignent à la femme coupable d'inceste, d'adultère ou de sacrilège une certaine indulgence. Elle mérite certes une punition, mais l'homme qui se livre à la fornication pèche plus qu'elle puisque sa raison, plus forte, lui permet de mieux résister aux tentations, et doit donc être plus sévèrement puni.

Si l'on doit mettre un homme et une femme à la torture lors d'un interrogatoire – pratique légale – il est prescrit de commencer par la femme : plus faible, elle avouera plus vite. Fait-elle la preuve de son ignorance de la loi, on ne lui en tient pas plus rigueur qu'aux rustres et aux simples d'esprit. Car elle est censée méconnaître ses droits et ses intérêts, et agir de travers par sottise, par timidité ou par peur. Si elle est enceinte, on ne lui fait subir ni la torture, ni la pendaison. Douteux privilèges puisqu'ils sont dus à son infériorité physique ou mentale supposée. On sait également quelle hantise de la sorcellerie traverse toute la Renaissance. La violence de la chasse aux sorciers et aux sorcières atteint son paroxysme entre 1560 et 1630 tandis que se renforce l'arsenal répressif et que se multiplient les procès. S'ils firent beaucoup plus de victimes parmi les femmes que parmi les hommes, dix sorcières pour un sorcier, c'est que la traditionnelle conception misogyne faisait d'Ève l'alliée privilégiée du diable et inférait de la « bestialité » et de l'infériorité du sexe faible une plus grande propension à la sorcellerie.

L'institution matrimoniale, sa définition juridique plus précisément, détermine le statut de la femme. Selon certains légistes, le mariage relève du droit naturel. La femme est faite pour être mariée. Si elle ne l'est pas dans le siècle, elle est religieuse, épouse de Dieu. La célibataire n'a pas sa place dans la société du XVIe siècle. C'est aux droits et aux devoirs de l'épouse ou de la veuve que s'intéressent les traités de jurisprudence. La femme est placée, par le mariage chrétien, sous la dépendance d'un chef de famille, et plus sous l'autorité d'un maître, selon le droit romain ou la hiérarchie féodale.

Chacun des conjoints doit se conformer au « naturel office de son sexe ». Et comme les légistes ont de la femme la même conception dépréciative que les théologiens et les médecins, « les droits de mariage » consacrent la supériorité du sexe masculin en mettant la femme sous l'autorité absolue du mari. Les épouses ne peuvent aller en justice qu'avec l'autorisation de ce dernier. Si leur témoignage est parfois jugé nécessaire, on admet toutefois que le témoignage d'un homme vaut celui de deux femmes. Ce sont toujours la débilité, l'instabilité de la nature féminine qu'invoquent les textes de loi pour justifier ces interdictions.

Certes la situation de l'épouse varie selon que les pays sont de droit écrit ou de droit coutumier. Mais que cette autorité soit de règle à toutes les époques et dans toutes les sociétés, les juristes français, Bodin en tête, en sont convaincus. Selon le droit écrit, fidèle à la tradition du droit romain, la fille, même mariée, même veuve, reste une mineure, soumise à la toute-puissance paternelle. Or l'incapacité juridique de la femme mariée se voit aggravée par le renouveau du droit romain à la Renaissance, la montée de l'absolutisme royal et la pression des trois discours officiels qui s'épaulent les uns les autres.

André Tiraqueau, surnommé en son temps le «législateur matrimonial», s'était déjà fait le théoricien de l'incapacité de la femme mariée dans le très célèbre *De legibus connubialibus* («Des lois du mariage», 1513), commentaire d'un article de la coutume du Poitou relatif à la puissance du mari. Il la frappait de toutes sortes d'interdictions, en s'emparant d'un copieux assortiment de lieux communs (puisés dans ses vastes lectures érudites, profanes et sacrées, ou repris de proverbes ou dictons) qui répertorient tous les défauts et les vices féminins : «Qui a femme à garder n'a pas journée assurée», «Femme rit quand elle peut et pleure quand elle veut», «Femmes sont anges à l'église, diables à la maison et singes au lit». Ils prouvent à l'évidence la nécessité de mettre l'épouse au pouvoir du mari, son «curateur».

D'autres juristes contemporains, Charles du Moulin, Barthélemy de Chasseneuz, ont prôné de même l'assimilation de la femme mariée à un mineur. Leur influence se retrouve dans la *Nouvelle Coutume de Paris* où le mari a le contrôle absolu des biens, où tout acte passé par une femme est frappé de nullité si elle n'a pas l'autorisation de son seigneur et maître. Autant que sur ses biens, celui-ci a autorité sur sa personne. Le droit de correction marital inscrit dans les coutumes médiévales n'a pas disparu au XVIe siècle. On conseille de ne pas l'exercer au point de casser des membres.

L'incapacité des femmes contraint pourtant le mari à observer certains devoirs : d'abord celui d'assurer à l'épouse «sa nourriture», puisqu'il gère seul tous les biens, de son vivant et après sa mort. Celle-ci, exclue des droits de succession, se voit attribuer un douaire, c'est-à-dire des biens assignés par le mari à sa femme pour qu'elle en jouisse si elle lui survit; c'est en somme la récompense de son dévouement. Car sa part des acquêts communs lui est souvent contestée lors de la succession, et elle risque d'être à la merci de l'héritier principal.

L'invalidité juridique n'est d'ailleurs pas envisagée par les légistes comme une mesure dirigée contre l'épouse. C'est plutôt une garantie qui lui est offerte. Quant aux prérogatives du mari, elles sont destinées à préserver l'intégrité du patrimoine, et la «conservation» de la famille. A cette fin, la législation au XVIe siècle cherche à empêcher les particuliers de prendre certaines mesures irréfléchies qui risqueraient de mettre en péril l'équilibre écono-

mique et social. Sous Charles IX et Henri III, une succession d'ordonnances visent à restreindre le pouvoir des femmes en limitant le
montant de la dot, en encourageant les filles à renoncer à la succession de leurs parents, en empêchant les donations entre époux, et
les avantages que les veuves pourraient consentir à leur nouveau
mari ou à ses enfants. «Si les filles sont égales aux mâles en droit
successif, écrit Jean Bodin dans *La République*, les maisons seront
bientôt démembrées d'autant plus vite que les filles sont en plus
grand nombre que les garçons, pour n'être pas exposées aux
guerres et aux voyages», et aussi «par ce que nature produit des
choses qui sont plus parfaites moins que d'autres».

Que le statut légal de la femme mariée se soit dégradé du XIVᵉ
au XVIᵉ siècle n'est pas contestable. Au Moyen Age, l'autorité du
mari, liée au régime de la communauté, était reconnue la plus forte
pour assurer la bonne marche du ménage. Elle est devenue peu à
peu une institution politique, indépendante de l'arrangement matrimonial adopté. Le «maître et seigneur de la communauté» s'est
changé en «maître et seigneur de sa femme» jusqu'à la fin de
l'Ancien Régime. Au XVIIᵉ siècle, l'Arnolphe de Molière pourra dire
encore du couple conjugal :

> Bien qu'on soit deux moitiés de la société
> Ces deux moitiés pourtant n'ont point d'égalité !
> L'une est moitié suprême et l'autre subalterne
> L'une en tout est soumise à l'autre qui gouverne.

Ce serait pourtant une erreur d'imaginer que, dans les époques
médiévales, comme une réhabilitation enthousiaste du Moyen Age
tendrait à le faire croire, la condition de la femme était bien
meilleure. Les privilèges des dames les plus élevées dans la hiérarchie, l'importance de leur rôle dans la vie sociale et dans celle de
l'esprit sont indéniables, mais ne concernent qu'une infime partie
de la population féminine. La méfiance devant la nature d'un être
faible, changeant, déconcertant s'exprime du Moyen Age au
XIXᵉ siècle dans la culture savante et populaire.

Les œuvres littéraires, des XIIIᵉ, XIVᵉ et XVᵉ siècles, les recueils de
proverbes et de dictons, fortement antiféministes et misogames
avaient dressé un impressionnant catalogue des vices et des défauts
féminins. L'iconographie parfois favorable aux femmes dans la
représentation de la maternité, du travail partagé du laboureur ou
du vigneron et de leur compagne, ne se montre le plus souvent pas

moins malveillante à leur égard que la littérature. Dans l'estampe française, comme l'a souligné Sara Matthews, les figures de femmes qui personnifient de nobles abstractions (justice, etc.) sont représentées nues ou vêtues à l'antique. Quant aux allégories mauvaises ou néfastes, aux péchés capitaux, ce sont presque toujours des femmes portant le costume du temps qui les incarnent. Dans les allégories des douze mois ou dans les illustrations des livres d'heures, les travailleuses se livrent à des activités féminines – filer, tisser, soigner – qui leur font tenir un rôle inférieur à celui de l'homme.

La Renaissance hérite ces stéréotypes malveillants de l'éternel féminin, issus de la culture savante autant que du sentiment populaire et dont l'imprimerie va favoriser la diffusion. Mais s'ils sont présents dans la conscience collective et reparaissent partout dans les écrits, ils sont beaucoup plus traditionnels et latents que vraiment explicites dans la vie quotidienne. Car ils sont contredits par des modes de pensée tout opposés, lointain héritage que ravive la nouvelle culture humaniste. Contredits aussi dans la pratique. Dans plus d'un métier, on le verra, les femmes participent activement à la vie économique, aux affaires, et épaulent le mari. La jurisprudence n'évolue pas non plus toujours dans un sens défavorable à la femme. En effet, l'incapacité juridique de la femme entraîne de nombreux litiges et se voit souvent contredite : on admet ainsi qu'une femme témoigne (surtout s'il s'agit de le faire au cours d'un procès de sorcellerie), on reconnaît la validité d'un testament, même si le mari n'a pas donné son accord, on confie à la mère, même remariée, la tutelle de ses enfants, on conteste la défense faite à l'épouse de garantir les engagements contractés par son mari. Il arrive même que la justice intervienne pour libérer la veuve d'un engagement pris sous la contrainte du mari, et cela d'autant mieux qu'elle peut faire la preuve des mauvais traitements infligés pour l'y obliger.

Mais en dépit des accusations les plus graves qui peuvent peser sur le mari, l'épouse n'obtient jamais la dissolution ou l'annulation du mariage.

La seule femme qui possède une autonomie civile dans la société du XVIe siècle, c'est la veuve, nous le verrons.

Au moment où son autonomie civile s'amoindrit, où elle se voit évincée de toutes les fonctions civiles, certains droits de l'épouse lui sont pourtant reconnus par la loi, en tant que personne humaine.

Enfin avec l'apparition de valeurs nouvelles, avec les troubles politiques et religieux qui obligent les femmes à prendre en main les occupations d'hommes partis au combat, s'affirme la montée d'un courant féministe. Il ne concerne, à vrai dire, qu'une élite aristocratique ou intellectuelle. Aussi la condition féminine à la Renaissance apparaît-elle pleine de contradictions et d'ambiguïtés, voire de paradoxes.

LA QUERELLE DES FEMMES

Un débat, ouvert depuis longtemps, a vu s'affronter détracteurs et apologistes de la femme. Elle prend un nouvel essor dès le début du XVIe siècle : lequel des deux sexes doit-il avoir la prééminence sur l'autre ? La question de savoir si la femme est inférieure ou supérieure à l'homme s'est posée dès ses origines à la littérature morale et à la littérature tout court.

Au XIIe et au XIIIe siècle en effet, le célibat monastique est tenu pour l'existence de choix : il constitue la meilleure préparation à la vraie vie, celle de l'au-delà. Le mariage est violemment mis en accusation dans presque tous les genres médiévaux – fabliau, farce, nouvelle –, où cette satire apparaît un thème de prédilection au travers d'innombrables «Miroirs» ou «Ténèbres de mariage». Exercices littéraires sans doute, ils n'en traduisent pas moins la méfiance des clercs, parmi lesquels se recrutent la plupart des auteurs, et plus largement celle des ecclésiastiques, moines et théologiens, à l'égard de la femme.

La littérature courtoise, qui travaille à son idéalisation, ne permet pas pour autant son émancipation réelle. Jeu littéraire, la courtoisie reste selon la formule de P. Zumthor, un «hermétisme aristocratique» et va dans le même sens que la tradition antimatrimoniale et satirique des clercs. La *fin'amor* est radicalement séparée du mariage, vécue d'ordinaire dans l'adultère. Si le grand romancier Chrétien de Troyes prône l'amour conjugal, qu'il place au-dessus de l'amour hors mariage dans la plupart de ses œuvres, l'esprit du *De amore* (fin XIIe siècle), «évangile de la courtoisie», œuvre d'un clerc, André le Chapelain, répond à la méfiance de l'Église à l'égard de la femme et à son hostilité pour la doctrine courtoise, qu'elle condamnera à la fin du XIIIe siècle. Ce traité, qui tente de replacer l'idéal courtois dans la vie chrétienne, célèbre deux livres durant les mérites de la dame et le «service» de l'amant, mais stigmatise dans le dernier tous les vices féminins.

La querelle porte alors essentiellement sur l'amour et le mariage. Dans des écrits de pure polémique, les adversaires s'efforcent de prouver la bonté ou la malice de la femme. Tributaires de la tradition féodale, ils la placent trop bas ou trop haut.

Cette querelle eut un grand retentissement et devint un lieu commun littéraire. Elle va se poursuivre jusqu'au XVIe siècle. Des deux auteurs du *Roman de la Rose*, dont la diffusion fut immense, le premier, Guillaume de Lorris, expose, sous le voile de l'allégorie, une théorie de l'amour courtois qui exalte la femme. Jean de Meung, l'auteur de la seconde partie, le condamne au contraire au nom de la raison et de la nature, s'en prend au mariage, un esclavage pour l'homme, et s'y montre un antiféministe résolu.

C'est en riposte aux accusations lancées contre son sexe que Christine de Pisan, fille du conseiller privé de Charles V (1365-1431), poétesse d'origine italienne, mais de langue française, tente de réhabiliter la femme dans son *Epistre au Dieu d'Amours* (1399) qui la consacre «championne du féminin sexe». Pour la première fois, une femme tient sa partie dans une querelle d'histoire littéraire. Plus tard sa *Cité des dames* condensera l'essentiel de ses thèses féministes. Elle y affirme l'égalité des deux sexes et en particulier leur égalité intellectuelle : «Si la coutume était de mettre les petites filles à l'école et que communément on les fit apprendre les sciences comme on fait aux fils, elles apprendraient aussi parfaitement et entendraient les subtilités de tous les arts et sciences comme ils font.» Pour la première fois, on voit affirmer que l'éducation, non la nature est responsable de l'infériorité féminine. Le débat intéressa un large public et de grands personnages, comme Jean de Gerson qui soutint Christine de Pisan pour des raisons à vrai dire plus théologiques que féministes, et rédigea, en français, un traité contre le *Roman de la Rose*.

La montée de l'antiféminisme, liée au développement de l'esprit bourgeois, qui tend à imposer une conception très étroite du rôle de la femme, s'accentue au XVe siècle. Les réquisitoires contre le mariage se multiplient. *Les Quinze Joyes de mariage* – le titre évoque par antiphrase les quinze joies de la Vierge – constituent l'exemple le plus complet, le plus suggestif et le plus savoureux de cette satire de l'institution et des femmes. Elles cristallisent tous les griefs de l'époux, pris dans la «nasse» du mariage, contre la perversité féminine. *La Belle Dame sans mercy* (1424) d'Alain Chartier lui vaut d'être rangé parmi les ennemis des dames, dont Martin Le

Franc, prévôt de Lausanne, se fait le défenseur (le *Champion des dames*, 1430-1440) dans un poème de 24 000 vers, véritable répertoire des arguments utilisés pour ou contre les femmes. Toute cette piètre production littéraire ne trahit guère d'engagement sincère ou personnel chez les auteurs, Christine de Pisan et Martin Le Franc exceptés. Encore se bornent-ils à examiner la question de l'égalité des sexes sans exprimer de réelles revendications.

La querelle ne tarde pas à reprendre de plus belle au XVIᵉ siècle, qui voit paraître pas moins de 891 textes traitant du problème de la femme. L'*Histoire du féminisme français* en a dressé un tableau chronologique détaillé en distinguant les écrits polémiques des écrits doctrinaires et didactiques, et les textes littéraires proprement dits.

Au début du siècle, ce sont les rhétoriqueurs qui l'ont rouvert. Aux défenseurs des dames, comme le médecin lyonnais Symphorien Champier (*La Nef des dames vertueuses*, 1503), ripostent leurs détracteurs. Ce répertoire d'idées reçues, réquisitoire qui n'est en fait qu'un jeu de société, déclencha une querelle des femmes toulousaine.

Juristes et humanistes se partagent, eux aussi, en deux camps : d'un côté les antiféministes, André Tiraqueau (*De legibus connubialibus*, « Des lois du mariage ») et Jean Nevizan (*Sylvæ nuptialis*, « La Forêt de mariage ») ; de l'autre, ceux qui sont favorables à la femme et au mariage, Érasme dans ses *Colloques* et dans deux traités en latin, et Juan Luis Vives (*Institution de la femme chrétienne*, 1532).

Un genre littéraire se fait jour : le discours sur la supériorité des femmes, qui entretient des rapports étroits avec un autre genre : le recueil de vies de femmes illustres. Les deux genres se confondent fréquemment lorsque la louange de ces femmes sert à prouver la supériorité féminine. L'influence du *De claris mulieribus* (« Des femmes illustres ») de Boccace fut déterminante à coup sûr. Il offrait aux apologistes du deuxième sexe un catalogue d'héroïnes célèbres par leur vertu, leur courage, leur savoir et aussi leurs capacités politiques, intellectuelles, voire guerrières. Alors qu'au Moyen Age seule la vertu féminine était mise en cause, apparaissaient ainsi des thèmes nouveaux dans la querelle des femmes.

Très significatif à cet égard est l'étrange traité de Corneille Agrippa de Nettesheim, médecin, astrologue et philosophe – il fournira à Goethe le modèle de son docteur Faust –, *De la noblesse et préexcellence du sexe féminin*. Écrit en 1509, publié en latin (1529), traduit en français dès 1530, mais imprimé en 1537, puis dans toutes les langues européennes, appelé à un énorme retentissement, il mêle aux arguments les plus traditionnels et les plus extravagants du raisonnement scolastique des observations et des réflexions fort judicieuses. L'ouvrage, qui pose en principe, d'entrée de jeu, l'égalité de l'homme et de la femme mais se consacre à prouver la supériorité du sexe féminin – thème paradoxal, loin d'être unique en son siècle –, démontre l'impossibilité pour un intellectuel du XVIe siècle de concevoir le rapport des sexes autrement que selon le schéma imposé par la tradition : la supériorité d'un sexe sur l'autre.

Corneille Agrippa a le mérite d'envisager le problème de l'infériorité de la femme non sur le plan de la nature, mais sur celui de l'éducation et de s'en prendre aux hommes de l'état «d'imbécillité et de sujétion» où les lois, faites par eux, maintiennent les femmes. On a dit que ses intentions, dans l'ensemble, valaient mieux que ses arguments. Tel quel, son traité apporte une pièce importante au dossier du féminisme.

Ces combats de plume qui se poursuivront jusqu'à la fin du siècle gardent pour la plupart le caractère conventionnel et ludique d'affrontements rhétoriques, d'escarmouches intellectuelles où se répondent avec monotonie invectives et panégyriques sans pour autant faire progresser ni trancher le débat : les arguments n'ont pas varié depuis le *Roman de la Rose*.

Il faut certes faire la part du jeu littéraire dans cette polémique où les antagonistes passent parfois du réquisitoire au plaidoyer et, selon des modalités variées réutilisent les arguments les plus rebattus. Défendre la supériorité du sexe féminin relève d'ailleurs du vieux *topos* du monde à l'envers. Les vieilles méthodes médiévales persistent encore au XVIe siècle : déluge d'érudition, appels aux légendes et à l'histoire, à la littérature sacrée et profane, aux exemples de femmes célèbres. Toutefois, dans ce fatras de textes, apparaissent les symptômes d'un esprit nouveau qui porte la controverse sur un terrain différent et modifie les données du problème.

LA QUERELLE DES «AMYES»

De 1541 à 1543, la querelle, toujours diffuse dans les milieux intellectuels et littéraires, rebondit sous l'aspect d'une joute mondaine qui met aux prises des poètes de cour sur le thème de la femme et de l'amour. C'est en fait dans l'œuvre capitale de

Baldassare Castiglione, *Le Courtisan* (1528, traduit en français en 1537) qu'il faut chercher l'origine de la querelle des «Amyes». Rédigé à la demande de François Iᵉʳ, *Le Courtisan* devint le bréviaire de l'homme de cour, dont il traçait le modèle, ainsi que celui de la femme de cour accomplie. Il vulgarisait en même temps la doctrine platonicienne de l'amour, interprétée par Marsile Ficin, selon laquelle l'amour humain est une étape vers l'amour divin, la beauté féminine ouvrant à l'amant la voie vers la beauté universelle.

Bertrand de La Borderie s'inspira du chapitre III du *Courtisan* sur la «Donna di palazzo» (la dame de cour) dans son Amye de court qui fait éclater la querelle. Le poème – un long monologue – attribué à une jeune coquette, met en scène cette demoiselle aux vues très réalistes qui fréquente la Cour et les grands seigneurs, voire les princes. Entourée d'amants, elle refuse l'amour platonique, revendique indépendance et liberté de mœurs sans craindre d'exploiter à son profit le jeu masculin de la galanterie courtoise, dont elle n'est pas dupe. L'amie de cour a compris le pouvoir croissant de l'argent dans la société de l'époque, et tente de prendre les hommes au piège qu'ils lui tendent, en se riant de leur désir, en acceptant des cadeaux sans contrepartie, en cherchant à attraper un mari riche et docile. Préférant la galanterie, sans asservissement à l'amour, revendiquant le droit de disposer d'elle-même, elle triomphe par la ruse de l'hypocrisie masculine. Apologie ou satire? Le discours de l'amie en tout cas s'écarte des conceptions de Castiglione, attaché à l'honneur et à la fidélité de la femme et l'auteur, sur un ton piquant et agressif, s'en prend aux mœurs de la Cour dans le domaine amoureux.

Le monologue, qui alimentait la satire des dames de la Cour, suscita une levée de boucliers. Charles Fontaine riposte par la *Contr'Amye de court*, réfutation méthodique de l'œuvre de La Borderie, très ferme et teintée de néoplatonisme, qui devait être suivie d'une foule de poèmes et de dissertations en l'honneur des femmes. Il y trace le portrait antithétique d'une jeune bourgeoise désintéressée qui croit en l'amour, le trouve dans le mariage et stigmatise la cupidité et la corruption de la Cour.

La Parfaicte Amye d'Antoine Héroët, ami de Marot, poète platonicien du cercle de la reine de Navarre, domine toute cette production et connaît plus de vingt éditions jusqu'à la fin du siècle. Admiré des poètes précurseurs de la Pléiade, ce monologue sentimental, dénué de tout caractère polémique, constitue un panégyrique achevé de la doctrine amoureuse vulgarisée par Ficin, Bembo et Castiglione, dont l'influence devait être si profonde dans la littérature de la Renaissance. La parfaite amie d'Heroët, qui n'est pas une femme de cour, analyse les sentiments que lui inspire l'amant avant d'exposer une véritable philosophie de l'amour, conçue comme une alliance entre les deux sexes, la réunion sur terre de « deux esprits au ciel devant [auparavant] liés », un ardent désir de « Beauté, jouyssance et plaisir » qui mène à l'amour divin. Mariée et mal mariée, apôtre d'un amour insensible à la jalousie, désintéressé, idéalisé, elle le sépare du mariage tout en affirmant sa soumission à l'époux.

Les champions des dames semblent victorieux. Seul Paul Angier de Carentan (mais on a pensé qu'il s'agissait d'un pseudonyme dissimulant La Borderie lui-même) osera dans l'*Expérience [...] de l'Amye de court* s'attaquer à l'héroïne de Charles Fontaine, défendue par Amalque Papillon, valet de chambre de François Ier dans *Nouvel Amour*.

La querelle des Amyes a été diversement interprétée. Pour les uns, il s'agit d'un débat de cour où s'affrontent tenants et adversaires de la doctrine platonicienne du parfait amour. Les auteurs de l'*Histoire du féminisme* y voient, outre un conflit de sexes, une lutte d'influence entre l'aristocratie et la bourgeoisie, l'amie de cour incarnant la femme noble, instruite, qui a choisi de s'affranchir de l'esclavage des hommes, la contr'amie la bourgeoise révoltée par les scandales et le gaspillage de la Cour et la parfaite amie l'aristocrate de cœur, consciente de sa supériorité, sans qu'aucune n'élève une protestation féministe au sens où nous l'entendrions aujourd'hui.

C'est la contr'amie que le XVIe siècle a tenue pour le type le plus conforme à l'idéal du temps, l'amie de cour constituant une menace pour la famille et la société. Mais celle-ci relève-t-elle de la satire des femmes, ou traduit-elle une protestation contre la situation qui leur est faite ? Toute privilégiée qu'elle paraisse, n'éprouve-t-elle pas, elle aussi, le poids de la domination masculine ?

La controverse se rallumera tout au long du siècle. Ses prolongements littéraires apparaîtront dans le *Tiers Livre* de Rabelais, orienté autour de la discussion des mêmes problèmes sans qu'on puisse vraiment y voir un épisode précis de cette querelle. Les contemporains rangeront pourtant l'auteur parmi les adversaires du sexe faible, François Billon surtout, qui s'en fera le champion convaincu dans *Le Fort inexpugnable de l'honneur du sexe féminin* (1555), l'un des panégyriques les plus enthousiastes et les plus passionnés jamais écrits en l'honneur des femmes.

S'il recourt, au départ, à nombre d'arguments traditionnels, Billon inaugure une méthode nouvelle d'investigations dans le chapitre «L'assemblée des états». On pose aux hommes mis en scène (laboureur, artisan, clerc, gentilhomme, etc.) la question de savoir s'ils aimeraient être changés en femmes. Toutes les réponses (justifiées par leur classe) sont négatives. Parmi les femmes auxquelles on pose la question inverse, les unes souhaiteraient devenir homme pour recevoir de l'instruction, les autres refusent, contentes d'échapper aux vices masculins en restant femmes. Comme François Billon, le meilleur historien de la querelle dans la première moitié du siècle, le savant Guillaume Postel, en connaît à fond le dossier, mais la glorification de la femme qu'il entreprend dans son traité, *Les Très Merveilleuses Victoires des femmes du nouveau monde et comment elles doivent à tout le monde commander et même à ceux qui auront la monarchie du monde vieil* (1553), relève de l'utopie et d'un féminisme non pas sentimental mais mystique.

C'est assurément un vieux débat, dont elle garde encore le caractère foncièrement rhétorique, que ranime la querelle au XVIᵉ siècle. Les auteurs ne cherchent pas à faire œuvre originale, mais à s'inscrire dans une continuité, aussi se pillent-ils les uns les autres et les thèmes et les méthodes d'argumentation ne changent-ils guère. Pourtant dans son *Triomphe des dames* (1599), Pierre de Brinon, leur champion, conviendra que l'accès des femmes au savoir est l'un des sujets les plus «populaires». Est-il plus aisé à débattre que leur accès aux fonctions politiques ou militaires? Brinon le laisse entendre. La querelle, en tout cas se situe sur un plan différent. Les défenseurs de la femme semblent l'emporter, en nombre et en poids, sur ses détracteurs. On a maintes fois souligné que la littérature médiévale est misogyne, et plus encore misogame. Or l'humanisme et la Réforme vont aider à la réhabilitation du mariage, inséparable de la revalorisation de l'image de la femme.

Le développement de la littérature féminine va permettre d'entendre certaines protestations et revendications des femmes écrivains. Sans participer directement à la querelle, elles vont contribuer, on le verra, à accroître la dignité des femmes en ce temps, par leur influence, par l'exemple donné, plus efficaces que toutes les polémiques. La place grandissante des dames dans la société, surtout à la Cour, la laïcisation de la pensée favoriseront en effet la diffusion de certaines de leurs idées. La querelle des femmes, divertissement d'hommes, tend à devenir une querelle pour la femme. Toutefois, il ne faut exagérer ni l'ampleur, ni la portée du mouvement en leur faveur. Si le féminisme est «l'attitude d'esprit de ceux qui se refusent à admettre une inégalité naturelle et nécessaire entre les facultés des hommes et celles des femmes», telle n'est pas l'attitude jugée normale au XVIe siècle, tant par les hommes que par les femmes, lors même qu'ils se trouvent, en littérature, des champions pour la défendre. Les affirmations abstraites restent en désaccord avec les réalités concrètes.

La querelle a du moins le mérite de provoquer des interrogations sur le rôle de la femme, sur ses droits et sur ses devoirs dans la vie conjugale, familiale, culturelle. Au-delà des lieux communs d'une tradition littéraire, elle approfondit une philosophie de l'amour. La diversité des ouvrages, écrits polémiques, monologues poétiques inspirés du *Courtisan*, traités de morale domestique et mondaine, textes concernant le mariage ou le parfait amour, rend compte de la diversité des aspects du problème.

Né d'un antiféminisme littéraire, d'une hostilité au mariage nourrie aux sources de la courtoisie comme de l'esprit gaulois, le féminisme renaissant reste également un féminisme littéraire et une revendication restreinte aux classes privilégiées. L'idéologie dominante qu'expriment la *Contr'Amye* et la *Parfaicte Amye* est une idéologie bourgeoise et aristocratique. Revendication limitée au reste. La querelle, d'où l'état matrimonial sort indemne de toute attaque, préserve la stabilité familiale et sociale. Elle consacre la soumission de la femme à de nouvelles valeurs morales, en lui concédant parfois, comme compensation sentimentale, l'adultère courtois revu et corrigé, le «parfait amour» platonique.

III

L'union conjugale

L'INSTITUTION RÉHABILITÉE

En un siècle où la fille n'a d'autre alternative que le mariage ou le couvent, quelle que soit sa condition, l'union conjugale est son destin, sa «profession» obligée. Rite de passage pour les deux sexes, le mariage est plus lourd de conséquences pour les femmes. Il les place sous la domination du mari, leur donne leur identité, leur rang dans la société et, à bien des égards, transforme leur existence.

Or le problème du mariage lié à celui de la dignité de la femme soulève de violentes polémiques au XVIᵉ siècle. Sa brûlante actualité se mesure au nombre considérable d'ouvrages traitant du mariage et à la place prépondérante des images de l'épouse et des débats qu'elle suscite en littérature. On sait en effet que l'une des nouveautés du siècle est la revalorisation du mariage entreprise par la religion réformée et par la pensée humaniste.

Dès les origines du christianisme, les Pères de l'Église et les théologiens, de saint Augustin à saint Thomas, ont vigoureusement condamné la concupiscence et valorisé la virginité et l'abstinence sexuelle. Le Moyen Age, du XIIᵉ au XVᵉ siècle avait vu dans le célibat monastique l'existence de choix, dans le mariage un pis-aller, un remède pour ceux qui n'ont pas le don de continence, conformément à l'opinion de saint Paul : «Il vaut mieux se marier que brûler.» Le mariage n'a pour fin ni le plaisir sexuel, ni la réussite de la vie sentimentale des conjoints. Sa visée légitime est la procréation (ce qui suppose que la «dette conjugale» soit réciproquement acquittée), et le souci d'éviter la débauche. La littérature courtoise, qui exalte le «service» de la dame, chante un amour le plus souvent illégitime, librement choisi, radicalement séparé du mariage, qu'elle met en accusation tout autant que la littérature satirique.

Ainsi, le mariage n'est tenu par personne pour un lien purement civil, pas même par les réformés qui veulent soustraire la législation matrimoniale au pouvoir du clergé. L'âge requis est, en droit, selon le *Digeste*, douze ans pour les femmes, quatorze pour les hommes. En fait le mariage est possible dès sept ans, plus tôt même, s'il s'agit de princes. Quinze ans pour la jeune fille semble être l'âge idéal aux yeux du plus grand nombre (les médecins le souhaitent, eux, un peu plus tardif). La prudence conseille aux parents de la marier tôt. Par ailleurs, la vieille fille fait honte à sa famille et lui est une charge.

En droit canon, le consentement mutuel des parties est indispensable, celui des parents est seulement souhaitable. Mais, dans les faits, le second prévaut sur le premier. Le mariage est avant tout un acte social, décidé, réglé ou empêché par l'entourage, famille ou protecteurs chez les grands. La législation royale tendra de plus en plus à maintenir le pouvoir des parents sur le mariage des enfants, traditionnel depuis l'Antiquité mais insuffisamment garanti par le droit canon au gré des familles.

L'union se conclut de la manière la plus expéditive. Le consentement mutuel peut se donner par des «paroles de futur» : l'engagement équivaut alors à peu près à des fiançailles, à une simple promesse de mariage, résiliable par l'une des parties. On peut prendre cet engagement pour le présent, ce que l'on appelle les «paroles de présent». Dans ce cas le mariage est valide, à condition que la promesse soit réciproque (si un seul promet, et que l'autre reste silencieux ou ne soit pas d'accord, il ne l'est pas).

Les paroles de présent peuvent être échangées sans témoin. Même en l'absence de rapports sexuels, elles suffisent à établir un vrai mariage. Il ne peut être rompu que si les deux parties se rendent mutuellement leur parole. Sinon, l'union garde une validité contraignante. Les filles les plus avisées demandent un cadeau, même insignifiant, pièce de monnaie, mouchoir, etc., comme gage tangible de l'accord.

S'il y a simple engagement oral réciproque, échange de paroles de futur suivies de rapports sexuels, c'est un mariage en bonne et due forme. Aucune cérémonie religieuse n'est exigée. Mais l'ordonnance de Blois de 1579 rend obligatoire la publication des bans, la présence de témoins et d'un prêtre ainsi que la tenue d'un registre par le curé. Le concile de Trente (1563) était allé dans le même sens.

Le mariage, si aisément conclu, lie pourtant les époux jusqu'à la mort qui, seule, peut les séparer. Comme au Moyen Age, l'impuissance du mari ou la non-consommation du mariage peuvent faire annuler celui-ci. En milieu aristocratique, les annulations n'étaient pas rares. Brantôme en donne bon nombre d'exemples à la Cour. Jeanne d'Albret, la fille de Marguerite de Navarre, mariée à douze ans au duc de Clèves, épousa, après annulation, Antoine de Bourbon.

La séparation de corps, qui relève du juge royal plutôt que de l'official, n'est pas exceptionnelle. Elle peut être prononcée en cas de mort civile (la condamnation aux galères) ou de brutalité excessive du mari. Quant à la séparation de biens et d'habitation, très rare, la femme peut la demander si le mari est «notoirement prodigue et dissipateur de ses biens», à la condition que le mariage ait lieu dans une région où les biens du ménage soient communs par moitié aux époux, c'est-à-dire dans les pays de droit coutumier. La femme ne peut demander le divorce pour cause d'adultère du mari. Mais celui-ci a le droit d'introduire un procès en cas d'adultère de l'épouse.

L'incompatibilité d'humeur n'existe pas. Même si les mariés sont conjoints contre la volonté de l'un ou de l'autre, déclare le médecin Jean Ferrand, et «s'ils conçoivent quelque antipathie entre eux, ils ne resteront [cesseront] pas pour cela de faire semblant de s'aimer afin qu'avec le temps cet amour feint se change en vrai amour».

Telle est dans ses grandes lignes la législation relative au mariage, telle qu'elle ressort des commentaires du juriste Étienne Pasquier sur les *Institutes* de Justinien, véritable manuel du droit français au XVIᵉ siècle.

En réaction contre la théologie médiévale et la littérature cléricale, humanistes et réformateurs attribuent une importance nouvelle à la famille et tentent de réhabiliter le mariage. L'hostilité qu'il suscite, certes, ne désarme pas tout à fait. Ses détracteurs restent nombreux. Mais la Réforme, qui abolit la vie conventuelle et les vœux monastiques, contribue à le revaloriser. Sans nier l'infériorité de la femme et sa nécessaire soumission à l'époux, et en lui assignant un rôle distinct et subalterne – la femme est née pour conduire un ménage, c'est son lot, sa loi de nature. L'homme est né pour faire la guerre, la police, administrer et régir les États, affirme Luther. Sans cesser de considérer le mariage comme un remède à l'infirmité de la chair, les promoteurs de la Réforme, Luther, Calvin, Zwingli, prêchent d'exemple et prennent femme. La sujétion de la femme, distinguée toutefois d'un consentement passif à l'autorité tyrannique, une éducation conforme à l'idéologie masculine doit la lui faire pleinement et librement accepter. Amour passion et mariage sont soigneusement distingués.

Par ailleurs, les humanistes les plus éminents s'efforcent aussi de réhabiliter l'institution au nom même du christianisme. Les époux ne sont-ils pas des créatures égales devant Dieu? Saint Paul, qui recommande aux maris : «Aimez vos femmes comme le Christ a aimé son Église», ne célèbre-t-il pas ainsi la sainteté de leur union? La question du mariage déchaîne les passions. Les théologiens engagent de véhémentes discussions sur sa nature. Les réformés contestent son caractère de sacrement et, ce qui en découle, la remise en cause de son indissolubilité. Les médecins, les juristes, les moralistes, participent eux aussi à ces débats, André Tiraqueau, Amaury Bouchard, légistes amis de Rabelais, Jean Nevizan, Rabelais lui-même, dans le *Tiers Livre*, pour ne citer que les plus connus.

Érasme, ancien moine, prince des humanistes, est sans conteste le plus chaleureux défenseur de la vie conjugale, à laquelle il consacre un «Éloge du mariage» (*Encomium matrimonii*, 1518), plusieurs colloques (1523) et l'*Institution du mariage chrétien* (1526). Louis de Berquin, qui devait payer de sa vie ses convictions évangéliques et participa activement au combat humaniste fait paraître clandestinement une traduction française de l'*Encomium*, la *Déclamation des louanges de mariage* (1525). La Sorbonne avait censuré et interdit l'impression du texte d'Érasme, jugé «offensant pour des oreilles pieuses» et dont elle prescrivait de détruire les manuscrits. Elle censura de même la traduction.

Mais l'opuscule d'Érasme, dont on compte plus de 55 éditions ou réimpressions de 1522 à 1540, en latin comme toutes ses œuvres, fut traduit en français, en allemand, en anglais et connut dans toute l'Europe un immense succès, succès de scandale à vrai dire. Il fut, dès 1518, l'objet d'une critique officielle de l'université de Louvain, aussi rigoureuse que la Sorbonne en matière d'orthodoxie. C'est que le problème du mariage suscite d'ardentes controverses en cette période de crises où la Réforme mettait en question les vœux monastiques. Vanter les plaisirs de la vie conjugale, l'amitié d'une épouse «bien morigénée», les joies de la paternité, dont la descendance garantit l'immortalité, les avantages d'une union qui assure à l'État d'utiles citoyens, c'était, sinon blâmer implicitement le vœu de chasteté, du moins affirmer que la vie conjugale permettait de faire son salut autant que le célibat monastique. Tout en concédant que la virginité est «chose évangélique», Érasme, auteur des *Paraphrases* des Épîtres de saint Paul, se fonde sur son autorité pour invoquer les exigences de la nature humaine : l'union conjugale est donc préférable à une fausse chasteté.

Des polémiques passionnées, déchaînées par la question matrimoniale, se poursuivent tout au long du siècle. Il n'est guère d'auteur qui n'ait contribué alors au regain d'actualité des vieux thèmes littéraires des femmes, de l'amour et du mariage. Religieux et laïques vont s'employer à réhabiliter le mariage, l'un des rares sujets où les réformés s'entendent entre eux et avec les humanistes.

L'ÉPOUSE IDÉALE

Pour imposer une nouvelle conception de la famille, il fallait donner aux rapports conjugaux une orientation nouvelle, en procédant à l'examen du rôle, des devoirs et des droits contrastés des deux sexes et établir la dignité de la femme. Mais cette nouvelle dignité lui est accordée à la seule condition de se conformer au modèle de l'épouse et de la mère qui garantit la stabilité de la cellule familiale nécessaire à la stabilité de l'État.

En limitant le domaine de l'épouse à la vie domestique, dans l'ordre qui est le sien, il convenait de la rendre apte à remplir les devoirs de sa fonction. C'est à quoi vont s'employer les traités de morale et d'éducation, puisque valoriser le mariage c'est d'abord définir le rôle respectif de chaque époux. Conçus par des théoriciens de la vie familiale, auxquels s'impose l'image traditionnelle de la femme, que l'humanisme n'a pas cherché à réviser, ils posent en principe la hiérarchie des sexes et l'inégalité des natures.

L'Ancien et le Nouveau Testament déjà, dans le livre des Proverbes (XXXI), et certaines épîtres des apôtres proposent une image de la «femme forte». La *Louange de la bonne femme* que Jacques Lefèvre d'Étaples traduit des Proverbes, le portrait de la femme «constante et vertueuse», dans la traduction du Psaume XV par Théodore de Bèze, définissent ainsi la femme parfaite, épouse et mère modèle, que reprennent à l'envi tous les traités de morale du temps.

Cet idéal chrétien qui combine à l'inconditionnelle soumission au mari les vertus morales de chasteté, de fidélité, de patience et le sens de l'économie domestique rejoint aisément l'idéal des auteurs païens dont se nourrit la pensée humaniste. Les enseignements de saint Paul ne diffèrent pas sensiblement de ceux d'Aristote définissant dans les *Économiques* les devoirs respectifs et complémentaires des époux : au mari revient la tâche d'acquérir, à la femme de conserver les biens de la communauté. Comme l'*Économique* de Xénophon, ils assignent à celle-ci de faire régner l'ordre dans la maison pour permettre à l'homme d'assurer en paix les nobles tâches du citoyen. Dans les *Moralia* de Plutarque, les «Préceptes de mariage» engagent de même le jeune marié à devenir son «précepteur, régent et maître de philosophie». La littérature de la Renaissance reprendra souvent le thème cher à Plutarque de la femme miroir, fidèle reflet des mœurs du mari.

La division traditionnelle de ces traités qui s'adressent aux vierges, aux épouses et aux veuves, et que l'on retrouve souvent dans les ouvrages médicaux, suggère implicitement l'impossibilité d'envisager pour la femme une condition indépendante de la tutelle de la famille ou du mari. Impossibilité que renforce la conception médicale de l'union conjugale – état conforme aux exigences naturelles, il assure la santé du corps et l'équilibre de l'esprit – et celle des théologiens et des moralistes qui y voient, après saint Paul, le moyen «d'éteindre la chaleur et brûlement de nature». N'est-il pas d'ailleurs le meilleur remède à l'hystérie, maladie tenue alors pour spécifiquement féminine ?

Juan Luis Vives est le premier à publier un traité complet concernant la vie féminine. Les quatre livres de son *Institution de la femme chrétienne* en latin (1523), dédiée à Catherine d'Aragon, dont il avait été le précepteur comme il fut celui de Marie Tudor, sa fille, sont traduits en français dès 1542, et souvent réédités. Le traité sur les femmes est réparti en trois livres : *Des filles*, *Des femmes maryées*, *Des veuves*, et nourri des derniers acquis de la réflexion pédagogique. Plus traditionnel qu'Érasme, moine libéral, Vives, laïc marié, montre plus de défiance à l'égard des filles d'Ève. Mais il reprend une idée suggérée chez Érasme : il en va de l'intérêt du mari que la femme puisse tenir honorablement sa partie dans l'union de deux êtres et de deux fonctions complémentaires, qu'elle ne soit donc ni sotte ni ignorante, et reçoive une éducation appropriée.

Elle ne doit pas se mêler des affaires du mari, mais s'attendre à ce qu'il intervienne, si bon lui semble, dans le gouvernement de la maison. A elle de distribuer leurs tâches aux serviteurs, de veiller à l'approvisionnement avec une stricte économie, d'élever les enfants, de savoir assez de médecine pour soigner les maladies bénignes. Les tâches quotidiennes doivent l'occuper sans relâche, car il n'y a point de «si mortel ennemi de la chasteté comme est l'oisiveté». Aussi Vives conseille-t-il au mari de ne jamais laisser sa femme «oyseuse», car «si elle pense seule, elle pense mal». Vivant miroir du mari, elle «se doit réjouir avec les joyeux et simuler tristesse avec les mélancolieux».

Faire de la soumission un impératif absolu, qui vise à l'efface-ment de la personnalité féminine, c'est assurer la prééminence du chef de famille, dont le premier devoir est l'autorité. Mais c'est aussi lui permettre, par un strict contrôle du comportement de l'épouse, de réprimer la dangereuse perversité de ses instincts pour éviter de compromettre l'honneur de la famille entière dont elle est le symbole. Aussi le respect des apparences est-il plus important encore que la vertu elle-même aux yeux de certains moralistes, soucieux avant tout de l'ordre social.

C'est dans le même dessein de la soustraire aux tentations que Vives souhaite voir la femme soigneusement confinée dans sa demeure. Elle doit y vivre isolée autant que possible, fuir la compa-gnie des hommes, les «danses et autres passe-temps dissolus», fermer les oreilles aux récits et aux plaisanteries vulgaires, s'inter-dire toute lecture favorable au débridement de l'imagination et aux «pensées impudiques». L'exaltation des vertus domestiques va de pair avec la condamnation véhémente des fards, de la parure et des plaisirs mondains.

L'abondance et la minutie des préceptes donnés par Vives dans l'*Institution*, dont il consacre le deuxième livre à la femme mariée et le quatrième à l'«Office du mari», permettent ainsi de tracer un modèle laïc des vertus féminines, l'idéal chrétien de l'épouse-mère. Il n'est guère de mérites que l'on n'exige d'elle. Pieuse, humble et modeste, chaste, silencieuse, sobre, ni orgueilleuse, ni coléreuse, s'efforçant de complaire en tout à son mari, confirmant à sa volonté son costume, son humeur, sa culture même, résignée au sort qu'il lui fait avec une inaltérable patience, la femme modèle que dessine Vives rejoint l'idéal chrétien de l'épouse mère.

Beaucoup plus que son maître Érasme, Vives manifeste sa méfiance face à la nature féminine. Il paraît plus répressif que les

auteurs antiques. Les réformés, favorables à la propagande matrimoniale, montrent d'ailleurs la même méfiance. Calvin peut bien
affirmer que mépriser le mariage, c'est batailler «contre Dieu et
nature», souhaiter que les deux sexes sans distinction lisent la Bible,
il n'en soutient pas moins que la femme, créée dépendante de
l'homme, doit se contenter de «sa sujétion et qu'il ne lui vienne
point à déplaisir qu'elle est sujette au sexe plus excellent». Car la
soumission de l'épouse lui paraît garantir la soumission du couple à
l'autorité divine.

LA QUESTION D'ARGENT

Dans tous les milieux, paysans, bourgeois ou nobles, la grande
affaire, de génération en génération, était de maintenir et si possible
d'accroître le patrimoine. Aussi le mariage se traite-t-il comme un
contrat d'affaires entre deux familles, voire deux dynasties. Il est
d'ailleurs devenu, au XVIe siècle, un des rares facteurs de mobilité
sociale, le moyen d'acquérir des biens, et les femmes sont l'objet de
transactions entre familles. La liberté de choix, inexistante dans les
mariages princiers, conclus à des fins politiques, l'est également
dans l'aristocratie et la bourgeoisie. Peuvent faire obstacle à l'union
les empêchements de parenté (liens de consanguinité jusqu'au
quatrième degré inclus, parenté spirituelle qui interdit l'union entre
filleuls et parrain ou marraine).

Dans une société où les conditions sociales, fortement hiérarchi-
sées, se transmettent normalement de père en fils, la mésalliance est
redoutée, sinon impossible. La règle d'homogamie vaut également
dans le milieu paysan.

L'autorité paternelle est toute-puissante. Puisque le mariage met
en jeu les intérêts fondamentaux de la famille, c'est à son chef qu'il
revient d'en assumer la responsabilité : intérêts économiques la
plupart du temps, mais aussi préservation de l'honneur et de la
réputation de la lignée. Il faut éviter les mésalliances et rechercher
au contraire à s'allier à plus honorable que soi, tout en préservant
un précieux capital, l'honneur si fragile des jeunes filles. Et quand il
s'agit de filles séduites réclamant réparation, les théologiens prescrivent aux séducteurs des conduites différentes, mariage ou
compensation financière, selon qu'ils sont ou non de même condition que la plaignante.

Montaigne, convaincu du sérieux de l'institution, de son utilité et de sa nécessité, se résigne à suivre la coutume et l'usage. Il sait «qu'on ne se marie pas pour soi, quoi qu'on die ; on se marie autant ou plus pour sa postérité, pour sa famille». C'est pourquoi il lui paraît préférable de s'en remettre au choix de tierces personnes, au jugement d'autrui plutôt qu'au sien, dans «ce marché qui n'a que l'entrée libre».

Car pour limitée qu'elle soit, la liberté du mariage (sans impliquer que les intéressés choisissent eux-mêmes leur conjoint et moins encore soient épris l'un de l'autre) constitue une nécessité juridique : le mariage, défini comme un contrat, ne peut être valable que s'il est librement accepté par chacun des conjoints. L'Église s'était acharnée, pendant des siècles, à faire respecter cette liberté, tandis que l'État en France cherchait à renforcer le pouvoir parental. Cependant, en 1584, le confesseur Jean Benedicti écrivait dans sa *Somme des péchés* : «Si les enfants de famille se marient contre la volonté de leurs pères et mères, ils pèchent mortellement... Et l'enfant est tenu d'obéir, notamment quand c'est le profit de la maison.» Le père ne peut menacer de le battre ou le tuer, car il faut que le mariage soit libre. Mais il doit obéir, en vertu de la loi de charité qui oblige chacun non pas à chercher son bien particulier, mais le bien commun de tous, c'est-à-dire l'intérêt de la famille. C'est dire combien cette liberté était en fait peu reconnue. Les parents avaient d'ailleurs tout pouvoir de s'opposer au mariage des jeunes gens, jusqu'à ce qu'ils aient vingt-cinq ans.

«Elle n'a vouloir que le mien», assure un père de comédie. Telle autre n'ose protester mais se déclare «indignement vendue comme un cheval au plus offrant». Comme le père n'envisage pas de plus grand bonheur que la richesse, et qu'il songe à un établissement avantageux pour tous les siens, il se persuade qu'il agit pour le mieux. Le mariage est donc une transaction, où les sentiments n'ont rien à voir, et une loterie. L'égalité des conditions, du rang et de la fortune paraît la garantie la plus sûre de l'entente du couple. Si l'union d'une riche bourgeoise avec un gentilhomme désargenté semble admissible, on estime vouée à l'échec celle d'une femme avec un homme de condition inférieure, auquel elle risque de tenir la dragée haute, ce qu'illustrent à l'envi farces, comédies et nouvelles.

Dès qu'il est question de mariage, se pose le problème de la dot, véritable croix pour le père de famille dans tous les milieux. Les filles n'ayant rien à attendre de l'héritage familial, il faut les pourvoir dès le mariage, ou à leur entrée au couvent. D'où la tyrannie des parents, des tuteurs et des protecteurs, qui imposent à la jeune fille, sans la consulter, un prétendant de leur choix. Peu importe qu'elle aime ailleurs, que le futur soit un barbon peu engageant, ou simplement qu'il lui déplaise, s'il est bien pourvu, ou prêt à la prendre sans dot et à lui assurer un douaire avant les noces. On attend de la jeune fille une obéissance absolue. Le problème de la dot à donner en proportion du niveau social de la famille explique que dans les campagnes les filles se mariaient généralement tard – entre vingt-trois et vingt-huit ans –, plus tard qu'en milieu noble ou bourgeois. Et si la famille était trop pauvre pour les doter, il leur fallait acquérir par leur travail de quoi se mettre en ménage. Mais on peut croire en revanche que dans le peuple les mariages d'inclination n'étaient pas rares.

Dans les hautes classes de la société, à la Cour, l'union conjugale prêtait là aussi aux transactions les plus âpres. Le «contrat de mariage» du poème d'Amadis Jamyn raille les femmes mûres qui achètent un époux, en énumérant les conditions exorbitantes posées par l'exigeant jeune homme. Des exemples réels prouvent le bien-fondé de ces accusations. Ainsi Diane de La Marck, veuve du prince de Clèves et du comte de Clermont, donnait au comte de Sagonne, en vue de leur futur mariage, tous les biens qu'elle possédrait au moment de sa mort. Quelques années plus tard Sagonne, décidément très gourmand et devenu son mari, obtenait d'elle les droits sur divers immeubles dans les provinces du Midi, hérités de sa mère, Françoise de Brézé. La belle Rouet, Louise de La Béraudière, ancienne maîtresse d'Henri III, après une carrière galante, fit donation de tous ses biens à Robert de Combaut, gentilhomme de la chambre du roi, avant de l'épouser.

Si le mariage d'une toute jeune fille, livrée par son père à un vieillard qu'elle n'aimait pas, était fréquent et s'apparentait souvent à un viol légal, nombre de filles ou de femmes de la Cour se prostituaient sous des dehors d'unions légitimes ou d'amours passagères. C'était le cas lorsque l'époux consentait à sa future d'importantes donations. On cite parmi d'autres exemples celui du remariage du baron de La Moussaye, veuf à quarante ans, avec Anne de La Noue; le baron donna à celle-ci 10 000 écus comptant à la signature du contrat, et lui assigna sur ses terres un douaire de 2 500 écus. Il mourut moins d'un an après ce second mariage, qui se révéla une excellente affaire pour la jeune femme. Le maréchal de Monluc, qui se remaria à soixante-cinq ans avec la jeune Paule de Beauville, lui donna par contrat 12 000 livres dont elle pourrait disposer à son gré.

Brantôme ne s'est pas privé d'évoquer les pratiques scandaleuses de bien des filles de la Cour tirant de l'argent de leurs amants pour se constituer une dot et conclure par la suite des mariages avantageux. Telle Louise de L'Hospital-Vitry, qui n'était pas une pure vertu. Les biens considérables qui figuraient sur son contrat de mariage avec le sieur de Simiers (un capital de près de 45 000 écus) ne provenaient pas tous d'héritages légitimes! La galanterie à la Cour pouvait être source de revenus pour les hommes comme pour les femmes. Aussi l'ambassadeur vénitien Lippomano, qui trouvait les Françaises fort agréables dans leurs manières et leurs propos, les jugeait-il très intéressées.

MARIAGES CLANDESTINS

On imagine sans peine les abus qu'entraînaient à la fois la rigueur des contraintes sociales et la simplicité des formalités requises pour un mariage légal au XVIᵉ siècle. Pour mettre en échec la toute-puissante autorité parentale, les jeunes gens n'avaient comme recours que les mariages clandestins. L'*Heptaméron* en offre des exemples. Dans la nouvelle 21, Rolandine, ayant échangé des paroles de présent avec celui qu'elle aime, s'estime liée indissolublement à lui sans consommation charnelle du mariage. Le roi, qui veut le faire annuler, envoie en vain théologiens et juristes auprès d'elle : l'union est tout à fait valide. Dans les comédies humanistes qui se flattent de refléter «comme en un miroir» les mœurs du temps, les amoureux, pour contraindre les parents à accepter leur union, n'envisagent pas d'autre solution que de les mettre devant le fait accompli, de «prendre un pain sur la fournée» avant les noces, ou de faire, comme on dit, Pâques avant les Rameaux.

Sans doute le séducteur, si la demoiselle, était bien sûr «fille de maison», risquait-il d'encourir des peines sévères. Tel père de comédie voit déjà son fils, «ravisseur de filles», «supplicié au milieu d'une grève et d'une halle», «pâture des corbeaux ou forçat d'une galère». Les articles «Rapt» et «Subornation» du *Dictionnaire universel* de Furetière prouvent que ces craintes n'étaient pas sans fondement. Au mieux, le coupable pouvait être contraint d'épouser par les tribunaux, et certains étourdis voyaient dans le mariage un moyen d'échapper aux poursuites judiciaires. Quant à la jeune fille, elle vouait au déshonneur sa famille entière qui, pour se débarrasser d'elle, n'avait d'autre recours que de l'enfermer dans un couvent.

La solution du fait accompli pouvait se révéler aussi un moyen habile de se faire épouser. La jeune fille alors arrêtait son plan à l'avance : l'irruption fortuite des proches parents qui surprenaient les jeunes gens suffisait pour qu'on envoyât sur-le-champ chercher un prêtre pour les marier. Quant au père, malgré sa honte de l'outrage infligé à sa fille, il pouvait se flatter d'avoir ainsi réussi à la caser, parfois au-delà de ses espérances.

Les mariages clandestins étaient cependant fréquents dans toutes les classes de la société et même à la Cour. Le scandale causé par l'union secrète du fils du connétable François de Montmorency et de Jeanne de Halluin, comtesse de Piennes, dame d'honneur de Catherine de Médicis, amena Henri II, après un procès qui aboutit à la cassation du mariage, à promulguer en 1556 un édit relatif aux enfants ayant conclu un mariage « contre le gré, vouloir et consentement et au desceu [à l'insu] de leurs pères et mères ». Il n'invalidait pas les alliances clandestines, mais autorisait les parents à déshériter leurs enfants, mesure beaucoup plus grave qu'on ne l'imagine aujourd'hui, les bâtards seuls étant privés de la succession paternelle. L'union de Montmorency et de Mlle de Piennes avait été consommée et ne pouvait être annulée en droit canonique.

L'édit de 1556 prévoyait que les mariages consommés avant sa publication restaient valables. Il ne s'appliquait pas aux filles de plus de vingt-cinq ans et aux hommes de plus de trente ans, à la condition qu'ils eussent préalablement requis l'avis de leurs parents. Pourtant la tante d'Anne de Rohan, Mlle de Jossebelin, dont l'âge lui permettait de disposer de sa personne, fut enfermée par son frère qui mit à mort son époux, et le frère n'encourut aucun châtiment. La justice se montrait clémente lorsque la famille recourait à ces vengeances expéditives.

Favorable aux mariages d'inclination (les éloquentes plaidoiries qu'elle prête à certaines héroïnes le prouvent), Marguerite de Navarre opte cependant pour la conciliation de l'amour et des convenances sociales, sans prendre pour autant la défense des intérêts parentaux ou de la tyrannie paternelle. Mais elle fait appel au bon sens : s'il était permis à tous et à toutes de se marier selon leur volonté, combien de mariages « cornus » trouverait-on ? « Est-il à présupposer qu'un jeune homme et une fille de douze ou quinze ans sachent ce qui leur est propre?» fait-elle dire à la plus respectable de ses devisantes. Les mariages qui se sont faits «par amourettes» n'ont souvent pas d'issue plus heureuse que ceux qui ont été faits «forcément» (c'est-à-dire arrangés par les familles). Le choix est trop important pour être laissé à la seule inclination du cœur.

Rabelais, lui, s'est élevé avec une indignation véhémente contre les mariages contractés «sans le sce [su] et adveu [accord] des pères et mères» au chapitre XLVII du *Tiers Livre*. Il s'en prend très spécialement aux mauvais moines, les «Taulpetiers», qui favorisent aveuglément de telles unions par cupidité et abusent de la naïveté des jeunes filles. Il plaint, de plus, les «dolents pères et mères qui voient hors leurs maisons enlever et tirer par un inconnu, étranger, barbare, mâtin, tout pourri, chancreux, cadavereux, pauvre, leurs tant belles, délicates, riches et saines filles».

Aussi estime-t-il que le père, apprenant le «rapt», «diffame [diffamation] et déshonneur de sa fille», avec autant de désespoir qu'il apprendrait sa mort, peut «par raison et doit par nature occire sur l'instant le coupable et n'en sera par justice appréhendé».

La dureté du ton est inhabituelle chez Rabelais. Il souligne la gravité du problème, dont les contemporains étaient conscients. Luther, dès 1524, Érasme dans deux *Colloques*, au moins. *La Vierge mesprisant mariage* et l'*Institution du mariage chrétien*, s'étaient élevés, eux aussi, contre les unions clandestines. Le concile de Trente ne parvint pas à les empêcher. Il se borna à déclarer que l'Église les «détestait». En 1563, il rendait obligatoire la publication des bans, la présence des témoins et le consentement des parents dans le droit canon, conditions que la loi civile jugea nécessaires treize ans après, pour s'opposer aux abus qui découlaient de la législation antérieure. Ces mesures furent-elles efficaces? En tout cas, au XVIIe siècle, la littérature soulèvera beaucoup plus rarement le problème du mariage clandestin.

LE MARIAGE VÉCU

Si les débats sur le mariage prouvent que sa législation appelait des réformes, le concert de lamentations et de récriminations qui s'élève des nouvelles montre assez les périls auxquels on s'expose sur «l'océan de mariage». Le constat d'ensemble est assurément pessimiste, mais le ton varie avec le sexe de l'auteur et éclaire très différemment l'image de la femme mariée. La littérature narrative, littérature de l'expérience qui se nourrit de la vie quotidienne, et dont la fonction est de «parler de la vie du temps» pour la réfléchir et la styliser, accorde une large part aux scènes de la vie conjugale.

Les nouvelles écrites par les hommes manifestent, en majorité une misogynie agressive qui rappelle celle des *Quinze Joyes*. Très souvent adressées ou dédiées aux dames, elles sont en fait toujours contées en référence à l'homme et c'est la voix masculine seule qui se fait entendre, le plus souvent celle de «vieux François» dont les propos reflètent la tradition gauloise si gaillardement méprisante à l'égard du sexe féminin. Quoi d'étonnant si cette production narrative facétieuse, à de rares exceptions près, profondément marquée par l'influence rabelaisienne, se penche avec prédilection sur les malheurs conjugaux – les couples heureux n'ont pas d'histoire – et si la satire de la femme, vieux thème comique éprouvé, y tient une place envahissante ?

L'homme, pris au piège dans la «nasse» du mariage, redoute avec raison la limitation de sa liberté et doit s'attendre en outre à tous les maux que la malice féminine fait naître inévitablement dans le ménage. Alice la Regrognarde, Jeanne Cabriole, Colette des Culetis, ces surnoms grossiers des femmes du *Formulaire* du notaire Du Troncy les dénoncent sans ambages. Des *Comptes du monde adventureux* au *Passe-temps* de Le Poulchre, que de «prisons de mariage» et d'enfers conjugaux! Toutes les nuances de la mésentente sont passées en revue, des récriminations et des querelles qui deviennent affaires publiques aux coups de bâton et aux sévices violents. Sans s'ériger en censeur impitoyable du sexe faible comme Nicolas de Cholières, pour qui «femme bonne est chose contre nature», la plupart des auteurs trahissent, au travers de l'imposante galerie de leurs mégères domestiques, le mépris du clerc pour la femme et la peur secrète qu'elle lui inspire.

Ce qui ressort de toutes les nouvelles écrites par des hommes, c'est que le mariage est une obligation à laquelle on ne se soustrait pas. Elles démontrent l'extraordinaire importance de l'association conjugale – dont l'échec ou la réussite marque toute la vie – pour la défense du patrimoine et la vie sociale. «*Dura lex, sed lex.*» Le père a hâte de se «soulager l'esprit» en mariant sa fille dès que possible. Le célibat n'est pas admis pour les hommes au-delà d'un certain délai. Il leur faut s'établir avantageusement, se donner une postérité. Quant aux veufs, ils cherchent vite une intendante pour tenir la maison. L'impatience de ces contraintes jointe à une tradition misogyne tenace de la littérature facétieuse justifie l'image peu flattée de la femme mariée qui voue le mari à l'inéluctable cornardise et fait de sa vie un enfer.

Il serait injuste de dénier toute impartialité aux auteurs. Beaucoup reconnaissent, de bonne grâce ou sur le mode indigné, que l'épouse n'a pas tous les torts et font porter au mari les responsabilité des querelles, des haines et des vengeances. Les femmes bafouées, trompées ou battues, soumises à d'injurieuses contraintes, ont souvent des raisons d'être acariâtres, légères et infidèles. Le misogyne Nicolas de Cholières rejoint Noël du Fail dans la condamnation des «unions impareilles», où la différence d'âge est excessive. L'avarice paternelle qui livre un tendron à un vieillard est blâmée par Du Troncy. Les devisantes du *Printemps* de Jacques Yver s'élèvent contre l'injustice des hommes qui font les lois, et s'accordent toutes les libertés qu'ils dénient aux femmes.

L'institution du mariage ne serait-elle pas directement responsable des maux qui attendent les époux condamnés à vivre ensemble, et de la conduite féminine? Telle est la conclusion proposée, semble-t-il, par l'aimable auteur du *Printemps* dans la cinquième histoire. Jacques Yver montre l'issue malheureuse des deux mariages de Claribel et Floradin, dont l'un a été décidé par la famille et l'autre par l'intéressé lui-même. Tous deux n'en sont pas moins cocus. La morale du «change», l'inconstance amoureuse prônée dans le *Printemps* peut-elle s'accommoder de l'infrangibilité du mariage? Plus nettement encore s'élève la protestation d'un misogyne comme Le Poulchre, convaincu de la légitimité du divorce même s'il est résolument condamné par l'Église. Le lien conjugal peut être rompu pour des raisons physiques. Pourquoi le maintenir contre la volonté des époux si tous les deux souhaitent s'en affranchir? Mieux vaut offenser Dieu une fois par cette rupture que l'offenser continuellement par la désunion et le souhait de la mort du conjoint, seule porte pour sortir de cette «commune misère».

L'*Heptaméron* de Marguerite de Navarre donne un exemple saisissant des conséquences tragiques de l'indissolubilité du mariage. Une femme abandonne son mari pour aller vivre avec un chantre du roi Louis XII (nouvelle 60). Elle feint d'être morte, on l'enterre, le chantre vient la déterrer et le mari, se croyant veuf, se remarie avec une «belle et honnête femme de bien» qui lui donne plusieurs enfants. Après quinze ans de vie commune, la supercherie de la première femme est dévoilée. Sur l'intervention de l'Église, puis des dames de la ville, le pauvre bigame doit laisser la bonne épouse pour reprendre la mauvaise qu'il hait et qui le hait. Du sort de la seconde femme, on ne sait rien.

L'importance même que tous ces recueils donnent à celles-ci souligne, à l'évidence, leur rôle fondamental dans la famille et la société. Ils tracent presque tous le portrait de l'épouse, maîtresse au foyer, âme et tête de la maison, qui affirme sa supériorité dans le domaine de la vie pratique. Dans toutes les classes sociales, la quenouille est le symbole du travail féminin. Les nouvelles laissent entrevoir les lourdes tâches quotidiennes, «buées» (lessives), soin du ménage, charge des enfants, surveillance des serviteurs en milieu bourgeois, travail partagé avec le mari chez les artisans et les paysans. Associée au mari, c'est elle qui gère les finances du ménage et montre souvent ses capacités dans le maniement des affaires au même titre que lui. On ne songe pas à contester son autorité, sa compétence, son sens pratique dans la vie domestique, dont le mari lui abandonne volontiers la direction. Mais son ignorance, son inculture totale dans les milieux populaires (où la femme sait très rarement lire, encore moins écrire) la prive de toute initiative autre que ménagère. Hors de la maison, sa gaucherie est souvent tournée en dérision. La «simplicité» des femmes, source d'un riche réper-toire de contes plaisants, la maintient sous la dépendance d'un mari auquel la société fait un devoir de la tenir sous sa coupe. Ces silhouettes d'épouses rapidement esquissées nous éclairent bien mieux sur la réalité vécue que toutes les déclarations de principe sur le comportement féminin.

Aux récriminations masculines répondent les protestations fémi-nines. Nous les entendrons plus loin.

IV

Misères de la vie conjugale

INDÉCENCES ET SÉVICES

Dans une époque où brutalités et violences envahissent tous les domaines de la vie sociale, on ne s'étonne pas que le mariage y prête aussi, ou, à tout le moins, qu'il prête à des pratiques choquantes pour une sensibilité moderne.

Selon les provinces, les cérémonies nuptiales comptent diverses redevances dues par les nouvelles mariées – chanson, danse, baiser au seigneur, dons en argent et en nature –, certaines incluses dans les droits seigneuriaux depuis le Moyen Age et dont le caractère sexuel risquait d'être fort intimidant. La jeune fille pouvait être «visitée» à la demande du futur époux, pour qu'il s'assure de sa virginité. Quant à la future reine, elle subissait, sans égard pour sa pudeur, une inspection complète destinée à apprécier son aptitude à la procréation. Ce que fit Antoine de Bourbon, avant d'épouser Jeanne d'Albret, mère d'Henri IV, qu'on avait contrainte à douze ans d'épouser d'abord le duc de Clèves. Mais le mariage n'avait pas été consommé. Le roi de Navarre pria la sénéchale de Poitou, grand-mère de Brantôme, de s'en assurer, et celle-ci put jurer après avoir «visité» Jeanne, qu'elle était pucelle.

La nuit de noces est une épreuve pour les deux époux, victimes de toutes sortes de tracasseries ou taquineries traditionnelles : déshabillage, mise au lit du couple, bouillon aphrodisiaque, sérénade moqueuse, surveillance goguenarde des spectateurs, «cachés à l'accoutumée» dit Brantôme, qui épient les opérations, «réveillon» apporté aux mariés, plaisanteries et interrogations équivoques le lendemain matin. A cet égard, les noces en ville ou à la Cour n'avaient rien à envier aux noces villageoises.

Certaines jeunes épouses redoutaient tant ces rituels qu'elles préféraient prendre la fuite pour y échapper. La pucelle éprouve des appréhensions d'autre nature. Et celles qui ne le sont pas doivent user de stratagèmes, bien instruites par la mère, les parentes et compagnes, pour faire croire à leur virginité. La plupart, selon Brantôme, toujours bien informé, feignent une «grande résistance à cette pointe d'assaut», font la farouche et la diablesse, contentant si bien les maris que ceux-ci le racontent le lendemain à leurs amis, surtout peut-être à ceux qui ont eu les ultimes faveurs de la dame et en rient à part eux tout leur saoul. Autre remède dont peuvent s'aviser celles dont la vertu n'a pas été à toute épreuve : montrer le lendemain des noces un «petit linge teint» (de sang de pigeon), préparé d'avance. Des spectateurs cachés selon la coutume surveillent les nouveaux époux et un quidam survient pour dérober le linge, le montre à l'assistance et l'on crie bien haut qu'elle n'est plus vierge. A condition que le marié n'ait pas eu ce soir-là les aiguillettes nouées. Auquel cas, puisqu'il n'a rien fait, il se doute de quelques «fourbes et astuces putanesques» et la dame se discrédite elle-même.

Nombreuses sont celles aussi qui font raccoutrer leur pucelage par quelque matrone experte en la matière, pratique à laquelle la littérature narrative fait souvent allusion.

Le mari craignait d'affronter le sang féminin de la défloration (maléfique, impur, donc dangereux) et plus encore redoutait l'impuissance, véritable obsession masculine du temps, le «nouement d'aiguillettes», attribué à quelque sortilège. Montaigne conte ainsi avec humour, dans le chapitre «De la force de l'imagination», comment il rassura un de ses amis, «comte de très bon lieu», en proie à cette appréhension le jour de ses noces, en lui confiant un manteau, garni d'une médaille, à jeter sur le lit nuptial pour en couvrir les deux époux. Le talisman fit merveille, pour la plus grande satisfaction du comte.

L'impuissance est par ailleurs l'une des causes de la dissolution ou plutôt de l'annulation du mariage. La conjonction charnelle, nécessaire pour assurer la postérité et remédier à la concupiscence, est un devoir auquel on ne peut se soustraire. Pour l'épouse, étroitement soumise, en droit, au mari, il est pourtant un lieu où elle est, en principe, son égale, c'est le lit conjugal. Saint Paul qui, dans l'Épître aux Éphésiens, avait consacré la subordination de la femme, affirmait, dans la première lettre aux Corinthiens, qu'elle avait les mêmes devoirs et les mêmes droits sexuels que son mari.

Que celui-ci refuse, ou ne soit pas capable d'acquitter la dette conjugale, il ne peut procréer et incite sa femme au péché, à l'adultère. Elle est donc en droit d'intenter un procès. Pour attester en public l'impuissance du mari, celui-ci, après qu'il avait fait la preuve du « mouvement naturel » et de l'éjaculation, devait subir l'épreuve du congrès, ainsi définie dans le *Dictionnaire français* de Richelet : « accouplement charnel de l'homme et de la femme ordonné par l'arrêt de la Cour ». Autrement dit le mari devait accomplir intégralement le devoir conjugal en présence de témoins, médecins, chirurgiens et matrones.

D'abord, le couple était visité nu depuis le sommet de la tête jusque à la plante des pieds en toutes les parties du corps, et la femme plongée dans un bain (on la débarrassait ainsi d'éventuels astringents). Puis les témoins se tenaient près du lit ou se retiraient à l'écart pour conférer. Le congrès pouvait durer quelques heures ou plusieurs jours. On imagine qu'il était malaisé de faire la preuve de sa virilité dans de telles conditions. Apparu vers le milieu du XVIe siècle, le congrès – spécialité purement française – fut aboli en 1677. Le médecin Nicolas Venette devait condamner énergiquement, dans son *Tableau de l'amour conjugal*, au nom de la pudeur, cette pratique, « l'infamie des sexes et le déshonneur de notre temps ». Ce n'est, selon lui, « qu'un prétexte de divorce et qu'un effet de la lasciveté et de l'audace des femmes... De mille hommes, il n'y en a peut-être pas un qui puisse sortir victorieux du congrès public ».

Il n'y en eut guère en effet. L'accusé, déshonoré, non seulement perdait la face, mais il perdait aussi la dot de sa femme, qu'il devait restituer. Brantôme et Pierre de L'Estoile ont conté l'un et l'autre combien, en septembre 1577, les Parisiens firent des gorges chaudes du procès qui eut lieu en la Cour du parlement de Paris entre le sieur de Bray, trésorier, frère de la dame de Grandu (cette grande hypocrite et bigote de Paris) et la fille unique de la demoiselle de Corbie... « On ne parlait quasi d'autre chose, c'était de quoi faire rire les compagnies, et permettre aux esprits gaillards de mettre la main à la plume et écrire force pasquils, sonnettes et sonnets », dit L'Estoile. Il ne cite pas moins de neuf poèmes satiriques, et obscènes, dont un de Remi Belleau, qui coururent alors.

La séparation de corps peut être prononcée en cas de brutalité du mari. Encore faut-il que celle-ci soit exceptionnelle car le mari, responsable des mœurs de sa femme, a le devoir, imposé par l'Église, de la corriger. Dans son traité *De l'heur et malheur du mariage* (1564), Jean de Marconville consacre un chapitre à la «correction dont on doit user envers les femmes». Jean Benedicti n'interdit pas au mari de battre sa femme, mais l'empêche de le faire «atrocement ou avec cruauté». Inférieure certes, elle n'est ni esclave, ni chambrière. Au reste, les mauvais traitements, les violences physiques exercés par le chef de famille rencontrent l'indulgence générale. Ils ne semblent condamnables que s'ils mettent en danger la vie de l'épouse.

Les juges répugnent à régler les litiges conjugaux, à intervenir en matière de séparation, même lorsque le bon droit est du côté de l'épouse, que le mari entretient quantité de maîtresses dans la maison familiale, maltraite femme et fille, les prive du nécessaire, les séquestre pour obtenir que sa femme signe des donations en sa faveur. C'était le cas de Philippe de Danneval qui, maltraitée pendant dix-huit ans, sollicita la protection de la Cour. Elle obtint la séparation de corps, jamais la dissolution du mariage.

LES SANCTIONS DU COCUAGE

La punition de la femme adultère entraîne des violences plus graves qui peuvent aller jusqu'à la mort. Là entre en jeu la discrimination sociale entre l'adultère masculin et féminin. Péché véniel, toléré venant du mari, et même communément admis, il est passible des pires sanctions pour la femme. Elles se justifient par la valeur attachée à la chasteté féminine sur le marché du mariage. Vierge le soir des noces, l'épouse doit être fidèle pour assurer à l'époux une descendance légitime. Les tromperies masculines, elles, sont sans conséquences et la sagesse, de l'avis général, est de ne pas s'en inquiéter ou de ne pas s'en plaindre, ce qu'on jugerait même ridicule. Rappelons d'ailleurs que le terme de cocu ne s'applique qu'aux hommes.

L'adultère féminin, s'il n'est pas tenu secret, ne compromet pas seulement la réputation de la coupable, mais aussi celle de son mari, dont la virilité est alors mise en cause, comme son aptitude à bien gouverner et à conserver son bien. La femme infidèle constitue un facteur d'incapacité dans l'obtention de certaines charges, publiques ou honorifiques et, dans les communautés villageoises, des punitions rituelles sanctionnent et l'épouse et le mari trompé.

Le prix à payer pour l'amour illégitime est donc beaucoup plus élevé pour les femmes. Brantôme admire d'ailleurs la hardiesse de celles qui ne craignent rien pour contenter leurs amours, «bien qu'elles y courent, dit-il, plus de fortune et dangers que ne fait un soldat ou un marinier aux plus hasardeux périls de la guerre ou de la mer».

Les maris seuls, non les épouses, peuvent intenter un procès en adultère. Le meurtre d'une infidèle, surtout si elle est prise en flagrant délit, bénéficie de l'indulgence des juges : on admet aisément qu'un mari venge son honneur, on peut même l'en féliciter. L'infidélité, estime l'un des devisants de Marguerite de Navarre, séducteur impénitent, défenseur acharné des exigences de la nature, «est la plus grande injure que la femme peut faire à l'homme».

L'époux a sur sa femme les droits qu'il exerce sur une fille mineure. Il peut légitimement l'emprisonner, l'expédier dans un couvent. Condamnée pour adultère, la femme perd ses biens dotaux et paraphernaux, c'est-à-dire les biens qui ne font pas partie de la dot et dont elle conservait jusque-là la disposition. Les peines qu'elle peut subir dépendent de l'humeur du mari. La plus fréquente était l'enfermement chez les Filles repenties, un cloaque infernal.

La réclusion à domicile est attestée à plusieurs reprises dans le second livre des *Dames* : l'une d'elles était enfermée dans une chambre, mise au pain et à l'eau et bien souvent le mari la faisait «dépouiller toute nue et la fouettait son saoul».

Brantôme rappelle aussi la nouvelle 32 de l'*Heptaméron* où l'épouse infidèle, tête rasée, vêtue de noir, condamnée à la solitude et au silence, est contrainte de boire dans le crâne de son amant, tué par son mari, vivant en grande repentance. Le Président de la nouvelle 36 attend quinze jours avant de faire manger une mortelle «salade d'herbes» à sa femme qui l'a trompé avec un jeune clerc. Certains maris préfèrent en effet infliger une mort lente, tel le vieillard qui fit prendre à la sienne un poison dont elle languit plus d'un an, devint sèche comme bois. Il allait la voir souvent, s'en moquait, disant qu'elle n'avait «que ce qu'il lui fallait». Plus sadique encore, le chevalier qui après avoir tué l'amant, livra sa femme pour la punir à une douzaine de ribauds, avec double paye s'ils s'en acquittaient bien, ou le seigneur qui contraignit sa femme à coucher avec le cadavre, «charogneux et puant», de l'amant décapité. D'autres maris, jaloux durant leur vie, le sont encore sur le point du trépas, et redoutant d'être cocus après leur mort « avancent secrètement les jours à leurs moitiés », ou les défigurent, pour qu'un autre n'ait pas le même plaisir qu'ils ont eu avec elles.

Meurtres et vengeances ne se rencontrent pas seulement en littérature. Dans la vie réelle aussi, le châtiment de la coupable est impitoyable : *Le Journal d'un bourgeois de Paris* mentionne celui qui fut infligé en 1522 à l'épouse de Louis Rugé, lieutenant civil du Châtelet de Paris, convaincue d'adultère. Elle fut condamnée, avec sa chambrière, « à être battue derrière la custode [en secret], à être privée de la communauté de biens avec son mari et de son douaire, et à être tondue et vêtue en habit de religieuse à toujours et qu'elle aurait la discipline (le fouet) par trois vendredis, par l'abbesse ». Pierre de L'Estoile rapporte, avec Brantôme, comment en 1577, René de Villequier poignarda en pleine Cour, à Poitiers, sa femme Françoise de La Marck et obtint sans peine d'Henri III sa « grâce et rémission ».

Brantôme s'élève contre ces pratiques barbares et contre le meurtre des épouses coupables. Il est toujours injustifié. La répudiation ne serait-elle pas une punition suffisante ? Ne vaudrait-il pas mieux avoir recours au pape pour annuler des mariages malheureux ? Dieu a défendu le meurtre et des pécheresses comme la Madeleine ont obtenu sa miséricorde.

Il est pourtant surprenant de voir mentionner avec admiration chez les deux mémorialistes « l'acte généreux » de Mlle de Châteauneuf qui, mariée « par amourette » à un Florentin qu'elle trouva paillardant avec une autre, « le tua bravement et virilement de sa propre main ». La vengeance était tenue pour preuve de courage, et d'honneur (masculin surtout).

La sensualité féminine n'est pas toujours la seule cause de l'adultère. Et Brantôme d'énumérer les exemples de « ces cas qui se font par vengeance ». Certains grands seigneurs prennent plaisir à faire l'amour aux femmes de ceux qui leur ont fait « quelques desplaisirs et affronts », des épouses maltraitées ou bafouées veulent prendre leur revanche, ainsi un prince qui méprisait assez la sienne pour l'avertir chaque fois qu'il s'ébattait chez lui avec sa maîtresse en criant : « Brindes ! » (à votre santé). La malheureuse lui avait voué une fidélité dont elle ne se serait jamais départie, s'il ne l'avait ainsi traitée. Il la tua avec son amant. De tels assassinats sont légion dans les *Dames*, et restent apparemment impunis.

Une femme peut-elle être coupable contre son gré, à son corps défendant? L'*Heptaméron*, on l'a vu, en donne des exemples. Infidèles sans le vouloir, beaucoup le deviennent lorsque, sans défense, elles sont victimes de la violence masculine. Ainsi, la jeune mariée de la nouvelle 48, abusée et «tourmentée» par un vieux cordelier qui devance le mari dans son lit, ou l'infortunée de la tragique nouvelle 23 qui, trompée de même façon par un autre cordelier, se pend de chagrin. La jeune demoiselle de la nouvelle 26, qui a repoussé les avances d'un voisin, est prise «par force» pendant son sommeil par le brutal qui a réussi à entrer dans sa chambre et se couche tout botté et éperonné dans son lit. Il la menace, si elle révèle sa présence, d'assurer à tout le monde que c'est elle qui l'a fait venir. Menace classique, souvent utilisée par les séducteurs dans le *Décaméron* ou la comédie, et dans la vie réelle.

Chez les écrivains masculins, la dame se félicite finalement de l'aventure. Ce n'est pas le cas de l'honnête demoiselle qui a cédé à la contrainte. Mais l'auditoire estime qu'elle aurait dû effacer cette aventure de sa mémoire plutôt que de se trahir en la racontant sous le nom d'une autre! Brantôme pose autrement le problème. Le viol était monnaie courante durant les guerres civiles. Les femmes qui l'avaient subi, comme bien des huguenotes à la Saint-Barthélemy, avaient-elles offensé Dieu? Avaient-elles trompé leur mari? Le mémorialiste partage l'avis du prêtre consulté par l'une d'elles: si elle y avait pris plaisir, certainement elle avait péché, non pas si elle y avait eu du dégoût. Mais adoptant l'habituel point de vue masculin, il a du mal à croire qu'une femme ne se plaise pas à être forcée. Il avoue d'ailleurs que la jouissance du partenaire augmente si la dame fait un peu la difficile et résiste. Ce que savent et mettent en pratique les plus habiles.

Mariage et adultère peuvent parfois faire bon ménage. Le mariage a l'avantage d'être une «courtine qui cache tout», y compris le «ventre enflé». Aussi telle demoiselle demande-t-elle à son serviteur d'attendre un peu qu'elle soit mariée pour lui donner le «plaisir d'amour». Cette liberté d'action s'acquiert parfois grâce à une entente cordiale. Une dame l'obtient en donnant chaque mois à son mari «trois mille francs pour ses menus plaisirs», une autre, plus chanceuse encore, reçoit du sien congé d'agir à sa guise, pourvu qu'il puisse en faire autant. Tous deux mirent «la plume au vent et voilà bonne vie».

LA VIOLENCE FÉMININE

Les rapports conjugaux, comme bien d'autres relations sociales à l'époque, sont souvent marqués par la violence. Réservée au mari en principe, par son droit de correction, la violence qui vient des épouses a laissé des traces, dans les actes judiciaires notamment. Les procès en appel devant le parlement de Paris, pour meurtre du conjoint, de 1580 à 1620, mettent en accusation 97 femmes et 106 hommes, originaires de tous les milieux sociaux.

Les procès des femmes ne concernent pas directement le geste meurtrier, comme ceux intentés aux hommes. Pour établir la culpabilité féminine, les juges accordent beaucoup d'importance aux présomptions (les témoignages oculaires étant rares), qui reflètent des préjugés : la conduite de la femme est très précisément évaluée, car son insoumission, comportement blâmable comparable à un acte d'agression, est assimilé à sa responsabilité dans la mort du mari.

L'infidélité de l'épouse n'est donc pas scandaleuse uniquement en raison de l'éventualité d'une progéniture illégitime, mais parce qu'elle la fait échapper à l'autorité du mari. Aussi les juges s'enquièrent-ils des rapports sexuels des époux, où doit se manifester l'obéissance de la femme. Le principe de la correction maritale n'est jamais mis en cause, seulement ses excès. Une femme meurtrière n'est donc pas nécessairement une femme qui a tué son mari, mais peut-être seulement une femme insoumise dont le mari a été tué.

La violence «ordinaire», qui caractérise la vie conjugale, apparaît dans les procès intentés aux femmes. Les accusées peuvent assurer avoir vécu «en bon ménage» et admettre avoir été battues, ce n'est pas contradictoire. Et dans les procès intentés aux hommes, ceux-ci estiment pouvoir exercer sur leurs femmes une violence «raisonnable», juges et témoins en sont d'accord. Beaucoup présentent sa mort comme un accident. En revanche, qu'une femme batte son mari est une preuve d'insoumission et un déshonneur pour lui. Mais les maris battus sont punis, bien réellement, par les chevauchées de l'âne, où ils sont promenés à califourchon, à l'envers, et déclenchent railleries et injures. Deux chevauchées en 1566 et 1578 à Lyon livrèrent ainsi aux quolibets des voisins, huit et treize infortunés coupables d'avoir manqué au rôle dominateur de leur sexe.

Lorsque les disputes conjugales s'achèvent par une mort, c'est en général celle de la femme (à trois exceptions près dans les procès cités) : c'est que les hommes ont d'ordinaire un couteau sur eux, alors que les femmes se contentent d'armes de fortune, et qu'elles sont plus faibles physiquement.

La violence physique ne suffit pas toujours à contraindre la femme à la soumission totale. Le mari ne peut alors l'obtenir que par la reconnaissance et l'acceptation de son pouvoir par l'épouse, ce que Pierre Bourdieu appellera la violence symbolique. L'Église et l'État s'y emploient également, les théologiens en fondant les rapports conjugaux sur le devoir absolu d'obéissance de la femme, assujettie au mari, selon Jean Benedicti, «par droit divin et humain», la justice royale parce qu'elle veut maintenir l'ordre conjugal dans sa dimension sociale et politique. L'État et le mariage sont fondés également sur l'autorité masculine. Les procès pour homicide du mari ont donc pour fin d'amener les accusées (par la torture si la sanction n'est pas la mort) à reconnaître leur faute sinon dans le crime du moins dans l'inconduite, c'est-à-dire l'insoumission (tromperie ou injures parce qu'il va à la taverne ou qu'il dissipe les biens du ménage). Car juges et témoins établissent tous un rapport entre inconduite et culpabilité. Seules six d'entre les coupables, timides devant les juges d'ordinaire, avouent avoir été infidèles, ou avoir injurié leur mari, tout en niant l'avoir tué, deux osent rétorquer comme Jeanne Paulene (24 janvier 1585), qu'elles ne pensent pas que «tous ceux qui baisent fassent mal», c'est-à-dire soient nécessairement des meurtriers.

Pourtant, si le pouvoir du mari, fondé sur le droit à la violence paraît l'emporter sur les contre-pouvoirs féminins (richesse, appuis familiaux), l'opposition entre les deux sexes n'est pas aussi simpliste qu'elle le paraît. Il semble que l'expérience de la vie conjugale conduise les femmes à négocier les rapports de forces et à prendre conscience de leurs pouvoirs : les accusées les plus âgées (souvent plusieurs fois mariées) sont les moins dociles, celles qui se défendent le mieux, osent riposter et contester les accusations. Non que le mariage soit, en général, très favorable aux femmes, mais certaines ont su échapper à l'assujettissement.

RÉCRIMINATIONS FÉMININES

La vie, les sentiments de la grande majorité des femmes de la Renaissance ne sont guère connus que par les archives qui témoignent de leur rôle dans la vie économique, par les institutions qui imposent un cadre social à leur existence et par ce qu'en disent ceux qui écrivent. Les voix masculines ont été longtemps les seules à se faire entendre. Au XVIe siècle, celles des femmes commencent à s'élever en contrepoint à celles des hommes pour protester contre leurs préjugés, leurs injustices, les souffrances que le mariage réserve à leur sexe, ou simplement pour confier leurs rêves et leurs espoirs.

Dans *Les Angoisses douloureuses qui procèdent d'amour* (1538), la première romancière française se fait l'interprète de la protestation féminine. Elle retrace, dans sa première partie, les malheurs exemplaires d'Hélisenne de Crenne (pseudonyme de Marguerite Briet), en partie inspirés par certains aspects de la vie de l'auteur (malheureuse en mariage, elle obtint un jugement en séparation de biens), et inaugure le roman à la première personne. Mariée trop jeune (onze ans) à un gentilhomme qu'elle ne connaît pas mais qu'elle aime aussitôt, la seule vue du beau Guénélic suffit à lui inspirer une violente passion qu'elle s'efforcera en vain de dissimuler et de réprimer. Guénélic n'est ni noble, ni riche, il est indiscret et avantageux. La jalousie d'un mari qu'elle n'aime plus, ses insultes, sa brutalité maladroite, les conseils de son confesseur et de son entourage ne parviennent pas à détourner cette âme ardente d'un amour qui va faire le malheur de sa vie. Compromise par les imprudences de Guénélic (sans jamais s'être donnée à lui) elle est contrainte par son mari à quitter la ville et est enfermée dans une résidence de campagne. Torturée de remords, déchirée entre un mari malgré tout estimable et un amant qui est loin d'être irréprochable, partagée entre la crainte de l'un et la méfiance pour l'autre, Hélisenne, dans son *Epistre dédicative*, offre sa douloureuse histoire aux nobles dames pour émouvoir leur compassion et les inciter à «éviter les dangereux lacqs [filets] d'amour en y résistant du commencement». Elle plaide coupable, puisque sa volonté reste impuissante devant une passion irrésistible qui s'adresse à un autre qu'à son mari, mais n'en fait pas moins figure de victime. Cette complainte de l'amour adultère féminin, sur le modèle de la *Fiametta* de Boccace, est une protestation contre la traîtrise des hommes, amortie par la résignation et la lassitude et, implicitement, contre la prison conjugale.

Les *Misères de la femme mariée*, déplorées dans les stances de Nicole Estienne, nous amènent dans la grisaille de la vie bourgeoise quotidienne. Cette pièce, à apporter au dossier de la querelle du mariage qui rebondit à la fin du siècle, riposte au pamphlet antiféministe les *Stances du mariage* (1573), où le poète Desportes, dans la tradition des *Quinze joyes*, recense les misères de l'homme marié, que l'épouse soit riche ou pauvre, humble ou fière, jeune ou vieille, belle ou laide. Nicole, dame Liébault, «Olimpe» en littérature, appartient à la célèbre famille des Estienne et fut aimée de Jacques Grévin, médecin, poète et auteur dramatique. Son recueil – posthume –, dédié à une religieuse, oppose à la vie matrimoniale la vie de la nonne qui surpasse d'autant le mariage que la vie contemplative surpasse l'activité. Sa publication répond sans doute à la propagande idéologique de la Contre-Réforme. Les griefs féminins, repris aux débats antérieurs, contre «les travaux continus et le cruel martyre» du mariage n'en sont pas moins traduits avec un accent de sincérité indéniable. Ils portent aussi bien sur les imperfections de l'institution elle-même que sur la «malice» des partenaires masculins, selon le schéma des recueils antiféministes contemporains, *Les Espines de mariage, La Complainte des mal mariés*, etc.

Nicole met en cause la facilité de l'engagement et ses conséquences durables : «Et un seul petit mot promis à la légère / Nous fait vivre à jamais en peine et en misère», les motifs discutables qui le déterminent : «On songe seulement aux biens et aux lignages / Sans connaître les mœurs et les complexions.» Elle dénonce l'iniquité du lien qui rend une jeune ignorante «sujette à un vieillard» au sortir de l'enfance, la légèreté avec laquelle il se noue, alors qu'il «ne peut seulement que par mort prendre fin». Elle s'en prend aux lois tyranniques par lesquelles les hommes se font «maîtres du corps et de la volonté», lois imposées non par Dieu mais par eux-mêmes. L'épouse, qui devrait être une compagne, n'est qu'une servante. A l'hypocrisie des premières approches succèdent les récriminations injustes. L'infidélité masculine a droit à toutes les indulgences : il pourra toujours avoir quelque amie nouvelle et n'en sera pas moins «réputé homme de bien». L'évocation des douleurs de la grossesse (dix ou quinze en trente ans de fécondité étaient fréquentes), des dangers de l'accouchement, de la charge des enfants, du souci qu'elle doit prendre pour conserver le patrimoine sans qu'on lui en sache gré, tels sont les tourments qui tissent la vie quotidienne d'une bourgeoise tandis que le mari se glorifie de la nourrir par son seul labeur.

Autre grief, qu'on attend de la fille d'un Estienne : l'incompréhension du mari stupide dont l'ignorance provoque la cruauté. Elle s'indigne qu'un malhabile marié à une épouse cultivée puisse mépriser sa «science». Cette privation des plaisirs de l'esprit est encore l'une des misères de la femme mariée, que sa servitude dépossède de toute vie spirituelle.

Le savoir et le mariage avec ses devoirs, ses charges, ses distractions ne seraient-ils pas incompatibles? Les dames des Roches, mère et fille, Madeleine Neveu et Catherine Fradonnet, bourgeoises poitevines cultivées, femmes auteurs qui tinrent un brillant salon sur lequel nous reviendrons, le laissent entendre, elles aussi. Elles ont eu conscience de leur caractère d'exception dans une société où la culture reste un fief masculin, et ont connu par expérience les difficultés de remplir concurremment les devoirs de la «profession» féminine et ceux qu'exigeait la passion du savoir.

Aux préjugés des parents qui ont toujours eu pour but «de nous priver de l'usage de raison / De nous tenir closes dans la maison / Et nous donner le fuseau pour la plume», se plaint Madeleine, vient s'ajouter la tyrannie des maris, forts de leur supériorité masculine.

Sa fille, fort courtisée, ne se mariera pourtant pas, ce qui choque et surprend les habitués du salon de Poitiers. A-t-elle voulu être épousée par amour, sans y parvenir? Certaines de ses œuvres laissent entendre qu'elle préférait retourner à sa quenouille (elle lui dédie un joli poème), à son luth, à ses livres et à sa solitude, et que la chasteté lui assurait la liberté.

LES REVENDICATIONS DE L'*HEPTAMÉRON*

L'*Heptaméron* de Marguerite de Navarre nous transporte dans le milieu tout différent de la noblesse. Les préoccupations y sont différentes de celles des milieux bourgeois, mais l'accent y est mis aussi sur les souffrances des femmes. Le recueil de soixante-douze nouvelles réparties en huit journées offre l'analyse la plus lucide et la plus ample de la condition féminine dans le mariage – en milieu noble –, au cours d'une vaste enquête sur les problèmes que posent les rapports entre hommes et femmes.

Un nombre important de nouvelles (18 sur 20 dans les trois premières journées) porte sur la vie du couple et illustre différents types de relations conjugales. Elles démontrent l'avilissement du mariage dans la société contemporaine, en accord avec les témoignages historiques et littéraires du temps et le statut légal de la femme.

Le constat de l'*Heptaméron* est pessimiste. Les histoires, très souvent authentiques, sont racontées par des «devisants» de haut parage répartis en deux groupes antagonistes, celui des hommes, héritiers de la misogynie traditionnelle, pour qui la femme est objet de plaisir, et celui des femmes, qui dénonce les pièges tendus à l'honneur féminin par la brutalité et l'hypocrisie masculines. Elles montrent que d'ordinaire toutes les voies du bonheur se ferment pour l'héroïne.

Nicole Liébault, fille Estienne, déplore la facilité de l'engagement et ses lourdes conséquences, et les motifs discutables qui le déterminent. La princesse fait écho à la bourgeoise. Marguerite, sœur de François Ier, deux fois mariée par raison d'État, spectatrice désabusée des mœurs de la Cour, enregistre avec tristesse, elle aussi, les impératifs sociaux qui régissent l'institution : «On ne regarde que les degrés des maisons, les âges des personnes et les ordonnances des lois, sans peser l'amour et les vertus des hommes, afin de ne confondre point la monarchie» (nouvelle 40). Elle sait qu'épouser l'être de son choix est un «plaisir inaccoutumé». Elle sait aussi que les époux liés sans inclination bien souvent «entrent aux faubourgs d'Enfer» (*ibid.*). Sa petite-nièce Marguerite de Valois (baptisée par Dumas la reine Margot) n'avouera-t-elle pas avoir reçu du mariage tout le mal qu'elle ait jamais eu, et le tenir pour le seul fléau de sa vie?

Pas plus que ses contemporains, l'auteur ne conteste la supériorité sociale des hommes, ni même leur supériorité intellectuelle : «C'est raison que l'homme gouverne comme notre chef» déclare l'une des porte-parole de Marguerite. Ce qu'elle réclame c'est l'égalité de leurs droits et de leurs devoirs dans le domaine de la vie conjugale au moins.

Dans l'aristocratie, à laquelle appartiennent la plupart de ses héroïnes, le mariage est réglé ou empêché par la famille ou les protecteurs, sans que les principaux intéressés ne soient consultés. D'où les conséquences désastreuses enregistrées par Marguerite : époux unis au sortir de l'enfance, sans s'être jamais vus avant les noces, trop grande disproportion d'âge entre les conjoints, dames mûres et laiderons épousés par intérêt, fillettes mariées dès l'enfance à de riches vieillards, ce dernier cas étant le plus fréquent. Comédies et nouvelles s'accordent à condamner les «mariages impareils» comme un des vices du temps. D'où le dédain réciproque et l'indifférence, celle de l'époux surtout.

Le mariage, affaire d'argent ou d'intérêt, est pourtant la loi commune à laquelle on ne se soustrait pas si l'on vit dans le siècle.

Qu'il ne faille point y chercher le bonheur, le concert de lamentations des mal mariés le prouve assez. Mais ce que veut démontrer la reine, c'est que les contraintes conjugales pèsent beaucoup plus lourdement sur les épouses que sur les maris. Sans chercher à justifier systématiquement les femmes (elle convient sans peine que les deux sexes sont « communs aux vices et aux vertus », et l'on rencontre des femmes perverses dans l'*Heptaméron*), sans contester leur vulnérabilité à la tentation (ses récits mettent en scène une dizaine de maris infidèles contre une vingtaine de femmes, c'est dire qu'on ne peut l'accuser de partialité), elle s'insurge contre la théorie des deux poids, deux mesures dans une société indulgente aux maris, mais impitoyable aux femmes.

Le gentilhomme pauvre de la nouvelle 15 a épousé pour sa richesse une enfant, trop jeune encore pour vivre avec lui. Il la confie à une gouvernante, dispose de ses biens, la laisse vivre dans le dénuement, la trompe depuis longtemps, s'indigne qu'elle soit éprise d'un autre, et ne trouve rien à répondre à son vibrant plaidoyer sinon que « l'honneur d'un homme et d'une femme ne sont pas semblables ».

Pourquoi l'infidélité féminine est-elle si durement condamnée, passible des pires sanctions, alors que celle des hommes est acceptée avec une placide complaisance dans toutes les classes de la société ? Le plaidoyer de la jeune femme tourne au réquisitoire. La morale chrétienne réprouve la conduite du mari : « La loi des hommes peut bien donner grand déshonneur aux femmes qui aiment autres que leurs maris, la loi de Dieu n'exempte point les maris qui aiment autres que leurs femmes » (nouvelle 15).

Le mari, chef de famille, a le devoir de donner l'exemple. Plusieurs nouvelles reprennent le thème de la responsabilité masculine dans l'infidélité de la femme, due au désir de vengeance (la reine de Naples trompe le roi avec le mari de sa maîtresse, car le dépit fait faire à une femme plus que l'amour), à l'indifférence ou à la vieillesse des maris (nouvelles 15 et 69), voire à leur jalousie injuste (nouvelle 47). Les hommes, en revanche, se permettent toutes les privautés sans avoir les excuses de leurs épouses. Un seul exemple est donné de la vertu masculine (nouvelle 63).

Bien périlleuses donc pour les épouses insatisfaites sont les compensations à l'union mal assortie et au vide sentimental que le mariage n'a pas pour vocation de combler. Le dénouement malheureux des amours platoniques en montre assez les dangers. Les consolations qu'elles apportent un moment se changent vite en souffrances pour l'épouse déchirée par les remords d'une conscience chrétienne, partagée entre un amour sincère qui appelle vite la satisfaction des sens et le devoir conjugal, ou désabusée sur les intentions réelles de l'amant qu'elle continue à chérir. A la femme donc de se garder. Sur elle seule retombera le blâme.

Résiste-t-elle au plaisir, à la loi de nature ? C'est à l'hypocrisie ou à l'orgueil que les hommes imputent sa résistance, car la volupté de l'honneur a plus de pouvoir sur les dames que la crainte, ou l'amour de Dieu. «Nos tentations ne sont pareilles aux vôtres, rétorque Marguerite, par la voix de Parlamente, et si nous péchons par orgueil, nul tiers n'en a dommage, ni notre corps et nos mains n'en demeurent souillés. Mais votre plaisir gît à déshonorer les femmes et votre honneur à tuer les hommes en guerre» (nouvelle 26).

Ce faux honneur, la reine veut le dépouiller de son prestige et le mettre en accusation au nom de la morale chrétienne. Elle entend, du même coup, faire reconnaître que l'honneur des femmes lui est bien supérieur.

Les rapports entre les sexes dans l'*Heptaméron* sont toujours des rapports de force. Le conflit entre l'honneur masculin et l'honneur féminin crée une tension sensible tout au long du recueil, symbolisée par celle du couple central d'Hircan et Parlamente. A la guerre comme en amour la hardiesse conquérante est la vertu masculine par excellence. La morale des héros des histoires ou celle des devisants est, comme l'a dit Lucien Febvre, une morale de guerrier. La conduite des séducteurs est évoquée par le biais du vocabulaire de la guerre ou de la chasse : la femme est un gibier à traquer, une forteresse à prendre. Pas de place bien assaillie qui ne soit prise.

Brantôme parle dans les mêmes termes des exploits amoureux de ses grands capitaines. Marguerite avait pu observer, à la Cour, les vivants modèles de ses séducteurs. La violence, la brutalité et les ruses dont usaient les plus grands personnages sont attestées par les mémorialistes et les documents du temps. Dans la nouvelle 4 de l'*Heptaméron*, l'échec du gentilhomme (l'amiral de Bonnivet) qui tente de prendre par la force une noble veuve (peut-être Marguerite elle-même, selon Brantôme) mais se heurte à la résistance de la dame, suscite le mépris des devisants : on ne le blâme pas d'être un goujat brutal, mais d'avoir fait preuve de lâcheté. Il fallait tuer la vieille qu'elle appelait à l'aide, et la jeune était alors à demi vaincue !

Ni l'âge ni la condition ne mettent les femmes à l'abri de la violence masculine. Princesses, grandes dames ou chambrières, femmes mûres ou jeunes filles sont victimes de tentatives de viol. Si la belle nonne de la nouvelle 22 échappe, après bien des persécutions, au vieux prieur qui la désire, la muletière d'Amboise, plutôt que de céder au valet « bestial » qui veut la forcer, préfère se laisser tuer par lui. Suivantes et servantes sont assassinées dans la foulée, en même temps que leurs maîtresses.

L'honneur des femmes « a autre fondement » : c'est douceur, patience et chasteté. Le devoir de chasteté commande tous les autres et impose la résistance. La reine s'en prend avec véhémence à cette passion masculine de la conquête que les hommes baptisent honneur et qui justifie toutes les hypocrisies. Les gentilshommes de l'*Heptaméron* avouent eux-mêmes en souriant qu'ils « couvrent leur diable du plus bel ange qu'ils peuvent trouver ». Les femmes qui écoutent leurs déclarations s'imaginent aller droit à la vertu et ne « s'aperçoivent du vice que lorsqu'elles ne peuvent plus retirer leurs pieds ». L'un d'eux déclare sans fard qu'il n'a jamais aimé femme, hormis la sienne, à qui il ne désirât « faire offenser Dieu bien lourdement » (nouvelle 12). Le souci d'augmenter son tableau de chasse impose au séducteur de poursuivre son entreprise jusqu'au viol et au meurtre, que personne ne condamne parmi ses pairs. Le jeu platonique, passe-temps concédé à la dame, conseillé dans le *Courtisan* de Castiglione qui lui reconnaît le droit d'être courtisée en tout bien tout honneur, sans que le mari en prenne ombrage, n'est aux yeux du serviteur qu'un moyen adroit de satisfaire son goût des réalités.

Les souffrances des épouses de l'*Heptaméron* sont, à elles seules, une protestation contre l'injustice de leur sort et l'inégalité des sexes. Quels devoirs en effet la société exige-t-elle d'une parfaite épouse ? De renoncer à l'amour par vertu (nouvelle 19) ou de défendre son honneur jusqu'à la mort (nouvelle 2). Elle lui impose résignation et courage muet, dissimulation même, car l'honneur féminin est inséparable de la bonne renommée, du jugement d'autrui. Si elle est irréprochable, le souci de sa réputation lui conseille d'observer la loi du silence, par prudence ou par dignité (nouvelle 14). Coupable, c'est le seul moyen pour elle d'échapper à la réprobation générale et aux punitions cruelles réservées à l'adultère féminin. Indignement trompée, c'est par la douceur et le pardon qu'il lui faut reconquérir un époux volage et le ramener dans le devoir (nouvelle 37).

Mais les devisantes ne sont pas toutes prêtes à accepter ce devoir de patience. Elles refusent la résignation passive : car elles désapprouvent également l'épouse qui cherche à rendre la pareille et celle qui accepte tout par peur d'être humiliée davantage, de voir le mari mettre celle qu'il aime dans son grand lit, et elle dans la couchette. Endurer en silence pour l'amour des enfants ? Le tuer ou se tuer, car mourir en se vengeant vaut mieux que vivre loyalement avec un déloyal ? Pardonner, soit, mais sans bassesse ni veulerie, sans abdiquer sa dignité. Sa condition d'épouse permet à Marguerite de pénétrer à fond dans l'univers de la souffrance féminine. L'*Heptaméron* est rempli de ces plaintes de femmes aimant jusqu'à l'abnégation un mari cruel et frivole.

La reine se garde de conclure et par la voix des divers devisants propose toujours plusieurs justifications de la conduite féminine et plusieurs solutions aux problèmes du couple. Mais elle laisse entendre que les femmes, bien plus capables d'amour que les hommes, souffrent beaucoup plus qu'eux.

Dans une société dominée par le pouvoir masculin, jamais remis en cause, pas plus que l'institution du mariage, quelles solutions permettent aux épouses d'atteindre sinon le bonheur – de couples heureux il n'en est guère dans l'*Heptaméron*, – du moins la sérénité ? Sûrement pas l'amour coupable, dont la reine dénonce les pièges. Ni heureux, ni durable, « il passe comme la fleur des champs ». Elle sait aussi qu'un « consentement bestial » ne saurait suffire à une femme, plus satisfaite d'être aimée parfaitement.

Bien dangereuses aussi, on l'a vu, les amours platoniques. Finalement, c'est dans l'accord avec sa conscience, indifférente au jugement d'autrui, que l'épouse trouve une joie secrète, car « nul n'est content que de soi-même ». C'est en sauvegardant sa dignité, sans attendre tout de l'époux, qu'elle doit avoir droit à sa considération et à son amitié, même si le mariage est un mariage de raison.

Pourtant, si Marguerite met l'accent sur les tribulations du mariage, si bon nombre de ses nouvelles restent significatives de sa désillusion sur la possibilité du bonheur conjugal, c'est pour dépasser les constatations pessimistes. Sa revendication essentielle, c'est l'égalité des droits et des devoirs des époux dans le mariage. C'est aussi une revendication d'amour. Concilier mariage et amour, trouver en son époux « mari, ami et serviteur », telle est la solution idéale. La synthèse périlleuse entre amour et amitié, envisagée par le néoplatonisme, serait ainsi transposée sur le plan du couple chrétien. Tel est aussi l'avis de son ami Rabelais. Et c'est la meilleure chance de trouver le bonheur sur terre. « Si l'on n'en abuse [c'est-à-dire si on se garde d'une passion démesurée], déclare l'une de ses meneuses de jeu, je tiens mariage pour le plus beau et le plus sûr état qui soit au monde » (nouvelle 37).

Conception qui demeure insolite et paradoxale au XVIe siècle, à l'opposé de celle des écrivains masculins et qui ressortit au domaine du rêve et de l'espoir.

V

L'amour et le « déduit »

QU'EST-CE QUE L'AMOUR ?

Les mœurs amoureuses d'une époque, qui se découvrent au travers de témoignages littéraires, ou juridiques, varient selon les classes sociales et les cultures. Encore faudrait-il s'entendre sur ce que recouvre le terme d'amour. La Renaissance italienne, la vogue du pétrarquisme, le néoplatonisme en ont fait un thème littéraire privilégié dans la poésie de l'école lyonnaise et de la Pléiade, et dans les romans à la mode comme l'*Amadis de Gaule*, le « best-seller » du XVIe siècle. Comme le chevalier courtois, l'amant pétrarquiste pare la femme aimée de toutes les perfections, au point de l'élever au rang d'idole, de créature désincarnée en qui il célèbre, plutôt que la femme réelle, la représentation idéale qu'il s'en fait.

Le *Courtisan* de Castiglione consacre une importante partie de ses débats aux relations amoureuses. Politesse mondaine et mystique amoureuse apparaissent inséparables. Le thème de l'amour identifié au culte de la beauté est lié à celui de l'attitude à l'égard des femmes, de leur statut dans la société et de leur dignité propre, les discussions tendant à établir l'égale dignité des hommes et des femmes. Jamais peut-être l'amour et la femme n'ont été chantés avec plus de ferveur qu'en cette première partie du XVIe siècle.

L'« amour honnête » représente une forme idéalisée de l'amour et d'un comportement policé par le respect de certaines conventions, contrairement à la « concupiscence », l'abandon à l'instinct. C'est celui qui se pratique dans les « amours d'alliance » qui unissent, sans qu'intervienne la sensualité, maîtresses et serviteurs, souvent l'un et l'autre en puissance d'époux. Ceux-ci tolèrent, sans jalousie, ce jeu éminemment social mené en tout bien tout honneur.

La poésie à la mode à la cour des Valois a chanté cet amour honnête sur arrière-fond de pétrarquisme ou de néoplatonisme. Il doit encore beaucoup aux conceptions courtoises : servitude volontaire et bienheureuse de l'amant, inquiétudes et souffrances, épreuves subies pour se montrer digne de la dame à laquelle il adresse ce culte fictif, sans changer pour autant d'opinion sur l'ensemble du sexe faible. Très révélatrice à cet égard est la différence entre deux articles des *Épithètes françaises* (recensement des principaux mots utilisés par les poètes, notamment ceux de la Pléiade), de Maurice de La Porte. Celui consacré au mot «Femme» est, nous l'avons vu, tristement dépréciatif. Au contraire l'article «Dame» est exclusivement laudatif. La femme y est envisagée dans son rôle social, littéraire, opposée en tous points à la femme «naturelle», selon la formule de Baudelaire.

Si le mythe de l'amant transi est fréquemment utilisé, il faut rappeler toutefois que l'amour courtois n'est pas platonique et qu'il suppose le «surplus», c'est-à-dire l'union charnelle accordée finalement en récompense du «service». Les rapports de dame à serviteur ne concernent à vrai dire qu'une frange très réduite de la société. Ils ont contribué sans doute à polir un peu les mœurs jusque dans les classes moyennes et à combler le vide affectif de bien des unions conjugales.

L'*Heptaméron* donne des exemples de ces relations qui offrent aux dames la vie sentimentale que le mariage ne leur apporte pas. Et certaines anecdotes des *Dames* de Brantôme y font allusion : telle celle de la duchesse d'Escaldasor dont la robe, ornée de flambeaux et de papillons voletant alentour et s'y brûlant, avertissait les gentilshommes épris de sa beauté de ne pas l'approcher de trop près et de ne désirer rien d'autre que sa vue.

En fait le décalage peut paraître déconcertant entre les expressions de cette idéologie et les mœurs amoureuses qui ont cours dans l'univers des nouvelles ou qui ressortent des témoignages de la vie quotidienne. Sans doute faut-il voir dans ces raffinements intellectuels en discordance avec la réalité un moyen de marquer la différence de classe, la supériorité d'une société mondaine au fait des modes littéraires. Car les gens du peuple, les «mécaniques» gros-

siers, sont censés ne pas connaître ces manifestations d'un amour
épuré et délicat.

FRÉQUENTATIONS PRÉNUPTIALES

Dans la noblesse et la bourgeoisie, où les parents décidaient très
tôt du mariage de leur fille, exerçaient sur elle une surveillance
constante et se souciaient de préserver sa virginité, on peut
supposer qu'elle n'avait guère l'occasion de faire l'expérience des
plaisirs érotiques avant le mariage. Il en allait différemment à la
campagne, et dans les classes inférieures. L'âge du mariage (vingt-
cinq ou vingt-huit ans), très tardif pour des raisons économiques,
empêchait les jeunes gens d'avoir en toute légalité une vie sexuelle
pour laquelle ils étaient mûrs depuis près d'une dizaine d'années.
Selon un rite populaire, il était admis que jeunes gens et jeunes filles
pussent se fréquenter avant les noces. Quand deux amoureux
avaient échangé une promesse de mariage, avec l'assentiment des
familles, le garçon avait le droit de faire la cour à sa belle, de lui
rendre visite, même la nuit. Ils pouvaient se caresser mais sans aller
jusqu'à risquer une grossesse. En Champagne, ces relations prénuptiales étaient nommées «créantailles». Selon le *Dictionnaire de
Trévoux*, «créanter» une fille signifie l'accorder en mariage. Il
s'agissait plutôt, en fait, de se lier par un engagement réciproque,
d'ordinaire sanctionné par un don (anneau, ruban, etc.) ou par un
baiser «en nom de mariage». Ces promesses pouvaient être plus ou
moins solennelles, plus ou moins ritualisées.

Les créantailles n'impliquaient pas la présence d'un prêtre ou
d'un notaire, elles n'étaient pas assimilées aux fiançailles qu'elles
précédaient toujours, et dont l'Église revendiquait le contrôle. Les
«fiançailles en face d'Église» paraissent avoir été nécessaires. Dans
les registres paroissiaux du XVIe siècle, avant le concile de Trente
(1563), on ne trouve pas de mariage qui n'ait été précédé de fiançailles. La publication des bans culminait avec la cérémonie nuptiale
et se prolongeait sans doute par la bénédiction du lit conjugal.

Ce rite populaire et profane qui disparut au XVIIe siècle est
connu par les procès. Ils concernent surtout les créantailles dont les
intéressés avaient pris l'initiative, hors de la présence des parents, et
où l'union charnelle avait été consommée. Faut-il admettre que les
jeunes gens se créantaient en toute liberté? Sûrement pas. Les

procès montrent qu'ils pouvaient être soumis à la pression des parents, des tuteurs ou des maîtres, et que, les filles surtout, pouvaient être engagées dans des mariages forcés. A l'inverse, le rite des créantailles a pu permettre à nombre d'amoureux de s'épouser contre la volonté familiale. Pourtant, elles n'avaient pas plus que les fiançailles l'intangibilité du sacrement de mariage : les créantés avaient la possibilité d'obtenir de l'official la dissolution de l'union.

Mais, dans l'opinion, les créantailles demeuraient un lien très fort, le premier des rites constitutifs du couple, qui avait eu ainsi l'occasion de se livrer à certaines expériences sexuelles.

La Champagne n'était pas la seule région où faire la cour (ce qu'on appelait «faire l'amour») supposait une certaine liberté des fréquentations prénuptiales. Les veillées, les bals, les foires, les «louées» permettaient les rencontres. En Vendée, le «maraîchinage» était une coutume qui permettait aux garçons et aux filles, de quinze ans jusqu'à leur mariage, de s'embrasser en public et même, moins ouvertement, de se caresser réciproquement. Les jeunes gens restaient en groupe, sans doute pour éviter de se laisser emporter trop loin. En Savoie, l'«albergement» donnait toute liberté aux jeunes filles d'accueillir dans leur lit (alberger) les garçons venus les visiter le samedi et les jours de fête. Mais elles gardaient leur chemise et exigeaient la promesse que serait respectée leur pudicité, s'en remettant à la loyauté de leurs partenaires. (L'albergement devint d'ailleurs un motif d'excommunication à partir de 1609.) On pouvait ainsi coucher ensemble en tout bien tout honneur. Noël du Fail, dans sa description des veillées bretonnes, et Étienne Tabourot, dans celle des «escraignes» dijonnaises, laissent entendre que les jeunes gens pouvaient se permettre certaines privautés dans l'obscurité.

Ces pratiques, collectives ou isolées, avaient un caractère rituel, résultaient d'initiatives prises par quelques jeunes gens hardis, mais étaient traditionnelles et devaient aider à la conclusion des unions. La galanterie aux champs, avant l'hyménée, était donc une réalité bien vivante, même si ses manifestations ont pu faire sourire les observateurs citadins : pincements, claques, bourrades, prise par force d'un ruban, d'un bouquet, etc. La différence entre l'amour mondain et l'amour des paysans, c'est que ceux-ci ne «faisaient l'amour» qu'à des filles à marier en attendant de les épouser, tandis que l'amour courtois s'adressait à des femmes mariées.

Le concubinage prénuptial, en usage en Corse, précédait de plusieurs mois ou de plusieurs années les noces bénies par l'Église. Il ne s'agissait pas de privautés entre fiancés, mais de véritable cohabitation. De même, au Pays basque, ceux qui se promettaient simplement le mariage en présence du curé estimaient pouvoir habiter ensemble, comme fiancés. En 1612, le redoutable Pierre de Lancre, qui mena nombre de procès pour sorcellerie en Labourd, dénonçait la liberté que s'octroyaient les Basques prenant leurs femmes comme à l'essai quelques années avant de les épouser. Un autre magistrat bordelais, Jean d'Arrerac, attestait dans ses *Pandectes* (publiées en 1601) que ce mariage à l'essai avait la force d'une véritable coutume dont les tribunaux devaient tenir compte. Dans le Labourd, les hommes ne reçoivent la bénédiction nuptiale qu'après avoir vécu longtemps avec leurs femmes, disait-il, après «avoir soudé leurs mœurs et connu par effet la fertilité de leur terroir». Le mariage à l'essai, l'essai de fécondité, devait être en usage dans bien d'autres régions de France et d'Europe.

Les autorités religieuses, catholiques – surtout après le concile de Trente –, ou protestantes, sévirent contre ces relations sexuelles prénuptiales. Mais dans les campagnes, elles restèrent longtemps une pratique courante.

La virginité des filles est, au contraire, une loi impérative dans les classes sociales les plus élevées. D'où les continuelles persuasions et recommandations que leur font les pères et mères, frères, parents et maîtresses avec les menaces les plus rigoureuses, et le souci des pères de caser leur fille au plus vite, comme certains l'ont confié à Brantôme : que faire d'une «fille tarée ou qui commence à l'être»? On veille donc sur la virginité des demoiselles comme sur un trésor. Le mari est en droit de la vérifier, tel ce duc de Florence qui, la nuit des noces, fit observer l'urine de la mariée par un médecin. Celui-ci, après l'avoir doctement examinée, put affirmer que la jeune fille était telle qu'elle sortit du ventre de sa mère. Ce qui surprit fort le mari : «Voilà un grand miracle, s'écria-t-il, que cette fille soit ainsi sortie pucelle de cette cour de France.»

Tous les prétendants n'étaient pas aussi exigeants. Certains ne se faisaient guère scrupule d'épouser des filles qu'ils savaient avoir été «repassées» par un roi ou des gentilshommes, mais dont les biens et les joyaux faisaient oublier ces écarts de conduite. Les grands d'ailleurs ne s'arrêtent pas trop à ces scrupules de pucelage, d'autant que pour ces hautes alliances, «il faut que tout passe».

La vertu des demoiselles de la noblesse court au demeurant de grands risques, à en croire le mémorialiste. Esclaves de leurs parents, et contraintes de «prendre toutes pierres quand elles les trouvent», elles se laissent séduire par les inférieurs – ils sont nombreux – qui ont leurs entrées dans leurs demeures : maîtres d'études, joueurs de luth ou de violon, «appreneurs de danse», peintres, poètes, pages ou même laquais. Car ces pauvres filles n'ont guère la possibilité de choisir un ami. Privées de la liberté et de l'expérience des femmes mariées, «tenues court» en fait d'argent de poche, si riches héritières soient-elles et de bonne maison, elles s'attachent au premier qu'elles rencontrent, faute de pouvoir en retrouver facilement un autre. Il faut en passer par là quand on ne peut offrir à son amoureux que de menus présents, écharpes ou bagues, ni délier largement sa bourse, «si ce n'est celle du devant», comme dit Brantôme.

Il n'est pas rare non plus que les filles soient «dévirginisées», bon gré mal gré par des parents – pères, frères, oncles ou cousins : le mémorialiste en cite bien des exemples dans la société contemporaine. Il ne s'en afflige pas trop, puisque c'est un «mal plaisant» et qu'il n'attache guère de prix lui-même à la virginité : «Vive l'amour pour les femmes, de quelque façon qu'il vienne. Elles ne peuvent rien faire de bon sans la compagnie de l'homme.»

Les exigences de la nature font pardonner aux jeunes filles leur appétit sensuel. Mais les impératifs de la vie sociale les vouent impitoyablement au blâme lorsqu'elles y succombent trop visiblement. Plus que la veuve ou la femme mariée, la fille «débauchée» est vilipendée, montrée du doigt par tout le monde. Le pis qui puisse lui arriver, si elle a «passé par les piques», c'est d'«enfler par le ventre». Pareille mésaventure advint ainsi à plusieurs demoiselles d'honneur de Catherine de Médicis, qui s'en courrouça fort. Bien qu'elle eût elle-même encouragé la liaison d'une d'entre elles à des fins politiques, elle chassa la coupable. Si l'on n'était pas trop regardant sur la vertu des filles d'honneur à la Cour, on n'y tolérait pas le scandale.

Les plus fines, instruites par leurs mères, réussissaient à tromper un prétendant crédule qui épousait, comme on dit, «la vache et le veau». Sinon, elles devaient, comme cette fille de très bonne maison qui accoucha pendant un séjour de la Cour à Lyon, abandonner l'enfant à quelque pauvre femme. On recourait à l'avortement, alors pratique courante. Certaines drogues données par d'experts apothicaires empêchaient la grossesse ou la faisaient disparaître sans qu'on s'en aperçût. D'autres remèdes permettaient de paraître «vierges et pucelles comme devant».

LA DETTE CONJUGALE

Le mariage, on l'a vu, avait pour fin principale la procréation, non la recherche du plaisir amoureux. Tous les moralistes du XVIe siècle en conviennent. Montaigne traduit l'opinion commune de ses contemporains en affirmant qu'un bon mariage refuse la «compagnie et condition de l'amour. Il tâche à représenter celle de l'amitié». Il y a incompatibilité de nature entre «l'amour, feu téméraire et volage et le mariage, qui demande des fondements plus solides et plus constants». Leur cousinage ne doit pas inciter à les confondre. Selon lui, les mariages qui sont le fruit d'amourettes, ceux qui suivent une liaison, tournent mal le plus souvent. Ne pas traiter sa femme en amante n'est pas preuve de mépris, au contraire. Si l'épouse sait «savourer» le goût du mariage, elle refuse de tenir le rôle d'une maîtresse, «étant bien plus honorablement et sûrement logée en son affection comme femme».

Telle est l'opinion de l'Église, pour qui le mariage porte la peine d'être une œuvre de chair. En bon catholique, Montaigne apparente à une espèce d'inceste les extravagances de la licence amoureuse dans l'union conjugale, «religieuse et dévote liaison». Les Anciens s'accordent avec les Pères de l'Église. Aristote ne recommande-t-il pas lui aussi de toucher sa femme «prudemment et sévèrement» de peur que le plaisir ne la fasse sortir hors des gonds de raison. Donc point de ces «enchériments deshontés que la chaleur première nous suggère en ce jeu». La théologie ne cesse pas de «brider et de restreindre» l'amitié qu'on porte à sa femme, pour légitime qu'elle soit, même si l'on y a quelque peine. Ainsi Montaigne, conformément aux recommandations de l'Église, a-t-il eu le souci d'administrer «une volupté consciencieuse».

La sexualité conjugale reste du domaine de l'hygiène plutôt que du plaisir. Les manuels de confesseurs, fort instructifs en la matière, montrent que la pénitence du mari qui s'adonnait à certains jeux érotiques avec sa femme était beaucoup plus lourde que s'il s'y livrait avec une autre, puisqu'il était alors responsable de l'encourager à la débauche. Quant aux médecins, ils sont d'avis que la rareté des rapports sexuels favorise la procréation.

Brantôme partage l'avis de Montaigne. Bien des maris cocus se font eux-mêmes les artisans de leur infortune, et l'auteur ne les plaint pas. Ce sont ceux qui s'adonnent si fort, dans le lit conjugal, aux plaisirs érotiques que défend l'Église. Apprendre à sa femme mille lubricités, mille paillardises, mille tours, contours, façons nouvelles, c'est l'encourager, après l'avoir si bien dressée, à montrer à d'autres ce qu'elle sait faire. Les amants éventuels en sont bien avertis. Tel gentilhomme qui a observé en cachette les ébats amoureux d'une belle dame et de son mari ne doute pas de la posséder, dès que celui-ci sera en voyage : étant donné la chaleur que l'art et la nature lui ont donnée, « Il faudra qu'elle la passe. »

Les livres érotiques, comme les sonnets de l'Arétin – qui se vendent en grand nombre dans la rue Saint-Jacques (l'auteur l'a appris du libraire) –, enrichis de figures, de tableaux suggestifs, servent autant que la pratique pour envoyer le mari faire un voyage à Cornette.

La dette conjugale doit être acquittée également par les deux époux, théologiens, juristes et médecins en conviennent. Mais les conditions dans lesquelles s'effectue la conjonction charnelle font l'objet de réglementations sévères et précises. L'égalité des droits sur le corps du conjoint n'implique nullement une identité des rôles sexuels, ni même le sentiment d'une égalité dans la relation charnelle.

L'union des sexes étant tenue pour la fusion complémentaire des contraires, et la nature féminine jugée moins apte à résister à la violence du désir, c'est au mari qu'est dévolu le rôle de modérateur. Non seulement, conseille Vives, se doit-on abstenir de «jeux illicites, mais de cogitations impudiques». Dans l'acte conjugal, l'homme est actif, et la femme passive, le rôle le plus noble revenant à l'homme. Ces rôles étant considérés comme naturels, c'est-à-dire voulus par Dieu, adopter le rôle du sexe opposé constitue un sacrilège, un «crime contre nature».

Les positions de l'accouplement sont soigneusement réglementées. La position *retro* ou *more canine* est jugée contre nature parce qu'elle modèle l'homme sur l'animal, *mulier super virum* l'est également parce qu'elle intervertit les sexes en plaçant la femme dans une situation active et supérieure, en contradiction avec son rôle social. Donc, point d'acrobaties érotiques, de «postures odieuses à Dieu, monstrueuses, surnaturelles». Brantôme, comme les théologiens, les énumère en latin. Benedicti rappelle que saint Jérôme, puis saint Thomas traitent d'adultère le mari trop amoureux et trop sensuel.

Ils ne sont pas les seuls à interdire que «l'homme use de sa femme comme d'une putain». Le moraliste Jean Bouchet qui, dans les *Triomphes de la noble et amoureuse dame* (1541), consacre un chapitre à indiquer «Comment mari et femme doivent conserver [se comporter] en leur lit de mariage», distingue trois manières d'actes charnels, l'un est licite, l'autre fragile (pour éviter d'avoir recours à une autre), le troisième illicite et impétueux, soit que l'on y cherche délectation outre les limites (du mariage) l'occasion d'y «saouler sa libidinité», ou qu'on le pratique «en autre sorte qu'il est ordonné par la nature».

Plus soucieux que les théologiens et les moralistes de voir l'acte de génération aboutir à une procréation réussie, subordonnée à l'entente des corps, les médecins qui cherchent à définir, en les opposant, les sensualités différentes de l'homme et de la femme se montrent les plus libéraux à l'égard de cette dernière.

Ambroise Paré, dans le *Traité de la génération*, véritable cours d'éducation sexuelle, insiste sur la nécessité du consentement, donc du plaisir, de l'épouse. Comme lui, Jean Liébault dénonce les unions conclues par ambition, ou appétit des richesses, sans souci de l'entente des conjoints, tant affective que physique, ni de la disproportion d'âge : le mariage prématuré ou tardif met en péril la santé des filles. Tous deux s'interrogent sur la nature et la finalité du plaisir sexuel féminin, dont l'absence compromet la génération, et sur les conditions les plus favorables à son épanouissement.

Les médecins, plus compatissants qu'ils sont devant leurs souffrances, se font ainsi souvent les alliés des femmes contre les préjugés ancestraux. Si le refus d'acquitter la dette conjugale est un acte de rébellion, bien des femmes épuisées par des grossesses répétées et la charge de nombreux enfants auraient volontiers eu recours au droit médiéval d'échapper à cette obligation. Mais la conception du mariage comme remède à la concupiscence s'imposant de plus en plus aux théologiens des XVIe et XVIIe siècles, ceux-ci ne pouvaient accepter ce refus qui risquait de pousser le conjoint frustré dans la débauche.

La fonction maternelle semble toujours être la fonction primordiale de l'épouse. Rares sont les moralistes et les médecins qui, dans le mariage n'accordent pas la première place aux impératifs de la procréation. Toutefois s'amorce une nouvelle conception du couple qui doit plus à la définition des juristes antiques qu'à la conception paulinienne, et fait passer au second plan le souci de remédier à la concupiscence et même celui de la postérité. La stérilité, rappelons-le, n'est pas une cause d'annulation du mariage. Selon la formule de l'auteur de l'*Institution chrétienne*, la «conjonction n'a tant été instituée pour lignée que pour la communion de vie et indissoluble société.»

La sensualité féminine ne nous est guère connue, au XVIe siècle, que par des témoignages masculins, très exceptionnellement par les écrits de quelques «écrivaines» et poétesses. Les femmes, on le répète à satiété depuis le Moyen Age, sont beaucoup plus lubriques que les hommes. Elles ont toujours leur heure afin qu'elles soient prêtes à la nôtre, assure Montaigne, traduisant l'opinion de ses contemporains. Comme eux, il ne dissocie pas l'amour du plaisir des sens, le «déduit». Pas de passion plus pressante que le désir, selon lui. Les appétits féminins, cachés par décence, n'en sont pas moins exigeants. Peuvent-ils être légitimement satisfaits?

La chasteté est donc, de par leur physiologie, plus difficile aux femmes qu'aux hommes, et d'autant plus méritoire. C'est aussi l'avis de Rabelais. L'originalité de Brantôme est de se placer du point de vue des femmes quand il envisage le cocuage, contrairement aux autres conteurs masculins. Réquisitoire contre la tyrannie des maris et leur jalousie meurtrière, plaidoyer en faveur des épouses qui veut excuser leurs infidélités, dont les maris sont souvent responsables, le premier discours des *Dames* atteste la tolérance et le libéralisme de l'auteur en un siècle impitoyable à l'adultère féminin. Mais il parle en célibataire et se solidarise avec les amants. Il est dans le camp de ceux qui cocufient les maris et n'ont pas, comme eux, charge d'âme.

Montaigne, avec la reine de Navarre et Brantôme, dénonce l'injustice des sanctions sociales de l'adultère : «Les femmes n'ont pas tort du tout quand elles refusent les règles de la vie qui sont introduites au monde, d'autant que ce sont les hommes qui les ont faites sans elles.» Il juge odieuse la jalousie des époux (celle des épouses aussi d'ailleurs) hantés par leur peur du cocuage. L'analyse qu'il en fait prouve la largeur de vues et l'impartialité avec lesquelles il prend la défense des femmes.

Il souligne d'abord, dans le chapitre V, «Sur des vers de Virgile», du livre III des *Essais*, l'hypocrisie et les contradictions irrationnelles de la tyrannie masculine : «Nous les voulons saines, vigoureuses, en bon point, bien nourries et chastes ensemble, c'est-à-dire chaudes et froides.» Étant donné qu'elles sont, dit-il, «sans comparaison plus ardentes aux effets de l'amour que nous, et que le mariage leur apporte peu de rafraîchissement selon les mœurs», pourquoi leur dénier le goût du changement, l'inconstance qu'elles partagent avec les hommes ? A l'attrait du plaisir extraconjugal, les femmes peuvent succomber comme eux.

Faut-il d'ailleurs tant redouter d'être trompé ? N'y a-t-il pas des défaillances plus terribles ? «Ne sommes-nous pas, dit-il, comme elles, capables de mille corruptions plus dommageables et dénaturés ? Or, il n'est guère de mari qui ne craigne plus la honte qui lui vient des vices de sa femme que des siens propres.»

C'est l'amour-propre, la vanité, la crainte du ridicule qui créent la peur du cocuage. Car les vices sont posés «selon notre intérêt». D'où cet appel à l'indulgence lancé par l'auteur des *Essais*. Et à la discrétion : les aigreurs et les douceurs du mariage sont tenues secrètes par les sages. Point de complaisance coupable sans doute, mais point de sévérité odieuse, surtout de la part de ceux qui font, sans remords, à leurs femmes un tort qu'ils ne peuvent supporter d'elle. Et qu'ils n'aillent point s'imaginer comme le dira l'Arnolphe de *L'École des femmes* qu'«on est homme d'honneur quand on n'est point cocu».

La lucidité et l'honnêteté de Montaigne – «J'avoue, dit-il, la vérité lorsqu'elle me nuit» – apparaissent dans son analyse très neuve, insolite à l'époque, du comportement des deux sexes, qu'il renvoie dos à dos : «Les mâles et femelles sont jetés en même moule : sauf l'institution [éducation] et l'usage la différence n'y est pas grande... Il est bien plus aisé d'accuser l'un sexe que d'excuser l'autre.»

Peu d'hommes ont défendu cette opinion à l'époque. Et la défense qu'il fait des épouses coupables montre, en creux, que leur sort n'était guère enviable.

Des amours rurales, on ne sait plus grand-chose après la période des fréquentations prénuptiales. Mais les témoignages sont nombreux de la rudesse avec laquelle les ruraux traitaient leurs femmes. Est-ce à dire que le temps des amours s'achevait avec le mariage ? Libre tant qu'elle était fille, et qu'on recherchait ses faveurs, sans doute la paysanne ne l'était-elle plus dès lors que le mari avait tout droit d'exiger qu'elle s'acquittât de la dette conjugale.

Les femmes de la bourgeoisie moyenne, celles des marchands, des artisans, des intellectuels, gens de robe ou de plume, sont les plus difficiles à connaître, les plus insaisissables puisqu'elles ne se sont pas fait entendre, surtout pas sur un tel sujet et que cet aspect de leur vie ou de leur sensibilité n'a guère retenu l'attention.

Celles qui appartiennent aux plus hautes classes sociales sont les mieux connues. Nous avons déjà rencontré les «femmes de bien» de la reine de Navarre dans le milieu de la cour de François Ier. Épouses méprisées et trompées, épouses punies, maîtresses qu'on désire ou qui se refusent, toutes doivent faire face à la violence qui caractérise les mœurs amoureuses du temps.

La sexualité masculine s'attache essentiellement à la prouesse, au lit comme sur les champs de bataille, plus attentive au rendement qu'à la qualité. Le jeu amoureux conçu par des guerriers sur le modèle de la guerre implique le triomphe de l'ardeur conquérante de l'amour. L'honneur de la dame consiste à ne pas céder, même si elle est passionnément éprise de l'assaillant, par orgueil assurent les hommes, par dignité estiment les dames. Pour elles la frustration amoureuse tend à devenir la perfection de la victoire féminine. Leur conception de la relation d'amour relève encore de la courtoisie médiévale, où la dame exige de son serviteur et vassal attente et respect. Céder au «désir bestial», ce serait perdre sa féminité, se conduire «en hommes».

La souffrance est au cœur de l'*Heptaméron*. Le souci de garder son honneur, privilège de la dame, les devisants s'étonnent de le voir se manifester chez une femme du peuple, la batelière de Niort, qui sait résister à deux cordeliers entreprenants. Celles qui ne savent rien, qui n'ont que le loisir de «gagner leurs pauvres vies», sont donc capables, comme les nobles, d'une telle vertu? Nos aristocrates ne peuvent attribuer qu'à l'intervention divine un fait si surprenant.

Mais la voix de la devisante qui vante l'honneur féminin et la chasteté n'est pas la seule à se faire entendre dans l'*Heptaméron*. Au cours des débats provoqués par les histoires, s'affrontent souvent, non sans aigreur et violence, des opinions contradictoires. Les plus jeunes ne sont pas toutes d'avis de se contenter de l'amitié silencieuse et contemplative d'un serviteur dont le mari ne saurait s'offusquer. Certaines, tour à tour, revendiquent les droits de la passion et, par le biais des voix masculines de la compagnie, sont affirmées la «fragilité» de l'un et l'autre sexe, des «enfants d'Adam et Ève», et leur égalité devant le plaisir.

PLAISIRS EXTRACONJUGAUX

Les gentilshommes de Brantôme se font de l'amour la même conception guerrière que celle des devisants de la reine de Navarre. Leurs partenaires, toutes «honnêtes femmes», sont loin d'être des victimes passives et résignées. «Honnêtes», elles le sont par la qualité de leur naissance qui en fait du même coup des dames bien apprises, d'aimable compagnie ou de belle humeur. Aucun scrupule moral ou religieux ne vient les empêcher de s'abandonner à la frénésie de leur désir, égale à celle des hommes et dont les manifestations sont identiques. Point d'affrontement entre honneur masculin et honneur féminin, point de remords.

Le tempérament, les visées et l'optique de Marguerite et du seigneur de Bourdeille sont assurément fort différents. Mais on a pu se demander si des façons aussi divergentes d'envisager les rapports amoureux ne tenaient pas, en partie, à l'évolution de la société aristocratique, profondément marquée par les guerres civiles, propices à déchaîner la brutalité des passions et la vague d'érotisme qui déferle dans la littérature à la fin du XVIe siècle.

Quoi qu'il en soit, l'amour galant «à la mode», tel qu'il est présenté par Brantôme, fait la part belle au corps. Le cœur y intervient très peu. Fort de son expérience, il peut assurer qu'en Italie et en Espagne le soleil échauffe bien les dames autant qu'en Orient. Quant aux habitantes des régions froides, Flamandes, Suisses, Allemandes, Anglaises et Écossaises, il les a connues aussi chaudes que celles des autres nations. Mais c'est aux Françaises qu'il décerne la palme. «Depuis près de cinquante ans, elles ont tant emprunté aux autres nations et tant appris d'elles, elles se sont d'elles-mêmes si bien étudiées à se façonner qu'il faut reconnaître leur manifeste supériorité sur toutes les autres, en toutes façons».

Le second livre des *Dames* importe d'abord, a-t-on dit, à l'ethnologue des comportements. Comme l'*Heptaméron* (Brantôme, dont la grand-mère, Louise de Daillon, tenait dans sa litière l'écritoire de la reine Marguerite dont elle était dame d'honneur, le connaissait bien), c'est une longue variation sur l'amour et le mariage. Les intentions, la tonalité de l'œuvre, le style, sont assurément très éloignés de ceux de l'auteur des *Dames*. L'univers mondain du fils et du petit-fils de François Ier demeure, près de trente ou quarante ans plus tard, fort semblable à celui de la cour du Roi-Chevalier. Et les enquêtes menées par la reine et le mémorialiste montrent également l'impossibilité pour les femmes de satisfaire leurs besoins affectifs et sensuels dans l'union conjugale, telle qu'elle est conçue au XVIe siècle.

Brantôme reste soucieux de divertir des lecteurs difficiles à choquer ou à effaroucher, habitués d'ailleurs à une grande liberté de propos en ce qui touche aux réalités physiques de l'amour. Mais il suggère quantité de réflexions et d'interrogations sur les rapports amoureux, bien qu'il se borne en général à conter plutôt que de juger, en se montrant le plus souvent favorable aux dames.

La longueur du premier discours, «Sur les dames qui font l'amour et leurs maris cocus», tient à l'importance du problème, qui met en cause – il l'annonce dès la première phrase – les hommes, maris et amants, autant que les femmes. Que l'adultère soit banalisé, Brantôme n'est pas le seul à le constater. «Chacun de nous a fait quelqu'un cocu» assure Montaigne, réaliste, qui ajoute : «La fréquence de cet accident en doit meshuy [aujourd'hui] avoir modéré l'aigreur : le voilà tantôt passé en coutume.»

Et L'Estoile, traduisant l'opinion méprisante de la grande bourgeoisie parisienne, d'affirmer qu'à la Cour «la paillardise est publiquement et notoirement pratiquée entre les dames qui la tiennent pour vertu». Les prédicateurs de cour, très sévères en ce qui concerne la morale conjugale, s'adressaient à un auditoire dont ils connaissaient les mœurs fort libres et ne s'en prenaient qu'aux excès de la luxure (rapt, inceste, mœurs hors nature). Rois, princes, et même religieux appartenant à la haute noblesse prêchaient d'exemple.

La multiplication des liaisons semblait même le privilège et la marque d'un rang élevé. «Les grandes dames ne se doivent nullement arrêter à un amour, mais à plusieurs; et telles inconstances leur sont belles et permises, contrairement aux autres dames communes.» Autrement dit : aux bourgeoises la fidélité conjugale ! C'est l'avis d'un grand seigneur qui réserve d'ailleurs son mépris aux «dames moyennes variant en amour» qu'il estime, celles-là, justement punissables.

La liberté sexuelle de l'élite féminine pourrait ainsi, comme le suggère Alain Decaux, relever de la mode, une mode que reflètent l'art et la littérature de la Renaissance. Elle est aussi largement favorisée par les habitudes et les conditions de vie à la Cour et dans les maisons nobles surpeuplées qui facilitent les contacts physiques. Mari et femme, étant chacun au service de quelque grand personnage, dorment dans leur antichambre ou dans leur chambre et cohabitent rarement. Autour des maîtres et maîtresses de la maison gravitent une foule de parents et de domestiques. On dort à plusieurs dans le même lit, à plusieurs lits dans la même chambre. «Il fait bon, se souvient Brantôme, en la ruelle d'un lit sombre, que les yeux des autres personnes pénètrent fort malaisément, ou assis sur des coffres et lits à l'écart, faisant aussi l'amour.»

Les femmes, qui se laissent souvent habiller et déshabiller par des hommes – les domestiques n'ont pas de sexe –, reçoivent dans leurs lits, où leurs amants viennent le plus souvent les retrouver, à moins qu'elles et eux n'en soient réduits, le cas est fréquent, à s'étreindre dans un lieu public. C'est dans un jardin que deux gentilshommes rencontrent deux honnêtes dames. Si l'un est timide, au grand dépit de la dame, l'autre réussit, après quelques tours d'allées, à recommencer «une seconde charge», apparemment sans gêne. La garde-robe offre une retraite propice, quand ce n'est pas quelque recoin sombre, une tapisserie qu'on soulève, voire un coffre derrière lequel se cacher.

Ces étreintes furtives se nouent parfois en présence de témoins – serviteurs, gouvernantes, ou même maris –, mais si subtilement que ceux-ci ne s'en aperçoivent pas, tel cet homme que sa femme trompait tandis qu'il jouait aux cartes. Elles sont nécessairement expéditives, et telle dame se moque des sottes du temps passé, par trop délicates, qui faisaient tant durer leurs jeux et ébats qu'aussitôt elles étaient découvertes et montrées au doigt.

Si la peur, le risque donnaient, comme dit Montaigne, «pointe à la sauce», on n'en cherchait pas moins à éviter le scandale, et Brantôme, après bien d'autres, énumère maints exemples de l'ingéniosité et de la traditionnelle ruse féminine pour déjouer les soupçons des maris : les cocus sont légion et le premier discours du recueil en dresse une classification détaillée, des dangereux, cruels, sanguinaires aux complaisants et aux débonnaires, de sainte patience et d'agréable fréquentation, fermant les yeux quand il le faut.

ÉROTISME MONDAIN

La chair n'était pas triste à la cour des Valois. Les dames éprouvent la violence du désir sexuel avec la même acuité que les gentilshommes et y cèdent aussitôt avec la même absence de scrupules, sans perversité, comme à un besoin naturel. La vision d'un fort beau tableau, «où étaient représentées force belles dames nues qui étaient aux bains, qui s'entre-touchaient, se palpaient, se maniaient et frottaient» émeut si vivement l'une des dames en visite dans la galerie du comte de Château-Vilain – Brantôme l'a connue – qu'elle dit, en se tournant vers son serviteur, «comme enragée de cette rage d'amour : "C'est trop demeuré ici; montons en carrosse promptement et allons en mon logis, car je ne puis plus contenir cette ardeur, il la faut aller éteindre, c'est trop brûler."»

L'auteur enregistre, sans commentaire, et l'on s'explique le jugement de Jeanne d'Albret, indignée de la corruption de la Cour : «Ce ne sont pas les hommes ici qui prient les femmes, ce sont les femmes qui prient les hommes.»

Les dames attendent d'être comblées par ceux auxquels elles se donnent et le leur disent. Gare aux fanfarons! Tel celui qui se vante auprès d'une d'elles que, s'il était couché avec elle, il entreprendrait de faire six postes la nuit. «Cette virile et vénérique vigueur» est prisée au même titre que le courage guerrier. Il est aussitôt pris au mot, mais hélas, un «retirement de nerf» le contraint à ne courir qu'une fois et à se voir fortement méprisé.

Le code courtois imposait à l'amant la gradation des étapes du service d'amour, avant que la dame en vienne au «cinquième point, le don de merci». Mais les amants de Brantôme sont trop pressés d'arriver à la jouissance pour s'attarder sur la «carte du Tendre». «De la prouesse d'alcôve considérée comme un des beaux-arts», tel est le sous-titre que Jean-Louis Bory proposait pour ce livre des *Dames* voué aux jeux de l'amour. Chaque discours en effet est une invitation à découvrir les techniques de la jouissance physique, et les deux sexes s'y emploient en toute égalité.

L'amour y désigne avant tout les complications de cette technique physique, de cette gymnastique sensuelle qui, selon Lucien Febvre, pendant tout le siècle, mit les Français, collégiens candidement émerveillés, à l'école de ces docteurs d'Italie que recouvrait le seul nom de l'Arétin. L'autorité de ce «maître de l'amour occidental», selon la formule d'Apollinaire, est fréquemment invoquée dans les *Dames*. Ses livres sont achetés à prix d'or par les plus grands personnages, mariés ou non, y compris les femmes, avides de s'informer de toutes les «formes et postures» qu'il y indique.

Le jeu amoureux se joue d'ordinaire, dans les *Dames*, entre partenaires également avertis et également experts. Le but de la joute est bien de vaincre, comme à la guerre ou au tournoi, à condition que la courtoisie vienne se joindre à la force et à l'adresse. La victoire s'identifie alors au plaisir sexuel et, en ce cas les deux combattants sont pareillement assurés du succès. Cette sexualité

heureuse ne peut s'épanouir chez une femme sans le choix du partenaire et le consentement mutuel qu'impliquent d'ordinaire dans les
liaisons illégitimes. Les relations que choisissent les dames leur
permettent donc de manifester leur indépendance. Il arrive parfois
aux plus timides d'accepter plutôt parce qu'elles sont trop importu-
nées que parce qu'elles sont amoureuses, de peur de déplaire. Mais il
n'y en a guère que l'amour effarouche dans l'univers des *Dames*.

Les hommes n'y ont pas plus le privilège de l'initiative que celui
de l'autorité. Les grandes dames sont exigeantes. Arrogantes et
fières, beaucoup d'entre elles refusent de se placer dans une position inférieure, au-dessous d'un homme, dans l'acte amoureux, et si
elles permettent tout à leur amant, c'est à condition qu'il prenne
garde d'«épier le temps du mascaret». L'orgueil leur fait souvent
préférer des égaux et des inférieurs, auxquels elles peuvent faire la
loi : debout, assis ou couchés, ils ne sauraient exiger d'elles la
moindre soumission ou leur infliger une quelconque humiliation.
Les prérogatives du rang s'exercent même au sein des relations
amoureuses. Les plus superbes ont les moyens de menacer leurs
«galants inférieurs» s'ils ne savent pas garder le secret : «Je vous
ferai jeter en sac dans l'eau, je vous ferai tuer ou je vous ferai
couper les jarrets», promettent-elles.

Le jeu d'amour peut reposer non seulement sur un rapport de
forces, de domination de l'un ou l'autre partenaire, mais aussi sur
des rapports financiers. Argent, présents, faveurs s'échangent naturellement entre amants. Toute grande dame doit, «pour son
honneur», offrir des cadeaux, dont des bijoux. Si la beauté et la
jeunesse permettent de payer en nature, le «prix de la marchandise
de Vénus» augmente avec l'âge, et la laideur. Certaines, lorsqu'elles
ont envie d'un homme, donneraient jusqu'à leur chemise, affirme le
mémorialiste.

Car la femme qui s'est essayée au jeu d'amour ne le désapprend
jamais. La mort seule la délivre de la piqûre de la chair. Point de
belles dames en effet qui vieillissent «de la ceinture jusqu'en bas»,
au contraire de l'homme qui, quoi qu'il en ait, s'abstient de bonne
heure parce qu'il s'y fatigue davantage. Ainsi telle dame, pour faire
oublier le ravage des ans, se couvrait la face d'un beau mouchoir
blanc lorsqu'elle couchait avec son ami, de peur que, voyant son
visage, «le haut ne refroidit et empêchât la batterie du bas. Au reste
il n'y avait rien à redire». Car ces «dames vieilles» valent autant
que d'autres en leur jeunesse. L'art que bien éduquées, expertes,

elles apportent au jeu d'amour compense ce qu'elles ont perdu en beauté, et leur conquête est parfois plus difficile que celle des novices; on en retire donc plus de gloire.

Comparer les vieilles et les jeunes, c'est conclure à un match nul. Toutes ont le même appétit pour l'amour, la sensualité d'arrière-saison ne le cède en rien à celle de la jeunesse et la beauté au-dessous de la ceinture peut se conserver jusqu'à un âge avancé. Bref les unes comme les autres peuvent également donner et prendre du plaisir.

Le goût pour les stimulations érotiques, par la vue, le toucher, ou la parole est le même chez les hommes et chez les femmes. Dames et cavaliers estiment que mener l'amour sans la vue et la parole, c'est ressembler aux bêtes brutes. Sans la parole, le plaisir est imparfait. Ce n'est que pour contenter la nature. Car les plus grandes dames sont souvent «plus lascives et débordées en paroles que les femmes communes» et aussi libres que les courtisanes. Or quand on vient à la «pause», quoi de plus appétissant que d'être entretenu de propos folâtres qui réveillent Vénus. Le plaisir provoqué par des propos paillards est comparable à celui qu'on prend dans l'amour.

On a vu plus haut quelle réaction violente et immédiate déclenchait chez les dames contemplant un tableau évocateur le spectacle de la nudité. Les yeux ne sont-ils pas les premiers qui attaquent le combat de l'amour? La vue se fait encore pourvoyeuse d'effets stimulants en ouvrant la voie à l'imagination. Que de filles «étudiantes» perdues par la lecture d'œuvres lascives, comme *Les Métamorphoses* ou *L'Art d'aimer* d'Ovide, par celles des poètes (les amours de Didon, au livre IV de l'*Énéide*, troublaient saint Augustin lui-même) et des romans à la mode. Brantôme souhaiterait avoir «autant de centaines d'écus qu'il y a eu de filles, tant du monde que religieuses, qui se sont jadis émues, et dépucelées par la lecture des *Amadis de Gaule*».

Montaigne confirme les conséquences de ces lectures et la quête érotologique menée par Brantôme. Il a écouté, sans être vu, une conversation entre femmes dont la verdeur l'a surpris : «Que puis-je dire? Notre-Dame, allons à cette heure étudier des phrases d'*Amadis* et des registres de Boccace et de l'Arétin pour faire les habiles, nous employons vraiment bien notre temps!»

Quant aux illustrations pornographiques, comme celles de l'Arétin, leur effet est encore plus roboratif. Les courtisans en raffolent et les dames s'essaient avec leurs amants aux diverses postures et inventions qui rendent le plaisir plus voluptueux. La dame qui, dans son cabinet, possède de telles figures est jugée aussitôt une conquête facile.

Brantôme excuse sans peine celles qui suivent les lois de la nature plutôt que les lois de l'honneur, mais ne pardonne pas aux hypocrites dévotes qui jouent si bien les prudes qu'on les prendrait pour des saintes Catherine de Sienne, «dames mineuses, piteuses, froides, discrètes», mais qu'on fait aisément passer de l'amour de Dieu à l'amour mondain. Ces comédies du désir sexuel que les dames s'étudient à dissimuler par souci des convenances, par orgueil ou par prudence, incitent l'auteur à en débusquer la vérité cachée. La longue histoire consacrée à la célèbre coupe gravée de figures obscènes, où François, duc d'Alençon faisait boire les dames de la Cour, en donne une preuve concluante. Brantôme a observé avec jubilation leurs réactions variées, contradictoires, qu'il a retraduites en dialogues et en exclamations : la couleur sautait au visage des plus honteuses, certaines riaient sous cape, les unes buvaient en riant, les autres buvaient dans le ravissement, etc. Quelques-unes s'en débauchèrent pour en faire l'essai, «car toute personne d'esprit veut essayer de tout».

L'investigation du monde érotique où l'auteur entraîne le lecteur s'attache à toutes les formes de l'activité sexuelle, sadisme, inceste, onanisme. Il n'a pas oublié le lesbianisme, inventé par la docte Sapho, qu'il dit avoir d'abord fleuri en Italie, d'où il a récemment été introduit en France. Les lesbiennes ne manquaient pas à la Cour. Le comte de Clermont-Tallard a conté à l'auteur comment, petit garçon, il a assisté par une fente de son cabinet d'étude, aux ébats de deux grandes dames, toutes retroussées, qu'il a vues se coucher l'une sur l'autre... bref paillarder et imiter les hommes.

Brantôme a connu bien d'autres dames adonnées à ce genre d'amours qui se traitent en deux façons, les unes par «fricarelles» (ce qui n'apporte point de dommage), les autres où l'on s'aide de godemichés (ce dont plusieurs sont mortes). Un beau jour, la reine mère Catherine de Médicis, pendant les troubles, donna l'ordre de fouiller les chambres et les coffres de tous ceux qui étaient logés au Louvre, sans épargner dames et filles : il s'agissait de voir, s'il y avait des armes et des pistolets cachés. A défaut d'armes, le capitaine des gardes trouva dans le coffre de l'une d'elles quatre de ces instruments. Tout le monde en rit fort, et la pauvre demoiselle – l'auteur pourrait la nommer – n'eut depuis «jamais bon visage».

Brantôme, qui condamne énergiquement l'homosexualité masculine, le seul vice à ses yeux, autant que la sodomie, l'«arrière-Vénus», pratiquée avec une femme (souvent par les maris), est indulgent pour le lesbianisme. Il préfère voir une femme virile ou une vraie amazone plutôt qu'un homme féminin comme un Sardanapale. Ce «petit exercice, pense-t-il, est un apprentissage pour venir à celui des hommes» et il ne s'en émeut pas trop, car il a connu bien des lesbiennes qui en sont arrivées là. Mais il juge imprudents les maris qui tolèrent ces amours, moins dangereuses selon eux qu'un adultère avec un homme. Ils ont tort. Ces épouses les cocufient bel et bien.

Le monde érotique des *Dames* montré sans réticence, avec une tranquille impudeur, apparaît dénué de perversité. L'amour y est réduit à une technique physique où l'esprit n'est jamais impliqué. Si le plaisir et les moyens d'y parvenir sont constamment évoqués, le chagrin d'amour n'apparaît guère, sinon sous forme de contrariété ou de dépit devant une occasion manquée.

L'amour, le plaisir des sens – le «déduit» –, tel est le sujet favori des entretiens à la Cour et dans les cercles cultivés. Il tient une place capitale dans la vie contemporaine des élites et se traite avec une liberté sans complexe, la belle «liberté françoise» partagée par les femmes comme par les hommes.

Dans l'univers purement aristocratique des *Dames*, l'auteur, exilé et presque infirme, évoque une société où les dames jouent un grand rôle, dont il a la nostalgie et en découvre, sans que son admiration pour ce «paradis du monde» en soit ébranlée, les violences et les contrastes déconcertants. Ces dames qui s'abandonnent si volontiers à l'ardeur des sens sont aussi celles qui raffolent de conversations brillantes, de débats subtils, de littérature et de poésie, goûtent fort Ronsard et Desportes, et composent elles-mêmes des poèmes.

Brantôme, qui affirme fuir toute médisance et tout scandale, en taisant seulement les noms, qu'il laisse chacun libre de deviner, assure du même coup sa discrétion et l'authenticité de ces aventures érotiques. Authenticité qu'on pourrait mettre en doute : le mémorialiste a-t-il laissé libre cours à sa verve gasconne ? N'a-t-il pas parfois forcé la note, en conteur bien doué ? Mais peu d'auteurs ont autant contribué à l'histoire des mentalités, et en particulier de la sexualité sous les Valois. Les témoignages contemporains le prouvent.

Il a trop aimé les femmes pour ne pas chercher à les comprendre, quitte à les absoudre aisément. Il en a admiré beaucoup, y compris celles qui, «putes dans l'âme et chastes du corps méritent d'éternelles louanges». Et il a célébré avec enthousiasme les dames courageuses, les dames vertueuses et même, si elles l'étaient sincèrement, les dames les plus chastes : il en a connu.

LA VOIX DES FEMMES

Peu de voix de femmes se sont fait entendre pour revendiquer le droit à l'amour-passion, en littérature, s'entend. Seule d'entre toutes les «femmes de bien» de l'*Heptaméron*, Nomerfide, la plus jeune, affirme qu'il n'y a pas de déshonneur à aimer parfaitement... car la gloire de bien aimer ne connaît nulle honte. Il est vrai qu'il s'agit d'un amour aboutissant à un mariage clandestin, parfaitement légal d'ailleurs. Le frère de l'héroïne, jugeant le mari d'un rang trop bas l'a tué, et a relégué sa sœur à l'écart du monde. L'histoire est authentique. Mais quelques années de vraie félicité avec l'homme que l'on a choisi, n'est-ce pas un bonheur suffisant pour supporter la souffrance une vie durant ?

Dans l'ouvrage de la première romancière française, *Les Angoisses douloureuses qui procèdent d'amour* (1538), l'héroïne d'Hélisenne de Crenne est adultère puisqu'elle s'éprend d'un bel inconnu dont la vue suscite aussitôt en elle un trouble bouleversant, l'*innamoramento* des amants pétrarquistes. Mais Hélisenne n'est pas la princesse de Clèves. Elle ne cherche nullement à s'aider de la raison pour lutter contre la passion. La jalousie et la brutalité du mari (il la tient enfermée dans la tour du château de Cabase) ne font qu'affermir sa volonté de ne pas renoncer à cette rage d'amour. Prête à mourir de la main du mari ou de la sienne, la force, l'élan du désir la libère des liens conjugaux, elle supporte sans murmurer violences et humiliations, oubliant toutes les peines subies à cause de lui lorsqu'elle peut jouir du «délectable regard» de son amant. Cet amour (qui ne sera jamais satisfait) n'apportera qu'*angoisses douloureuses* (tel est le titre du roman) dignes de susciter la compassion des dames : qu'elles prennent garde de se laisser surprendre comme elle !

Le curieux recueil de sept *Contes amoureux*, publié à Lyon vers 1538 sous le nom de Jeanne Flore, traduit dans son ensemble une revendication féminine (ou féministe ?), celle du droit au plaisir, particulièrement provocante et subversive, car l'amour s'y réduit presque exclusivement à une fièvre des sens qui fait bon marché de tous les obstacles et de tous les scrupules.

A la protestation contre l'«impareil mariage», celui de la jeune fille livrée à un barbon détesté, qui lui inspire une véritable horreur physique, se joint la glorification de l'amour charnel dans des scènes ingénument érotiques. Les valeurs morales traditionnelles sont tranquillement renversées dans cette petite société de femmes réunie pour célébrer le «saint Amour» : le péché n'est plus de céder à l'amour, mais au contraire de lui résister. «Récalcitrer» au plaisir c'est injurier le ciel, offenser la bénigne nature : ce qu'illustrent, dans chacun des sept contes, les redoutables punitions de «l'amour contemné [méprisé]». A la revendication des droits du corps et du cœur s'ajoute celle de la liberté, de la fin de la claustration et celle de se cultiver en «bonne doctrine» (l'ouvrage est d'ailleurs imprégné de culture italienne et d'érudition mythologique).

Le recueil est énigmatique. A-t-il été rapidement censuré ? En tout cas, on a très vite cessé d'en faire état. L'identité de Jeanne Flore reste mystérieuse. Le monde romanesque totalement hédoniste où se meuvent héroïnes et conteuses (toutes des femmes), l'univers parfaitement irréaliste des contes ont suscité bien des controverses. Un auteur masculin (ou plusieurs) se cache-t-il derrière le pseudonyme de Jeanne Flore, dont la philosophie du plaisir et la disponibilité des héroïnes au désir des hommes sont bien avantageuses pour eux ? On y a vu tour à tour la main de l'humaniste Étienne Dolet, celle de Marot et un exemple de la littérature paradoxale de la Renaissance, d'autant plus que la conclusion nous avertit que tout cela est «fiction / De poésie».

On ne saurait faire alors des contes une défense du droit des femmes à l'amour. Pourtant, ces interprétations, pour divergentes qu'elles soient, ne modifient pas vraiment le sens de l'œuvre. Certes, c'est par le biais de l'évasion romanesque que Jeanne Flore témoigne et proteste. Les contes chantent la sensualité féminine (c'est toujours du point de vue de l'héroïne qu'est envisagé l'amour physique) et c'est là sans doute leur plus grande nouveauté. Ils rappellent aux destinataires, les «jeunes dames amoureuses», l'égalité de l'homme et de la femme devant les sollicitations de l'amour. Dans une société qui reconnaîtrait la dignité féminine, bonheur et amour ne devraient pas être incompatibles «car la chose la plus heureuse et aimable de ce monde c'est de convenir en égalité d'amour adolescente».

Au travers d'un univers de fiction, l'auteur ou les auteurs qui se cachent derrière Jeanne Flore plaident pour l'avènement d'une réalité transformée. Rêver la vie était sans doute la forme la plus aisée de la protestation féminine, souhait d'une évasion illusoire plutôt que revendication, celui de la poétesse lyonnaise qui écouta peut-être les leçons de Jeanne Flore. «Et si jamais ma pauvre âme amoureuse / Ne doit avoir de bien en vérité / Faites au moins qu'elle en ait en mensonge.»

C'est précisément dans l'œuvre poétique de Louise Labé qu'il faut chercher la plus vibrante expression de la sensualité féminine. Nous la retrouverons, avec les femmes auteurs du XVIᵉ siècle.

VI

Des femmes indépendantes : les veuves

DROITS ET PRIVILÈGES

Le veuvage est, au XVIe siècle, le seul état qui assure à la femme l'indépendance dans la vie sociale et civile. Son statut juridique repose sur l'ancienne coutume de Paris, rédigée d'abord en 1510, puis retouchée par Charles du Moulin et Christophe de Thou. Selon la réforme de 1580, la fille, soumise à la puissance paternelle, acquiert à vingt-cinq ans sa pleine capacité juridique, et à la seule condition qu'elle soit mariée. Mais, émancipée par le mariage, elle est en même temps frappée d'incapacité : placée sous la tutelle du mari, assimilée à une mineure, elle ne peut accomplir aucun acte juridique sans son autorisation ou son assistance, ni ester en justice, ni signer de contrats, ni disposer de ses biens propres. La seule chose qu'elle puisse faire librement, c'est son testament.

En revanche, une fois veuve, la femme dispose, en toute liberté, de ses biens personnels et de ceux qu'elle tient du mari, en tant qu'héritière ou usufruitière.

Si elle est mère, elle se voit confier la tutelle et la gestion des biens des enfants mineurs. Toutefois, en juillet 1560, l'«édit des secondes noces», promulgué sous Henri II, avait visé à protéger les enfants du premier lit. La veuve qui se remariait n'avait pas le droit de faire à son second époux, sur ses biens personnels, de donation supérieure à une part «d'enfant le moins prenant», c'est-à-dire le moins pourvu.

Mais cette liberté dont jouissent les veuves leur est concédée dans la mesure où elles œuvrent dans l'intérêt de la famille, qui prime alors le sort individuel de ses membres, de l'homme comme de la femme, pour perpétuer le nom et sauvegarder le patrimoine qui en est le soutien indispensable. Car la famille mérite tous les sacrifices, des garçons comme des filles, de l'épouse comme de l'époux.

La diversité des coutumes selon les régions de France, la différence entre le Nord et le Midi, entre les pays de droit coutumier et ceux de droit écrit, impliquent la diversité des régimes matrimoniaux et des droits de la veuve. Mais en règle générale celle-ci ne pouvait hériter des biens de famille de son mari, qui devaient revenir au lignage. Sinon, en cas de remariage, elle risquait de faire passer en partie ce patrimoine dans des mains étrangères. Quant aux donations entre époux faites de leur vivant, les juristes cherchaient à les éviter, tel Cujas mettant en garde contre ce résultat des «excès de mutuel amour».

Une veuve très jeune (de toutes jeunes filles étant fréquemment mariées à des hommes nettement plus âgés) pouvait certes choisir un nouvel époux selon son goût. A une condition : avoir plus de vingt-cinq ans. Sinon, elle était en droit assimilée à une fille mineure. L'ordonnance de Blois (1579) stipulait simplement que les veuves de moins de vingt-cinq ans devaient tenter d'obtenir le consentement de la famille (comme les enfants majeurs) mais ne déclarait pas nul le mariage si le consentement n'était pas obtenu. Et le père ne pouvait pas reprendre la dot accordée lors du premier mariage.

Mais pour les veuves plus très jeunes et chargées d'enfants, le remariage s'avérait difficile. La proportion des veuves restées seules est estimée pour l'époque à 14 % de la population.

Très nombreuses, aux XVIe et XVIIe siècles, elles constituent ainsi un corps collectif dans la société. La mort de l'un des époux survient dans plus d'un mariage sur quatre. Entre trente et quarante ans les femmes meurent souvent en couches et leur quotient de mortalité est supérieur à celui des hommes. Ceux-ci, par ailleurs, se remarient plus rapidement et plus souvent : entre vingt et trente ans, 80 % contre 67 % des femmes, entre quarante et cinquante ans, 52 % contre 20 % des femmes. Et Natalie Z. Davis nous apprend qu'à Lyon au XVIe siècle et à Bordeaux aux XVIe et XVIIe siècles un tiers des jeunes apprentis et la moitié des jeunes filles qui se marient pour la première fois n'ont plus de père.

Comment subsister après la mort du mari ? Dans les pays de droit coutumier, la veuve récupère sa dot, bénéficie de l'«augment» de dot (droit d'usufruit) sur une partie des biens du mari et de ceux qui lui sont échus par succession depuis son mariage (biens «paraphernaux»). Elle reste propriétaire de ses biens personnels.

Une telle liberté n'était pas concédée à toutes. Il fallait, en fait, que le contrat de mariage leur eût garanti certains droits.

Dans les milieux populaires, dans l'immense classe paysanne, la communauté était le régime habituel de ceux qui vivaient ensemble «à pot et à feu», souvent dans des groupes «taisibles», c'est-à-dire tacitement constitués par l'association de plusieurs ménages (de frères d'ordinaire). Les veuves s'y trouvaient protégées par la communauté, «en main commune». Le régime de la communauté était aussi celui des petits-bourgeois, artisans, marchands, ayant acquis ensemble des biens qu'il paraissait normal de partager. Partage différemment organisé selon les coutumes des diverses provinces (la veuve héritant de tout le patrimoine, sa vie durant, ou seulement des meubles et des acquêts), ou régime (aujourd'hui légal) de la communauté réduite aux acquêts : c'était le régime du droit parisien. Si les dettes dépassaient le capital, la veuve pouvait renoncer à la communauté, et les créanciers n'étaient pas autorisés à se payer sur ses biens personnels.

En pays coutumier, et à Paris spécialement, la veuve pouvait bénéficier, ce qui était avantageux, du partage de la communauté auquel s'ajoutait le douaire. La pratique du douaire, privilège des nobles à l'origine, accordait à la veuve un «gain de survie», un droit en usufruit sur les biens du mari, dont elle percevait les revenus sans en être propriétaire. Une autre forme de douaire consistait en la somme donnée à la femme par le mari dans le contrat de mariage, ou dans un héritage laissé à sa mort en toute propriété. Généralement supporté par les seuls biens du mari, il était réduit, en cas de remariage, pour préserver les droits des enfants de lits différents.

L'adultère ou la mauvaise conduite faisait perdre à la femme son douaire, qu'elle gardait d'ordinaire même si elle se remariait plusieurs fois.

On a vu, plus haut, l'importance du problème de la dot dans le mariage. C'était au père, ou au frère de la future qu'il incombait de la fournir dans les pays de droit écrit. La dot devait assurer la subsistance de la veuve puisque les filles n'héritaient pas des biens de leurs parents. La femme mariée étant frappée d'incapacité juridique, c'était au mari que revenait la gestion des revenus de la dot. En dépit des précautions prises par la famille et bien que l'épouse, créancière de sa dot, passât avant tous les créanciers du mari défunt, les veuves n'avaient pas, dans l'ensemble, la vie facile. Dans les milieux populaires, la modestie de la dot ne permettait que de faibles revenus. Certaines faveurs étaient toutefois accordées aux veuves : «quarte du conjoint pauvre» (usufruit sur le quart des biens du mari) en Provence et en Languedoc, «augment de dot».

Elles jouissaient ainsi d'une liberté que n'avaient pas les femmes mariées. Mais ces droits qu'on leur reconnaissait, octroyés par une société largement dominée par les hommes, étaient exercés sous condition, sous surveillance, et c'était finalement la famille du mari qui récupérait et dot et douaire.

Remariage et charivari

La rançon de la liberté conférée par le veuvage, c'est l'hostilité méfiante de la société. La littérature, depuis le Moyen Age, a prodigué aux veuves railleries et soupçons. Elles ont mauvaise presse : les femmes les envient, les hommes les suspectent.

Affranchies de la domination masculine qui pèse sur la jeune fille et la femme mariée, éternelles mineures, les veuves, quant à elles, sont enfin «en leur pleine liberté et nullement esclaves des pères, mères, frères, parents et maris, ni d'aucune justice, qui plus est», assure Brantôme. Sans doute sont-elles surveillées sans bienveillance, par l'entourage, la communauté villageoise, ou les gens de cour. On attend d'elles qu'elles restent fidèles au défunt, que leur conduite soit exemplaire. L'Église, qui se défie de la faiblesse féminine, leur propose une ligne de conduite idéale, accessible aux seules femmes d'élite et ne voit pas les remariages d'un bon œil.

Les théologiens traitent les remariés de bigames successifs. Quel sera le sort des polygames à la résurrection ? Même si le second mariage était tenu pour valide, on refusa longtemps aux gens mariés en secondes noces la bénédiction, surtout dans le midi de la France.

Le remariage d'une veuve – ou d'un veuf (mais on est moins sévère pour les hommes) – déclenche un charivari, un chahut organisé. Une bande de jeunes gens viennent donner une sérénade au nouveau couple, c'est-à-dire un concert aussi bruyant et discordant que possible, avec tambours, cloches, ustensiles de cuisine, accompagné de chansons satiriques, voire injurieuses. Ces musiciens se déchaînent jusqu'à ce que le marié leur offre rituellement quelque gratification, en boisson ou en argent, pour acheter sa tranquillité. Ces charivaris ont parfois dégénéré en bagarres si la somme était jugée insuffisante, les compagnons allant jusqu'à piller la maison du marié, et même à le blesser mortellement.

Le charivari protestait d'ordinaire contre les remariages où la disproportion d'âge était grande entre les époux, où la femme était accusée de mauvaise conduite (veuves et filles enceintes par exemple). On a donné diverses interprétations de cette pratique qui, dans les campagnes, s'est perpétuée jusqu'au XXe siècle : paiement pour avoir définitivement enterré la première épouse, compensation donnée aux célibataires, frustrés d'une jeune femme «enlevée» par un homme plus âgé ?

S'il manifeste une vive admiration pour la fidélité des veuves exemplaires, (à commencer par celle de sa belle-sœur, la remarquable Jacquette de Montbron), Brantôme est loin de désapprouver le remariage de celles qui deviennent veuves en la fleur de leurs beaux ans, comme bien des dames huguenotes dont les maris furent massacrés à la Saint-Barthélemy : c'est exercer, pense-t-il, trop de cruauté envers elles-mêmes comme envers la nature. Après tout, leurs époux défunts ne s'en soucient pas aux champs Élysées, et peut-être même s'en moquent-ils. Que les vieilles sacrifient à la religion et à la règle de veuvage, soit, mais point les belles et les jeunes auxquelles la loi divine et humaine permet de retâter des doux fruits d'un second mariage. Tel est l'avis des plus clairvoyants.

Certaines en savourent, par avance, tous les avantages : «Si mon mari était mort, disent-elles à leurs amis de cœur, nous ferions ceci, nous ferions cela.» Et d'envisager la vie si plaisante qu'elles mèneraient avec eux : «Qui serait plus heureux que nous ?» Car si le premier mari est épousé sous la contrainte, les autres maris le sont par choix : «Nous ne le prenons, ainsi disent-elles, que pour nos beaux et bons plaisirs.» C'est aussi la perspective que, dans une nouvelle, une mère fait entrevoir à sa fille désolée d'épouser un vieillard : avec sa peau, assure-t-elle, tu pourras t'en offrir un jeune à ta convenance. Ces dames «ainsi convolantes» n'hésitent pas à se remarier plusieurs fois. Elles y gagnent, plaisante Brantôme, d'avoir quantité de beaux-frères. Quant aux deuxièmes ou tierces noces, elles ne sont pas toujours plus heureuses que les premières. Une fois faites, voilà les dames «aux représailles», mais il n'est plus temps. Elles ne sont guère estimées d'ordinaire, car à vrai dire, «y a-t-il une différence entre une femme qui a eu quatre ou cinq maris et une putain qui a eu trois ou quatre serviteurs l'un après l'autre, sinon que l'une "se colore" par le mariage, et l'autre point ? »

Les relations sexuelles des veuves ne pouvaient entraîner aucune contestation des héritiers : le droit romain qui leur interdisait de se remarier dans l'année qui suivait la mort du mari en avait ainsi décidé (c'est l'Église qui leur imposait pénitences et vêtements de deuil), et les veuves en France, dans la noblesse, n'étaient d'ailleurs pas pressées de le faire. Le dernier discours des *Dames galantes* de Brantôme, consacré aux veuves pour une bonne part, donne vingt-trois exemples de femmes qui préfèrent l'état de « viduité » contre douze qui optent pour un remariage.

Beaucoup de dames au contraire optent pour la « pleine liberté et satisfaction de soi-même », comme Mme de Carnavalet, deux fois veuve. Telle autre refuse le remariage comme la peste : le forçat ou l'esclave qui a longtemps tiré à la rame ne serait-il pas fou si, ayant recouvré la liberté, il allait de son plein gré s'assujettir aux lois d'un outrageux corsaire ? Rien n'empêche d'ailleurs la veuve de « conjouir » avec un ami de son choix, soit qu'elle redoute de perdre son rang et ses richesses et tienne ses amours secrètes, soit qu'elle s'abandonne à l'amour, « sans perdre rangs, tabourets, sièges et séances en la chambre des reines ou ailleurs ». Voilà pourquoi tant de femmes veulent bien avoir des amis, non pas des maris, « pour l'amour de la liberté qui est si douce chose ». Il leur semble quand elles sont hors de la domination maritale qu'elles sont au paradis.

Ce sont là mœurs de dames de la noblesse et de la Cour, les seules femmes auxquelles s'intéresse Brantôme, « les grandes... pour lesquelles ma plume vole ».

LES VEUVES D'ARTISAN

Dans le monde des artisans et des bourgeois, le veuvage permet, là aussi, une indépendance inconnue de la femme mariée. Indépendance qui comporte toutefois des limitations, notamment en cas de remariage.

Bien des métiers exercés par les hommes sont accessibles aux femmes lorsqu'elles deviennent veuves. Ainsi celles des maîtres sont-elles autorisées à poursuivre l'activité professionnelle du mari. Cette situation est très particulière car ces épouses n'ont été souvent ni apprenties ni ouvrières. Mais ce droit s'assortit d'un certain nombre de restrictions. A Toulouse, les pâtissiers exigent de la veuve le dépôt d'un cautionnement, les boursiers ne la laissent travailler «que de ses mains seulement», sans qu'elle puisse prendre d'apprentis ou d'ouvriers, les savetiers ne l'autorisent à exercer qu'un an après la mort du mari. A Paris, les «chandeliers» (marchands de chandelles) lui interdisent de travailler «hors de son ouvroir». Mais elle peut envoyer au dehors un ouvrier avec son apprenti.

En général, si elle connaît bien le métier, elle est autorisée à garder les apprentis engagés par son mari, mais leur contrat expiré, elle ne peut pas en prendre de nouveaux, seulement des ouvriers payés, des «compagnons». Les boulangers du Mans, les pâtissiers de Toulouse se montrent très intransigeants sur la moralité de la veuve : si elle se conduit mal, avec des compagnons ou autres, elle est déchue de ses droits. Si elle se remarie avec un ouvrier, celui-ci est dispensé d'une partie des formalités nécessaires pour obtenir la maîtrise, comme s'il épousait une fille de maître. Mais si son second époux n'est pas un homme du même métier que le premier, elle perd son privilège, et doit renoncer à l'exercer. Chez les gainiers de Rouen, le seul fait d'épouser un homme qui ne soit pas du métier entraîne la déchéance pour sa veuve, même s'il lui a laissé des enfants.

Les «tissutiers» de Paris, dont la législation paraît libérale, et instaure une égalité – insolite à l'époque – entre travailleurs et travailleuses, déclarent pourtant la veuve déchue de ses droits si elle s'est remariée avec un compagnon «qui ne fût de honnête état, vie et gouvernement». Ces mesures restrictives à l'encontre des veuves s'expliquent par la crainte de voir se transmettre hors de la corporation le savoir-faire d'un métier, mais aussi par la méfiance qu'inspire toujours une femme.

Les veuves d'artisans, les femmes occupées aux métiers mixtes, jouissaient-elles des mêmes prérogatives et de la même estime que leurs équivalents masculins dans la profession ? C'est peu probable et elles-mêmes ne devaient pas se sentir sur un pied d'égalité avec les hommes : ainsi les veuves, convoquées comme les maîtres pour la messe confraternelle, étaient-elles considérées d'office comme absentes, et frappées à chaque fois d'une amende.

Le privilège de maîtrise accordé aux veuves était en somme «un exemple certain de l'honneur que les femmes reçoivent de leurs maris, tant de leur vivant qu'après», selon le jurisconsulte Jean

Papon, c'est-à-dire un témoignage de reconnaissance posthume des bons et loyaux services rendus par l'épouse à l'époux. Mais sa valeur propre à elle, sa compétence n'entraient pas en ligne de compte.

La veuve, en dépit d'un certain nombre de restrictions qui empêchent sa liberté d'action, paraît être la femme la mieux lotie. A la ville s'entend. Et à la condition de jouir d'une certaine aisance. Car si la veuve d'un artisan est autorisée par la corporation de son mari à continuer son métier (en payant ses taxes et en employant un homme pour les tâches jugées purement masculines), on ne lui permet pas souvent de garder les apprentis du mari, main-d'œuvre à bon marché : en ce cas, elle ne peut faire face ni à la concurrence, ni aux compagnons qui réclament leur salaire, ni aux créanciers qui, se fiant peu aux capacités d'une femme, exigent le paiement des dettes à la mort du mari. Elle peut à la rigueur s'en sortir, soit en se remariant à un ouvrier dont elle favorise l'accès à la maîtrise et qui prend le contrôle de l'affaire, soit en travaillant à un petit commerce qu'elle est en mesure d'acheter, taverne, buvette, etc.

La veuve campagnarde, incapable de fournir le travail physique exigé par l'exploitation, et face à la nécessité de payer une aide masculine, ce qui grevait trop lourdement son budget, devait se résigner à aller chercher du travail à la ville. Mais étant donné la faiblesse des salaires féminins (des dentellières ou des tricoteuses notamment), la femme seule, veuve, épouse abandonnée, ou célibataire sans dot, ne gagnait pas de quoi subvenir à ses besoins. Elle était vite réduite à la misère et à la mendicité, ou à la prostitution.

LES VEUVES DANS LES MÉTIERS DU LIVRE

Parmi les veuves chefs d'entreprise, celles des imprimeurs et des libraires bénéficient d'un statut spécial et d'un prestige tout particulier. On ne peut les confondre avec les épouses des «mécaniques» – les compagnons qui travaillent dans les métiers du livre – qui exercent souvent une activité d'appoint indépendante. Ces femmes qui, aux côtés de leur mari, avaient fréquenté le milieu humaniste où vivaient la plupart des imprimeurs, dont certaines étaient filles d'imprimeurs elles-mêmes, ne manquaient ni d'une certaine culture ni d'une expérience pratique acquise du vivant de l'époux. Il n'en reste pas moins qu'il est difficile de juger de leur culture et de la comparer à celle des imprimeurs et des éditeurs. On les autorisait à exercer le métier du défunt en utilisant ses machines, ses caractères et ses marque et devise. En lui succédant, elles pouvaient inscrire leur nom sur les pages de titre ou les colophons, puisqu'on les désignait toujours comme veuves de tel ou tel.

C'est ce que fit à Lyon, ainsi que sept autres femmes d'affaires, la veuve de Gabriel Cotier. Celle-ci, Antoinette Peronnet, avait financé l'affaire de Cotier avec sa dot (2 080 livres), tout en préservant avec soin la dot de ses filles, et quelque argent de poche «pour ses menus plaisirs». A la mort de Gabriel Cotier, elle prit en main son imprimerie, «A l'écu de Milan», onze ans durant. Elle utilisa sa marque typographique, réédita quelques-uns de ses ouvrages, engagea un traducteur érudit qui avait déjà travaillé pour la maison. Ce qui n'empêcha pas cette femme entreprenante de faire appel à un nouvel imprimeur pour éditer des ouvrages récents et les empêcher d'être piratés, en obtenant un privilège royal. Elle rédige une lettre dédicatoire au gouverneur du Lyonnais en tête d'un des ouvrages qu'elle édite, une traduction française des *Institutiones* de Marc Aurèle. Elle se flatte d'avoir entrepris l'édition d'un texte si utile pour apprendre à se bien comporter et à bien gouverner. Si elle loue, bien humblement la bienveillance du gouverneur à l'égard des pauvres veuves chargées d'orphelins, elle n'en signe pas moins de son nom. Ajoutons qu'elle se remaria d'abord à un libraire, puis à un – jeune – éditeur en 1555.

D'autres Lyonnaises se signalèrent par leur esprit d'initiative et leur courage : Claudine Carcan, veuve de Claude Nourry, la veuve de Jean Crespin, Michelette de Cayre, veuve de Jacques Arnoullet. Denise Barbou fut fidèle à l'atelier de son père, repris après la mort de ce dernier par son mari, Balthasar Arnoullet. Quand celui-ci fut emprisonné pour avoir imprimé un livre de Michel Servet, elle maintint l'entreprise et une fois veuve, dut s'occuper encore activement de son administration.

De riches bourgeoises appartenant à l'élite de la société lyonnaise surent assumer la responsabilité de grandes maisons d'édition, telle Jeanne Giunta, d'origine florentine, qui obtint la séparation de bien et la récupération de sa dot, par suite de la mauvaise gestion de son mari, et continua à s'occuper de l'affaire après son veuvage. Elle ne signait pas de son nom, mais elle était capable de lire le français : ce qui était le cas de beaucoup de femmes, car on apprenait à lire et à écrire séparément. Elle a dû pourtant dicter en français à celui qui l'a traduite en latin, la dédicace où elle se déclarait toute dévouée à l'art typographique, pratiqué par son père et ses ancêtres florentins dont elle respectait la mémoire. Séparée de son mari en 1572, elle devint veuve un an après et publia sous son propre nom, comme le fit Sibylle de La Porte, qui après avoir suivi son mari calviniste réfugié à Genève, revint à Lyon et au catholicisme après la mort de ce dernier, et reprit son entreprise. Elle a pu participer à la rédaction de la lettre de présentation de son édition des *Commentaires* d'Aristote par le jésuite Francisco de Toledo («François Tolet»). Elle se présente non sans fierté dans sa dédicace de 1579, et n'hésite pas à proclamer qu'être femme ne l'a pas détournée de s'occuper d'imprimerie et d'édition, ce qui, en général est un travail d'homme. Toutes deux continuaient donc à faire marcher une maison qui avait été celle de leur père. Sans doute n'avaient-elles pas reçu de formation profes-sionnelle, en raison de leur situation sociale et n'avaient-elles ni la culture spécifique d'un érudit, ni la compétence technique d'un artisan. Elles surent néanmoins s'entourer judicieusement d'édi-teurs, de bons traducteurs, de commis, ou faire appel à un membre de la famille pour mener à bien leur entreprise, en dépit des troubles de l'époque.

Les Parisiennes ne le cédaient en rien aux Lyonnaises. Nombreuses sont les veuves d'imprimeurs dont le nom est consigné dans les registres des corporations. Elles sont toujours enregistrées sous l'appellation de veuve de… mais, elles aussi, datent et signent les éditions sorties de leurs presses. Beaucoup ne succèdent au mari que le temps de transmettre l'entreprise à un autre imprimeur, qu'elles épousent (elles voient alors leur nom disparaître de la marque typographique), ou en attendant qu'un fils prenne leur place, ou encore en association avec un membre de la famille, un frère, un fils ou même un gendre. Ce fut le parti choisi par la veuve de Vincent Sertenas, Jeanne Bruneau, associée en 1563 avec le mari de sa fille Rose. La collaboration durait en général une dizaine d'années. Ainsi Ronsard et Muret passent, en 1553, un contrat avec la veuve du libraire Maurice de La Porte, Catherine Lhéritier. Mais c'est Ambroise, le fils de Catherine, qui traite avec eux, et c'est par son intermédiaire que Ronsard en 1554 vend les premiers livres du *Bocage* à Catherine «absente».

Une autre solution s'offre aux veuves : c'est de s'entendre avec un des commis de la maison, ou quelque autre des gens du métier. En ce cas, elles lui font donation de leurs biens en totalité et s'en réservent l'usufruit. Agnès Sucevin, elle, après deux veuvages, remet la direction de sa librairie à Martin Roux, lui fait don du quart de tous ses biens à son décès, à condition qu'il demeure chez elle sa vie durant. Il ne touche pas de salaire, mais la veuve lui fournit tout ce qui est nécessaire à sa subsistance.

Il n'est pas sûr que les veuves aient pu elles-mêmes transmettre l'art d'imprimer. Mais elles peuvent transmettre les pratiques, enseigner le métier de libraire, la reliure et la « marchandise » aux apprentis qu'elles engagent. Et celles qui ont réussi ont dû faire preuve d'une véritable compétence. Leurs activités, leurs responsabilités sont multiples et très diverses : achats de papier, surveillance et embauche des compagnons et des apprentis, sélection des éditions destinées aux libraires de province, rapports avec les auteurs et les traducteurs. Madeleine Boursette choisit les textes qu'elle fait imprimer, Charlotte Guillard, spécialiste des livres de prières et de liturgie, prend l'initiative de l'illustration et de la répartition des couleurs (rouge et noir) pour l'impression de six cents missels, dont le modèle lui a été fourni en noir, en accord avec un libraire de Besançon. Femmes d'affaires avisées et âpres au gain, elles s'entendent à défendre leurs intérêts, à prendre d'heureuses initiatives dans les commandes qu'on leur passe et à faire de bons placements financiers.

Les veuves sont les seules femmes dont on puisse cerner la personnalité dans le monde du livre. Quelques-unes ont exercé seules de deux à dix ans au cours du XVIe siècle. Et certaines maîtresses femmes ont su poursuivre longtemps une carrière indépendante, ou en association. La librairie de « L'Éléphant » a ainsi été dirigée par Madeleine Boursette, veuve de François Regnault, associée à son fils Jacques de 1541 à 1556, puis par sa fille Barbe quand celle-ci est devenue veuve, de 1557 à 1563. Les deux femmes ont signé leurs publications de leurs initiales. Barbe de son nom de fille, Madeleine en faisant effacer celles de son époux pour les remplacer par les siennes.

Charlotte Guillard est une autre de ces personnalités exceptionnelles. Deux fois veuve, elle a évoqué, dans une intéressante préface au *Lexicon græco-latinum* de Jacques Toussain, les cinquante années de travail acharné qui lui ont permis d'assumer la direction du « Soleil d'or », l'une des plus grandes librairies de la rue Saint-Jacques.

Yolande Bonhomme, fille et veuve de libraires, a dirigé de main de maître trente-cinq ans durant la célèbre maison Thielman-

Kerver. Outre la librairie de la Licorne (évaluée à 40 000 livres tournois), plusieurs maisons en location, elle possédait avec ses enfants un grand domaine foncier d'un bon rapport et donnait généreusement à l'Église. Dans ses quatre testaments, elle fait des legs à ses serviteurs, à la confrérie des libraires de Saint-Jean-l'Évangéliste et octroie soixante livres tournois aux chanoines de Saint-Benoît-le-Bien-Tourné pour qu'ils prient pour elle, commande des œuvres d'art pour les églises du quartier (tableaux, tapisseries, etc.) en donnant des instructions très précises, et veille à ce que la marque de sa maison figure sur une verrière destinée à l'église des Filles-Dieu : c'est assurer ainsi la renommée de la famille. Yolande Bonhomme, d'ailleurs, de veuve Kerver en 1539 est devenue «bourgeoise de Paris» en 1554.

C'est dire de quelle notoriété pouvaient jouir ces maîtresses femmes, riches et considérées, qui tout en veillant à préserver le patrimoine, savaient se montrer généreuses et se répandaient en aumônes, conscientes d'être des notabilités parisiennes, entourées d'enfants, d'apprentis, de collaborateurs et de clients. Cependant, ces veuves ne pouvaient guère inquiéter ni concurrencer, pour remarquables qu'elles aient été, les hommes de même métier. Elles étaient peu nombreuses, et si elles maintenaient en vie une entreprise, elles n'en créaient pas de nouvelles.

Il n'est pas inhabituel de voir des femmes mener à bien de telles entreprises. «Beaucoup d'entre nous, dit-elle, ne se sont-elles pas attiré les plus grands éloges pour avoir pratiqué l'art typographique et accompli des tâches bien plus difficiles encore ?» Ce n'est sans doute pas un hasard si la seule voix qui s'est élevée dans la cité lyonnaise pour célébrer le travail féminin est celle d'une éditrice libraire à la fin du XVIe siècle. Les métiers du livre favorisaient-ils particulièrement l'indépendance et la culture des femmes ?

Celle-ci reste très variable, même à l'intérieur d'une famille. Catherine, sœur aînée du célèbre imprimeur Abel L'Angelier, qui tient boutique au Palais, ne signe pas. En revanche, l'épouse de son frère, Françoise de Louvain, veuve d'un des fils du non moins célèbre imprimeur Galiot du Pré, Pierre, libraire, bourgeoise protestante d'une famille aisée, est une femme cultivée et une femme de caractère. Après avoir courageusement mené sa barque durant les troubles religieux et en dépit de l'hostilité contre les réformés après la Saint-Barthélemy (plusieurs de ses parents furent assassinés alors), elle épouse en secondes noces Abel L'Angelier

(1573) beaucoup plus jeune qu'elle et travaille pendant près de quarante ans auprès de lui. Veuve pour la seconde fois en 1610, infatigable, elle continue à faire preuve de remarquables capacités professionnelles, assume seule la direction de l'officine et parachève l'œuvre commune.

Les épîtres dédicatoires qu'elle adresse à Antoine Séguier de Villiers, et à de très hauts personnages, Charles, duc de Nevers et Henri de Bourbon, prince de Condé, attestent une parfaite maîtrise de la langue et du style. Il serait intéressant de savoir si ces bourgeoises du monde du livre ont été en rapport avec les femmes de lettres dont leur maison publiaient les œuvres : Madeleine et Catherine des Roches, Madeleine de L'Aubespine et Marie Le Gendre ainsi que Marie de Gournay se sont fait, en effet, éditer par Abel L'Angelier. Ont-elles cherché à satisfaire les goûts d'un public féminin ? Il est difficile de le dire. Mais on peut penser que L'Angelier ne distinguait pas le public féminin du public mondain en général, et que sa femme en faisait autant.

VII

Femmes au travail

Le sort des femmes dans les couches sociales les plus pauvres n'a guère retenu l'attention. La littérature du XVIᵉ siècle les ignore, englobant dans un même mépris (que partage Ronsard avec beaucoup d'autres) tous ceux qui travaillent de leurs mains, les «mécaniques» qu'ils soient hommes ou femmes. Ils représentent pourtant plus de 80 % de la population, et 90 % des femmes sont des paysannes ou des ouvrières écrasées de labeur. De cette majorité silencieuse, qui ne sait pas écrire et sur laquelle on ne s'est pas soucié d'écrire, de ses sentiments, de ses rancœurs et de ses espoirs, on a fort peu de témoignages, sinon indirects. Suffisamment tout de même pour se représenter la participation des femmes aux travaux des champs, la multiplicité de leurs activités en ville, et les lourdes tâches du «ménage» aux différents échelons de la société. Divers métiers, spécifiquement féminins, seront envisagés dans les chapitres suivants.

TRAVAILLER À LA CAMPAGNE

La femme, quelle que soit son origine sociale, se définit, nous l'avons vu, par sa relation au père ou au mari, légalement responsables d'elle et chargés de la protéger et de la contrôler. Ils doivent lui assurer le gîte et la subsistance, et en attendent respect et obéissance.

Mais dans les classes les plus démunies, les filles et les femmes d'ouvriers agricoles, de petits exploitants, sont contraintes de travailler pour participer à l'économie familiale ou pour assurer leur survie. Elles n'en sont pas considérées pour autant comme des personnes indépendantes. Leurs salaires reflètent cette conviction : ils sont toujours inférieurs aux salaires masculins puisqu'un homme est censé leur fournir un toit et de quoi subvenir à leurs besoins.

A défaut de la protection paternelle, l'orpheline, ou celle que la misère chasse loin des siens, en trouve un substitut en la personne d'un employeur, qui se charge d'elle et la surveille jusqu'à ce qu'elle le quitte pour s'employer ailleurs ou pour se marier. Car la fille pauvre, si elle travaille pour éviter d'être à la charge de sa famille, cherche aussi à se constituer une dot et à acquérir l'expérience professionnelle qui la fera apprécier par le mari éventuel. En trouver un, tel est son but, et son destin. D'expérience, elle n'en a guère, sinon celle qu'elle a acquise auprès de sa mère, bornée aux tâches domestiques, aux travaux de la ferme, aux soins des enfants. Et le mariage suppose qu'on a de quoi monter son ménage et fonder une famille. Il lui faudra attendre dix ou quinze ans au moins, au prix d'un dur travail pour mettre de côté le petit pécule nécessaire.

Trouver un emploi de fille de ferme dans les environs permet à une jeune paysanne de ne pas trop s'éloigner de sa famille. La «laiterie», de la traite des vaches à la fabrication du beurre ou du fromage et au soin de la basse-cour, besognes de femmes par excellence, étaient les travaux les plus recherchés. Mais la débutante ne devait pas ménager sa peine. Outre la lessive, la cuisine, le nettoyage de la maison, celui de l'étable ou de la bergerie l'attendaient. Pendant la moisson, elle s'activait aux champs avec les hommes, fanant, glanant ou liant les gerbes. Elle vendangeait en automne, transportant les sarments de vigne coupés par les hommes. Quantité de services supplémentaires, non payés, venaient s'ajouter aux travaux spécifiquement féminins. La variété des travaux agricoles permettait à l'adolescente de s'occuper comme ouvrière à la morte saison, tout en restant à la ferme.

Nombreuses sont les estampes, les illustrations des livres d'heures qui mettent en scène les travaux des champs. Mais l'existence des campagnards y est toujours représentée dans des activités conventionnelles, à des moments privilégiés, fêtes villageoises, danses, et au travers de personnages stéréotypés, troupes joyeuses de vendangeurs, aimables bergères, etc. Ces images idylliques ne reflètent guère les dures réalités avec lesquelles devaient se colleter les travailleurs et les travailleuses.

L'embauche, dans les régions de grandes fermes laitières, en Normandie ou dans les Flandres, était plus facile que dans celles où les petites fermes au cheptel réduit avaient besoin de peu de main-d'œuvre.

Celles qui ne réussissaient pas à trouver d'emploi près de chez elles devaient se tourner vers la ville, sans aller forcément très loin. Au nord de la Loire, la zone de recrutement de n'importe quelle ville ne s'étendait guère à plus d'une cinquantaine de kilomètres. Dans les villes situées près de la Méditerranée, en revanche, les servantes venaient de plus loin, des Cévennes ou du Rouergue.

La main-d'œuvre féminine non qualifiée était très bon marché. Aussi la demande était-elle forte. Les familles nobles et bourgeoises se procuraient des domestiques sur leurs terres, en province, ou par l'intermédiaire d'amis ou de parents provinciaux. Les relations familiales jouaient un grand rôle dans l'octroi des places, la jeune fille succédant souvent à une tante ou à une cousine. De bonnes références, une présentation correcte (souvent malaisée, la pauvreté, le manque d'eau et de vêtements ne permettant pas d'avoir belle apparence), la caution d'un parent citadin facilitaient l'embauche.

Le sort qui attendait ces campagnardes émigrées en ville n'était guère réjouissant. Le prestige d'une famille, sa position sociale se mesurait au nombre de domestiques, une trentaine dans la haute aristocratie, six ou sept dans la petite noblesse ou la bourgeoisie aisée. Dans ces grandes familles, le service domestique était très hiérarchisé : les femmes de chambre, les nourrices et les gouvernantes étaient en haut de l'échelle. Les paysannes peu expérimentées commençaient par remplir les fonctions les plus humbles, filles de cuisine, laveuses de vaisselle, portaient l'eau et le bois, vidaient les baquets sales, frottaient les parquets. Si elles acquéraient quelque compétence particulière, si leur physionomie était avenante, elles pouvaient espérer, avec du savoir-faire et de la chance, s'élever dans la hiérarchie domestique jusqu'au rang de femmes de chambre et, en dix ou quinze ans de dur labeur, se constituer un petit pécule.

Mais le plus souvent, elles étaient embauchées par des artisans modestes, dont le premier luxe était de s'offrir une bonne à tout faire, terme significatif et tristement dépréciatif. La jeune paysanne, vraie bête de somme, devait alors accepter les besognes les plus pénibles et les plus rebutantes, corvéable à merci tout au long du jour, porteuse d'eau et de lourds fardeaux (les gros sacs à linge à porter au lavoir entre autres), videuse de lieux d'aisances. A l'occasion, elle donnait un coup de main à l'artisan dans son travail et il lui fallait, bien sûr, nettoyer la maison, faire le marché, la cuisine et le ménage.

Des servantes, on en utilisait pour toutes sortes de tâches : les marchands avaient besoin de filles pour faire les courses, les livraisons ou pour tenir la boutique, les femmes d'artisans, de boulangers par exemple, se faisaient aider dans leur commerce ou à la maison pour maintenir les fours allumés, recevoir les clients et s'acquitter des tâches domestiques. Tout au bas de la hiérarchie des servantes se situaient les filles qui nettoyaient les auberges et lavaient à grande eau les abattoirs. La domesticité féminine constituait près de 12 % de la population d'une ville, en France comme ailleurs en Europe. Sa mobilité était grande, car les jeunes filles restaient en service jusqu'à leur mariage seulement. Les employeurs préféraient les jeunes célibataires et les femmes mariées devaient dissimuler leur statut conjugal si elles voulaient être engagées.

Comparé à d'autres métiers, le service domestique comportait des avantages : logement (souvent une soupente à partager à plusieurs, un recoin sous un escalier) et nourriture assurés, parfois des vêtements usagés, un peu d'argent. De quoi vivre jusqu'au mariage, ou attendre un petit héritage familial. Beaucoup de servantes pouvaient escompter un legs à la mort des maîtres, qui parfois savaient aussi se montrer généreux à l'occasion de leurs noces.

Mais le service comportait aussi des risques : leurs employeurs pouvaient impunément maltraiter des filles sans défense, livrées à leur merci, les battre ou les affamer. Le danger le plus redoutable était de plaire au maître, ou aux serviteurs. Le viol d'une servante ne tirait pas à conséquence : les contes et les nouvelles du temps relatent, sur le mode comique ou tragique, quantité de séductions de chambrières que le maître va rejoindre dans leur lit… ou qu'il fait dormir à ses côtés – voire en présence de sa femme ! – et dont il jouit de gré ou de force. Certaines trouvent parfois un appui auprès de l'épouse, à laquelle elles se confient, telles des chambrières de l'*Heptaméron*. Mais la servante enceinte est aussitôt congédiée, elle a peu de chances de retrouver du travail, et son renvoi la réduit vite à la misère et à la prostitution. Quant à la fille-mère infanticide, elle est brûlée sur la place publique.

Les servantes les plus chanceuses – mais elles étaient l'exception – qui échappaient à tous les périls de leur condition et réussissaient à monter en grade, mettaient de côté de quoi songer à leur établissement. Anciennes filles de ferme, elles revenaient au pays, épousaient des garçons de ferme, ou de petits fermiers et cherchaient à s'installer sur une exploitation médiocre, grâce à leurs économies.

Leur retour aux champs dépendait évidemment des perspectives d'emploi, de leurs possibilités d'acquérir une petite ferme. Sur un domaine rural de médiocre étendue, les femmes pouvaient se consacrer complètement à son exploitation. La plupart du temps, durant les périodes de morte saison, elles se livraient à nombre d'occupations variées pour joindre les deux bouts, telles ces paysannes des régions pyrénéennes qui pendant les six ou sept mois d'hiver tricotaient des bas de laine, dont un marchand fournissait la matière première et leur payait la façon. Les fabricants de textile recouraient eux aussi à cette main-d'œuvre dispersée et accommodante qui leur procurait directement vêtements, cuir, chanvre et lin. Mais, mariées et mères de famille, chargées de tâches pénibles tout au long du jour, les femmes ne prenaient de travaux supplémentaires que si la gêne, les dettes les y obligeaient.

Bien souvent, lorsque la terre ne pouvait nourrir la famille, dans les régions pauvres, montagneuses comme l'Auvergne, le mari se mettait en quête d'emplois saisonniers de ramoneur, terrassier, colporteur, etc. En son absence, la charge de la ferme retombait tout entière sur la femme.

Très peu de servantes épousaient des domestiques et elles étaient moins nombreuses encore à rester en service : un couple trouvait difficilement à être engagé à résidence. Les filles de salle épousaient souvent, semble-t-il, des ouvriers du bâtiment qui fréquentaient la taverne où elles servaient les clients. Une fois mariées, les servantes en possession d'un petit pécule cherchaient à ouvrir un modeste commerce, ou une buvette, ce travail ayant l'avantage de pouvoir se combiner avec les tâches d'une mère de famille.

Mais la plupart, nées à la campagne, devenaient par nécessité des citadines, vivant au jour le jour dans des conditions précaires, accablées de travail, incapables d'épargner, ou franchement misérables. Les archives des hôpitaux montrent en effet qu'elles mouraient en ville. Même sans dot, elles pouvaient, bien sûr, trouver un partenaire aussi démuni qu'elle, le mariage des pauvres ne rencontrant guère d'obstacles. Dès lors le manque de capital ou de qualification les condamnait inévitablement à la pauvreté.

LES TÂCHES DE LA FERMIÈRE

Quelle que soit d'ailleurs l'étendue d'un domaine agricole, sa gestion réclame l'étroite collaboration du mari et de la femme. A celle-ci revient traditionnellement et avant tout l'approvisionnement en nourriture et en vêtements de toute la maisonnée, employés compris.

Dans une petite exploitation, la multiplicité des tâches et des travaux auxquels elle est confrontée est surprenante : si le fermier a la charge du gros bétail, c'est elle qui nourrit les bêtes, des vaches et des porcs aux oiseaux de la basse-cour (le «gélinier»), élève des abeilles, s'occupe de cultiver les légumes du «jardin à potages», de cueillir les herbes médicinales, de fumer et de saler, de préparer les conserves, de confectionner le pain de ménage pour la consommation courante ou les pains de «fine fleur» qu'on peut vendre aux plus riches, au marché ou à la ville.

Il lui faut ramasser le bois de chauffage, ou couper et sécher la tourbe, cueillir de quoi nourrir les lapins, seule ou en compagnie de voisines et si elle le peut, de servantes, traire les vaches et les chèvres, veiller à la «laiterie», mais aussi filer et tisser pour vêtir la famille : les habits se font à la maison, on n'achète guère que les sabots et les souliers, l'argent est rare.

Le labeur de la fermière ne se borne pas à ces activités féminines tenues le plus souvent pour un prolongement des occupations domestiques. Dans les régions de montagnes, elle apporte la terre ou l'eau jusqu'aux terrasses. Pendant la moisson ou les vendanges, elle va prêter main-forte aux ouvriers – dans la mesure où la famille peut se permettre d'en engager – et leur prépare la nourriture.

Le travail d'une femme s'évalue très rarement en termes d'argent, et celui de la campagnarde en particulier, qui comporte tant de «services» supplémentaires non rémunérés. Il est toujours moins bien payé que celui de l'homme : si le salaire du principal laboureur est taxé à 15 écus par un règlement de 1602, la première servante ne touche que 4 écus par an; le travail de la main-d'œuvre féminine, comme celui des enfants, demandant moins de force physique est moins payé.

Pourtant la valeur de certaines journées de travail est reconnue. Les livres de raison (où sont enregistrés, entre autres, les dépenses et les gains de la famille) indiquent qu'elles servent à payer les dettes. En 1564, dans celui qu'il tient «pour nos affaires», Hiérome

Guys note le règlement d'une dette payée par « une journée de charrettes » et une journée de vendanges. Tel barbier de Vence s'acquitte, lui aussi, de la sienne en envoyant ses filles aider un voisin à déménager. Et les nouvelles contemporaines font fréquemment allusion aux produits de la fermière les plus appréciés, ceux de la laiterie et de la basse-cour, qui servent de monnaie d'échange ou paient les redevances en nature.

Le XVIᵉ siècle a vu se multiplier nombre d'ouvrages consacrés à la vie aux champs et à l'économie rurale : les traités d'agronomie de l'Antiquité, les traductions de l'*Économique* de Xénophon, des douze livres de *Des choses rustiques* de Columelle, ainsi que les traités médiévaux. Les activités spécifiquement féminines n'y sont pas évoquées.

Il en va tout autrement dans les ouvrages parus dans la seconde moitié du siècle qui s'intéressent, autant qu'aux techniques de culture, à l'organisation du travail, à la distribution exacte des tâches. *L'Agriculture et maison rustique* (1561), traité dû à Charles Estienne et Jean Liébault, accorde une grande importance au rôle de la fermière tout aussi nécessaire que celui du fermier, et qu'il s'attache à définir. Selon le principe cher à Xénophon, auquel renvoient les auteurs pour résumer les qualités de la « maîtresse de la maison rustique », elle est chargée « des affaires concernant le dedans et son mari de celles du dehors ».

Il s'agit d'un domaine assez vaste. Dans le premier livre, un chapitre qui traite du bâtiment et clos de la maison rustique, la cuisine précisément décrite, constitue la pièce centrale du logis du fermier, celle où on se rassemble, où la fermière peut déployer ses multiples activités, avoir l'œil sur « le four » et « la cave », filer et tisser : sa tâche première, nous l'avons vu, est de veiller à la nourriture et à l'entretien en vêtements de tous ceux qui vivent sur le domaine. De là, elle peut aller au jardin potager, à la basse-cour, à la bergerie, aux ruches, sans sortir des murs de la propriété. Plus encore que travailler elle-même, elle doit exercer une surveillance active sur la main-d'œuvre nombreuse qu'exige une exploitation agricole : servantes mais aussi travailleurs, journaliers de tous âges. L'épouse du fermier aisé ou du gentilhomme campagnard se doit certes d'être « bonne ménagère », mais ce n'est pas une servante.

L'Agriculture envisage même que la fermière puisse tirer quelque argent de la « distillation des eaux et des huiles pour les fards, de la boulangerie, de la cueillette des herbes médicinales, de l'élevage des vers à soie» – ce sont les titres de quelques chapitres du livre III – et en général des produits excédentaires sortis de ses «ateliers» qui ont une forte valeur marchande.

Mais il n'est pas question de lui laisser le «maniement de l'argent» (louage des serviteurs, achat ou vente du bétail) qui appartient à l'homme, sauf peut-être en ce qui concerne la maison (linge, vaisselle, ustensiles). Pas question non plus de rétribuer son labeur. Son rôle n'est que le prolongement de celui du fermier.

Par ailleurs sa fonction de fermière se confond souvent avec les obligations d'une mère de famille. Il lui revient le souci de veiller à la bonne conduite de ceux qui sont sous ses ordres. Le rôle de «médecine» lui est aussi dévolu, capable de soigner ceux qui sont sur le domaine, rôle qui incombe d'ailleurs à toute maîtresse de maison. Tout ce menu peuple n'a pas les moyens de faire appel à un homme de l'art, ni d'acheter des remèdes. Les auteurs du traité, médecins, recommandent ainsi l'utilisation de médicaments pour les pauvres – ce ne sont pas ceux des riches – que la fermière doit connaître et qui lui permettent de soigner bon nombre de maladies, y compris les pleurésies.

Le *Théâtre d'agriculture et mesnage des champs* d'Olivier de Serres (1600) témoigne du même intérêt pour le rôle de la fermière, indique la même distribution des charges, «affaires du dehors» pour l'homme, «du dedans» pour la femme. Mais, à la différence du traité d'Estienne et de Liébault, il s'attache à préciser les tâches distinctes des servantes, une robuste gaillarde pour la boulangerie, une fille avisée pour le «gouvernement du poulailler». En outre, la fermière, selon Olivier de Serres, doit recevoir des gages comme son mari, limités par le nombre d'enfants, «les gages étant moindres quand il y a plus de petits enfants». Ces traités plutôt théoriques, qui cherchent à valoriser la vie rustique, reflètent les réalités du temps. Les activités des paysannes, des campagnardes, apparaissent bien comme des rouages indispensables à l'économie rurale et au système d'échange qui s'établit entre la ville et la campagne.

TRAVAILLER À LA VILLE

Les filles pauvres ou de condition modeste nées en ville ne suivaient pas le même parcours que les campagnardes. Elles évitaient le service domestique en restant vivre dans leur foyer. Mais elles n'en travaillaient pas moins. Dans les familles d'artisans, ou de petits commerçants, les femmes aident un père, un beau-père, un mari, un fils. Le travail de ces ouvrières non payées était considéré comme le complément nécessaire d'un travail masculin. A défaut de gages, la jeune fille pouvait recevoir une dot en nature (meubles, vêtements), ou une aide financière lors de son mariage. Si sa mère exerçait un métier, elle avait toutes les chances de pratiquer le même, et de devenir à son tour couturière ou blanchisseuse.

Si elle ne pouvait être employée dans sa famille, elle cherchait à se faire embaucher à l'extérieur. Les gages qui lui étaient versés étaient cédés à la famille où elle revenait, sa journée terminée. Ce sont les métiers du vêtement, vers lesquels se tournaient le plus souvent les filles pauvres, en quête de travail. Elles devenaient couturières, corsetières, chapelières, rubanières, etc. L'expérience professionnelle acquise leur tenait lieu de dot, et elles n'avaient pas, comme l'éventuelle fermière, à faire les frais d'une installation à la campagne.

Ouvrières payées ou non, leur identité professionnelle était beaucoup moins précise que celle des hommes de leur milieu. La femme ne se définit pas par son métier, mais par son statut familial. Même si elle travaille, elle est d'abord la fille, la femme d'un tel. Les artisanes pouvaient plus souvent changer de métier, si leur situation familiale les y invitait. Et leurs salaires étaient toujours inférieurs aux salaires masculins, des deux tiers environ.

Les conditions dans lesquelles s'effectuait l'apprentissage féminin en étaient en partie la cause. On baptisait souvent apprentissage ce qui n'était qu'un prétexte utile à des institutions charitables ou à des paroisses pour se débarrasser d'enfants pauvres, et leur faire gagner leur vie. Les petites filles placées en « apprentissage » pour un nombre déterminé d'années et une somme fixe, l'étaient en fait comme servantes, quitte à aider l'employeur dans son métier, outre les soins du ménage, ou de la ferme.

Les études précises de Natalie Z. Davis sur les métiers féminins à Lyon nous révèlent que l'apprentissage d'un garçon, fait « sur le tas », auprès d'un père ou d'un beau-père, ou par contrat auprès d'un autre maître, exigeait plusieurs années de métier (trois pour les cordonniers ou les couturiers, quatre pour les imprimeurs, cinq pour les orfèvres, etc.). Le coût variait aussi, mais restait accessible à des paysans modestes. Si la famille était trop pauvre, le garçon entrait en service jusqu'à ce qu'il ait pu amasser de quoi payer plus tard son apprentissage.

Il en allait tout autrement des filles, qui apprenaient un métier par la pratique, dans la famille ou dans la maison où elles étaient servantes. Très peu d'entre elles recevaient un véritable apprentissage. Dans les années 1553 à 1560, sur 204 contrats conservés dans les archives de Lyon, 18 seulement sont ceux d'apprenties féminines. La même proportion se retrouve parmi les orphelins des hôpitaux lyonnais de Sainte-Catherine et La-Chanal. Filles illégitimes, filles de veuves pour la plupart, elles étaient cantonnées dans l'industrie du textile, les métiers du vêtement, et de l'alimentation. La durée de leurs contrats (sept ans pour la plupart) était moindre que celle des contrats masculins (dix ans) et leurs salaires plus bas. Elles pouvaient être embauchées par des hommes comme par des femmes.

L'industrie de la soie se développa grâce à l'abondance de la main-d'œuvre féminine à bon marché : elle comptait cinq fois plus de femmes que d'hommes. Les filles venaient du Forez, ou du Dauphiné, dormaient dans l'atelier, dans un placard ou sous les métiers à tisser et le maître leur gardait leurs salaires. C'était sous sa direction que se fabriquait entièrement la soie, matière délicate et précieuse, destinée à une clientèle riche. Les hommes installaient et tiraient le métier à tisser. Aux femmes était réservé le travail de dévider les cocons, tordre le fil, enrouler les navettes et tirer les fils du métier. Il fallait de l'habileté et de la précision pour obtenir un tissu aux motifs très complexes.

Les toutes jeunes filles, de douze à quatorze ans, accomplissaient le travail le plus pénible. Accroupies devant les bassines d'eau bouillante, elles y plongeaient les cocons, après les avoir dévidés, pour faire fondre la séricine qui les liait. Les doigts gourds, les vêtements trempés en permanence, les pauvres filles mouraient souvent de tuberculose. Si elles survivaient à l'épuisement, à la maladie, au chômage, elles accédaient finalement, quelque quatorze ans après, au travail sur le métier à tisser, épouses idéales pour l'apprenti auquel elles apportaient leurs économies pour lui permettre d'acquérir la maîtrise, et leur aide expérimentée par la suite. L'Aumône générale lyonnaise engagea même des dames italiennes, pour former des orphelines au travail de la soie, directement à l'hôpital où elles vivaient, puis dans divers centres en ville.

On leur enseignait aussi à coudre et à filer, en même temps que de bons préceptes moraux dans des écoles professionnelles destinées aux pauvres.

L'industrie de la dentelle était particulièrement développée en France près de Bayeux, d'Alençon et surtout dans le Velay. Produit très apprécié, très cher, la dentelle exigeait un apprentissage de plusieurs années. Ce travail très qualifié avait cette particularité d'être entièrement réalisé par des femmes, de l'achat du fil brut au produit fini remis au marchand. Les salaires étaient donc des salaires de femmes, dans la catégorie la plus basse, et tout à fait disproportionnés avec l'habileté technique et le temps de travail qu'imposait la confection de la dentelle. En France, une journée de travail permettait simplement d'acheter quelques livres de pain. Elle rapportait environ cinq sous, soit moins de la moitié d'un salaire masculin. C'est dire que les salaires étaient nettement inférieurs au niveau de subsistance. Est-ce pour cette raison – le fait est consigné à Bruges – qu'on n'a jamais tenté d'apprendre aux petits garçons à faire de la dentelle ?

Dans le Velay, des groupes de femmes pieuses, les béates, aidées par des donations, avaient créé dans la ville du Puy des dortoirs gratuits pour les dentellières et négociaient elles-mêmes la vente de leur travail avec les marchands. Elles retenaient sur leurs gains de quoi payer leur nourriture, mais mettaient le reste de côté pour qu'elles se constituent une dot. Une fois mariées (souvent pas avant vingt-huit ans, ce qui était très tardif pour l'époque), les dentellières travaillaient à domicile, jeunes et vieilles. Elles étaient plusieurs milliers dans le Velay.

Dans les familles citadines de commerçants ou de maîtres artisans, les filles, à la différence des orphelines ou de celles qui, dans une situation de crise, étaient mises en apprentissage, étaient instruites par leur mère de tout ce qui concernait les tâches domestiques, de la «filerie», mais pouvaient aussi acquérir une certaine expérience professionnelle dans la boutique de leur père, ou auprès de leur frère. Ainsi s'explique peut-être le peu de témoignages écrits relatifs aux apprenties.

Mais ces jeunes filles pouvaient-elles, par la suite, tirer parti de leur expérience ? Les contrats de mariage (de 1553 à 1560) recensés à Lyon par Natalie Z. Davis montrent que si 84 % des filles d'artisans et de marchands se mariaient avec des hommes de même condition, un quart seulement trouvaient des maris qui avaient le même métier que leur père, ou leur beau-père. Il leur fallait donc s'adapter à celui du mari.

LA FEMME MARIÉE, OUVRIÈRE NON PAYÉE

Le mariage, souvent reculé par la nécessité d'acquérir une dot, donnait à la jeune fille son identité sociale, et impliquait de nombreux rôles. La destinée d'une épouse était d'effectuer les travaux domestiques à l'intérieur de la maison, d'élever les enfants, mais aussi d'aider le mari dans son travail. Le testament fait par le mari en faveur de cette ouvrière non payée, qui, outre sa dot et l'augmentation de dot prévue par le contrat, pouvait lui concéder une bonne partie de sa fortune, était la récompense de ses bons services durant leur mariage.

La participation d'une épouse à l'économie familiale dépendait évidemment du type de travail du mari (la métallurgie, la forge demandaient une force physique masculine) et de son lieu d'exercice ; les femmes ne travaillaient pas aux métiers du bâtiment, ou à ceux des transports de marchandises qui les auraient contraintes à sortir de chez elles. Si l'atelier ou la boutique jouxtaient la maison familiale, l'artisan ou le marchand attendait de sa femme qu'elle veillât à l'organisation du travail et nourrît les apprentis et les ouvriers.

La présence d'une femme dans un atelier n'était pas toujours souhaitable ; elle pouvait parfois troubler les rapports des «compagnons». Certains tabous la rendaient indésirable, en raison de l'«impureté» féminine (avant la messe des relevailles, au moment des règles) susceptible de nuire au travail (faire rouiller le fer et le cuivre, émousser les instruments tranchants, etc.).

Dans les métiers du textile et de l'alimentation, la collaboration étroite du couple se révélait indispensable. Ainsi, la Lyonnaise Benoîte Penet, fille et femme de boucher et mère de quatre filles, préparait et vendait saucisses, boudins et salaisons tandis que son mari achetait les bêtes au marché de la Croix-de-Colle sur la colline de Fourvière, et les abattait avec des compagnons. Devenue veuve, elle continua son commerce. La boulangère, de son côté, vendait le pain pétri et cuit par le boulanger.

Si les bouchères et les boulangères ne figurent pas sur la liste des métiers, le *Roolle* de 1582, les archives de Lyon et celles de l'abbaye

Sainte-Geneviève à Paris indiquent que des femmes signent des contrats, même si elles ne savent pas écrire, et se contentent d'une croix. Ainsi Étiennette Moyne, en 1569, fournit-elle la viande des hôpitaux La-Chanal et Sainte-Catherine. A Paris, quelques femmes traitent avec des mégissiers (pour la vente de peaux de moutons) ou des marchands de chandelle (pour celle du suif).

Parmi les métiers du textile, la fabrication de la soie pouvait être une entreprise familiale, où travaillaient ensemble apprentis, ouvriers, femme et filles du maître artisan spécialisé dans les velours ou les taffetas. Il arrivait que l'épouse relayât le mari, si besoin était, au métier à tisser, tâche d'ordinaire masculine.

Le commerce des vêtements usagés était en grande partie aux mains des femmes. Il ne demandait que peu d'investissement au départ, les marges de profit étaient faibles. Mais comme la majorité de la population n'achetait pas de vêtements neufs, la fripière, la «revenderesse», avait de quoi faire : on vendait la meilleure garde-robe quand les temps étaient durs, quitte à racheter plus tard d'autres vêtements d'occasion, on raccourcissait pour les enfants des vêtements d'adultes, les serviteurs revendaient ceux que leurs maîtres ne mettaient plus ou leur avaient donnés. Dans les comédies et les nouvelles, les fripières ajoutent à leurs gains des profits plus douteux, leur métier leur permettant d'entrer en relation avec les servantes et la maîtresse de maison et couvrant souvent des activités d'entremetteuse.

Être barbier-chirurgien était un métier juré, réservé aux hommes. Pourtant, il est amusant de constater qu'en 1537 François Ier accorda à la fois à Benoît Fanillon et à sa femme Anne Casset des lettres de maîtrise en l'art du barbier. C'est seulement par la suite que le mari prit aussi le titre de chirurgien. Mais sa femme – tout illettrée qu'elle fût, signant d'une croix les contrats de mariage de ses filles – continua à l'aider. L'octroi des lettres royales était une faveur inhabituelle. Mais bon nombre de veuves de barbiers qui pratiquaient ce métier, aidées par des ouvriers, avaient dû s'entraîner du vivant de leur mari.

Dans l'atelier des imprimeurs, tourner la presse était un travail d'hommes ; les femmes mélangeaient les encres, nettoyaient les caractères, mesuraient le ruban ou le tissu. Comme chez les autres artisans, les épouses avaient la responsabilité de l'intendance de la maison, tâche souvent très lourde si les apprentis, les compagnons, les auteurs venus surveiller l'impression étaient nombreux. La comptabilité leur incombait souvent. Peu de femmes sans doute savaient suffisamment lire pour disposer les caractères et corriger les épreuves. Les plus modestes artisans du livre, les compagnons imprimeurs ou libraires, se faisaient aider par leur femme pour la vente des ouvrages ou, si elle en était capable, pour la correction des épreuves. Mais bien des femmes mariées à ces artisans exerçaient une activité indépendante qui apportait au ménage un complément de revenus appréciable. Les contrats d'apprentissage montrent que les femmes de libraires et d'imprimeurs embauchaient des jeunes filles pour leur apprendre le métier qu'elles exerçaient : marchande publique, lingère, couturière, bonnetière, chaperonnière. Ainsi en 1560 Nicolas Bunet, compagnon imprimeur, met-il pour six ans sa fille en apprentissage chez Jacques Morel, imprimeur, et sa femme Agnès Fouquet, marchande aux Halles, pour lui apprendre le métier de marchande publique.

Mais le maître imprimeur, généralement humaniste lui-même, recevait des écrivains humanistes français et étrangers, s'entourait de correcteurs latinistes et hellénistes. Ses filles, sa femme, au contact d'un savoir qui se conjuguait dans l'atelier – le latin y était la langue commune – avec l'expérience pratique des «mécaniques», compagnons très qualifiés, se cultivaient par imprégnation. Même sans recevoir comme leurs frères une solide instruction, elles s'intéressaient à la vie intellectuelle véhiculée par les livres. La famille Estienne offre l'un des exemples les plus célèbres de ces humanistes imprimeurs qui se succédaient, de père en fils, à Paris puis à Genève. Ils furent nombreux.

Leurs filles épousaient des imprimeurs, telle Perrette Bade, fille de Josse Bade et femme de Robert Estienne, auquel elle apportait, outre sa dot, l'expérience acquise dans la boutique de son père, à l'enseigne du «Renard qui ferre». Chefs d'entreprise, les femmes d'imprimeur le devenaient au moment de leur veuvage. Mais certaines le furent du vivant de leur mari. C'est le cas de la femme d'Étienne Dolet, Louise Giraud. Tandis que celui-ci était en fuite, ou en prison pour cause d'hérésie, treize éditions au moins parurent sous le nom de Dolet, de 1542 à 1544. Femme d'affaires avisée, Louise sut entretenir d'utiles relations et bien s'entendre avec les compagnons de son mari dans la librairie à l'enseigne de la Hache.

La femme de Barthélemy Frein, Mie Roybet, fit preuve du même sens commercial. Frein, d'abord imprimeur, l'un des leaders d'une société secrète, la compagnie des «Griffarins», pendant et après la grève de 1539, ensuite tavernier, redevint imprimeur jusqu'à sa mort en 1556. Mie Roybet sut aider son mari tant à la taverne qu'à l'imprimerie. En 1557, on la retrouve emprisonnée à Lyon avec le frère du protestant Sébastien Chastillon, Michel, pour avoir édité certains livres en français, touchant la religion chrétienne, sans privilège ni autorisation de la faculté de théologie de Paris. Assez instruite pour lire et écrire en français, elle connaissait sûrement le contenu de ce qu'elle éditait. Ils se marièrent après leur sortie de prison. Veuve peu de mois après, l'entreprenante Mie se remaria avec un autre imprimeur qu'elle seconda à l'atelier, tout en tenant la taverne de son premier mari. Une telle continuité dans le métier était rare : 25 % seulement des veuves se remariaient avec des artisans du même métier que le premier mari, d'après l'étude de Natalie Z. Davis pour les années 1553-1560. Force leur était donc de s'adapter à de nouvelles tâches, dans un nouveau foyer.

La femme, artisane payée

Certains métiers étaient, depuis le XIIIe siècle, exclusivement exercés par des femmes. Ceux de cinq corporations, «fileresses à grands et à petits fuseaux, tisserandes de soie, de couvre-chefs de soie, faiseuses de chapeaux d'or», c'est-à-dire ceux dont la matière première est la soie ou le fil d'or, figurent dans le *Livre des métiers* d'Étienne Boileau. Leur organisation est calquée sur celles des métiers masculins, une hiérarchie stricte distingue les apprenties, les ouvrières, les maîtresses.

A la tête des communautés d'hommes, des prud'hommes jurés, à la tête des communautés féminines, des prudes-femmes dont les droits, dès le XIIIe siècle, ne sont pas égaux à ceux de leurs homologues masculins. Des prud'hommes, désignés par l'autorité, non élus, assistent et contrôlent les prudes-femmes. Dans les rôles de 1292 à 1300 sont mentionnés une quinzaine de métiers féminins : aumônières, chapelières de soie, bateresses d'étain, floreresses de coiffc, etc. A la fin du XVIe siècle, la liste des arts et métiers n'enregistre plus que sept corporations féminines : «attournassière [brodeuse], coustière, lingère-toillière, revenderesse [revendeuse] de friperies, beurrière, chapelière, linière-chanvrière».

Le métier de lingère, d'abord exercé par les deux sexes, était devenu exclusivement féminin au XVe siècle. Contrairement à l'usage courant, le nombre des apprenties n'y était pas limité. Car c'était en effet, selon le livre d'Étienne Boileau, « un métier notable et auquel pour apprendre honnête maintien, l'œuvre de couture, état de marchandise et éviter oisiveté, les gens notables de notre ville de Paris mettent leurs filles ». Elles y attendaient le mariage et y acquéraient une expérience utile à leur futur rôle de mère de famille.

Dans ce métier, où ne travaillaient que des femmes en rapport avec le public, il était essentiel d'éviter toute apparence d'immoralité. En même temps qu'à l'instruction professionnelle des jeunes filles dont elles avaient la charge, les maîtresses lingères veillaient à leur éducation morale. Une requête fut ainsi adressée par elles au roi Charles VIII, en 1485, non pour faire confirmer des privilèges, mais pour interdire l'accès de la profession à « aucunes femmes ou filles blâmées ou scandalisées de leur corps ou autrement, afin que, par elles les bonnes femmes et filles et l'état dudit métier ne soit vitupéré et scandalisé ». Quant aux brebis galeuses, s'il s'en trouvait, on les radiait des rôles de communauté, et on leur refusait le droit de siéger dans les assemblées corporatives et d'avoir atelier et boutique dans la rue de la Lingerie… mais on ne les empêchait pourtant pas d'exercer ailleurs le métier. François Ier, en 1515, confirma l'ordonnance de Charles VIII, pour permettre aux lingères de « vivre honnêtement ».

Outre le métier de lingère, en neuf et en vieux, ceux de rubanière, de bonnetière-enjoliveuse et de brodeuse (qui obtient en 1595 le privilège de fournir les parures de mariées) étaient exercés uniquement par des femmes.

Lorsque l'industrie de la soie se développa, les grandes fabriques, aux XVe et XVIe siècles, employaient à la fois des hommes et des femmes. Mais celles-ci étaient spécialisées dans le dévidage et le doublage, et des travaux accessoires leur étaient confiés dans l'industrie du drap : il s'agissait donc là aussi de métiers féminins.

Les compagnonnages masculins comportaient une solide organisation, des rites d'initiation, des sanctions, des techniques de grève. On ne trouve pas de preuve que les femmes du XVIe siècle aient pris part à ces activités, ni que les hommes aient cherché à les inclure dans leurs confréries ou leurs assemblées. Pas de preuve non plus qu'elles aient organisé des manifestations de protestation ou de rébellion. Leur identité de travailleuses n'était sans doute pas assez claire à leurs yeux, et l'accusation de sorcellerie, si fréquente contre les femmes, les dissuadait de se grouper pour montrer leur colère.

La dévalorisation des activités féminines apparaît clairement dans le classement des métiers établi en 1582 par le Conseil d'État, selon leur importance, où les métiers les plus médiocres sont précisément les métiers de femmes. De là à ce qu'ils soient suspects, il n'y a qu'un pas. Aux « arts mécaniques » qu'elles exercent s'attache presque toujours une réputation douteuse, à en croire la comédie et la littérature narrative du temps : servantes, lavandières, revenderesses, marchandes de fil et d'épingles sont des créatures peu recommandables toutes prêtes à se faire complices d'une escroquerie, d'un enlèvement, d'un viol, putains quand elles sont jeunes, et maquerelles, l'âge venu.

LA FEMME, ARTISANE INDÉPENDANTE

A la fin du XIIIᵉ siècle, une grande variété de professions étaient également accessibles aux deux sexes, environ quatre-vingts. Au XVIᵉ siècle, au contraire, cette liste va singulièrement se réduire.

Certaines femmes – couturières, chapelières, faiseuses de guimpes, de corde, gantières – pouvaient avoir un statut indépendant de celui du mari dans certains métiers du textile ou du vêtement. Ainsi Benoîte Larchier travaillait-elle dans le commerce de la lingerie à Lyon, tandis que son mari Jean-Pierre était cordonnier. Pernette Morilier, femme d'un orfèvre, maîtresse d'un atelier où l'on confectionnait les guimpes, embaucha pour un bon prix une apprentie en 1564. Mais les maîtres tissutiers s'inquiétaient de la concurrence des maîtresses, et cherchaient à les évincer.

Dans les commerces d'alimentation, les maris, nous l'avons vu, se faisaient aider par leur femme. On retrouve trace pourtant de « marchandes bouchères », dans les archives de l'hôpital de Lyon où l'une d'elles entre, démunie de tout, en 1560, tandis qu'une autre, Étiennette Moyne est le fournisseur en viande attitré du même hôpital quelques années après.

La vente du poisson est une spécialité traditionnellement féminine, et la « harengère », qui a le verbe haut, un type littéraire. Ainsi en 1547, les rentes perçues par l'abbaye Sainte-Geneviève pour la location d'emplacement d'étals de poissonnerie ne font-elles apparaître que des noms féminins. A Lyon, Michelette Godet tient sa boutique, tandis que son mari est batelier.

Dans le monde de l'hôtellerie et de la taverne, les femmes jouent un rôle essentiel. Leur présence, leur bon accueil incitent les clients à séjourner, et même, selon l'un des *Colloques* d'Érasme consacré aux auberges, à y prolonger leur séjour si les hôtesses et leurs filles se montrent aimables. Quelques-unes sont restées célèbres, certaines étaient de bonne famille. Claudine Dumas, marraine des fils du célèbre Agrippa de Nettesheim, épouse en 1520 le propriétaire du « Chariot d'or », marchand et officier de finance. A sa mort, elle continue à tenir l'auberge, achète des propriétés dans le Dauphiné et le Lyonnais. Parente de Helouin Dulin, qui finança les publications évangéliques du malheureux Étienne Dolet, la Dame du Chariot, comme on l'appelait, ouvrit son hôtel au culte réformé.

C'est en prison qu'on retrouve la trace d'une ébéniste, Catherine Froment (1548), et à l'hôpital de deux pauvres épinglières, peu heureuses dans leur commerce. Les batelières de Lyon sont évoquées par Rabelais dans le *Pantagruel*, et par des voyageurs qui les disent hardies, promptes à réclamer leur dû pour le transport d'une rive à l'autre de la Saône. Parmi les artisanes indépendantes, figure une veuve qui dirigeait la fabrication et la vente des raquettes destinées au jeu de paume.

N'oublions pas qu'à côté des villes à métiers jurés existaient beaucoup de villes et de villages à métiers libres dans une France où la législation du travail variait extrêmement suivant les lieux et les industries. Cette liberté fut supprimée par un édit de 1581. Dans le travail libre, légal ou clandestin, étaient employés aussi bien des femmes que des hommes, généralement de pauvres journaliers. Ainsi les « artilliers » (fabricants d'arquebuses) de Paris, en 1577, se plaignent-ils de la concurrence déloyale qui leur est faite par des compagnons « en chambre » qui prennent femmes et enfants en apprentissage pour les aider et font vendre leurs ouvrages par leurs femmes.

Ce régime de « travail libre », qui favorisait notamment le développement de l'industrie de la soie, de la broderie et d'autres encore, pouvait paraître plus avantageux pour les femmes, auxquelles il permettait d'échapper à certaines restrictions. En fait, il encouragea l'organisation du commerce de gros, dont furent évincées les femmes chefs d'entreprise. Quant aux femmes du peuple et aux enfants, ils constituaient un très commode réservoir de main-d'œuvre à bon marché pour l'industrie naissante à la fin du siècle.

Le travail féminin a joué un rôle indispensable dans la vie économique rurale et urbaine à la Renaissance. Il n'est pas payé, quand il est celui de la fille, de la sœur ou de la femme qui apporte son aide au fermier ou à l'artisan, et qui vend, le cas échéant, leurs productions. Il est improvisé puisque, faute d'apprentissage spécifique, la femme doit s'adapter aux besoins de la famille, être disponible pour de multiples activités, de nouvelles tâches, saisonnières ou non, tout en assumant l'inévitable charge des travaux ménagers, très pénibles physiquement. Ce qui empêche la stabilité des femmes dans un métier, et nuit à leur identité de travailleuse, c'est que célibataires ou veuves, elles perdent leur autonomie par mariage, et qu'elles sont surtout reconnues comme membre de telle famille, estimées peut-être, mais de leur voisinage immédiat uniquement.

Il est significatif qu'au sein des métiers jurés aucune femme n'ait jamais occupé de hautes fonctions officielles. Les maîtresses contribuaient à la solde d'un milicien, payaient des taxes, signaient des contrats en rapport avec leur travail mais n'étaient jamais invitées à participer aux banquets des confréries ou à leurs fêtes officielles. Les corporations exclusivement féminines elles-mêmes ne sont pas dirigées uniquement par des femmes. Des jurés masculins sont adjoints aux maîtresses jurées.

Dans les métiers mixtes, et même dans les métiers exclusivement féminins, les droits corporatifs des femmes, pas plus que leur rôle dans la gestion de la communauté, n'étaient assimilés à ceux des hommes. Il n'y eut jamais de maîtresses jurées à la tête des métiers mixtes au XVIe siècle, et les maîtres jurés n'étaient pas élus par un collège de représentants des deux sexes. Les corporations redoutaient la concurrence des femmes, dont le salaire était toujours inférieur au salaire masculin, et d'une façon générale se méfiaient de la «nature féminine». Tandis que la juridiction professionnelle tendait à restreindre le rôle des femmes, l'autorité du mari, qui détenait tous les biens du ménage, se renforçait.

Le travail féminin n'avait donc aucune chance d'être officiellement reconnu. Lorsque, à l'entrée d'Henri II à Lyon en 1548, toutes les corporations de la ville défilèrent pour l'accueillir selon la tradition, aucune femme ne figurait dans ce cortège.

LA FEMME ET LA «MARCHANDISE»

Il est pourtant des femmes dont l'activité est visible et fort appréciée : ce sont celles qui appartiennent à la bourgeoisie marchande et se montrent d'avisées collaboratrices du mari. Les étrangers, notamment les Italiens, qui visitent les grandes villes de France s'étonnent du rôle important de ces citadines «qui traitent les affaires plus que les hommes». De leur côté, les voyageurs français en Italie, comme Montaigne ou le seigneur de Villamont, s'étonnent, et regrettent de voir si peu de femmes dans les rues et dans les boutiques. L'hôtellerie, qu'ils jugent l'un et l'autre au-dessous du médiocre souffre beaucoup, selon eux, de n'employer que des hommes, à Turin, à Milan, de la Toscane au royaume de Naples, «à cause de la jalousie». C'est dire qu'en France il en va tout autrement.

Il arrive, nous l'avons vu, qu'une femme soit à la tête d'une maison de commerce, comme la Marseillaise Madeleine Lartissat, menant des transactions pour son propre compte. Il s'agit alors, le plus souvent, de veuves – comme dans bien d'autres professions – qui, issues elles-mêmes d'une famille de marchands, ont acquis une certaine expérience dans l'entreprise paternelle et ont pu ainsi aider efficacement le mari de son vivant.

L'épouse du marchand, comme toute autre épouse, assume la responsabilité de la vie domestique à l'intérieur de la maison. Mais si le mari tient boutique, surtout si lieu de travail et habitation familiale sont confondus ou très proches, elle s'entend à attirer les chalands, à deviser avec eux et à faire valoir la marchandise avec plus de savoir-faire que le mari. Femme d'un grand négociant, elle peut éventuellement se substituer à lui lorsqu'il doit voyager, se rendre aux grandes foires saisonnières, à Anvers, à Strasbourg, à Francfort, pour tenir les livres de comptes, signer des factures, etc. L'étendue des tâches dépend évidemment de l'importance sociale du marchand, très variable selon qu'il s'agit d'un petit commerçant ou d'un riche bourgeois, exerçant dans la ville de hautes fonctions.

Les nouvelles, les comédies, dont les témoignages sont précieux pour la connaissance de la vie contemporaine, révèlent quel prix le marchand attache à la collaboration d'une épouse «bonne ménagère». Grégoire, le veuf des *Déguisés* de Jean Godard, déplore ainsi la perte de la sienne, qui, en son absence, s'entendait à garder à la fois «sa maison et son bien». Elle lui permettait, dit-il, de «faire à ma guise / Mon trafic et ma marchandise / Sans qu'aucun soucy mesnager / Me vint à toute heure ronger / L'entendement et la pensée».

Il est difficile de connaître l'existence de ces femmes qui n'en ont guère laissé de traces écrites. Aussi le recueil de la vaste correspondance d'une grande famille lyonnaise, celle des Masso, est-il très précieux car il contient, entre autres, une trentaine de missives féminines, rédigées entre 1549 et 1587. Ces lettres, dont les auteurs sont la femme d'Humbert de Masso, Clémence Grolier, sa belle-sœur Anna et Marie Teste, la jeune épouse de Guyer de Masso, révèlent d'abord une frappante disparité intellectuelle tant à l'intérieur d'une famille que d'une famille à l'autre. Elles montrent aussi que le peu d'instruction d'une bourgeoise ne l'empêche pas d'être une excellente femme d'affaires. Clémence, à la personnalité la plus marquante, fait preuve d'autorité et de compétence, mais dicte ses lettres à son fils, et sait à peine écrire. Marie, elle, écrit de sa main une lettre, à vrai dire maladroite, mais d'une naïveté imputable à sa jeunesse.

Autre correspondance révélatrice : celle de l'épouse de Jacques Heere, Marie Coynart, une Parisienne, assez instruite pour s'exprimer avec aisance et intelligente à coup sûr. Fille de marchand, elle a collaboré avec son mari, faisant marcher l'entreprise à Paris quand il se rendait à Lyon. Devenue veuve, elle en assume seule la direction et connaît suffisamment de droit pour préserver les intérêts d'un fils mineur.

Enfin, le livre de raison de la famille de La Salle à Toulouse apporte un témoignage très intéressant. Il est tenu par Marguerite, la fille cadette de l'avocat Du Born, devenue, après divers décès, seule héritière du patrimoine familial qu'elle administre et préserve très judicieusement, gérant sa fortune personnelle avec l'autorisation du mari bien sûr, mais en « propre personne ». Veuve, elle s'entendra à l'accroître et à établir convenablement ses filles, aussi bien que ses fils, qui seront juristes. Le livre de Marguerite montre comment la « marchandise » peut favoriser l'ascension sociale : sa réussite, elle la doit sans doute à sa rigueur, à son sens des affaires, et aussi à une éducation suffisante pour lui permettre d'écrire, en patois certes, mais de sa main.

BOURGEOISES DANS LES MILIEUX LETTRÉS

Le milieu des affaires, où l'épouse se fait volontiers la collaboratrice de son époux, semble favoriser une certaine autonomie, sinon une réelle émancipation sociale de la femme. Il en va tout autrement dans la bourgeoisie des gens de robe, de plume, ou dans le milieu médical. Le prestige du titre du mari retombe sur la femme.

Mais les appellations de madame la présidente, madame la conseillère, madame l'avocate qui leur assignent une place dans la société ne signifient nullement que ces épouses participent à l'activité professionnelle du mari. L'écart intellectuel qui les sépare de lui dans les milieux lettrés maintient la femme dans un univers très différent du sien, celui de la vie domestique dont toutes les charges lui incombent, mais où elle règne sans partage.

Magistrats, secrétaires, hommes doctes, médecins, ont besoin de tranquillité pour se consacrer aux travaux intellectuels et aux obligations de leur métier. L'épouse idéale, qui s'en est persuadée, sait la leur procurer. A elle revient le gouvernement de la maisonnée dont elle assure la stabilité, la conservation des biens, la surveillance des enfants et des serviteurs. A elle aussi la gestion des affaires domestiques que le mari n'a, le plus souvent, ni le temps, ni le goût de prendre en main. Aussi le proverbe dit-il avec raison : «L'homme est l'âme de la maison, la femme est la clef du ménage.»

L'épouse qui prend son rôle au sérieux ne manque pas d'ouvrage. Sans doute, avec l'aide des serviteurs, n'est-elle pas astreinte aux besognes les plus pénibles. Mais elle doit surveiller et contrôler le travail comme la conduite, et veiller à l'approvisionnement, à la préparation des conserves, à l'entretien du linge, etc. Tâche plus délicate encore : le soin des enfants, filles et garçons, tant que ceux-ci sont «dans l'âge puéril», qu'ils n'ont pas atteint sept ans. Après quoi, ils quittent les jupes de leur mère afin de recevoir une éducation virile, qu'ils soient instruits par un précepteur ou qu'ils partent pour le collège. Dès lors, le père, qui jusque-là leur accordait en général peu d'attention, en prend la responsabilité.

Quant aux filles, elles restent sous la tutelle de leur mère jusqu'au mariage. Leur éducation, les premiers rudiments de leur instruction, leur formation morale et religieuse, c'est elle qui en a la charge.

L'existence de ces épouses bourgeoises ne nous est pas connue par leurs confidences écrites, inexistantes. C'est au travers de celles des maris qu'on peut la deviner. Les recueils de lettres familières deviennent fort à la mode dans la seconde moitié du siècle. Le caractère rhétorique du genre n'exclut pas les allusions à la vie quotidienne, et d'après le portrait que trace de lui l'homme docte, l'image de sa femme se dessine, en creux, derrière la sienne.

Parlementaire, avocat, historien, auteur entre autres des *Recherches de la France*, Étienne Pasquier reconnaît que cet énorme ouvrage, auquel il travailla toute sa vie, est une «entreprise de grand labeur». Il avoue, non sans une certaine coquetterie, son désintérêt total et son manque de compétence en ce qui concerne le «ménagement» des affaires domestiques. Dieu merci, sa femme, elle, s'y consacre. Se rend-il dans sa maison des champs? C'est pour s'y livrer à l'étude : «Ma femme, écrit-il à un ami, n'a encore fait qu'une moitié de son ménage : ses vins sont aux cuves, sur le point d'être pressurés, les miens cuvent dans ma tête.» Le secrétaire Étienne du Tronchet partage le dégoût de Pasquier pour la gestion des affaires privées, comme pour l'agitation, les criailleries des enfants qui gênent son travail. Marguerite Perrin, son épouse, s'entend à l'en préserver. Il lui reprocherait plutôt une austérité trop rigoureuse, un maintien modeste mais peu amène, qui lui donne l'avantage quand il s'agit de régler des problèmes familiaux. C'est encore sous la plume de Pasquier qu'apparaît la figure édifiante de l'épouse du président de Thou, Jacqueline Tulleu, qui s'entendait si bien «au ménage» qu'elle permettait au président de se consacrer tout entier «au Palais ou à ses livres».

Les médecins ont porté un intérêt professionnel aux rapports conjugaux. Ils n'en ont pas pour autant été prodigues de confidences sur leur vie privée. Laurent Joubert, chancelier de la faculté de médecine de Montpellier, conseiller et médecin ordinaire du roi et du roi de Navarre, fait exception dans ses *Erreurs populaires*, livre rédigé en français, et qui fit scandale : n'y traite-t-il pas en effet de «propos charnels», mis à la disposition des femmes puisqu'il s'y exprimait, contre l'habitude, en langue vulgaire? Il n'hésite pas, d'ailleurs, à faire référence à son expérience conjugale, si besoin est. Ainsi, dans le chapitre concernant l'allaitement maternel, fait-il un éloge enthousiaste de sa femme, Louise Guichard, qui a nourri elle-même ses six enfants, précisant qu'il n'a «pas laissé pour cela de coucher avec elle et luy faire l'amour, comme un bon demy à sa bonne moitié, suivant la conjonction de mariage». Dans la dédicace de sa traduction du traité de Guy de Chauliac, *Inventorium sive Collectorium partis chirurgicalis medicinae*, «La Grande chirurgie», Laurent Joubert célèbre de même sa mère, Catherine de Genas, épouse et mère exemplaire qui a mis au monde vingt enfants, a su les élever et les établir dignement et composait, sans s'en faire gloire, certains remèdes fort utiles aux pauvres malades.

C'est au travers d'un récit de femme – le seul de ce genre –, celui de Jeanne Du Laurens, sœur du médecin André Du Laurens, qu'apparaît une autre figure de mère exemplaire, Louise de Castellan.

Épouse du médecin Louis Du Laurens, c'est sa propre fille qui en fait l'apologie dans la *Généalogie de Messieurs Du Laurens descrite par moy Jeanne du Laurens*. Femme compréhensive d'un médecin tout dévoué à son métier, elle lui donne neuf garçons et deux filles. Veuve, elle se conduit en chef de famille avisé, et le reste jusqu'à sa mort, après avoir judicieusement établi ses enfants.

Quelles que soient les nuances apportées au portrait des épouses d'hommes doctes, les mérites vantés par les maris ou les enfants restent les mêmes : à l'intérieur du domaine bien circonscrit où elles ont pleine autorité, elles préservent la tranquillité de l'époux, s'entendent à gérer les biens de la famille et à bien éduquer les enfants. Comme dans tous les milieux, ces femmes ont connu une dizaine ou une quinzaine de grossesses en trente ans de fécondité. Elles ont vu mourir cinq ou six enfants sur les dix qu'elles avaient mis au monde. Sur ces fatigues, ces souffrances, les maris restent muets.

Il n'est jamais question d'échanges intellectuels, d'un « commerce d'esprit » favorable au développement de l'amitié conjugale. Sans doute parce que, faute d'instruction, les épouses ne peuvent être pleinement des compagnes avec qui partager les plaisirs intellectuels. Ce n'est pas que nos doctes n'apprécient pas les femmes d'esprit. Lorsque les Grands Jours amènent Pasquier à Poitiers vers 1579, il prend un vif plaisir à fréquenter le salon des dames des Roches, Madeleine et sa fille Catherine, où se retrouvent l'élite lettrée de la province et bon nombre d'avocats parisiens. Il célèbre avec enthousiasme leur goût des lettres et de la poésie, le charme des assemblées qu'elles savaient animer.

On a souvent vu en Montaigne le type même de ces lettrés humanistes, tout entier absorbés par l'étude, soucieux de préserver leur indépendance, de se réserver une « arrière-boutique toute sienne ». Sa librairie fut le refuge de Montaigne. On sait qu'il estimait la « science du mesnage », « la plus utile et honorable science et occupation d'une femme mariée », chez qui il prisait, au-dessus de toute autre, la « vertu œconomique ». Françoise de La Chassaigne semble, en cela, avoir répondu à son attente. Il lui abandonne le contrôle de la maison. Sa nonchalance se satisfait de lui remettre une grande partie de l'administration et de la gestion de ses biens. En voyage, il reçoit de sa femme des rapports précis. De Rome, il pourra, grâce à ses soins, tenir et régenter sa maison, et « voir croître ses murailles, ses arbres, ses rentes, et décroître, à deux doigts près », comme quand il est à Montaigne.

Bonne maîtresse de maison, Françoise remplace à merveille son mari absent et sait recevoir les visiteurs d'importance. Schomberg et de Thou se félicitent encore, plusieurs années après, de l'accueil qu'elle leur a réservé. Mais on chercherait en vain dans les *Essais* les éléments d'un portrait de Mlle de Montaigne (l'appellation «Madame» étant réservée aux femmes de la plus haute noblesse). Enfin, l'auteur des *Essais*, comme bien d'autres doctes, avoue son peu d'intérêt pour les nouveau-nés, son horreur de la «criaillerie» des femmes et des enfants, et se flatte d'avoir laissé à sa femme la responsabilité d'éduquer leur fille Léonor. Il était d'ailleurs d'usage d'abandonner ce soin à la «police féminine».

Ne nous fions cependant pas trop à ses affirmations. Certes, le seigneur de Montaigne pouvait s'offrir le luxe d'une solitude studieuse dans sa librairie, ce qui n'était sans doute pas le cas de bien d'autres lettrés, hommes de loi, médecins, financiers, moins à l'aise pour s'isoler dans des logements citadins. Mais il vivait au château entouré de ses deux jeunes sœurs, de sa femme, d'une mère autoritaire. «Sociable jusqu'à l'excès, je m'ouvre aux miens tant que je puis», avoue-t-il. Aussi se laisse-t-il parfois entrevoir tenant avec enjouement sa partie dans les plaisirs de la vie familiale, jeux de cartes avec Françoise, assistance muette et amusée aux leçons de Léonor, conversations qu'il sait adapter aux goûts et aux intérêts de l'interlocuteur. Son *Journal de voyage en Italie* et son livre de raison révèlent l'affection que lui inspire Léonor.

On en dirait autant d'un Étienne Pasquier, du secrétaire de la reine mère Du Tronchet, qui durent, eux aussi, participer plus qu'ils ne l'ont dit à la vie familiale. Ce qu'on devine dans des lettres où Pasquier s'interroge sur l'établissement de ses filles, Louise et Suzanne, dans celles de Du Tronchet songeant aux siennes, Jacqueline et Marie, pensionnaires dans une abbaye du Forez, pleines d'encouragements à l'étude, et de conseils affectueux. Il s'agit, il est vrai, des rapports entre pères et filles, non entre époux. De la femme, les récits masculins ne permettent guère que d'apercevoir l'image, assez abstraite, de la gardienne du foyer.

VIII

Matrones et nourrices :
des professionnelles

MÉDECINE OFFICIELLE ET MÉDECINE POPULAIRE

La pratique des accouchements est longtemps restée exclusivement aux mains des femmes. L'exemple biblique de Schiphra et Pua
(Ex I, 15-22) atteste qu'il en était déjà ainsi chez les Hébreux et chez
les Égyptiens. La fonction de «médecine», de «guérisseuses» fait
partie des attributions de la femme mariée, capable de soigner mari,
enfants, serviteurs. A la fin du XVIᵉ siècle, les médecins constituent
l'élite du corps médical; au-dessous viennent les chirurgiens, les
barbiers-chirurgiens et, tout au bas de la pyramide, les sages-femmes.

En Angleterre, des femmes médecins et chirurgiens continuent à
exercer jusqu'au XVIIᵉ siècle (c'est le cas d'Isabel Warwike à York,
en 1572, d'Alice Gordon à l'hôpital Saint Bartholomew à Londres
en 1598) et l'on respecte leur compétence. En France, le titre de
docteur est interdit au sexe féminin. Des deux côtés de la Manche,
d'ailleurs, bien des matrones exercent leur métier sans en avoir officiellement le droit. Exclues de l'enseignement médical des universités, elles s'instruisent par la pratique, auprès d'amies ou de
parentes.

Dans la seconde moitié du XVIᵉ siècle, une série de procès, tant
en France qu'en Angleterre, sanctionnent les matrones qui exercent
sans avoir passé l'examen requis pour briguer le titre de sages-
femmes jurées. Mais bien des femmes «pendent l'enseigne devant

leur porte sans avoir été reçues». Cette enseigne, symbolique, représente une femme portant un enfant, et un jeune garçon portant un cierge, parfois un berceau, et une fleur de lys, en signe de soumission à l'Église et au roi. De 1576 à 1601, on ne recense à Paris que soixante femmes appartenant légalement à la corporation. C'est dire que dans les quartiers urbains et à la campagne, les femmes du peuple faisaient appel à la solidarité de voisines et d'amies ou d'«empiriques» salariées.

C'est à l'absence de rapports entre la théorie et la pratique que le chirurgien Paul d'Égine, au Vᵉ siècle, impute le retard de l'art obstétrical, exercé par des sages-femmes qui se transmettent oralement les recettes de leur savoir, fruit d'une expérience quotidienne étrangère aux savants médecins. Le bénéfice des échanges entre ceux-ci et les praticiennes devait être reconnu tant par les écoles de médecine arabes que par l'école de Salerne, qui assuraient la formation des sages-femmes. L'auteur du premier traité en latin consacré à la femme, le *Livre de Trotula* (XIᵉ siècle), est d'ailleurs un Salernitain.

De semblables ouvrages vont se multiplier à partir du XIIᵉ siècle. Le *De secretis mulierum*, «Des secrets des femmes», attribué à Albert le Grand, ouvre la voie à toute une lignée de recueils de «Secrets des dames». Les recettes d'hygiène et d'esthétique y voisinent avec des considérations sur l'influence des astres, le tempérament féminin et surtout sur le mécanisme des accouchements; l'expérience des sages-femmes y est évoquée de façon élogieuse. Leurs observations, communiquées de génération en génération, alimenteront longtemps les livres de secrets, rédigés souvent par des médecins qui restent héritiers des pratiques et des croyances imposées depuis des siècles par les matrones.

Si les traités savants, comme *La Grande Chirurgie* de Guy de Chauliac (XIVᵉ siècle, traduit du latin sous ce titre par Laurent Joubert en 1592) s'efforcent de dépasser le stade de l'empirisme, ils reconnaissent toutefois la nécessité d'allier à la théorie les fruits d'une expérience pratique. Cependant, la médecine relative à la femme restera encore longtemps balbutiante en raison de la méconnaissance de son anatomie, de la rareté des dissections, de l'absence enfin d'une méthode et d'un vocabulaire permettant d'établir sa spécificité.

La situation n'évolue guère à l'aube du XVIᵉ siècle, où se perpétue une double tradition d'écrits obstétricaux, celle de traités théoriques en latin, destinés aux médecins et aux savants, et celle de traités en langue vulgaire qui s'adressent à un public de praticiens, chirurgiens et sages-femmes. Deux manuscrits, l'un du XIIIe siècle, le *Régime des Dames*, l'autre du XIVe siècle, *Le Livre du secret des dames lequel est deffendu à reveler sur peine d'excommuniement a nulle femme ne a nul home se il n'est de l'office de c(h)yrurgye*, fondent, de façon significative, ces deux traditions différentes. Exemplaires d'une tradition médicale à laquelle sont redevables tous les auteurs de médecine féminine au XVIe siècle, ils offrent une synthèse des sources constituant un fonds commun où se mêlent les apports des médecines galénique, arabe, salernitaine et montpelliéraine.

L'exposé de théories recueillies par les compilateurs semble s'adresser à un public de médecins. Le *Régime des Dames* apparaît comme une variation du *Livre de Trotula*, dont il respecte le plan, et se situe dans la lignée du *Trésor des pauvres* d'Arnaud de Villeneuve, souvent réédité au XVIe siècle, mais les conseils d'hygiène et d'esthétique de la dernière partie évoquent la médecine populaire des *Secrets d'Alexis Piemontois* (1558). *Le Livre du secret des dames* affecte également l'allure d'un traité théorique sur la génération humaine, suivi d'un vade-mecum pour les matrones et s'inspire du *De secretis* d'Albert le Grand. Apparemment destiné à des spécialistes, il comporte néanmoins, dans sa seconde partie, un assortiment de recettes utiles à toutes les femmes pour savoir si elles sont grosses, si elles ont «fils ou fille en leur ventre», comment, pour faire des enfants «parfaire ses amours et l'un l'autre attendre». La variété des thèmes traités, l'éclectisme du contenu, le mélange de conseils concernant l'obstétrique et de recettes de bonne femme prouvent que les théories savantes ont été adaptées aux pratiques et aux croyances vulgaires. Le titre même du *Livre du secret des dames* en interdit la communication aux non-spécialistes, mais sa rédaction en langue vulgaire en ouvre l'accès à un public élargi.

Ces ouvrages ne relèvent donc vraiment ni de la médecine officielle, ni d'une médecine populaire. Rattachés à une médecine parallèle, celle des régimes de santé, des livres de secrets, en latin ou en français, dont la tradition, d'abord manuscrite, est largement diffusée par l'imprimerie, ils se situent au confluent de deux traditions médicales, de deux cultures dont le XVIe siècle va sanctionner le divorce, générateur de conflits entre différentes catégories du domaine médical.

Les ouvrages de Vésale, de Charles Estienne, d'Ambroise Paré témoignent alors d'une connaissance beaucoup plus précise des structures du corps, favorisée par la pratique accrue des dissections. Si l'anatomie et plus encore la physiologie de la femme demeurent beaucoup moins connues que celles de l'homme, les traités savants les reconnaissent néanmoins comme objets d'études spécifiques. Gynécologie et obstétrique deviennent des spécialités où le médecin veut faire reconnaître sa suprématie : aussi le célèbre Laurent Joubert, chancelier de la faculté de médecine de Montpellier, estime-t-il qu'il ne doit point «ignorer aucune chose de ce que traitent les levandières [les sages-femmes] non plus que des autres opérations chirurgicales... Car toutes maladies sont de sa connaissance et haute juridiction. Tous ceux qui se mêlent de traiter aucun mal, ils sont subalternes au médecin : comme les chirurgiens, lesquels ont la juridiction moyenne et les levandières, qui ont la basse. Or l'enfantement est un mal duquel plusieurs femmes et enfants meurent et l'avortissement [avortement] encore plus. Ne faut-il pas donc que le médecin y soit surintendant ?»

La matrone des contes et de la littérature satirique du XVe et du XVIe siècle est un type littéraire peu flatté : c'est une vieille femme – l'âge étant le garant de l'expérience – laide, ridée, habituée à imposer son autorité, impertinente, intéressée, fausse, habile à monnayer son savoir, sans scrupule et prêtes à rendre des services peu avouables : car elle s'entend à procurer un avortement, ou à recoudre un pucelage, déjà vendu bien des fois.

De cette image de la matrone rusée, la littérature populaire donne encore des exemples au XVIIe siècle. Parmi les livrets qui offrent des modèles de lettres d'amour ou d'affaires notamment, le *Secrétaire français* en propose un, très sérieusement, sur le sujet suivant : «Réponse d'une sage-femme à la déclaration d'un carabin qui désire entrer avec elle en communauté d'intérêts». La matrone y fait preuve d'un cynisme réjouissant en énumérant les avantages qu'ils tireraient de cette association pour bien plumer les clientes. Et la lettre est suivie d'«observations» conseillant à la sage-femme de bien reproduire l'orthographe du modèle, et commentant les profits qu'elle peut tirer d'un étudiant inexpérimenté car «la sage-femme est une commère à expédients, un trésor d'immoralité de plus d'un genre. Elle est de coutume ignorante, présomptueuse, bavarde intrigante, crapuleuse, impie, matérialiste, libre dans ses propos et dans ses gestes : c'est l'ombre de la science devenue grossière et seulement obscène. Elle n'est ni un homme, ni une femme».

Tout au long du siècle s'accentue la rivalité des tenants de la médecine savante, que le retour aux textes de l'Antiquité, de Galien notamment, contribue à faire progresser, et les sages-femmes, ignorantes de la théorie mais fortes de leur expérience – d'autant que la plupart sont mères –, auxquelles revient traditionnellement la pratique des accouchements et qui défendent âprement leurs prérogatives. Les uns et les autres se reprochent mutuellement d'empiéter sur leur domaine respectif.

LE MÉTIER DE SAGE-FEMME

Dans les grandes villes, les matrones forment un corps constitué, dont l'enseignement, assuré par des matrones-jurées (quatre à Paris), reste très rudimentaire. Leurs élèves les accompagnent quelque temps auprès de leurs clientes, après quoi elles reçoivent un certificat de moralité et un autre de capacité qu'elles sont tenues de faire approuver par le premier barbier du roi et le curé de leur paroisse. (Dès le début du XVIe siècle, le pouvoir ecclésiastique recommande aux curés de prendre en charge l'instruction des sages-femmes dont il espère faire des «missionnaires» propagandistes). Dame Françoise, sage-femme de Catherine de Médicis, transmit ainsi les recettes de son art à bon nombre d'«apprentisses».

C'est en 1560 que sont révisés les statuts et règlements ordonnés pour «toutes les matrones ou sages-femmes de la ville, prévôté et vicomté de Paris». Astreintes désormais à suivre un enseignement théorique confié aux chirurgiens-jurés et sanctionné par un examen, soumises à des règlements très stricts (dénonciation obligée des femmes qui cèlent leur grossesse, conformément à l'édit d'Henri II de 1557, interdiction de pratiquer l'avortement sous peine de mort, délation des «matrones dissolues», ondoiement de l'enfant en danger de mort), les matrones sont soudées par l'esprit de corps, et très soucieuses de sauvegarder la réputation d'une corporation suspecte de maquerellage et de complaisances blâmables. Elles sont les premières à se montrer impitoyables envers les avorteuses et celles qui justifient le mépris pour une profession si favorable aux pratiques interdites.

A la répression civile s'ajoutent les menaces de l'Église, qui voue à la damnation éternelle «ceux qui par potion, breuvage ou autre manière que ce soit, empêchent la conception et la génération [...] ou qui procurent l'avortement du fruit déjà conçu». Non seulement des théologiens, mais aussi des historiens, des juristes et des moralistes, de Thou, Henri Estienne, Pierre de L'Estoile, le mémorialiste, dénoncent le grand nombre d'infanticides, de femmes «meurtrières de leurs enfants» une fois nés, ou avant leur naissance, phénomène où ils voient un signe de la dégradation des mœurs. Dans la noblesse ou la grande bourgeoisie, les femmes refusent la grossesse pour préserver leur beauté, et ne pas renoncer aux plaisirs mondains, ou pour éviter les suites fâcheuses d'une liaison; dans le peuple, c'est la misère qui pousse une mère trop pauvre ou une fille de joie à tuer son enfant par désespoir.

Les matrones ont d'ailleurs souvent maille à partir avec la justice (la prison est un des cas de force majeure signalés dans leurs statuts, qui les empêchent d'assister à certaines cérémonies), et l'exercice illégal de leur art est monnaie courante.

Louise Bourgeois, dite Boursier (1563-1636), excellente praticienne qui présida aux six couches de Marie de Médicis, est la première – et la seule – sage-femme à avoir consigné son expérience par écrit dans ses *Observations diverses* et son *Instruction à ma fille*. Elle fut, consécration suprême, la première à porter le chaperon de velours (les sages-femmes de Catherine de Médicis n'avaient eu droit qu'au collet et à la chaîne d'or). Elle a raconté quelle hostilité elle rencontra chez les matrones-jurées avant d'être admise dans leur corporation : elles craignaient que Louise, d'une famille honorable, épouse d'un «surgean» (un chirurgien), s'entendît «avec ces médecins comme coupeurs de bourses en foire», et préféraient «recevoir des femmes d'artisans qui n'entend[aient] rien à [leurs] affaires».

Les capacités requises dans cette profession, décriée par les médecins eux-mêmes, n'étaient vérifiées et réglementées que dans les villes. Si les classes aisées y ont recours, en milieu populaire, rural surtout, la parturiente se passe d'auxiliaires patentées. Les textes des conteurs comme les écrits médicaux mentionnent fréquemment l'intervention ou les dires des «bonnes femmes de village» qui aident à l'accouchement. Tant qu'il est «naturel», c'est-à-dire sans complications, il reste aux mains des femmes, et le restera longtemps encore, sans que le médecin y trouve à redire. La savante Catherine des Roches fait entrer dans le programme bien compris d'une éducation féminine quelque peu de médecine pour pouvoir « aider les nourrissons ».

« L'honneste femme » qui accoucha Louise Bourgeois de ses enfants, sans qualification particulière, la persuada « d'apprendre à être sage-femme et que si elle eût su lire et écrire [...] qu'elle eût fait des merveilles ». Louise elle-même, que les malheurs de temps et les guerres civiles avaient amenée à exercer une profession, pratiqua « environ cinq ans avec pauvres et médiocres », bien avant de se « faire recevoir jurée à Paris ».

La Maison rustique de Charles Estienne et Jean Liébault, docteurs en médecine (1561), traité rassemblant divers conseils d'agriculture, consacre un chapitre aux « remèdes que doit sçavoir la Fermière pour la maladie des gens ». Il lui est utile en effet de connaître « la médecine naturelle pour les siens et les autres quand le malheur viendra... Car d'avoir le médecin à toutes heures, sans urgente nécessité, ce n'est pas le profit de la maison ». Au nombre des talents qui lui permettent de « médeciner les laboureurs malades » figure celui d'appliquer des traitements « pour rendre la femme féconde » ou pour prévenir l'accouchement avant terme : « qu'elle use avec le jaune d'un œuf frais, d'une poudre faite de graine de Kermes [...] ou d'encens fin chacun en partie égale, ou bien [...] de poudre de vit de bœuf préparée selon la mode qu'avons descrit en la cure de la pleurésie, ou qu'elle porte assiduellement à quelques-uns de ses doigts un diamant : car le diamant a vertu de retenir l'enfant au ventre de la mère ». « On dit aussi que la poudre de serpent [...] mêlée à des miettes de pain est souveraine », mais « le plus recommandable est la pierre d'aigle, portée sous l'aisselle gauche ».

Ces remèdes, visiblement hérités d'un savoir oral puisqu'ils reposent sur des dires, sont toujours à base de substances « naturelles ». La tradition donnait un assortiment de recettes préventives pour permettre un accouchement aisé. Ces préparations internes ou externes, breuvages à base de plantes, poudres ou décoctions des plus extravagantes, témoignent de la confiance populaire dans les vertus botaniques ou le pouvoir quasi magique de certains végétaux, minéraux ou animaux. La médecine officielle en conseille également l'usage, à condition que les remèdes soient « légers et petits ». Elle ne diffère de la médecine empirique que parce qu'elle s'en tient aux propriétés recensées dans les pharmacopées.

Jean Liébault conseille des potions de même nature en cas de « difficulté d'accouchement » (décoction d'armoise rhue, dictame et pouliot ou jus de persil « tiré avec bien peu de vinaigre », etc.), au moment où la femme est en travail (« eau clairette », faite d'un mélange d'eau-de-vie, de cannelle et de sucre, etc.), pour faire sortir l'« arrière-faix », pour les tranchées utérines qui surviennent après la délivrance. L'exploitation d'une thérapeutique populaire et d'une médecine proverbiale est manifeste dans ces recettes destinées « aux fermières ». Le recours à la sage-femme, pas plus qu'au chirurgien ou au médecin, n'est jamais envisagé. Ce qui peut surprendre car Charles Estienne et son gendre, qui compléta les dernières éditions du traité, comptent parmi les plus célèbres médecins du temps. Jean Liébault, il est vrai, n'indique dans ce « receptaire rustique que les remèdes naturels, laissant les autres plus exquis remèdes aux médecins des villes ». Il sous-entend ainsi que la médecine des ruraux et des pauvres n'est pas celle des riches. Mais l'opinion populaire, selon laquelle il faut laisser faire la nature en toute espèce de maladie – la grossesse étant tenue alors pour un état pathologique – reste profondément enracinée. Elle est partagée parfois par les médecins, souvent par les lettrés partisans d'une philosophie naturelle. Montaigne assure que le malade est lui-même son meilleur médecin. Cholières, dans ses *Matinées*, montre que le paysan et l'ami de la nature s'abstiennent du médecin. Aux yeux des interlocuteurs de ses nouvelles la médecine n'apparaît pas essentiellement un art pratique mais une science spéculative. Par ailleurs l'empirisme des « paracelsistes », les disciples de Paracelse, hostiles à la médecine grecque, va dans le même sens.

GERVAIS DE LA TOUCHE ET LA MÉDECINE NATURELLE

La diatribe de Gervais de La Touche, gentilhomme poitevin offre, à la fin du siècle, un avatar de cette opinion populaire qu'il appuie, sans autre précision, de l'autorité d'« ingénieux philosophes ». Ce n'est pas au nom de la médecine officielle, mais en défenseur passionné de la médecine naturelle qu'il attaque violemment les matrones, comme l'indique le titre de son réquisitoire : *La Très Haute et Très Souveraine Science de l'art et industrie naturelle d'enfanter, contre la maudicte et perverse impéricie des femmes que l'on appelle sages-femmes ou belles mères, lesquelles par leur igno-*

rance font journellement périr une infinité de femmes et d'enfants à l'enfantement. Ad ce que désormais toutes femmes enfantent heureusement et sans aucun péril ny destourbier [tracas], *tant d'elles que de leurs enfants estans toutes sages et pérites* [habiles] *en icelle science* (Millot, Paris, 1587). L'auteur place son opuscule sous le signe de la nouveauté en se flattant d'avoir découvert cette science entre autres « belles et riches inventions et recherches de choses lesquelles jusques à notre temps avoient été inconnues et du tout occultées à nos prédécesseurs ». Si la vie des mères et des enfants est si souvent mise en danger, si tant de nouveau-nés sont « journellement sagmentez [mutilés] et meurtris à leur naissance », Gervais de La Touche en rend responsable non pas la malice mais la sottise de la « race idiotte et imperite [sans qualification] que nous appellons sages-femmes » qu'il vaudrait mieux qualifier de « bourrelles et meurtrières du sang innocent ».

C'est d'abord la compétence de ces « plaisantes ouvrières » qui est mise en cause : en quels livres, sous quels précepteurs ont-elles appris leur métier ? Leur prétendue science n'est que « caquet » et se limite à des pratiques routinières qu'elles utilisent ou voient utilisées depuis cinquante ou soixante ans. Bien loin de reconnaître leur « damnée ignorance », elles la préfèrent à la recherche « de l'ordre et des secrets de nature ». C'est pour défendre « leur marmite » qu'elles se montrent fières de leur art. Car ce sont toutes de « pauvres femmelettes desnuees et despourvuës non point seulement d'esprit et d'entendement, mais aussi de tous moyens de vivre ». Quand l'une meurt, sa place est briguée par une pauvre misérable affamée qui prétend s'y connaître pour bénéficier des avantages en nature de la défunte.

Les femmes qui ont tant soit peu de moyens ne recherchent pas un métier où il faut peiner jour et nuit. Leur condition sociale suffit à expliquer, selon le gentilhomme poitevin, leur sottise et leur avidité, autant que le mépris où il les tient. Riches ou pauvres, toutes au reste montrent la même ignorance. Et l'auteur d'en administrer les preuves avec une ardeur vengeresse. Pour faire sortir une pierre d'un sac, il faut lever celui-ci « le cul en haut la gueule en bas ». Aussi secouent-elles la mère pour faire descendre l'enfant. Impatientes (d'autres parturientes les appellent souvent ailleurs), elles rompent les eaux ou attendent trop longtemps que nature jette dehors l'enfant et s'emploient à manœuvrer de la main pour le tourner ou le remonter, meurtrissant la mère et le nouveau-né. S'il périt, elles s'en moquent, disant que les femmes «sont trop heureuses d'estre réchappées», et imputent à la volonté de Dieu ou à quelque défaut naturel une mort dont elles portent seules la responsabilité.

Les tortures imposées aux femmes en travail suscitent l'indignation de La Touche. Riches, les matrones «bourrelles» les maintiennent sur des chaises percées, pauvres sur une vieille selle à buée (lessive) et comme des bouchers, se livrent, pour tourner l'enfant, à toutes sortes de «fadaises à leur fantaisie», les laissant un, deux ou trois jours debout ou à genoux, inventant «plusieurs nouveaux genres de tourments pour les soulager, contre l'ordre de nature». D'autres textes, issus de la médecine officielle, viennent confirmer ces violences infligées aux femmes pour hâter la délivrance.

La plupart des traités d'obstétrique mettent en garde contre les manœuvres inconsidérées. Ambroise Paré, dans son *Traité de la génération* (chap. XVI), interdit de mettre les femmes aux peines du travail avant que «les signes» ne soient réunis. Sinon, leurs efforts resteraient vains et elles n'en seraient que «molestées et débiles». Ses recommandations, qui rejoignent celles des *Statuts des matrones*, ordonnant qu'elles aient «rogné leurs ongles, ôté leurs bagues de leurs doigts et lavé leurs mains» (p. 5), laissent deviner la carence de l'hygiène dans l'habituelle pratique des accouchements.

Le dessein de l'auteur est de faire cesser ces «abominables pratiques journellement exercées en nostre pauvre France». Il faut pour cela «remettre les choses en l'estat de nature comme Dieu l'a ordonné», convaincre chaque femme qu'elle est capable de se traiter et gouverner sans «ayde d'autruy». Car Dieu l'a «si bien munie de toutes les forces et vertus qui lui sont nécessaires pour l'exécution de sa charge qu'elle n'a besoin ny de l'aide ny du conseil de personne». Quand elle sent l'heure de l'enfantement approcher, qu'elle se couche «tout à plat et de son long, qu'elle se prépare comme elle sentira très bien que sa mère gouvernante le veut et demande» (chap. V). «Tous les autres animaux femelles enfantent bien sans destourbier [tracas] et laissent faire à nature son opération. Y a-t-il de sages-vaches, brebis ou juments?» (chap. II). Soyez vos propres sages-femmes, de voisine à voisine, conseille La Touche, sans faire appel à une étrangère qui, moins patiente qu'une amie, se hâte de «dépécher sa marchandise». C'est la crainte de la «pauvre tendrette» en mal d'enfant et la cupidité de ces «sages bestiolles» qui ont laissé s'instaurer ces pratiques erronées.

Quant aux «douleurs préparées par Dieu par la faute du péché d'Ève», que la parturiente les supporte avec «patience et modestie» en attendant que l'enfant tombe comme un fruit mûr, et se contente de mander ses voisines et amies pour l'assister et recevoir l'enfant.

L'aide des femmes «communes» n'est donc pas nécessaire; l'auteur concède pourtant qu'on peut parfois recourir à celles dont l'expérience est reconnue. C'est aux «malavisées, aux sottes et aux insensées» qu'il s'en prend. Sans vouloir «chasser du tout» les praticiennes, il entend au moins les «corriger et réformer». Sont-elles habiles et expérimentées, elles doivent pourtant rester sous l'étroite surveillance de la femme en travail et de ses amies, attentives à les empêcher de «rien innover».

La Touche, avec un bel optimisme, omet délibérément l'éventualité d'un accouchement pathologique et celle de l'intervention du médecin. Tout au plus mentionne-t-il, pour le condamner, le recours au chirurgien-barbier qui arrache par la force l'enfant, mort ou vif «lorsqu'il se présente par le ventre». Pour les accidents possibles, il n'envisage que des remèdes naturels, destinés à abréger la douleur. Il n'est pas question de la supprimer, puisqu'elle est le juste châtiment des filles d'Ève. Il faudra attendre le XIXe siècle, et l'intervention de la reine Victoria, pour qu'on envisage d'utiliser l'anesthésie dans l'accouchement.

Son point de vue est celui d'un profane. Mais les tenants de la médecine officielle, Rodion (surnom de Roesslin), Rueff, Rondelet, Paré, Joubert, dont l'intérêt pour la thérapeutique obstétricale s'accroît, partagent son hostilité envers les matrones. L'humanisme, résolument hostile à la tradition médiévale dans tous les domaines, va favoriser une large entreprise de rectification de la médecine en s'en prenant également aux prescriptions erronées de l'école de Salerne et aux préjugés du vulgaire, consacrés par les dictons et les proverbes.

Les recettes empiriques que levandières [sages-femmes] et femmes du peuple s'étaient longtemps transmises oralement sont désormais diffusées par des écrits pseudo ou parascientifiques et certains médecins eux-mêmes les mentionnent dans les livres de *Secrets* dont ils sont parfois les auteurs. L'imprimerie, où Rabelais voyait une invention d'«inspiration divine» propre à répandre les lumières, contribue ainsi paradoxalement à propager l'erreur. Un tel savoir devait naturellement susciter le mépris de la nouvelle médecine humaniste et l'inciter à en donner d'énergiques réfutations.

LAURENT JOUBERT ET LES *ERREURS POPULAIRES*

Natalie Z. Davis a bien montré, dans son beau livre *Les Cultures du peuple*, combien les savants de la Renaissance se sont montrés d'emblée critiques à l'égard du matériau populaire, qu'il s'agisse d'amateurs de proverbes ou de compilateurs d'erreurs vulgaires. Mais animés d'une volonté novatrice et correctrice, les médecins ont aussi cherché à éclairer le «peuple ignorant», à «luy dissuader ces fausses opinions et procédures et l'instruire de faire mieux ce qui luy concerne». Tel est le but de Laurent Joubert dans ses *Erreurs populaires et propos vulgaires touchant la médecine et le régime de santé*. L'ouvrage (la 1ʳᵉ édition date de 1578) créait un genre, tout à fait inconnu de la littérature médicale du Moyen Age : il visait à dissiper des erreurs préjudiciables à la santé des malades comme à la réputation des médecins.

Le dessein de Joubert justifie sa méthode : répertorier les erreurs, les dictons, adages ou coutumes populaires erronées, les commenter, les expliquer et les réfuter, en faisant appel aux exemples puisés dans sa longue expérience médicale. On assiste ainsi au «dialogue de deux cultures», extrêmement précieux pour reconstituer la culture du peuple, consignée en même temps qu'elle est réfutée. L'ouvrage, à l'exception du livre I, étant consacré à la «conception et generation» (II) à la «groisse [grossesse]» (III), à l'«enfantement et jésine» (IV) au «lait et nourriture des enfants» (V), ce sont surtout des erreurs en matière d'obstétrique que Joubert s'applique à dissiper.

Son succès, immédiat, fut très vif. Joubert avait invité ses lecteurs à lui communiquer toutes espèces de dictons et d'erreurs qu'il se proposait de réfuter, en en expliquant l'origine. La mort l'empêcha de mener à bien son œuvre et la première partie est la seule qui nous soit parvenue en entier ; le livre I traite des erreurs populaires touchant la médecine et les médecins, les livres suivants sont consacrés à l'obstétrique. Toute une lignée d'œuvres de vulgarisation médicale, du XVIᵉ au XIXᵉ siècle, devait naître de l'ouvrage.

Sa destination est clairement soulignée par l'auteur. Au contraire de ses *Paradoxes* en latin qui s'adressent à des lettrés et à des spécialistes, les *Erreurs* en français visent un public différent et beaucoup plus large. Les deux ouvrages participent «d'une même recherche de la vérité puisque dans les deux cas il s'agit de combattre des erreurs accréditées», parmi les doctes dans les

Paradoxa, parmi les profanes dans les *Erreurs populaires*. Celles-ci ne constituent pas un traité théorique, mais se fixent un but pratique. Les questions de doctrine médicale n'y sont abordées que dans la mesure où l'exige la réfutation de telle ou telle erreur, et seules « les plus vulgaires et qui sont de la capacité ou connaissance du peuple » y sont envisagées.

Le succès fut aussi un succès de scandale, non seulement parce qu'il traitait de « matières grasses et… parties honteuses » dans un ouvrage dédié à la reine de Navarre, mais surtout par ce que les *Erreurs* étaient rédigées en français. Elles devenaient ainsi accessibles « aux filles et aux femmes ». En outre, affirmaient ses confrères, « il n'est pas bon de divulguer nostre art au peuple et de luy faire entendre ce dont les médecins se veulent et doivent prévaloir ». Or le propos de l'auteur, qu'il a défini lui-même, est précisément de « contenir le peuple es limites de sa vocation », de le dissuader de dicter au médecin « son devoir quand il traite et sert les malades ». Par ailleurs, ce n'est pas « divulguer ou enseigner la Médecine aux profanes, que de les instruire à bien faire ce qu'ils font et leur expliquer ce qu'ils sçavent sans intelligence, par manière de dire ».

Joubert range manifestement les levandières parmi les profanes, bien qu'elles aient acquis par la pratique certaines capacités. Selon lui, les « simples ignorants et non outrecuidés [orgueilleux], n'entreprenent que ce qu'on leur commande pour le service du patient sans y adjouster ou diminuer, esmeus d'une sage crainte de mal faire. Au contraire, ceux qui croient savoir et n'en ont aucun fondement, glosent toujours sur le Magnificat et n'estiment rien que ce qu'ils imaginent, jugeant le Médecin fort suffisant, s'il s'accorde à leur propos ». Ce ne sont donc pas les plus ignorants qu'il juge « merveilleusement dangereux », mais « ceux qui sçavent à demi ou pensent sçavoir sans raison… Ils ne sont ni chauds ni froids, mais tièdes ; pourquoi on les doit vomir, c'est-à-dire jetter hors la chambre des malades ». Les sages-femmes appartiennent à cette catégorie dangereuse de demi-habiles, pour laquelle Joubert montre autant d'aversion que Pascal. On s'explique ainsi le chapitre vengeur (IV, III) où il exprime tous ses griefs à leur égard.

Cette « outrecuidance et présomption » suscite au premier chef l'indignation de l'auteur. Défaut bien préjudiciable aux patientes, qui justifie le titre du chapitre : « Que les matrones faillent grandement de n'appeler des medecins à l'enfantement et autres maladies

des femmes». Quand survient quelque accident de fièvre, ou autre
difficulté, leur présence est indispensable. Et «les bonnes Dames se
démentent évidemment quand elles nous appellent au secours, ne
pouvant venir à bout de leur antreprise», constate avec satisfaction
Joubert. «Car si nous pouvons le plus difficile ne savons-nous le
plus aisé et vulgaire, qui est comme notre alphabet?» (p. 412). Au
contraire des «naturalistes», il sait bien que l'enfant ne tombe pas
comme un fruit mûr et que le praticien peut être un auxiliaire efficace de la nature. Plus pitoyables aux souffrances des femmes
grosses que les levandières, les praticiens s'efforcent de leur
apporter tous les soulagements possibles, donnent dans ce but des
indications précises et déplorent que les préjugés de ceux qui les
assistent les empêchent souvent d'agir efficacement.

Il incrimine ensuite l'ignorance des matrones. Il faudrait, «dans
une République bien policée» que les médecins enseignent l'anatomie aux sages-femmes afin qu'elles «puissent artificiellement
comprendre la vraie methode de proceder à leur opération». Sinon
elles «y vont comme aveugles et empiriques, sans savoir ce qu'elles
font» (IV, III, p. 410). L'exception confirme la règle, et Joubert n'en
apprécie que mieux le mérite de dame Gervaise, matrone de
Montpellier, «vraiment sage-femme et bien avisée, qui ne faut
[manque] guères aux anatomies [dissections] publiques lorsque
nous avons en mains une femelle». Ambroise Paré témoigne, lui
aussi, de la fâcheuse carence de connaissances anatomiques de ces
«obstetrices matrones, soy-disans sages-femmes» et ne leur ménage
pas son mépris. Il évoque leur dangereuse maladresse à propos
d'une césarienne où elles s'étaient efforcées de tirer l'enfant par un
bras, ce qui aurait été cause «de faire gangrener et mortifier le dict
bras et faire mourir l'enfant».

La routine leur tient d'ordinaire lieu de science. Elles se réfèrent
volontiers aux impératifs d'une médecine proverbiale. Et Joubert
d'expliquer pourquoi il est d'usage «de faire bonne mesure aux
garsons et non aux filles et comment il faut gouverner la verdilhe
[le cordon]» (IV, IV), «s'il est vrai qu'on puisse connaître aux
nœuds des cordes de l'arrière-faix combien d'enfans aura la femme
qui accouche» (IV, V); tous propos colportés par les vieilles
matrones qui veulent être tenues pour devineresses. C'est leur ignorance qui les rend arrogantes, surtout si elles ont été employées par
quelque grande dame ou qu'on les a fait venir de loin, et qui les
amène à négliger les remontrances du médecin.

Les soins à donner après la délivrance étaient confiés aux levandières, peu au fait de la diététique. Un chapitre entier des *Erreurs* (III, X) s'emploie à démontrer qu'«on nourrit trop les accouchées, disant que la matrice est vide et qu'il faut la remplir». C'est une habitude déplorable de les «souler et farcir comme si on voulait faire un boudin de leur ventre». Mais l'entêtement des matrones les empêche de renoncer aux pratiques routinières. Comme elles n'ont «ni discours [raison] ni raisonnement, ce qu'elles ont une fois compris et reçu pour véritable et certain, jamais ne leur échappe, c'est comme une tâche d'huile. Et pour s'y confirmer davantage, il ne faut sinon que l'ayent ouï dire à personnes anciennes et du temps passé» (III, V, p. 419). Aussi se refusent-elles obstinément à être reprises et enseignées.

Mais le reproche le plus grave aux yeux de Joubert, c'est que ces ignorantes empiètent sur le domaine du médecin, au grand dam des malades. Un souvenir personnel lui en fournit un exemple frappant. Appelé avec le célèbre Rondelet au chevet d'une malade qui se plaignait d'une «suffocation de matrice», il se fait rabrouer par une vieille matrone qui leur interdit l'entrée de la chambre : elle protestait, dit-il, que la malade n'était «de nostre connaissance, qu'elle était enceinte et que cela n'étoit de nostre metier». En fait, la femme n'était pas grosse, et la matrone était demeurée deux ou trois mois durant à faire bonne chère aux dépens de la pauvre femme !

L'indignation fait place à l'humour pour dénoncer une pratique que l'usage permettait aux sages-femmes, celle des enquêtes sur la virginité ou la grossesse. Joubert reproduit ainsi les rapports de matrones appelées à se prononcer sur une présomption de défloration, tant à Paris qu'en Béarn et à Carcassonne. La déposition des matrones parisiennes (1532) – elle vient du «principal secrétaire de Monseigneur le Maréchal Dampville qui la récitait souvent par plaisir» – est d'une fantaisie truculente qui évoque Rabelais. Elle démontre assez leur totale ignorance des organes féminins et l'utilisation prétentieuse d'un jargon incompréhensible, dont la précision cocasse ne reflète aucune réalité.

Après avoir «visité au doigt et à l'œil» une jeune fille, elles trouvent qu'elle a «les barres froissées, le haleron démis, la dame du milieu retirée, le ponant débissé, les toutons dévoyés, l'en chenart retourné, la babolle abbatue, l'entrepent ridé, l'arrièrefosse ouverte, le guilboquet fendu, le lippon recoquillé, le barbidant tout écorché et tout le lipandu pelé, le guillevart eslargi, les balunaus pendans. Et le tout veu et visité feuillet par feuillet, avons trouvé qu'il y avoit trace de vit». «Propos plus ineptes que sales (veu que ce sont termes incongrus)», conclut Joubert. Ce morceau d'anthologie sera encore cité par Nicolas Venette dans son *Tableau de l'amour conjugal* pour dénoncer la déplorable ignorance des matrones de son temps. Preuve qu'elle restait la même au XVIIᵉ siècle.

La diatribe contre les matrones, caractéristique de la démarche de Joubert dans les *Erreurs*, illustre ainsi le procès que la médecine savante intente à la pratique populaire, dont elle dénonce les dangers. «Il vaudroit mieux ne savoir du tout rien que savoir ainsi en empirique», affirme celui dont la sympathie va plutôt aux «bonnes femmes de village» qu'aux matrones, jurées ou non. Le savoir de ces dernières est constamment rabaissé. Leurs recettes, leurs pratiques sont toujours jugées inférieures aux prescriptions de la médecine officielle que les «opinions vulgaires» les détournent d'appliquer. Ne sachant souvent ni lire ni écrire, tout juste au fait de «quelques petits remèdes», hostiles à toute innovation, ces igno-rantes prennent par présomption de fâcheuses initiatives selon leur fantaisie ou bien «résistent et empêchent que les médecins n'em-ploient principaux remèdes nécessaires».

Moins virulent et plus équitable que La Touche, il sait pourtant leur reconnaître une certaine utilité. Le recours à la «belle mère» préserve la pudeur féminine, en accord avec la mentalité du temps («il est plus honnête que ce mestier là se fasse de femme à femme es parties honteuses»), soulage le médecin qui ne peut être présent partout et la patiente peut se trouver bien d'avoir deux «ministres» au lieu d'un. Que les levandières «fassent entr'elles leurs petits remèdes accoutumés [...] qu'elles pratiquent leurs expériences et la dextérité qu'elles peuvent avoir acquise de leur pratique», Joubert le trouve raisonnable. Si beaucoup de leurs «sentences» méritent d'être absolument réfutées, certaines ne sont pas «ineptes», à condition de les prendre «en sens mystique et secret, pour signifier autre chose qu'on ne dit» (III, VI), c'est-à-dire d'en discerner le sens allégorique. Le danger de ces opinions reçues, complaisam-ment ressassées par les matrones, c'est qu'ayant souvent la forme de dictons et de proverbes elles prennent l'allure convaincante d'une sorte de savoir sans âge dont les *Erreurs* veulent réfuter l'au-torité illusoire. Tout n'est pas faux et méprisable dans ces propos vulgaires, reconnaît Joubert. «Il y en a même plusieurs vrais et certains : mais le peuple ignorant la raison de ce qu'il dit, est comme en erreur, de quoi je le veus exempter par mes discours.» Ainsi le médecin, loin de se prévaloir d'une science inaccessible au profane, se doit de faire comprendre aux ignorants le sens de leurs actes, de leur expliquer «ce qu'ils savent sans intelligence par manière de dire» ou, «syllogizant mal», ce qu'ils croient savoir par suite d'une fausse interprétation. Car «la plupart des erreurs populaires au fait de la Médecine et régime de santé, ont eu leur force des Médecins et de leur propos ou mal entendus ou mal couchés [écrits]». Elles viennent souvent de ce que le peuple «a ouï dire ou vu faire aux Médecins», lesquels il veut contrefaire sans aucun fondement.

La probité de Joubert l'amène enfin à constater que philosophes et médecins ne sont pas infaillibles. «Il peut aussi avoir eu fausse doctrine et erronée», et l'erreur, partagée par les médecins, est une erreur «populaire» dans la mesure où elle est largement accréditée. «Quiconque y livre sa raison, dans quelque rang qu'il soit placé est peuple à cet égard», précisera justement Thomas Brown au XVIIIe siècle.

MÉDECINS ET MATRONES EN RIVALITÉ

Cette concession faite – l'erreur est humaine – Joubert définit très nettement la position respective du médecin et de la matrone. Celle-ci, respectueuse de la hiérarchie des «juridictions» et consciente de la supériorité du médecin, doit accepter de se soumettre à son autorité comme à son enseignement. Qu'elle se range au nombre des bons observateurs qu'on rencontre de préférence chez les ignorants capables de «bien raconter ce qui s'est passé, de jour de nuit [...] proposant quelques doutes au Médecin comme l'advertissant de ce qu'il peut moins s'aviser, n'étant toujours présent et d'ordinaire, le mettant en chemin [...] de tenir autre procédure». Qu'elle accepte d'être pour le praticien une auxiliaire intelligente, efficace, sans empiéter sur ses prérogatives. Car la médecine n'est pas un art domestique qu'on peut divulguer au profane. De même qu'il combat l'adage selon lequel chacun peut être son propre médecin, Joubert affirme la souveraineté du spécialiste en matière d'obstétrique, comme en tout autre domaine médical. La médecine populaire doit s'incliner devant la médecine savante et n'a rien à lui apprendre. Elles n'ont donc pas à entrer en compétition. Leur grand tort, selon lui, serait de ne pas reconnaître la supériorité du savant et de penser «s'entendre mieux à toutes maladies particulières des femmes [comme à la suffocation de matrice, l'avortement et enfantement] que les plus suffisans medecins du monde».

Les observations critiques de Joubert laissent supposer un climat de guerre ouverte entre médecins et matrones qui ne devait pas s'apaiser de sitôt. Elles consacrent les progrès certains de la médecine savante dans la conception et la pratique de l'art obstétrical, la volonté d'affirmer sa suprématie sur la médecine empirique, rompant ainsi avec une tradition bien établie d'échanges entre théoriciens et praticiennes, entre culture savante et culture populaire, celle-ci étant délibérément répudiée, sans aucun souci d'en exploiter les apports.

Le conflit trahit aussi, outre une rivalité latente, un antiféminisme mal déguisé. Le savoir des matrones n'est-il pas suspect parce qu'il est traditionnellement un savoir féminin? Leurs «petits remèdes» ne sont point de leur invention, assure l'auteur des *Erreurs populaires*, elles les ont pris quelquefois des médecins... «Car les femmes n'inventèrent jamais aucun remède, tout sort de notre boutique, ou est sorti de celle de nos predecesseurs. C'est pourquoi elles sont fort ignorantes de penser que nous les ignorons et qu'elles y savent plus que nous» (III, III).

En somme, si, selon le docte Joubert, le médecin n'a rien à apprendre des recettes de bonne femme et les rejette sans appel, c'est qu'aux yeux du savant la connaissance raisonnée doit avoir le pas sur les pratiques empiriques. C'est peut-être aussi que, conformément à la tradition, la médecine, science masculine, se défie des femmes.

DIFFICILE NAISSANCE DE L'OBSTÉTRIQUE

Louise Boursier avait vingt ans lorsque mourut Joubert en 1583. Il aurait sûrement fort apprécié cette sage-femme brillante et exemplaire, qui annonce une nouvelle génération de praticiennes, jeunes et compétentes, très différentes des levandières illettrées. Louise est en effet l'épouse de Martin Boursier, chirurgien du roi et élève d'Ambroise Paré. Sa formation professionnelle est sérieuse, elle fait ses premières armes dans le milieu populaire. Plus tard, elle racontera dans ses *Observations diverses* «comment [elle a] appris l'art de sage-femme». Quand elle décide de passer l'examen pour devenir sage-femme jurée, elle est interrogée par un médecin, deux chirurgiens et deux matrones, selon le règlement, et se heurte d'abord à l'hostilité méfiante des deux dames, Dupuis et Péronne, on l'a vu, mais est reçue en novembre 1598.

Sans délaisser tout à fait les milieux les plus pauvres, elle remporte rapidement un très vif succès dans l'aristocratie, et est recommandée au roi par les médecins de la Cour. Sa réputation sera entachée par des accusations du premier chirurgien du roi, Guillemeau, qui, après la mort en couches de la belle-sœur de Louis XIII, Marie de Bourbon-Montpensier, lui reproche d'avoir voulu en remontrer aux médecins et dénonce sa négligence et son arrogance. Ses *Observations* n'en jouiront pas moins d'un grand succès. Elles seront rééditées à maintes reprises de 1609 à 1652, traduites en plusieurs langues (latin, allemand, hollandais, anglais, etc.). Ses contemporains en ont reconnu la valeur scientifique.

Elle a encore rédigé à l'intention de la plus jeune de ses filles (mais aussi des apprenties sages-femmes, et de toutes les femmes qui souhaiteront s'y instruire) un «manuel de bonne conduite professionnelle», l'*Instruction à ma fille*. L'autobiographie, les précieux souvenirs de sa vie professionnelle y côtoient les conseils précis, utiles à la future sage-femme, que son milieu, son apprentissage auprès d'une mère riche d'expérience (elle a déjà, à quinze ans, assisté à cinquante accouchements), prédisposent à cette profession que Louise est fière d'avoir exercée.

Ses préceptes rappellent ceux de Joubert : nécessité du savoir (elle-même a lu Galien, Hippocrate, Paul d'Égine, Ambroise Paré), allié à l'expérience pratique. Elle souhaiterait vivement que les médecins permettent aux sages-femmes d'assister aux dissections. (Il faudra un arrêt du Parlement en 1664 pour obliger les chirurgiens à les laisser assister aux dissections de femmes.) Elle reconnaît la valeur des échanges entre médecins et sages-femmes. Très agressive à l'égard des chirurgiens qui menacent leur monopole, elle recommande toutefois de faire appel au médecin dans les accouchements pathologiques, mais reste persuadée qu'il vaut bien mieux que la femme en couches soit assistée par une autre femme, pudeur oblige ! et que l'intervention d'un homme reste exceptionnelle.

Autre précepte : ne jamais se placer dans des situations compromettantes qui peuvent porter atteinte à l'honneur de la profession. Il faut refuser son assistance si les couches sont illégitimes ou clandestines, se garder de recevoir «femme pour accoucher en [sa] maison», car c'est un «maquerellage revêtu de quelque couleur que l'on approprie à charité», refuser bien sûr d'être complice d'un avortement. Mais si elle condamne les pratiques abortives ou les recettes contraceptives quand elles n'ont d'autre but que la recherche de plaisirs sans conséquences fâcheuses, elle accepte parfaitement d'indiquer une manœuvre manuelle pour provoquer l'expulsion du fœtus quand il s'agit de sauver la vie de la mère. Les médecins, plus enclins à la compassion que les théologiens et les juristes, étaient en général du même avis. Mais des interdits moraux ou religieux pouvaient faire refuser l'avortement thérapeutique, au nom de l'enfant à naître et à baptiser. Agrippa d'Aubigné raconte comment, à sa naissance, le «choix de mort» fut laissé au père, qui opta pour l'enfant.

Il est de toute façon indispensable de se renseigner sur les mœurs de la future accouchée, soit pour la remettre dans le droit chemin, car bien des jeunes femmes sont dépravées «parce qu'elles sont aussi libres comme les biches des bois», soit pour éviter de risquer sa propre réputation. Mais elle conclut : «Quand vous avez fait votre charge selon Dieu, moquez-vous de tout ce qu'on pourra dire.» Conscience chrétienne et conscience professionnelle se rejoignent dans cette affirmation de la haute dignité de son art.

Louise Boursier devait inaugurer une tradition féminine, celle du manuel d'accouchement. Elle protesta vainement pour dénier aux hommes le droit d'exercer un métier naturellement féminin. Mais elle ne pouvait empêcher l'évolution de la médecine. La pratique des accouchements, confiée jusqu'alors presque exclusivement aux sages-femmes, devient, à la fin du XVIe siècle, l'obstétrique, une branche de la médecine où vont s'imposer les médecins et les chirurgiens-accoucheurs. Les sages-femmes seront désormais placées sous la dépendance de l'autorité masculine.

IX

Le métier de nourrice

S'il est un métier féminin dont le monopole ne peut être menacé, c'est bien celui des nourrices. Un grand nombre de femmes recouraient à leurs services, dans tous les milieux. La maternité était une conséquence obligée du mariage. Dans le peuple, la naissance d'un enfant n'était ni un choix ni un projet. On se mariait pour avoir des enfants comme un pommier a des pommes. Dans la bourgeoisie et l'aristocratie, on espérait un héritier pour continuer la lignée ou succéder au père.

Les femmes du peuple, dans les villages, mettaient au monde, en moyenne, huit ou neuf enfants qu'elles nourrissaient. Dans les villes, les ouvrières qui avaient besoin de gagner leur vie, les femmes d'artisans qui voulaient pouvoir travailler auprès de leur mari, ce qui était le cas le plus fréquent, devaient envoyer leurs enfants en nourrice, en général dans les villages d'où elles étaient originaires. Comment élever un enfant quand l'entreprise familiale demandait tous leurs soins, quand elles devaient organiser le travail des apprentis, les nourrir à l'atelier, qui servait aussi de logement à tout le monde ? Mais la mise en nourrice était une forme d'infanticide différé, car beaucoup de ces enfants mouraient. Il en était de même pour les orphelins, les nouveaux-nés abandonnés, que l'hôpital ou des institutions charitables expédiaient à la campagne dans des charrettes, et confiaient à des nourrices villageoises. Les difficultés du transport, le manque d'hygiène ou de soins en laissaient survivre fort peu.

Les femmes d'artisan qui avaient recours aux nourrices n'avaient plus la protection de l'allaitement : des tabous généralement respectés excluaient en effet les rapports sexuels pendant cette période. Elles étaient donc plus souvent enceintes. On sait ainsi que les femmes des bouchers de Lyon avaient environ dix-neuf enfants, un par an. Environ quinze d'entre eux mouraient.

Dans l'aristocratie ou la bourgeoisie, les mères n'allaitaient pas, à de rares exceptions près. Le bébé, presque à la naissance, était envoyé à la campagne. Dans les familles riches, la nourrice vivait à demeure, mais c'est à elle qu'incombait toute la responsabilité de l'enfant. Les mères, dans les milieux les plus élevés, se trouvaient ainsi davantage susceptibles d'être enceintes, et c'étaient elles surtout qui recouraient aux pratiques contraceptives plus ou moins magiques qui suscitaient un intérêt passionné. Il en a été fait un très abondant et très précis relevé.

Des analyses récentes, comme celle de Philippe Ariès, ont mis en évidence le peu d'intérêt ou même l'indifférence dont l'enfant est l'objet au XVIe siècle. On cite souvent Montaigne déclarant avoir « perdu deux ou trois enfants, en nourrice, non sans regrets, mais sans fâcherie ». Le taux élevé de la mortalité, l'éloignement de l'enfant pendant les premières années expliquent sans doute un certain détachement des parents, des pères surtout. Mais on peut imaginer le chagrin de ces mères qui voyaient mourir six ou sept des dix enfants qu'elles avaient mis au monde, même si la sensibilité à ces pertes n'était pas exactement la même qu'aujourd'hui.

Beaucoup de femmes allaitaient les enfants des autres. L'épouse du petit agriculteur qui ne pouvait prendre d'ouvrage à domicile y trouvait un revenu supplémentaire, et dans certains villages, de Bresse ou du Bugey par exemple, les femmes mariées en faisaient une industrie. Dans une famille aisée, la nourrice était l'objet de soins tout particuliers, on veillait à sa nourriture, à son confort. C'était donc là un métier enviable.

Si dans l'ensemble on attache peu d'importance à la toute petite enfance, c'est pourtant au XVIe siècle que paraît le premier ouvrage de pédiatrie qui lui est destiné. Simon Vallambert, « médecin de Madame la duchesse de Savoie et de Berry et depuis peu de temps de Monseigneur le duc d'Orléans », dédie à la reine mère les cinq livres *De la manière de nourrir et gouverner les enfants dès leur naissance*. La dédicace à une femme d'ouvrages de médecine était un usage consacré. Certains avaient été offerts à Louise de Savoie et à

François Ier pour l'éducation du dauphin et Laurent Joubert dédiera à la reine Marguerite les *Erreurs populaires*.

C'est pour le fils de la duchesse de Savoie, le petit prince de Piémont, qu'écrit Vallambert. Sa destination à un milieu hautement aristocratique n'exclut point le souci de voir de «bonnes doctrines divulguées» au profit du vulgaire. Car Vallambert, qui se flatte d'être le premier à écrire sur ce sujet une œuvre en langue française, souhaite qu'elle soit entendue des femmes de France (toute autre «matière de médecine» devant être traitée par des spécialistes compétents, auxquels la connaissance de langues anciennes est indispensable) et qu'elle serve au bien public, notamment à celui de sa nation. Il s'appuie à la fois sur ce qu'il a appris de ses prédécesseurs, Grecs, Arabes ou Français et sur son expérience personnelle.

Il est amusant de rapprocher ce traité scientifique destiné à la vulgarisation d'un poème épique en latin, la *Pædotrophia* (l'art de nourrir les enfants) (1584) dû au président et trésorier général de France à Poitiers, Scévole de Sainte-Marthe, érudit tenu en haute estime par Henri III, auquel l'œuvre est dédiée, «dans le temps que ce prince témoignait le plus d'ardeur pour avoir des enfants». L'auteur composa ce poème après avoir entrepris avec succès de soigner lui-même un de ses fils encore à la mamelle, dont les médecins avaient désespéré.

Plus manifestement que l'œuvre de Vallambert, celle de Sainte-Marthe s'adresse à un public d'élite. C'est à son épouse qu'il offre ce poème, «puisque Vénus n'a pas permis que leurs feux se ralentissent», c'est pour qu'elle apprenne à conserver la postérité qui perpétuera leur mémoire. Mais il souhaite qu'il soit utile à la nourrice du royal enfant dont il espère la naissance, et aux femmes du commun.

Le médecin et le poète adoptent le même plan. Les trois premiers livres de Vallambert, les deux premiers de Sainte-Marthe traitent de «la manière de bien choisir une bonne nourrice» et des qualités exigées du bon lait, de «l'instruction de la sage-femme et de la nourrice au gouvernement du nouveau-né».

L'ALLAITEMENT MATERNEL

Tous deux participent à la campagne menée par les médecins humanistes en faveur de l'allaitement maternel. Sainte-Marthe trouve des accents indignés pour flétrir la cruauté des mères qui refusent de remplir les devoirs naturels auxquels les bêtes sauvages ne se soustraient point. Insensibles aux plaintes et aux larmes de leurs enfants, elles préfèrent sauvegarder la fraîcheur de leur gorge pour plaire à un amant.

Les arguments du médecin, moins passionnés et qui s'appuient sur des arguments biologiques, n'en sont pas moins péremptoires : «Ne faut douter que le lait de la mère est toujours meilleur que celui d'une autre femme.» Selon la définition, qu'avec tous les médecins de l'époque Vallambert et Sainte-Marthe reprennent à leur compte, le lait est du sang «blanchi» parce qu'il passe dans le sein par des glandes blanches. Il convient mieux parce qu'il est de la même matière que celle qui a formé l'enfant.

Mais ils invoquent tous deux les mêmes raisons pour donner à l'enfant une autre nourrice que la mère : fragilité de sa santé, naturelle ou accidentelle, «dyscrasie» (ou maladie de l'enfant, qui pouvait être contagieuse, ou maladie de la mère), qui corrompait le lait ou rendait ses mamelles inaptes à l'allaitement. Plus résigné devant les caprices féminins ou les mœurs des grands, Vallambert admet encore le recours à une nourrice étrangère si la mère, par trop délicate, ne peut supporter «les senteurs des ordures» du nouveau-né, les servitudes et les fatigues de la maternité, si elle refuse de voir sa beauté altérée ou si elle est par trop «envieuse de coucher avec l'homme».

Ni Vallambert, ni Sainte-Marthe ne mentionne l'emploi possible du lait animal. C'est qu'être nourri au lait de vache était alors réservé aux pauvres (le médecin Thomas Platter, pour donner la mesure de la misère de son enfance, avoue avoir été élevé au lait de vache). On lui préférait encore le lait de chèvre. Le lait animal recueilli dans des conditions d'hygiène douteuse comportait d'ailleurs bien des risques. L'on sait maintenant que sa composition est très différente de celle du lait humain et qu'il est mal supporté par le nouveau-né. Quant à son absorption, la forme bizarre des biberons du XVIe siècle devait la rendre très périlleuse. Le recours aux nourrices était donc une formule plus commode et plus sûre.

Tous les humanistes contemporains, et en particulier les médecins se sont montrés des partisans convaincus de l'allaitement maternel (le silence de Rabelais s'explique par les données gigantales qui permettait, dans le *Gargantua*, d'éluder le problème). Le recours à une nourrice était pourtant chose courante dans les

milieux aisés puisque Érasme condamne cette coutume «presque
aussi universelle qu'elle est déraisonnable», et juge «entièrement
contraire à la nature de refuser la nourriture à un enfant à qui on a
donné la vie».

Juan Luis Vives, dans l'*Institution de la femme chrétienne*, et le
poète Jean Bouchet partagent cet avis. Joubert au livre VI des
Erreurs populaires se livre à une véhémente «exhortation à toutes
mères de nourrir leurs enfants» où les arguments d'ordre moral ont
des accents rousseauistes avant la lettre, tandis que les arguments
d'ordre médical s'accordent avec ceux de la puériculture actuelle. Si
la théorie du sang blanchi prête à sourire, on sait maintenant que le
lait de la mère est pourvu de propriétés immunostimulantes qu'il
communique à l'enfant, dont l'organisme est sans défense dans les
premiers mois de la vie.

LA BONNE NOURRICE

Mais dans bien des milieux, pour des raisons diverses, il n'était
pas question d'allaitement maternel. Dans les maisons des grands,
dit Vallambert, au fait des habitudes aristocratiques, «on tient la
nourrice prête avant la naissance». Elle ne doit être «ni jouven-
celle, ni vieillotte», avoir de vingt-cinq à trente-cinq ans, être dans
l'âge de la vigueur le plus parfait parce qu'il est plus tempéré et plus
sain que les autres – on sait qu'à chacun des quatre âges de la vie
correspond une prédominance de l'une des quatre humeurs –,
moins humide que l'adolescence, moins sec que la vieillesse. Elle ne
doit être ni maigre, ni grosse, de belle chair, d'une couleur vermeille,
ce qui est signe de bonne température et par là de bon lait. Sa
poitrine doit être forte, pour bien soutenir le nouveau-né, ample
pour que le lait s'y répande généreusement et coule mieux. Son
corps charnu doit offrir à l'enfant une douce couche où il reposera
avec plaisir. Trop grosse, elle produit un lait aqueux. Sa maigreur
indiquerait un tempérament mélancolique qui donne au lait une
couleur brune et un goût aigre, alors qu'un tempérament cholérique lui confère une couleur jaune et une saveur trop forte. La
fermeté des mamelles est requise, car elles digèrent mieux le lait de
leur chaleur naturelle, chaleur qui, «en une chair lâche et mollasse,
est quasi étouffée par les humidités», le bout des seins doit être
bien apparent et permettre une succion aisée.

Son hygiène morale préoccupe le médecin au même titre que sa forme physique. Ses mœurs doivent être «bonnes et louables», sa complexion bien tempérée. Car les passions et les «troublements» (émotions) qui altèrent son humeur provoquent chez l'enfant des réactions fâcheuses et gâtent le lait. Elle sera donc «sage femme ni dépitée, ni malicieuse». Aussi une folle ne peut-elle allaiter, même si sa condition physique semble bonne.

Il est nécessaire enfin que la nourrice «s'abstienne de l'homme» tout le temps qu'elle sera en fonction – deux ans environ –, car les rapports sexuels qui risquent d'altérer son humeur ont l'inconvénient, selon Aristote, de donner mauvaise qualité et mauvaise odeur au lait. Ils en ont un autre : c'est de la rendre enceinte, ce qui empêcherait tout à fait d'avoir recours à ses services. Le meilleur de son sang serait alors employé à nourrir l'enfant qu'elle porterait et le lait qui monterait aux mamelles deviendrait ou trop peu abondant ou impropre à la consommation.

Ce tabou sexuel pendant l'allaitement existait dans toute l'Europe. On affirmait que «les liquides naturels se contrariaient» et que le sperme ne pouvait que nuire à la qualité du lait donné à l'enfant. La nourrice d'un des enfants de Louis XIV fut ainsi renvoyée pour avoir été vue parlant à son mari, à qui elle avait donné rendez-vous clandestinement.

Les indications de Scévole, quoique plus sommaires, rejoignent celles du médecin. Il y ajoute cette précision. L'enfant ne doit pas être envoyé chez la nourrice pour ménager le sommeil et la vie mondaine de la mère, à moins que celle-ci ne soit bien assurée du confort et de la salubrité de la demeure qu'on lui réserve. Vallambert n'envisage pas cette éventualité : en milieu aisé, c'est la nourrice qui allait vivre dans la famille du nourrisson. Mais ni le poète ni le médecin ne font la moindre allusion à l'enfant de la nourrice ni aux problèmes que pouvait poser l'allaitement de deux nouveau-nés par la même femme. Vallambert se borne à indiquer qu'il est souhaitable que celle-ci ait déjà eu un ou deux enfants et que le dernier soit un mâle. Il s'appuie sur l'autorité de Jacques de Pars selon qui «la femme qui fait un mâle a le lait plus pur et mieux digéré que celle qui fait une femelle».

Tel n'est pas l'avis de Joubert qui, après une laborieuse démonstration, conseille au contraire de choisir comme nourrice pour un garçon une femme accouchée d'une fille et pour une fille une femme accouchée d'un garçon. Nos deux auteurs s'accordent en tout cas pour porter leur choix sur une femme qui n'ait point fait de fausse couche et dont l'accouchement soit récent, un mois guère plus, avant le début de la lactation.

Si la mère est la nourrice, il faut veiller à l'alimenter très sobrement après l'accouchement. Recommandation utile, si l'on en croit Joubert, qui consacre son chapitre à démontrer que l'on nourrit trop les accouchée.

LA DIÉTÉTIQUE IDÉALE

Le régime de la nourrice en place, si nourrice il y a, va faire l'objet de prescriptions minutieuses. Celui qui a l'approbation de Vallambert se rapproche presque en tous points de celui que Sainte-Marthe préconise pour la femme enceinte. Il est conforme aux enseignements de Galien, d'Avicenne et d'Averroès (les références à leurs œuvres sont précisément signalées) et vise essentiellement à utiliser des viandes qui engendrent «bon sang», la chair de «toute poulaille», le poisson de mer, le «pain de froment, cuit du jour même, étant rassis», les œufs cuits mollets, du vin clairet, toujours mêlé d'eau. Scévole, plus rigoureux, proscrit complètement le vin : «Il faut s'abstenir de Vénus et de Bacchus», éviter les «espiceries» fortes, les aliments acerbes (aigres), styptiques (astringents), amers qui corrompent le lait, la moutarde chaude et sèche qui brûle le sang. La roquette dont Avicenne pense qu'elle engendre le lait, est déconseillée par ce qu'elle «emeut le coït, fait le sang et le lait cholérique et excite douleur à la tête». En revanche, «la laictue [...] augmente le lait, ôte l'envie du coït, parquoy est fort propre». Les fruits ne sont pas bons, excepté les raisins de Damas et les figues, les amandes et les avellanes (noisettes), tenues en grande estime par Avicenne et Averroès; non seulement elles nourrissent bien mais profitent au cerveau si on les prend à la fin du repas.

Vallambert conclut par quelques indications générales : le régime sera réglé en tenant compte du tempérament de la femme, de la qualité et de la quantité de son lait ainsi que du tempérament de l'enfant, nourrice et nourrisson vivant en étroite symbiose.

Il est significatif que le médecin analyse les qualités du lait dans le livre consacré à la nourrice. Si ce n'est pas la mère qui doit allaiter, c'est lui qui, avant l'accouchement, s'appliquera à faire «jugement et preuve du lait, à la substance et corpulence, à la qualité, à la quantité», c'est-à-dire à la couleur, à l'odeur et au goût. Vallambert entre d'ailleurs dans les détails les plus minutieux sur l'alimentation de la nourrice tant qu'elle est en service. Car elle doit être constamment surveillée pour remédier aux insuffisances du lait, s'il y en a. Est-il trop gras? c'est qu'elle est flegmatique (on purge le flegme à l'aide de diurétiques, et de sauces à la menthe, au thym, à l'origan). S'il est trop «petit» (c'est-à-dire aqueux) elle usera de «viandes qui font gros sang», pain non levé, oreilles et pieds de porc, de veau, de mouton, poisson, huîtres, etc.

L'alimentation au sein couvre en principe tous les besoins du nourrisson normal durant la période lactée (en moyenne trois mois de nos jours), prolongée au XVIᵉ siècle jusque vers neuf mois ou plus, quand apparaissent les premières dents. L'usage de la bouillie a prêté à bien des controverses. Beaucoup de nourrices ignorantes estiment bon d'y habituer l'enfant vers trois mois. Elles invoquent l'exemple des femmes des champs et autres pauvres femmes des villes qui sont contraintes d'y recourir : trop fatiguées, elles ont peu de lait et les tâches qui les tiennent éloignées imposeraient de trop longs intervalles entre les tétées. On croit souvent que la bouillie fortifie plus que le lait. Vallambert s'élève contre cette pratique, excusables chez les pauvres. Rien d'autre que le lait avant les premières dents, sinon le nourrisson, au dire d'Avicenne, risque de devenir bossu et contrefait.

L'opinion communément admise est de fixer le sevrage à deux ans. Tel est l'avis d'Avicenne, de nos deux auteurs et des médecins du XVIᵉ siècle. C'est à un an et dix mois que l'on sèvre aussi Gargantua. Rodion remarquait toutefois, en 1536, que la coutume était de ne les allaiter qu'environ un an. Il est impossible de fixer un temps légitime de sevrage, car Vallambert est d'accord là-dessus avec Sainte-Marthe et tous ses contemporains : ils estiment qu'il faut tenir compte des forces, des goûts de l'enfant et surtout éviter de «répugner à Nature». A deux ans, sa complexion est tempérée, en bon point. Si elle est trop humide, on le sèvrera plus tôt, trop sèche plus tardivement.

Le sevrage doit s'opérer graduellement. On peut en avancer la date si la nourrice est malade, enceinte, manque de lait et si l'enfant s'en dégoûte. Poètes et médecins s'accordent à recommander à la nourrice de chercher à se faire oublier et de ne pas se laisser «trop aimer dès demi-an avant le sèvrement», d'espacer peu à peu les tétées, de se frotter le sein avec de l'ail, de l'aloès, de la moutarde pour dégoûter l'opiniâtre.

En somme, le service de la nourrice s'impose pendant près de deux ans. En bons humanistes nos auteurs ont conscience qu'une diététique correcte est un facteur fondamental du développement du petit être en voie de croissance. L'éducation commence dès le berceau.

Que la nourrice soit ou non la mère, sa tendresse, le «mignotage» selon l'expression de Philippe Ariès, favorise le développement harmonieux de l'organisme. L'enfant délaissé, traité avec indifférence ou rudesse accepte plus difficilement le lait, car les affections de l'âme se communiquent au corps.

La dépendance physiologique du nourrisson par rapport à celle qui le nourrit, l'étroite symbiose de la mère et de l'enfant, Vallambert les souligne constamment pour rappeler l'importance d'un régime bien compris et l'heureux effet des échanges affectifs qu'il entraîne. Sainte-Marthe fait de même mais, selon lui, la nourrice doit être la mère; il insiste sur les sacrifices nécessaires, les renoncements générateurs de joies plus hautes qu'impose la maternité, et annonce ainsi les plaidoyers de Rousseau en faveur d'une conception sentimentale de la famille.

Mais les deux œuvres envisagées, de forme très dissemblable, qui voient dans la toute petite enfance un âge autonome, font prendre conscience du rôle décisif de la première alimentation dans la vie humaine. Vallambert justifie le soin qu'il apporte à énumérer toutes les précautions que requiert l'allaitement par une réflexion dont la modernité est frappante : «En toutes choses, le principal est de bien commencer et un homme est en train d'un grand avancement quand il a bonne entrée... Si la première enfance n'est composée comme il faut, on ne peut rien bien espérer de la jeunesse ni de la longueur de la vie ni de la santé. C'est donc une chose de grande conséquence de bien savoir gouverner l'enfant nouvellement né. Et croy que l'état des sages-femmes et nourrices qui le manient et gouvernent n'est pas moindre que des pédagogues et maîtres.» Bel hommage du savant médecin au métier des simples femmes du peuple.

En dépit des objurgations des médecins, le recours aux nourrices devait se perpétuer plusieurs siècles encore, à la fois dans les milieux sociaux les plus élevés et dans les plus pauvres. Le métier était toujours promis à un bel avenir. Les découvertes et les améliorations techniques qui peu à peu ont permis l'allaitement artificiel changeront beaucoup la vie des femmes.

X

Prostitution et maquerellage

Dès l'Antiquité, courtisanes et entremetteuses sont devenues des types littéraires, généralement associés, le métier de l'une faisant appel à celui de l'autre, la courtisane vieillie devenant d'ordinaire une entremetteuse. A la courtisane seule, les comédies de Plaute et de Térence, après la comédie grecque, confiaient les rôles d'amoureuses, déniés aux filles de naissance libre. Les élégiaques latins s'intéressaient de préférence à l'entremetteuse, une vieille corruptrice dont ils ont imposé l'image, reprises par Jean de Meung dans le *Roman de la Rose* où la Vieille fait une apologie de l'amour vénal.

La Renaissance devait faire revivre avec éclat les deux types, celui surtout de la vieille maquerelle. A l'héritage de la tradition poétique s'ajoutent des influences étrangères décisives. Celle de *La Célestine* de Fernando de Rojas, parue à Burgos en 1499, dont le succès fut immense et la diffusion européenne popularisa le personnage de qui dérivent, dans leurs traits essentiels, les entremetteuses de comédie en Italie et en France. Les *Ragionamenti* eux aussi, dont un dialogue (2ᵉ journée, 1ʳᵉ partie) est consacré à la vie des courtisanes, le dernier à celle des entremetteuses, et les comédies de l'Arétin contribuèrent puissamment à mettre à la mode prostituées et proxénètes. Souvent présente chez les conteurs italiens, de Boccace au Pogge, protagoniste de *La Raffaela*, dialogue de Piccolomini où elle prêche un art d'aimer qui est une morale du plaisir, la maquerelle paraît moins souvent chez les conteurs français. Le *Grand Parangon des nouvelles nouvelles* lui consacre pourtant une nouvelle entière, inspirée de la Célestine de Rojas et l'*Amadis de Gaule* la rend si populaire que le nom de l'entremetteuse Dariolette devient un nom commun.

C'est surtout la vieillesse de la courtisane, vouée d'ordinaire au maquerellage, qui constitue un thème littéraire. Contrainte par l'âge à renoncer aux profits et aux plaisirs de son premier métier, la vieille déchue en dévoile aux plus jeunes tous les secrets dans l'espoir d'y gagner de quoi survivre, à moins qu'elle ne cherche, plus rarement, à les en détourner. Aussi est-ce le plus souvent par le biais de ses confidences, de ses regrets et de ses conseils amers, que s'esquissent la physionomie de la jeune courtisane, son comportement et le déroulement de sa carrière.

Du Bellay est le premier des poètes de la Pléiade à s'emparer du thème de la courtisane vieillie, auquel il consacre cinq pièces dans les *Jeux rustiques. La Vieille Courtisane* donne une suite à *La Courtisane repentie* et à *La Contre-Repentie* pour offrir le tableau le plus complet et le plus vivant, dans la poésie de l'époque de la vie tout entière d'une courtisane à Rome, «capitale de la courtisanerie». Dans cette véritable satire d'un type, Du Bellay s'attache à détailler, plus que ses qualifications professionnelles, son habileté à recueillir «la laine de ses bêtes», pour mieux s'indigner de son insolente ascension sociale. Mais il ne dissimule pas les déconvenues et les risques du métier. C'est une «courtisane honnête» et une Italienne dont Du Bellay décrit les splendeurs et les misères. Comme ses pareilles, elle mène grand train et le mode de vie des courtisanes de théâtre ne diffère guère de celui des bourgeoises respectables. Elles jouissent d'une relative indépendance et vivent à l'abri du besoin.

Quant au sort des filles publiques de catégorie inférieure, les plus nombreuses, les textes littéraires n'y font que de brèves allusions. La Catin de Ronsard, dont la IIIe *Folastrie* nous dit qu'elle ne se refusait «ni à clerc ni à prêtre / Moine, chanoine ou cordelier» et la dépeint «si naïve de simplesse» en sa jeunesse qu'elle faisait bon accueil au pauvre comme au riche, au maître comme au valet, ne cherchait que le plaisir, dont elle n'était jamais soûle. La Marroquin de D'Aubigné, entraînée dès l'enfance aux jeux les plus pervers, faisait de même, «tirant du noble et du coquin / Le plaisir et la récompense». La prostituée paraît ainsi se livrer volontiers à la débauche profitable plutôt qu'exercer un métier.

Dans la comédie humaniste, la prostituée, bien insérée dans la vie contemporaine, paraît souvent plus pitoyable que mauvaise, victime des malheurs des temps et de la misère.

Les apparitions des filles de joie, fugitives dans la plupart des nouvelles, relèvent de la plus pure veine gauloise et misogyne. On les entrevoit rôdant autour de la cathédrale de Rouen dans la *Nouvelle Fabrique*, hantant les vieux quartiers de Besançon dans les *Contes du Sieur Gaulard*. Les auberges se montrent accueillantes au plus vieux métier du monde. Les cordeliers des *Comptes du Monde adventureux* s'y font surprendre avec des prostituées. Ce sont leurs chambrières au bon bec que les hôtesses fournissent à leurs hôtes dans les *Nouveaux Récits*.

Le *Formulaire* de du Troncy, essentiellement parodique puisque Bredin-le-Cocu (notaire comme l'auteur lui-même) y propose en modèles trente-cinq contrats saugrenus, mais qui empruntent leur matière à la réalité dont il donne de vivants témoignages, est l'un des recueils où les allusions aux «pucelles de l'ord [sale] mestier» sont les plus nombreuses et les détails sur leurs aventures scabreuses les plus précis. Deux prostituées s'y engagent ainsi à partager leur clientèle et leurs gains éventuels, dont la «plus acha-landée» devra récolter les deux tiers (nouvelle XXI). Après expira-tion du contrat, chacune d'elles aura tout loisir «d'aller marmotter tout son saoul ez eglises avec peu de devotion» et d'y observer les toilettes des paroissiennes. Le métier vaut à une chambrière de Lyon d'attraper le «mal de Naples» dont les effets sont décrits avec une effarante minutie (nouvelle XXVII). Trois soudards, qui se partagent un butin de guerre, mettent aux enchères «quatre grosses garces» et stipulent, après répartition, que la quatrième servira de remplaçante (nouvelle XXXI). Une bouffonnerie et une grossièreté rabelaisiennes éclatent dans ces contrats que ne démentirait point Panurge, ainsi qu'une misogynie débordante ; la prostituée, pas plus que les autres femmes, n'y est épargnée.

La «Satire XII» de Mathurin Régnier se montre plus riche de détails sur la vie quotidienne des filles publiques et le décor du «logis d'honneur» (un petit «bordelage» privé) où le poète se four-voie involontairement un soir d'orage. Après s'être dûment acquitté auprès des vieilles entremetteuses qui l'accueillent, il voit sortir d'un cabinet un «petit cœur» à la «mine de poupée» qui commence à l'entreprendre et dont la dame du logis lui indique la chambre. Misérable «lieu secret» en vérité que celui des pensionnaires! On y accède en grimpant «d'eschelle en eschelon», par une «montée torte et de fascheux accez», propice aux chutes spectaculaires, et la porte, mal fermée par un crochet, est si basse qu'on s'y heurte «la caboche» en entrant. L'inventaire auquel se livre le client curieux, chandelle en main, révèle un amas d'objets hétéroclites, cocassement juxtaposés, chaudron ébréché, vieille lanterne, tabouret boiteux, balai, mais aussi vêtements usagés, maigre arsenal de fards, d'onguents et de produits pharmaceutiques – le mercure, remède ordinaire de la syphilis, y figure en bonne place –, au fond d'un coffret le matériel nécessaire aux pratiques magiques destinées à provoquer l'amour (sel, pain bénit, fougère, cierge, trois dents de morts, graisse de loup et beurre de mai, etc.). Le lit n'est pas plus engageant que les draps sales et trop courts apportés par la fille qui s'active à les «brasser» sur la couche.

L'auteur sacrifie certes à une mode de la satire en se livrant à cette description grotesque. Mais elle a le mérite de nous éclairer sur la misère d'une fille de joie dont la personnalité se dessine au cours de la satire. La maquerelle a assuré qu'elle était «claire et nette», mariée et toute novice dans le métier. Mais le poète souligne malicieusement son expérience professionnelle. Habituée aux injures de la vieille, Jeanne feint la désinvolture et déclare qu'au lever du jour elle videra les lieux. Les «maisons d'amour» ne manquent pas dans Paris! «Doucette», conciliante mais vexée par le manque d'enthousiasme du client, elle s'apaise dès qu'elle empoche son dû tout en assurant qu'elle se moque de l'argent. N'a-t-elle pas tout ce qu'il lui faut? Elle se flatte de posséder, outre la garde-robe qu'elle détaille avec fierté, une «chambre garnie près de Saint-Eustache», en cachette du mari, un apothicaire. Sans se laisser rebuter par la froideur du poète, elle se hâte de le dévêtir «par force». Elle ne s'émeut pas plus du fracas des disputes et des menaces de mauvais plaisants qui cherchent à forcer sa porte que des descentes de police, dont elle a visiblement l'habitude. Lorsque survient le guet, attiré par les cris, elle rassure son client : rien à craindre, dit-elle, «si mon compère Pierre est de garde aujourd'hui».

Dans cette comédie de mœurs qu'est la «Satire XII», le poète et ses mésaventures tiennent la vedette. Mais l'image humoristique et sans aigreur de la prostituée n'en est pas moins étonnamment vivante. A travers son récit allègre se devinent aussi les diverses formes d'exploitation auxquelles elle est soumise : entretien de la vieille qui lui loue cette chambre sordide, d'un souteneur, qui est peut-être le mari, obligation de se concilier la police du quartier, à moins qu'elle ne soit de mèche avec elle et, de toute façon, contrainte à lui payer tribut. Viennent s'ajouter à ces servitudes les querelles avec une maquerelle acariâtre, les tracasseries d'une clientèle interlope, les risques habituels de la syphilis et une misère mal déguisée.

Moins indulgentes que la satire de Régnier, les nouvelles témoignent pour la fille publique d'une méprisante indifférence. Tels sont les aspects peu reluisants de la profession qu'en dépit des lieux communs propres aux genres laissent entrevoir les textes littéraires les plus réalistes. Suscite-t-elle mépris ou pitié ? L'héroïne de Du Bellay avoue que tous les plaisirs où elle a passé le meilleur de son âge ne sont «qu'un peu de doux mêlé de tant d'amer». Ne lui fallait-il pas se soumettre à l'appétit de tant de volontés, cacher le dégoût physique qu'inspirent la laideur, la saleté, la sottise, endurer dédains et injures, humiliations cuisantes, le fouet donné par le bourreau qui s'était fait passer pour un noble client ? Elle n'a pas échappé non plus, après l'avoir perpétuellement redouté, au mal du siècle, «mal français» en Italie, mal napolitain ailleurs, la vérole goutteuse et ses séquelles, denterelle [mal de dents], pelade, surdité, plaies au visage.

La courtisane de *La Veuve* de Pierre de Larivey, figure antipathique, plus noire que beaucoup de ses pareilles dans les comédies, justifie la fourberie de sa conduite : dans la lutte pour la vie, la courtisane ne peut compter que sur sa beauté. Celle-ci passée, les hommes lui «ferment leur boutique». Le solide mépris qu'ils lui inspirent, joint au désir de prendre sur eux une revanche anticipée, l'amène à conclure qu'il faut les traiter «du pis qu'il est possible» tant qu'on le peut. Quand ses ruses sont démasquées, elle reconnaît sa défaite en pleurant. Sa condition la voue à dresser des pièges, allègue-t-elle. «C'est le métier de nous autres de tromper les hommes, comme aux juges de châtier les méchants.»

Une sorte de fatalité, naturelle et sociale, détermine ainsi l'attitude de la courtisane dont la responsabilité retombe sur la société. L'argumentation sent par trop son auteur peut-être, mais elle rend un son nouveau, en s'apitoyant sur celle qui inspire d'ordinaire indignation, mépris et méfiance.

La littérature traduit les sentiments inspirés par la prostituée, fournit des détails sur sa vie, sa personnalité mais l'image qu'elle en donne est nécessairement stylisée et incomplète. Ce sont les archives judiciaires, celles des municipalités, de leurs délibérations et de leurs comptabilités qui peuvent rendre compte des réalités

variables et complexes de la prostitution. Chaque pays, chaque
époque a considéré différemment le plus vieux métier du monde, et
chaque société a créé des formes de prostitution adaptées aux
besoins des divers groupes qui la constituent. En accord avec l'évolution des mentalités, les pouvoirs publics ont opté tantôt pour la
répression tantôt pour la tolérance et l'intégration des prostituées
dans la vie sociale, urbaine surtout.

La vénalité ne constitue pas un crime social, ne signifie pas non
plus une déchéance totale. Saint Thomas rappelait déjà : « C'est la
condition de la prostituée qui est honteuse, non ce qu'elle gagne. » Il
jugeait moins coupable celle qui vend son corps par pauvreté que
celle qui s'abandonne au plaisir. Le regard social qui la condamne
dépend en somme du degré variable de culpabilisation attaché à
l'acte sexuel et de la condition, elle aussi fort relative, de la prostituée.

Au cours du XIIIᵉ siècle, le personnage est partout présent dans
la littérature des dits, des fabliaux, des règlements professionnels.
On rencontre les « belles dames » partout dans la ville, tavernes,
étuves, foires, elles ne se cachent pas, chacun les connaît. Il y a la rue
aux putains, comme il y a la place de l'Herberie ou le quai des
Orfèvres. Or Saint Louis, soucieux de purifier son peuple, ordonne
à plusieurs reprises en 1254, en 1256 et 1259 enfin, d'expulser du
royaume les femmes de mauvaise vie, de confisquer leurs biens,
leurs vêtements mêmes. Ces ordonnances étant inapplicables, les
autorités vont s'efforcer de regrouper les filles de joie dans certains
quartiers, pour les refouler hors des rues honnêtes.

Confondues dans l'exclusion sociale avec les juifs et les lépreux,
elles doivent porter, en signe d'infamie, une aiguillette de couleur
voyante tombant de l'épaule, comme les juifs la rouelle, et les
lépreux la crécelle. On peut ainsi les reconnaître et s'en écarter.
Théoriquement retranchées de la communauté sociale, les filles
communes sont soumises à l'autorité d'un roi des ribauds dans
chaque seigneurie urbaine. C'était souvent le bourreau (à Amiens
notamment, au XIVᵉ siècle).

DES MAISONS BIEN TOLÉRÉES

La prostituée, personnage marginal, fascinant et détestable, puisqu'elle incarne à la fois la tentation, la séduction, le péché de chair
dans les sociétés chrétiennes et la vénalité, a toujours suscité la

curiosité, quelles que soient les réactions, mépris, indignation, méfiance, pitié qu'inspire le plus vieux métier du monde.

Les contraintes que subissent les filles de joie se font pourtant peu à peu moins rigoureuses, jusqu'à disparaître. Entre 1350 et 1450, les cités vont institutionnaliser la prostitution. La plupart des grandes villes du royaume possèdent alors un *prostibulum publicum*, construit, entretenu et régi par les autorités publiques, princes, ecclésiastiques, municipalités. A Orange, à Besançon, ville impériale, le lupanar est propriété de la ville, mis en location par elle et le loyer est touché par un sergent de la ville. A Avignon, une abbesse donne à bail un lieu de prostitution dont elle est propriétaire et, en 1500, les chambres des filles sont louées au profit du collège Saint-Nicolas; l'évêque de Langres possède les étuves de la ville, l'abbé de Saint-Étienne celles de Dijon.

Le *prostibulum* porte divers noms : «bon hostel», «maison lupanarde», «château gaillard», «maison de la ville», «maison commune», «maison des fillettes» ou, dans le langage populaire, «bordel». Construit le plus souvent à frais communs (c'est-à-dire sur les deniers publics), le château gaillard pouvait, dans les petites villes, être une demeure modeste avec cour, jardin, cuisine, salle et quelques chambres. Mais, dans une cité importante comme Dijon, la maison des fillettes comprenait trois corps de bâtiment, un jardin, le logis du gardien, une grande salle et vingt très vastes chambres, avec cheminée de pierre. Elle était d'ordinaire située en pleine ville, entre la cathédrale et l'hôtel communal.

Les autorités municipales passent un bail avec une «abbesse» – souvent une ancienne prostituée – ou avec un tenancier à qui incombe la responsabilité de recruter des filles, de veiller au respect de certaines règles, et de faire régner l'ordre dans la communauté.

Les «fillettes» ne sont pas d'ordinaire des «clostrières» que l'on tient enfermées. Libre à elles d'aller «gagner leur aventure», de racoler dans les lieux publics. Mais elles ont l'obligation de ramener leurs clients dans la «bonne maison» pour festoyer avant de gagner les chambres. Double profit pour le gérant, qui gagne sur la restauration autant que sur la literie.

Parallèlement au bordel public coexistaient d'autres maisons bien tolérées, les étuves. Malgré les décrets réglementant les jours réservés aux hommes et ceux qui l'étaient aux femmes, et l'interdiction d'y recevoir des prostituées, les bains publics étaient le centre d'une prostitution permanente, le refuge des couples adultères. Les chambres y étaient plus nombreuses que les appareils de bain, la literie imposante et confortable. A Dijon, à Lyon également, fonctionnaient sept étuves (les plus célèbres étant les Tresmonnoye, et celles de la Pêcherie), susceptibles d'accueillir plusieurs dizaines d'hommes.

Une prostitution plus artisanale s'exerçait dans de petits «bordelages» privés, comme le «logis d'amour» décrit par Mathurin Régnier. Des maquerelles disposaient de deux ou trois filles, servantes dans la maison ou mandées pour l'occasion. Enfin, des «filles légères» qui travaillaient pour leur propre compte racolaient dans des tavernes, sur les marchés, «communes à beaucoup», parfois concubines. A leurs risques et périls, étant donné la concurrence, et à condition de bénéficier de protections efficaces.

Aux périodes de travaux saisonniers, lors des foires, des fêtes, des étrangères à la ville venaient grossir les effectifs de la prostitution locale et profiter de l'affluence de marchands et d'ouvriers.

Ces différents étages du commerce d'amour se marquent clairement par l'appellation qui distingue, dans les textes officiels, les filles communes du bordel public des «filles secrètes, légères ou vagabondes» qui exercent en chambre ou dans les étuves, les «cantonières» des «clostrières».

L'itinéraire habituel du métier est indiqué par l'âge des prostituées : les filles secrètes débutent par une prostitution occasionnelle, entre quinze et dix-sept ans, souvent pour ajouter un gain supplémentaire à celui d'un travail régulier, parfois concubines, ou servantes obligées. Vite recrutées ou achetées par des maquerelles, elles deviennent chambrières dans les étuves vers vingt ans et, à la trentaine, finissent par échouer au bordel public, lorsqu'elles ne font plus recette dans les bains ou bien parce que soit les autorités, soit les filles communes, qui pourchassent les concurrentes, les y amènent. La jeunesse se paie : dans les étuves, à Besançon, les filles sont deux fois plus taxées qu'au *prostibulum* parce qu'elles gagnent davantage.

Certaines règles sanitaires sont imposées aux filles communes, telle l'obligation d'acheter les viandes qu'elles auraient touchées au marché. *Prostibulum* et étuves sont aussitôt fermés en temps de peste, d'épidémies, et en ce cas, leurs taxes sont diminuées de moitié (1503).

Dans la plupart des villes, la maison demeure ouverte le samedi et le dimanche, jours d'affluence, à condition que l'on ne «s'ébatte» pas pendant les offices. L'abbesse y veille. Les interdits d'exercice se limitent à la semaine sainte et à la Nativité.

Le port d'une «enseigne» est obligatoire pour les filles publiques à compter d'une ordonnance du XIIIᵉ siècle, renouvelée au XVᵉ et au XVIᵉ siècle. Quant aux interdits vestimentaires (défense de porter un mantelet fourré, un bonnet orné d'or et d'argent, des bijoux, des chapelets précieux, etc., sous peine de 50 livres d'amende, à Avignon), ils se rangent dans le cadre d'ordonnances somptuaires valables pour toutes les catégories sociales, et d'ailleurs respectées. Ils visent à distinguer des autres les «femmes d'état» et à éviter que de pauvres jeunes filles, à la vue de leurs belles parures, soient incitées à suivre leur exemple. Des interdits fiscaux enfin (défense de recevoir chez soi et donner à dîner et souper aux filles communes) empêchent le «secteur privé» de ruiner le monopole urbain.

Quant aux tentatives pour limiter la présence des filles aux rues traditionnelles, et les écarter des abords des églises, des paroisses élégantes et des rues honnêtes, elles resteront inefficaces, jusqu'à la grande répression du siècle suivant.

Le temps des bordels municipaux équivaudrait, selon des recherches récentes, à une transition durable (du XVᵉ siècle au milieu du XVIᵉ siècle) dans un processus d'encadrement, puis de persécution des minoritaires : hérétiques, juifs, lépreux, prostituées et autres marginaux.

Pourquoi cette tolérance à l'égard de la prostitution, tenue pour un commerce qui répond à un besoin de la collectivité urbaine ? Le comportement sexuel des citadins doit permettre de répondre à cette question.

VIOLS ET VIOLENCES SEXUELLES

La violence sexuelle est une dimension normale, permanente de la vie urbaine au Moyen Age et à la Renaissance, les archives judiciaires en donnent la preuve. L'étude que Jacques Rossiaud a consacrée à celle de Dijon au XVᵉ siècle – elle reste valable pour une bonne partie du siècle suivant – est particulièrement éloquente. Une vingtaine de viols publics étaient commis annuellement dans cette ville moyenne et sans doute davantage, car – c'est encore le cas hélas ! – la plupart des filles agressées ne portaient pas plainte, par honte, par peur des représailles, ou parce que la famille ne tenait pas à faire intervenir la justice. La violence devait être plus grave encore dans les très grandes villes, et y entraînait une atmosphère d'insécurité.

Le viol n'est pas le fait de marginaux isolés. Il s'agit, dans plus de 80 % des cas, de viols collectifs, commis par des garçons de dix-huit à vingt-cinq ans, des fils d'artisans de la ville, compagnons d'un même métier ou de professions voisines, auxquels peuvent se joindre des célibataires plus âgés, entraîneurs expérimentés. Leur agressivité n'est pas liée à certaines périodes de l'année, fêtes, vendanges, etc., mais se déchaîne tout au long de celle-ci, lorsque le soir une petite bande part « chasser la garce » et pratiquer le viol… les tournantes existaient déjà.

Le viol de Perrette (1516), rapporté dans un document d'archives, est exemplaire de ces sortes d'expéditions. Perrette rend visite à son petit garçon, mis en nourrice chez un vigneron, Jean Gauthier. Sa femme et Perrette, prêtes à aller se coucher, se déshabillent devant le feu. On frappe à la porte : deux garçons viennent demander à acheter des alouettes. « Tu as deux femmes, disent-ils à Gauthier, donne-nous-en une. » Ils se retirent en déclarant : « Il en viendra d'autres. » Une heure ou deux après, une bande enfonce la porte, fait irruption, menaçant Perrette qui avait rejoint le vigneron, sa jeune femme et son valet. Les compagnons, une fois entrés, tirent Perrette du lit, la frappent, l'entraînent dehors en chemise en lui donnant tant de coups de bâton qu'elle en a la peau toute noire. Arrivés en pleins champs, ils la violent, l'un d'eux plusieurs fois, puis la ramènent chez Gauthier en la menaçant de lui couper la gorge si elle se plaint d'eux. Perrette, par crainte d'être tuée ou jetée à la rivière, répond qu'elle ne les dénoncera pas. Elle refuse alors l'argent que l'un d'eux veut lui donner (ce qui aurait signifié qu'elle était d'accord). Quant au vigneron, il prétendra que, voyant sa maison envahie, il est monté au grenier chercher sa javeline, mais qu'il n'a pu mettre la main dessus.

Les agressions sexuelles reproduisent toutes ce schéma dans une société où les images de la violence sont quotidiennes : les complices forcent la porte d'une femme, la violent sur place ou l'entraînent au-dehors ou dans une maison et en font l'instrument de leur plaisir la nuit durant, à visage découvert, en accompagnant l'assaut d'injures, d'humiliations, de coups : la tenant pour coupable – en vertu d'une vision manichéenne de la femme, ou pure ou publique et déchue –, il leur faut la dégrader et par là même se déculpabiliser.

Le viol constituait en somme un rite de virilisation ou d'admission dans les bandes de quartier. Il signifiait aussi le refus de l'ordre social, le ressentiment à l'égard des nantis : on faisait ainsi déchoir la jolie servante « tenue » par son maître ou ses fils, la jeune veuve, l'épouse provisoirement « laissée », si le mari s'absentait, la concubine du prêtre.

Les agresseurs sont des célibataires. De 1450 à 1550, l'âge moyen du mariage pour les hommes se situe autour de vingt-cinq ans. Le premier mariage n'est donc pas tardif en général. Mais dans 85 % des cas, les époux sont nettement plus âgés que leurs compagnes : de huit à seize ans, chez ceux de trente à quarante ans, quand 15 % des hommes mariés ont des épouses de vingt à trente-quatre ans plus jeunes. D'où la tension entre les jeunes, démunis d'argent et de femme, et les autres, la frustration des premiers, auxquels sont interdites les femmes de leur âge. L'agressivité sexuelle est la manifestation de la part des célibataires d'un refus de l'ordre matrimonial qui privilégie leurs aînés, d'une volonté de briser cet ordre, les femmes violées étant condamnées au mépris et à la marginalité.

Les autorités municipales s'efforcèrent de contenir et de canaliser cette violence. Le contrôle du défoulement, l'encadrement du désordre, tempéraient – relativement – l'agressivité des jeunes, la prostitution officielle et tolérée contribuant à maintenir l'ordre urbain.

D'autres structures pouvaient exercer une fonction régulatrice analogue. Dans les villes comme dans les villages, au XVe et au XVIe siècle, des « abbayes de jeunesse » regroupaient les jeunes célibataires. Ces joyeuses confréries, institutions reconnues, intégrées au corps de ville, étaient contrôlées par la collectivité urbaine. Les jeunes exerçaient une juridiction sur les célibataires et les couples mariés (amendes imposées aux époux qui se remariaient, charivaris, chevauchées de l'âne pour les femmes infidèles, etc.) Ces associations auxquelles on appartenait si l'on était jeune – de seize à trente-cinq ans – et point trop pauvre regroupaient les « hommes joyeux » qui chassaient la garce, et avaient violé une pauvre fille, dite « joyeuse » ou putain, au moins une fois dans leur vie. Conservatoires et relais de l'antiféminisme le plus traditionnel, les abbayes de jeunesse, qui entretenaient le mépris de la femme, pouvaient néanmoins être tenues pour une institution de paix entre les groupes d'âge et les groupes sociaux. Ces abbayes, en définitive, intégraient, socialisaient, divertissaient. Elles transmettaient un ensemble de traditions, permettaient à l'adolescence masculine de s'épanouir sans contrainte à l'occasion de fêtes et de beuveries. Mais ces jeunes savaient bien qu'ils réintégreraient plus tard l'ordre social.

Les auteurs de viol, s'ils étaient identifiés, n'encouraient pas de peines exemplaires. Si la victime retirait sa plainte – ce qui était fréquent –, les agresseurs étaient aussitôt élargis. Sinon, ils étaient normalement libérés sous caution, et payaient une amende en rapport avec la condition de la victime. Pauvres, ils étaient emprisonnés (mais peu de temps, quelques semaines ou quelques mois), ou recevaient le fouet.

Les victimes d'agressions sexuelles étaient des femmes vulnérables, isolées, des veuves, des épouses seules pour quelque temps, ou séparées, des victimes de choix, telles les «bonnes dames des prêtres» et les filles contraintes par la pauvreté à chercher du travail d'hôtel en hôtel, et par là objets de soupçons. Toute fille sortant seule, le soir, sans escorte, était immédiatement suspecte. Des fils d'artisans ou de notables pouvaient continuer à vivre dans la cité, et poursuivre leur carrière sans être le moins du monde inquiétés pour ces jeux de jeunesse.

Le viol d'une «fille de maison», en revanche, mettait en danger le coupable. Tel père de comédie, bon bourgeois, croyant que son fils a abusé de sa jeune voisine, se désespère à l'idée de voir ce ravisseur de filles risquer le gibet ou les galères. Il se rassure pourtant : quelle mère respectable (une veuve en l'occurrence) oserait intenter un procès et déclarer sa fille putain en plein tribunal ?

Quant à la femme, elle était aussitôt diffamée. La réaction sociale lui était presque toujours défavorable. Son mari l'abandonnait parfois et, si elle était célibataire, elle n'avait plus guère de valeur sur le marché du mariage, méprisée par le voisinage qui la jugeait souillée par l'épreuve subie. Elle-même se sentait honteuse, coupable, scandaleuse, assimilée à une fille commune et, si elle restait dans la ville, jamais elle ne pouvait y retrouver son «honneur». Les maîtres la renvoyaient, la logeuse lui fermait sa porte. 27 % des femmes victimes de viols publics finissaient au bordel.

La misère a toujours été la grande pourvoyeuse de la prostitution. Bien souvent la fille était vendue par la mère ou par un membre de la famille par pauvreté, mais aussi par une cupidité dénoncée de l'Arétin à Du Bellay : «Comme j'avais pour vierge été vendue / De main en main je fus mise en avant / A cinq ou six vierge comme devant», dit la vieille courtisane de ce dernier. La situation de la fille des *Tromperies* de Larivey, travaillant avec docilité sous la férule d'une mère âpre au gain, ne devait pas être rare. Celle de l'héroïne des *Jaloux* illustre le destin des orphelines dans une société impitoyable à la femme seule ; incapable de gagner sa vie – on n'envisageait pas de donner un métier à une demoiselle de bonne maison –, elle était souvent réduite à la prostitution par la misère, accrue par les guerres civiles qui favorisaient la dispersion des familles. Ainsi telle jeune bourgeoise des *Esprits*, dont le père a dû s'exiler, a été débauchée par un entremetteur.

SERVICE PUBLIC ET LIEUX D'EXERCICE

C'est le « lieu public » qui recevait le plus grand nombre d'étrangères, venues des régions frappées par les guerres, Flandres, Artois, Picardie : elles erraient de ville en ville, formant parfois de véritables compagnonnages, en butte à l'hostilité des « locales » qui craignent la concurrence, avant de s'installer sous la surveillance de l'abbesse, la « mère des filles ».

Mais le monde des prostituées n'est pas celui des étrangères ou des vagabondes. La plupart sont nées dans les villages ou les villes proches de leur lieu de travail. La prostitution n'est pas choisie de gaieté de cœur. Au XVe siècle, 15 % des filles publiques seulement selon les statistiques ont accepté de leur plein gré, semble-t-il, d'entrer au *prostibulum*.

Lorsqu'elles sont reçues par la ville, elles doivent prêter serment aux autorités. Les statuts du Castel Joyeux de Pamiers (ils datent des environs de 1500, mais il n'en existe qu'une copie ultérieure, étudiée par Leah L. Otis) nous renseignent sur l'organisation intérieure. Les filles paient chaque semaine le loyer de leur chambre, quelque argent au guet de nuit (qui les protège), et participent aux dépenses du chauffage, de la lumière et du service, soit six deniers. A Dijon et à Besançon, elles sont exonérées de taille. Elles mangent à la table de « l'abbé » – le tenancier du Castel joyeux – (moyennant 12 deniers pour les deux repas), car les statuts les contraignent à se nourrir à l'intérieur, à moins d'avoir une excuse. L'abbesse ou l'abbé disposent ainsi de plus d'un moyen pour extorquer de l'argent aux filles, en particulier sur la nourriture et la boisson. Le paiement par jour et par repas tient sans doute au fait qu'en dehors des permanentes certaines filles ne restaient que peu de temps : Louis XI (1469) stipulait déjà que les bordels étaient destinés à l'habitation et à la résidence des filles communes, tant celles qui y font résidence que celles qui passent et fréquentent le pays.

Au Castel joyeux, comme dans nombre de bordels, les filles sont cloîtrées. Dans d'autres, elles peuvent aller et venir librement, bien parées, pourvues d'un nom de guerre, Marion la Liégeoise ou Margot la Courtoise, chercher les clients à la taverne, au marché, aux portes des églises, chanter le soir dans les rues pour entraîner les compagnons dans la grande maison. Et toutes naturellement assistent à la messe du dimanche, portant patenôtres, images pieuses et livres d'heures (mais elles ne savent pas lire), font retraite à Pâques et à Noël (en ce cas on les dédommage), ont leur confesseur et pratiquent largement l'aumône.

Certaines règles leur étaient imposées dans le commerce amoureux : ne pas accepter les garçons trop jeunes, ni les hommes mariés, ne pas coucher à deux avec un compagnon (avec plusieurs à la fois n'était pas interdit, s'ils n'étaient pas parents).

L'«ébattement» durait habituellement une demi-heure (durée avancée par une fille pour faire comprendre que le «contrat» avait été tenu, ou pour déloger celui qui s'attardait), mesurée à l'aide d'une chandelle. D'où le nom de «filles à la chandelle», donné en Italie à ces filles communes. Pour le service le plus expéditif, la somme d'un blanc (dix deniers) semble courante à la fin du XVe siècle (une journée de travail féminin dans les vignes était payée deux blancs), mais dans les étuves les filles secrètes, plus jeunes, touchaient deux à six blancs. Le client qui désirait rester la nuit devait payer un supplément pour le lit.

Les pensionnaires bénéficiaient d'une protection efficace contre la violence. Certains tenanciers étaient autorisés à porter des armes, et l'on n'entrait pas sans sa permission dans la maison : pas d'escalades nocturnes, les armes étaient obligatoirement déposées à l'entrée. L'«enseigne de répulsion», étoffe portée sur l'épaule, n'était pas seulement marque d'infamie, mais garantie contre d'éventuelles violences. La municipalité, parfois des officiers royaux, assurait la surveillance extérieure le jour et, la nuit, le capitaine du guet s'en chargeait. Et si des amis étaient autorisés à rendre visite aux filles, et à se chauffer chez elles, les amants de cœur, les souteneurs étaient exclus. Les plus pauvres, celles qui arrivaient à la déchéance la plus misérable, étaient réduites à se vendre dans les carrières, celles de Bagnolet notamment (d'où leur nom de pierreuses), repaires de filles et de mauvais garçons.

Que devenaient ces filles communes la trentaine passée ? Certaines pouvaient assurer leur vieillesse, en devenant «abbesse» ou tenancière d'étuves. D'autres sombraient dans la misère, et en étaient réduites à la mendicité ou à l'hôpital. Mais bon nombre d'entre elles pouvaient se réinsérer dans la société, et ayant des connaissances parmi les juristes et les prêtres, trouvaient sans peine un emploi de servante et même un époux. Autorités municipales et paroisses facilitaient le mariage de ces «repentantes» et les dotaient. Beaucoup restaient ainsi dans la ville où elles avaient exercé le métier, y faisaient leur testament et y étaient ensevelies. On ne les tenait pas pour des marginales. Le capitaine de la comédie des *Ramoneurs* (fin du XVIe-début du XVIIe siècle) traduit cette attitude indulgente de beaucoup de citoyens. Il propose volontiers le mariage à une femme galante, toute prête à s'amender, car, dit-il «les dames qui rentrent dans la carrière de l'honneur en poursuivent après le prix avec plus d'ardeur».

Le mariage pouvait être pour les filles de joie une fin de vie, mais aussi un état. Certaines prenaient un mari pour avoir l'air de femmes respectables et tourner les ordonnances somptuaires, affirmait-on. Bien des épouses d'ailleurs, en accord avec leur mari, pratiquaient une prostitution occasionnelle quand les temps étaient durs. La distinction était difficile, et bien des règlements, procès, etc., font allusion aux «prostituées célibataires et mariées». Significative aussi est la mentalité des filles parisiennes au XVe siècle; elles blâment l'une d'elles de «soutenir» l'homme avec qui elle vit. Et pour échapper aux critiques, celle-ci demande – en vain – à son compagnon de l'épouser.

Les proxénètes sont d'ordinaire, on l'a vu, des notables qui gèrent le bordel public dans chaque cité. Leur honorabilité reste intacte. Ce sont des officiers municipaux, ou royaux, qui enregistrent des filles, les admettent ou non et leur font payer une taxe. Mais le maquerellage est une activité spécifiquement féminine (sur 88 bordels privés, relevés par Jacques Rossiaud à Dijon, 75 sont tenus par des femmes).

La poésie, le théâtre et les nouvelles ont en général fait de l'entremetteuse une ancienne courtisane, bigote pour désarmer la méfiance, une vieille repoussante dont les flétrissures de l'âge sont soulignées avec cruauté, dont la laideur physique correspond à la dépravation et à la cupidité du personnage, corrompu et corrupteur.

La réalité est tout autre. La plupart des maquerelles sur lesquelles on possède quelques renseignements sont des femmes mariées qui, en accord avec leur époux, aubergiste, artisan, etc., arrondissent confortablement les fins de mois du ménage en se livrant à ce commerce. Encore faut-il distinguer, dans la gamme d'activités variées qu'il suppose. Les plus besogneuses, grâce à des métiers prétextes (vendeuses de colifichets, de dentelles) ont accès aux demeures les plus fermées et aux classes sociales les plus diverses où elles s'entremettent pour des rendez-vous galants. Les plus huppées recrutent, pour une clientèle d'élite, des jeunes filles, naïves ou non, qu'elles s'entendent à leurrer de belles promesses, d'autres tiennent ouvertement un bordelage dans leur demeure, comme celui décrit par Mathurin Régnier. Bien informées, elles recueillent les femmes en difficulté, privées de soutien, victimes d'un viol.

Les tenancières d'étuves étaient au sommet de la hiérarchie. Maîtresses femmes, elles renouvelaient fréquemment les jeunes chambrières, les exploitaient habilement, au mieux avec les notables qui fréquentaient l'établissement, accueillant à l'occasion comme la Dame Claude des *Ébahis*, quelque bourgeoise ou femme de marchand, fort experte, qui «fait s'y précipiter les chalands». Jeanne Saignant qui, à la fin du XVe siècle, régna vingt ans durant sur les étuves de Saint-Philibert à Dijon, grâce à des protections en haut lieu, acquit une belle réputation et fut l'une des plus célèbres.

Il ne semble pas avoir existé de réseaux organisés de proxénétisme masculin, même si les «amis» des filles communes ou secrètes exploitaient beaucoup d'entre elles. Si des artisans ou des marchands, habitués à recevoir des clients, leur offraient commodément des chambres, ils en tiraient un gain qui s'ajoutait à celui de leur travail, et ne vivaient pas seulement du proxénétisme.

Les clients étaient des jeunes gens de la ville, pas seulement des gens de passage. La fornication, admise pour tous les célibataires, ne suscitait ni réprobation ni mépris, pas plus que les intéressés ne se sentaient en faute : ils obéissaient aux impulsions de «Nature». Aller s'ébattre dans «l'atelier de Nature», c'était faire preuve de normalité sociale et physiologique, une coutume à laquelle sacrifiaient les adolescents des abbayes de jeunesse et les autres. L'accès du *prostibulum* était interdit théoriquement aux hommes mariés, la nuit plus encore que le jour, et aux clercs. Règlement qui ne fut jamais respecté. Les rares visites du guet étaient sans conséquence pour les clients, et on pouvait toujours s'entendre avec l'abbesse, ou avec ceux qui surveillaient la prostitution – et en vivaient aussi.

La fréquentation des étuves était plus chère, mais plus sûre : pas de visites du guet en perspective. Les filles y étaient plus jeunes, on pouvait s'y dissimuler aisément, et les sorties dérobées étaient nombreuses. Bref, les étuves offraient plus de tranquillité, les clients, plus âgés que ceux du *prostibulum*, y appartenaient dans l'ensemble à des milieux aisés. Les gens mariés – on les préférait, car ils payaient mieux – et les ecclésiastiques y venaient en majorité. Vivre en concubinage ou attirer chez soi des femmes mariées entraînait la réprobation. Mais la fréquentation des prostituées par les séculiers, les réguliers et les prêtres n'était pas considérée comme un scandale. Les interdits sexuels anciens avaient perdu de leur pouvoir, et les gens de la cité préféraient voir les clercs dans les maisons publiques plutôt qu'ils s'en prissent à leurs femmes et à leurs filles.

UNE FONCTION SOCIALE

Maison on ne peut mieux tolérée donc que le bordel, qualifié paisiblement de «maison de ville» au cours du XVe siècle et pendant la première moitié du XVIe siècle. Étant donné la brutalité des mœurs et la morale masculine qui rendait la femme si vulnérable, il permettait d'éviter une insécurité plus grande encore. De l'avis des autorités, des citadins, et des prostituées elles-mêmes, celles-ci exerçaient un «métier», remplissaient une fonction. En 1535, dans une ordonnance concernant «bordeaux» et étuves, les gouverneurs de Besançon précisent que «pour obvier aucunes fois à jeunesse et éviter plus grand mal sont par l'Église tolérées les maisons des filles dissolues».

Ces filles communes canalisaient l'agressivité des jeunes en satisfaisant les élans de la chair, elles les empêchaient de commettre des fautes plus graves. Elles contribuaient à défendre l'honneur des femmes honnêtes, les «femmes d'état», contre la violence sexuelle, et aussi à lutter contre l'adultère : mieux valait s'ébattre avec une «fillette» que de débaucher la femme d'un autre ou de faire partager à l'épouse des plaisirs que l'Église interdisait dans le mariage. Quant aux filles secrètes, les filles publiques étaient les plus acharnées à pourchasser ces concurrentes, à entreprendre, de plus en plus souvent au XVIe siècle, chez elles des descentes et à dénoncer les épouses infidèles pour les expédier au bordel.

Les procès qui font connaître la prostitution et le maquerellage montrent qu'ils ne constituent pas en eux-mêmes des fautes suscitant le blâme de la société. Ce sont des accusations plus inquiétantes (rapts, sorcellerie) qu'on avance pour les réprimer.

Sur l'intégration des filles communes dans la vie sociale, les témoignages sont nombreux. A Nîmes, chaque année, le jour de la Charité, des filles de la maison allaient offrir en cortège aux consuls une fougasse qu'elles avaient pétrie pour les pauvres. Le premier consul embrassait l'abbesse et lui donnait en retour du vin et de l'argent. Fait significatif : au cours de la cérémonie, les filles ne prenaient pas place parmi les pauvres, ne bénéficiaient pas de la charité publique, mais la pratiquaient. A Pernes et à Arles, au début du XVe siècle, à la Saint-Barthélemy, la ville organisait des jeux, dotés de prix : entre un tir à l'arc et une course d'enfants prenait place une course de filles.

Leur communauté était si bien intégrée à la vie urbaine qu'on les invitait à participer aux banquets, aux noces, aux fêtes familiales, avec les convives et les membres de la parenté.

L'Hôtel royal, comme tout hôtel princier, hébergeait depuis longtemps des filles de joie, qui vivaient avec les goujats dans les salles basses, servaient aux hôtes, mais ne paraissaient pas dans les cérémonies. On distinguait les filles ordinaires, faisant partie de l'hôtel, et les extraordinaires, recrutées à l'occasion des fêtes. D'ailleurs, dans les années 1470 les princes offraient rituellement une somme d'argent aux prostituées qui suivaient la Cour. Le roi René, à l'Épiphanie, au début du carême et en mai, faisait des dons aux fillettes de Marseille, d'Aix et de Tarascon.

Dès le règne de Charles VIII, chaque année en mai, la «dame des filles de joie suivant la cour du roi» offre, en présence de ses filles et des courtisans assemblés, le bouquet du renouveau et celui de la Saint-Valentin, coutume fort ancienne, disait-on au début du XVIe siècle. En échange de ce bouquet (attesté par plusieurs ordonnances entre 1539 et 1546), le roi donna, en 1535, de l'argent aux fillettes. Olive Sainte reçoit de François Ier un don de 90 livres «pour lui aider et aux filles susdites à vivre et supporter les dépenses qu'il leur convient faire à suivre ordinairement la cour». En mars 1544, elles sont au nombre des cent soixante dépendants, marchands, artisans exemptés de taxe à condition de servir exclusivement la Cour. Le roi leur donne vingt écus pour le nouvel an, puis vingt écus en mai pour le paiement du bouquet de fleurs qu'elles lui offrent.

Bien intégrées dans la vie sociale ou simplement tolérées, les prostituées peuvent entretenir des relations avec des gens honorables, participer aux rites de la vie en société. Si elles ont des enfants (l'avortement n'est condamné que s'il intervient après huit ou dix semaines de grossesse, et l'on croit généralement que les rapports fréquents les empêchent d'être enceintes), parrains et marraines ne manquent pas. Pour celles qui ne sont pas en mesure d'élever leur enfant, deux solutions s'offrent aux municipes : s'efforcer de marier la mère ou prendre en charge sa progéniture. La fondation d'hôpitaux spécialisés dans l'accueil des enfants est contemporaine de l'officialisation de la prostitution.

C'est surtout en milieu urbain, ou à la Cour, que la prostitution s'épanouit et s'institutionnalise. Mais une prostitution rurale n'en existe pas moins, et florissante. Les guerres et les malheurs qu'elles apportent jettent sur les routes, on l'a vu, une foule de femmes qui s'offrent par pauvreté, allant de village en village, ensemble ou escortées de ruffians. Les marchés, les foires, les travaux saisonniers – moissons ou vendanges –, les pèlerinages amènent des filles dans les campagnes auprès des ouvriers. Ceux qui vivent ensemble partagent une putain pendant quelques semaines, et l'entretiennent dans une grange. Les marchands qui se rendaient aux foires de Lyon y amenaient celles avec qui ils avaient fait route. Et ceux qui entreprenaient des voyages par eau de plusieurs semaines payaient des femmes aux étapes, pour s'ébattre avec elles sur les rives.

Les armées du temps avaient leurs cortèges de ribaudes qui les suivaient en campagne. De ces filles entraînées de gré ou de force, suivant leurs amis ou « butin » enlevé pendant les sièges, la présence régulière était salutaire. Elles maintenaient le moral des combattants, s'occupaient de leur ravitaillement au besoin, en l'absence d'intendance, ou parfois, le poignard à la main, les assistaient pendant les pillages des villes. En revanche, elles encourageaient les rixes, le jeu, les désertions. Et point trop n'en fallait. Elles risquaient d'être encombrantes.

Brantôme a fait le récit, pour s'en indigner, du sort tragique des garces des Ponts de Cé. Peu avant la paix de Saint-Germain (1570), Strozzi, commandant en chef et ami de Brantôme qui l'accompagnait, était attendu à Angers par la famille royale avec ses troupes, de retour de Guyenne. Les bandes de ribaudes devenaient gênantes à proximité de la Cour. Strozzi fit faire plusieurs proclamations publiques pour les chasser. En vain. Tandis qu'ils passaient la Loire sur le pont de Cé, les capitaines firent jeter dans le fleuve plus de huit cents de ces pauvres créatures qui, criant piteusement à l'aide, furent toutes noyées « par trop grande cruauté ». Les dames de la Cour s'en indignèrent et regardèrent longtemps Strozzi de travers.

Dès les dernières décennies du XVe siècle, une lente modification des sensibilités collectives allait provoquer la condamnation de plus en plus vive de la prostitution. On tenta alors d'accueillir des prostituées dans des institutions destinées à les convertir, à les faire travailler et à les amener à la repentance. Le Refuge des filles de Paris, appelé ensuite Refuge des filles pénitentes fut fondé par un cordelier, Jean Tisserand. Des pauvres se prostituaient pour pouvoir y être reçues. Si bien qu'en 1500 on fit jurer à ces malheureuses qu'elles ne s'étaient pas vendues pour être acceptées, après qu'une matrone les eut visitées. On leur demandait en outre de donner des preuves de leur mauvaise conduite passée, non de leur repentir !

Une conjoncture économique très défavorable – hausse des prix, déséquilibre entre les salaires urbains et ruraux, distances sociales accrues entre riches et pauvres, entre l'élite et le petit peuple –, engendrant des tensions, des familles de citadins et non pas seulement d'étrangers étant réduites à la misère, fit grossir considérablement les effectifs de la prostitution dans le premier tiers du XVIe siècle.

COURTISANES « HONNÊTES » ET SOCIABILITÉ FÉMININE

La large tolérance des municipalités avait laissé la prostitution se développer hors des quartiers réservés, et certaines filles communes étaient devenues des courtisanes qui ne fréquentaient pas, ou peu, les étuves et ne tenaient pas un bordel privé. Leur richesse, leurs parures, leur train de vie, la dignité de leur comportement ne permettaient pas de les distinguer des « femmes d'état ». Accompagnées d'un chaperon ou d'une duègne, après avoir savamment calculé leur mise, elles sortaient se promener en coche, se rendaient au sermon, avec un gros livre d'heures porté par une servante, ou paradaient à cheval, « en accoutrement d'homme » (la tenue masculine était interdite par l'Église).

Chez Du Bellay, la courtisane «honnête» (*corteggiana onesta*) est une Italienne, raffinée, maîtresse de maison accomplie, qui trône dans un salon mondain, s'entend en conversations piquantes, en littérature et en musique : il a détaillé sa vie, ses mœurs dans divers poèmes. Femme entretenue, et richement, elle choisit ses amants, et n'a rien de commun avec la fille de bordel «commune à tous». On conçoit l'attrait qu'une telle femme a pu exercer dans une société où la culture était surtout l'apanage des hommes. Et Brantôme nous assure de la concurrence triomphante des courtisanes romaines, que bien des gentilshommes préféraient à de nobles dames très belles, mais «idiotes, sans âme, sans esprit et sans parole».

Les splendeurs du métier ne sauraient en faire oublier les misères : vendue par sa mère vers douze ans, la vieille courtisane du poète a passé de main en main avant d'acquérir les rudiments de son savoir, chant, danse, musique, littérature. Elle se lance hardiment dans la galanterie lorsqu'elle a mis au point une stratégie efficace, tout en se donnant les apparences de la vertu. Mais les risques et les amertumes du métier la guettent, l'ennui, né de la vie oisive, l'appétit de la liberté refusée, le besoin d'indépendance.

Le dégoût d'un métier qui comporte tant de déboires va susciter en elle une tentation éprouvée par bon nombre de ses pareilles, celle du repentir. Elle dit adieu aux «faux plaisirs de Vénus». Adieux très provisoires car, «inhabile au service de Dieu», la courtisane ne tarde pas à se repentir de s'être repentie, et maudit la folie qui l'a poussée à s'ensevelir vivante dans la prison du couvent. La Contre-Repentie préfère s'en retourner «gagner la solde aux amoureuses guerres».

Une dernière tentation lui était réservée, celle de l'amour, fatal à la carrière d'une courtisane. Bientôt abandonnée, elle connaît la déchéance, celle du corps, avec les maux apportés par Dame Vieillesse, goutte, surdité, toux, etc., mais aussi celle de l'esprit qui «plus que le corps se sent de la vieillesse». Réduite à d'humbles tâches par la pauvreté, objet de dédain et de railleries pour ceux-là mêmes qui l'ont connue jeune, riche et belle, elle déplore de vouloir et de ne pouvoir mourir. La renommée et les succès des plus célèbres courtisanes honnêtes ne sauraient faire oublier les malheurs qui guettent les malchanceuses et celles-ci sont légion.

Le portrait de Du Bellay développe un thème littéraire à la mode. Mœurs romaines, objectera-t-on. Et sans doute ni la littérature ni la chronique en France ne signalent l'existence d'aussi prestigieuses réussites que celles d'Imperia, Tullia d'Aragona, Isabelle de Luna ou Veronica Franco dont la promotion sociale et la culture ont accrédité le mythe de la Renaissance âge d'or des courtisanes. Comment ne pas penser cependant que la réalité l'a largement inspiré, en Italie et aussi en France ?

Même en tenant compte de la différence des milieux culturels de ces deux pays, on ne pourrait affirmer que les villes françaises ont ignoré la courtisane de luxe. On a pu en répertorier au moins quelques-unes et dépister l'existence de bordels privés pour riches et dignitaires urbains, où les maquerelles amenaient « filles et femme d'état ». Ce fut sans doute dans ces milieux de haute prostitution que furent pratiqués des jeux charnels peu orthodoxes. Dans le *prostibulum*, les filles communes n'innovaient guère sur le plan sexuel. Or on constate en France, dans le premier tiers du XVIᵉ siècle, une diffusion de la sodomie auparavant exceptionnelle. Elle n'était pas pratiquée davantage qu'ailleurs dans les lieux de prostitution et l'on a pensé que l'exemple des courtisanes de luxe, auprès de qui on recherchait des expériences érotiques hors nature, a favorisé cette diffusion. Ces femmes qu'on ne méprisait pas, dont on admirait même qu'elles sachent non seulement faire l'amour mais en parler, étaient fort dangereuses, tous les prédicateurs le soulignaient. Exigeantes, elles pouvaient conduire à la ruine des jeunes gens sans méfiance. Et pire encore peut-être, susciter de véritables passions, susceptibles de mener à toutes sortes d'égarements.

En même temps, les abbayes de jeunesse renonçaient peu à peu aux jeux cyniques et cruels, résolument antiféministes, qui avaient cours au XVᵉ siècle. Entre 1500 et 1550, au sein des abbayes bourgeoises regroupant des fils de notables, les célibataires changèrent de comportement à l'égard des femmes en faisant l'apprentissage de la mondanité. Dames et demoiselles participaient aux banquets, aux concours poétiques, aux fêtes, aux danses, aux mômeries et aux jeux. Les moresques étaient alors interprétées par des groupes où se mêlaient hommes et femmes.

Les conjoints, dans certains mariages de la bourgeoisie marchande, s'étaient rencontrés et choisis, une fille avait pu donner son avis sur le prétendant, ce qui était impossible cinquante ans avant. En 1546, à Avignon, les pères débattent sérieusement, au conseil de ville, de ces revendications des filles à la liberté de se marier à leur gré, « chose merveilleusement scandaleuse et injurieuse à toute la cause publique ».

DES PRÉDICATEURS TERRORISTES

Les prédicateurs, à la fin du XVᵉ siècle et au début du XVIᵉ, s'indignèrent avec véhémence du comportement de ces filles de bourgeois honorables qui conversaient galamment avec les hommes, les rencontraient dans les compagnies et qu'on ne pouvait guère distinguer des courtisanes élégantes, entretenues par leurs pères ou leurs frères.

On a noté l'importance prise par le personnage de Marie-Madeleine, et les métamorphoses qu'on lui fait subir dans la prédication, et dans le théâtre sacré. Si les sermons d'Olivier Maillard ou de Michel Menot s'attardent sur sa vie de pécheresse, de courtisane mondaine et séduisante, menant une libre vie après la mort de son père, adonnée à tous les plaisirs, aux jeux et aux danses avec les jeunes gens, c'est pour mieux la rapprocher des jeunes contemporaines de la bonne société, condamnables elles aussi.

Les malheurs qui s'abattaient sur la France et sur l'Europe (pestes, guerres, famines, épidémies) étaient toujours interprétés par l'Église comme des punitions divines. Les grandes peurs eschatologiques, peur obsessionnelle de l'Antéchrist, de la fin du monde, suscitée au début du XVᵉ siècle, relancée ensuite par la crainte de l'avance turque, la corruption des ecclésiastiques au sommet de la hiérarchie, contribuèrent à nourrir des sermons terroristes qui appelaient à la pénitence pour combattre les désordres sociaux.

La haine de la femme caractérise les prédications véhémentes de Olivier Maillard, de Michel Menot, dit « Langue d'or », et des réformateurs zélés. Ils connaissaient bien les mœurs de la bourgeoisie citadine et des nobles qu'ils s'entendaient à blâmer ou à flatter quand il le fallait. Ils parlaient devant des milliers de gens et n'hésitaient pas à reprendre tout le répertoire des griefs antiféministes et à en inventer. La beauté, l'élégance et le luxe des vêtements, le fard ? Des marques de lubricité, et d'orgueil.

Selon une recette éprouvée des sermonneurs, ils comparaient, et assimilaient en une confusion systématique et volontaire, les élégantes à des catins, les mères qui parent leurs filles et en font des « idoles » à des maquerelles criminelles, et toutes, si elles ne se repentaient pas, étaient vouées à la damnation. Les banquets auxquels on invite les femmes, les danses, les moresques auxquelles elles participent avec les hommes sont de scandaleuses incitations à la luxure. Le sont de même les fêtes des abbayes où se mêlent garçons et filles.

Toute réunion de femmes, toute forme de sociabilité féminine paraissent suspectes. Le viol d'une femme en habit «dissolu», c'est-à-dire élégant, n'est pas condamnable, elle n'a pas à se plaindre, elle l'a cherché. Celui d'une concubine de prêtre est implicitement encouragé : le viol prend ainsi une valeur moralisatrice.

Quant aux épouses infidèles, elles sont vouées à être enfermées au bordel, lieu de pénitence terrestre, et non plus institution protectrice des femmes et filles vertueuses.

Ces prédicants réformateurs et leurs imitateurs visaient à fortifier l'ordre masculin. Ils s'adressaient indirectement aux femmes par l'intermédiaire des pères et des maris. L'honneur des mâles était en jeu si une femme de la famille était déshonorée. L'enjeu des sermons était donc de restaurer l'autorité masculine, d'imposer à la femme la crainte de Dieu, la peur de la punition des adultères, le respect du mariage et, en général, la modestie et la retenue dans le monde.

Pour réprimer les désordres de la chair, féminins essentiellement, tout un arsenal apocalyptique était mis en œuvre, des arguments et des exemples empruntés aux traités d'inquisition où la conduite des femmes libres, s'adonnant aux danses et aux banquets, était assimilée à des rituels diaboliques, les insoumises étant des suppôts du Malin. Prélude à la satanisation de la femme, décrite par Jean Delumeau. Quant aux rebelles, c'est dans les bordels qu'il convenait de les enfermer, lieux immondes mais nécessaires, en attendant la punition dernière.

La fornication masculine, même celle de l'homme marié (à condition d'être discrète, dans les bordels ou les étuves) n'était pas condamnée. Les criminels publics qu'on dénonçait étaient d'abord les maquerelles professionnelles, qui entretenaient vingt à quarante pensionnaires, entraînaient dans la débauche des filles en difficulté, des femmes battues. On les vouait à aller déguster le «potage infernal» avec les Anciens. (Les occasionnelles, celles qui, tout en exerçant un métier, tiraient d'un petit bordel privé des ressources supplémentaires, étaient implicitement épargnées.) Venaient à leurs côtés les ecclésiastiques qui entretenaient des filles «à pain et à pot», et leurs maris logeant des concubines avec leur épouse ou abandonnant la femme légitime.

Mais la prostitution n'était pas remise en cause. Les prédicants réformateurs s'en prenaient seulement aux abus, ne demandaient pas la suppression des bordels mais la remise en vigueur d'interdits anciens (ceux de Saint Louis), dont la séparation bien nette entre la population civile et les catins, qu'il faut chasser des «bonnes rues» et des quartiers honnêtes et contenir dans des espaces réservés. S'il n'y a plus de *prostibulum* dans la ville, les édiles ont à cœur d'en acheter ou d'en louer un.

En même temps que l'on tente de confiner les prostituées dans un ghetto, où l'on veut expédier toutes femmes et filles abandonnées ou vagabondes tenues pour criminelles du fait de leur vagabondage, et qu'on leur impose les anciens signes d'infamie, on entreprend la chasse aux métiers prétextes utilisés par les entremetteuses, que la comédie a abondamment dénoncés : vente de dentelles, de babioles et aussi de fleurs et de fruits.

Les réformateurs ne prêchaient pas dans le désert. C'est avec l'accord de la population citadine que la répression se fit de plus en plus rigoureuse. La prostitution n'était plus jugée utile au maintien de l'ordre et à la protection des femmes honnêtes, ni susceptible de préparer à la conjugalité; on voyait désormais en elle une source de corruption. En 1508, à Dijon, c'étaient les habitantes des «bonnes rues», rue Saint-Pierre, rue des Grands-Champs, qui adressaient aux échevins une supplique pour qu'ils sévissent contre les femmes de mauvaise vie et les concubines de prêtres du quartier. Les épidémies, les calamités publiques, les désastres naturels renforçaient la répression. L'ordonnance municipale dijonnaise de 1541 reprit celles de 1518 et 1523 (dirigées contre les blasphémateurs et les prêtres concubinaires) pour lutter contre «ce qui conduit aux pestilences, famines et autres punitions que le benoît Créateur envoie sur le peuple». Mais, en 1563, femmes scandaleuses et prêtres concubins n'avaient pas obéi, constatait le procureur de la ville, sans égard aux troubles qui règnent dans le royaume.

L'irruption du mal de Naples, la syphilis, ce sida du XVIᵉ siècle, n'inspira pas immédiatement autant d'effroi qu'on pourrait le croire à présent. D'abord parce qu'on pensait que la vérole ne se transmettait pas uniquement par les rapports sexuels. On associait la prostitution à la peste et à la contagion des maladies en général au début du XVIᵉ siècle plus qu'aux seules maladies vénériennes. On se contenta d'écarter les femmes contaminées. D'ailleurs les grandes épidémies précédèrent de près de trente ans la fermeture des bordels.

La syphilis ne fut donc guère responsable de la répression. Ses causes semblent nombreuses et complexes. La liberté des mœurs masculines, la joyeuse permissivité et l'exaltation des droits de

Nature vont progressivement décliner, tandis que les polémiques religieuses entre protestants et catholiques vont provoquer une lente amélioration de la condition des femmes – aux côtés de leurs maris, elles commencent à participer aux fêtes et quelquefois à la vie de la cité –, et la revalorisation du couple.

Une lente et sûre répression

Parallèlement, les réactions sociales à l'égard des prostituées se modifient. La Réforme, puis la Contre-Réforme condamnent la fornication masculine et de ce fait les maisons de débauche ne se justifient plus. Un peu partout en France et en Italie, les communautés urbaines tentent de rejeter la prostitution.

En 1523, les pages de Mgr de Bayard dévastent le bordel d'Orange, en 1526, en 1536 et 1537, les gens d'armes et les lansquemets en font autant. A Lyon les étuves Tresmonnoye, de la Pêcherie, de la Chèvre sont démolies ou abandonnées. A Tarascon, à Cavaillon, le bordel est transformé en hôpital en 1527-1529, à Dijon, il est fermé en 1563.

A Paris l'activité des filles et des maquerelles prospérait à la faveur de la misère, et aussi de la présence de la Cour. L'un des quartiers chauds, depuis le XIIIᵉ siècle, était situé dans la Cité, autour de la rue Glatigny. L'affluence « à Glatigny » était telle que la reine Claude s'en offensa : elle obtint de son époux, François Iᵉʳ, la destruction des bordels de la rue. Ce qui fut fait en une journée. Autour du Louvre, rue d'Autriche, s'étaient regroupées de « méchantes maisons » où des femmes de vie dissolue tenaient bordel. La rue attirait une foule de ruffians, larrons et autres mauvais garçons et des meurtres, batteries, pilleries et scandales s'y commettaient. Aussi Nicolas de Villeroy, qui bâtissait son hôtel sur des terrains proches, rue des Poulies, remontra-t-il au roi qu'il serait bon de chasser les femmes et la pègre qui les entourait ; il voulait bâtir, disait-il, pour y faire loger à la place des gens de bien, artisans et autres. Prostitution et délinquance paraissaient ainsi intimement associées et à combattre de concert. Autour du monastère des Filles-Dieu et de celui des Filles pénitentes, à l'Université, se trouvaient d'autres rues chaudes. En 1532, des sergents passèrent une journée à pourchasser Marie Quatre-Livres qui s'était cachée à l'abbaye Saint-Antoine et l'emmenèrent aux Filles pénitentes.

A Dijon aussi, dès 1520, tous les quatre ou cinq ans, on chasse de la ville des filles communes et les concubines de prêtres; à Besançon, on en fait autant en 1525. En 1533 sont bannies une prostituée qui a vécu dix ans chez les Jacobins et plusieurs chambrières de prêtres. Quant aux filles secrètes qui voulaient rentrer dans cette cité, on le leur permet et on leur accorde des taxes de rémission parce qu'elles ont contribué à construire un hôpital pour les pestiférés. Une certaine Huguette de Vaux leur donne notamment cent francs d'aumône et fait une promesse de bonne conduite à l'avenir. En 1536, dans la même ville, une ordonnance renouvelle un appel aux filles publiques: elles doivent apporter leur aide dans les incendies (comme elles le font pour le feu de paillardise), ce qui fait partie de leurs tâches obligées.

Les étuves font l'objet de mesures plus sévères. On les ferme la nuit, et on y veille à la distinction des sexes. On en interdit l'accès aux filles cantonières, de même que l'accès aux demeures privées, sous peine d'amende. Quelques étuvistes sont expulsés.

Aux prostituées sont assimilées les actrices, très peu nombreuses encore à figurer dans les nouveaux genres, comédie et tragédie, pastorale. Les premières actrices en France sont des Italiennes venues dans les troupes de commedia dell'arte. La présence des femmes sur scène ravit les spectateurs. Mais c'est un scandale. Malgré le soutien du roi Henri III aux comédiens italiens, les conseillers du Parlement estiment que les comédies n'enseignent que paillardises et adultères et ne servent que d'école de débauche à la jeunesse de tout sexe, rapporte Pierre de L'Estoile en 1577. Le rituel de Paris identifiait alors les acteurs à des proxénètes et les actrices à des femmes de mauvaise vie. On leur refusait la communion et la sépulture chrétienne.

A la cour de France subsiste encore en 1558 la charge de «dame des filles de joie suivant la Cour». Mais les règlements (précisés en juillet) se font plus rigoureux. Les filles qui ne figurent pas sur la liste officielle de la dame (le rôle) doivent partir aussitôt. Quant aux autres, défense leur est faite de se répandre dans les villages, de jurer ou de blasphémer sous peine de la marque (au fer rouge) ou du fouet, et «injonction d'obéir à la dite dame, avec défense de l'injurier sous peine du fouet».

En même temps qu'on cherche à expulser les filles, ou à les réduire au bordel public, on tente de sévir contre ceux qui les induisent à la débauche. Et d'abord, les parents, leurs mères le plus

souvent, ou leurs pères, par pauvreté. Les accusations des prédicateurs, pour virulentes qu'elles aient été, n'étaient pas sans fondement. Entre 1543 et 1554 à Besançon, des mères et des pères sont
condamnés pour avoir vendu leur fille, l'un d'eux pour dix écus. Les
incitations à la prostitution sont réprimées : un chanoine qui avait
pris les patenôtres [chapelets] de la jeune Jeanne Axel et ne voulait
les lui rendre que si elle se prostituait, est envoyé en prison et doit
payer cent sols d'amende. On fait la chasse aux ruffians, aux souteneurs et, à maintes reprises, les filles qui les font vivre ouvertement
sont expulsées.

Quant à la maquerelle dont on peut prouver qu'elle a contribué à
la défloration de pauvres filles, un traitement spécial lui est réservé :
la promenade du chapeau de paille (1550). Elle est confiée à des
sergents qui marchent un moment avec elle, puis la coiffent d'un
chapeau de paille auquel ils mettent le feu. Le bannissement de la
ville pour cinq ou dix ans est une autre des punitions qu'on lui inflige.

La Contre-Réforme fait naître un autre avatar de la maquerelle,
l'entremetteuse dévote. Le type littéraire des nouvelles et du
théâtre, la Célestine de Rojas et ses émules, pratiquait depuis longtemps l'art de corrompre la jeune amoureuse au profit d'un client.
Les Contents d'Adrien Turnèbe, chef-d'œuvre de la comédie humaniste, mettaient déjà en scène Françoise, une vieille bourgeoise
respectable, corruptrice habile de sa jeune voisine, qui grâce à ses
dehors pieux, savait l'art de lever les scrupules, comme Tartuffe.

La métamorphose de la maquerelle professionnelle en bigote
cupide s'impose alors en littérature. Elle unit l'hypocrisie à la rouerie
et s'entend à user de l'argumentation adaptée à la séduction d'une
jeune fille honnête. Mathurin Régnier, dans sa « Satire XIII », brosse
le portrait de Macette, ex-prostituée devenue pieuse, convertie en
habile maquerelle. L'une des grandes réussites du poète est d'avoir
prêté à Macette une dévotion à la dernière mode, marquée de façon
significative par l'influence de la Contre-Réforme : elle fait ses
délices de la lecture des sermons de saint Bernard, du *Guide des
Pécheurs* de Louis de Grenade, des *Méditations sur le Pater* de
Thérèse d'Avila, est initiée au vocabulaire technique des théologiens
et aux secrets de la casuistique. La dévotion de Macette montre un
tel accord avec les témoignages contemporains, ceux de L'Estoile
notant, en mars 1610 dans son *Journal*, que « l'époque est plus hypocrite que religieuse », ou de Tallemant des Réaux, entre autres, qu'on
a voulu voir en Macette un portrait à clef.

La morale cynique de l'entremetteuse n'est pas neuve. Mais engager à la débauche sous le voile de la dévotion paraît caractéristique de l'époque. Une contagion de piété, affectée ou non, exaltée par l'influence de la Ligue avait envahi la Cour et la Ville sous Henri IV et après sa mort, en réaction contre le libertinage, et son outrance suscitait la réprobation des chrétiens les mieux intentionnés. L'Estoile signale en mars 1609 que les mœurs corrompues de la Cour allaient de pair avec une ostentation accrue des manifestations de piété.

Dernier avatar d'un type professionnel au début du XVIIe siècle ? Désir de se forger un nouveau personnage par une éclatante conversion, souci de s'assurer une source de revenus et une position en rapport avec l'âge ? Besoin de réhabilitation sociale fréquent chez ses pareilles après une vie scandaleuse ? Le portrait en tout cas a paru saisissant de vérité, en parfait accord avec les réalités du temps. Mais nous sommes déjà dans une autre époque, où l'on pourchasse les prostituées, où l'on veut les convertir par le travail, les amener à la repentance, avant de les vouer au mépris, au fouet et à la prison à la fin du XVIIe siècle.

Les états d'Orléans, par l'édit de janvier 1561, décrétèrent la fermeture des «bordeaux, brelans, jeux de quilles et de dés», toutes maisons de scandale. L'application de l'édit ne fut pas facile. Si beaucoup avaient déjà disparu, certains bordels résistèrent longtemps. Le plus célèbre de Paris, celui de la rue Huleu, tenu en 1530 par Jeanne Belle-Fille, bien achalandé et d'un excellent rapport, résista des années durant, malgré les habitants de la rue qui réclamaient sa fermeture. Charles IX, par lettres patentes du 12 février 1565, défendit de louer aux femmes de mauvaise vie sous peine d'amende ou de prison. La sentence du Châtelet fut proclamée le 27 mars, et le «Huleu» fut détruit.

Les bordels fermés les uns après les autres, la prostitution ne devait pas disparaître pour autant. Elle devint plus honteuse, plus chère, plus dangereuse aussi, avant le grand enfermement du XVIIe siècle, où l'hôpital et la prison hébergent ensemble pauvres, malades, délinquants et prostituées.

XI

Vieillesse et sorcellerie

LA LAIDE VIEILLE

La Renaissance, qui a redécouvert et célébré la beauté du jeune corps féminin, a manifesté une véritable répulsion à l'égard de la vieillesse et tout particulièrement de la vieille femme. Le vieillissement a sur elle un effet d'autant plus dévastateur que, jeune, elle symbolise la beauté, le plaisir et l'amour. Que lui reste-t-il lorsqu'elle a perdu sa beauté, célébrée par les amants et chantée par les poètes, dans une littérature qui en fait l'essentiel attribut de la féminité ? Si la vieille femme suscite parfois une pitié teintée de mélancolie comme chez Villon, décrépite, devenue symbole de laideur, toujours suspecte aux yeux de l'Église parce qu'elle reste l'agent privilégié du diable, elle suscite la raillerie, le mépris et la peur.

Le thème de la vieille relève d'une tradition littéraire misogyne encline, dès le Moyen Age, à railler la dégradation de celle dont la jeune beauté faisait une tentatrice redoutée, et à montrer avec une insistance cruelle sa déchéance physique, signe visible de ses flétrissures morales. La tradition médiévale du portrait grotesque qui souligne sa laideur et sa décrépitude, envers effrayant de la féminité, avec une sorte de joie mauvaise, d'où la hantise et la crainte de la mort ne sont pas absentes, révèle un dédain brutal pour la vieillesse, conçue comme une punition de la beauté inséparable de la perversité féminine.

Dans ces portraits caricaturaux s'exacerbent tous les défauts depuis longtemps caractéristiques du sexe féminin, et en particulier une sexualité dévorante que la disparition de la beauté rend répugnante.

Il faut y joindre la gourmandise, la gloutonnerie et un goût immodéré du vin, «le lait des vieilles gens», dit l'une d'elles, une propension au bavardage et aux commérages accrue par la sénilité.

Les contre-blasons dénigrant la femme s'opposent aux blasons, qui louent tout spécialement une partie de son corps, participent de cette tradition à laquelle Clément Marot a sacrifié (au blason du «beau tétin» répond celui du «laid tétin»), après Villon disant les regrets de la Belle Heaulmière pleurant sa jeunesse enfuie. «Car vieilles n'ont ne cours ne estre / Ne que monnoye qu'on descrie.»

Les attaques violentes contre la vieillesse et surtout contre la vieille femme laide, (le vieillard, barbon répugnant, est moins maltraité) se sont multipliées au XVIe siècle. Ce thème a fait le tour de l'Europe, envahissant la peinture flamande et allemande (comme en témoignent *La Femme laide* de Quentin Metsys ou *La Vieille Sorcière* de Niklaus Manuel Deutsch), la comédie italienne, les romans picaresques en Espagne, la poésie anglaise et, en France, la littérature narrative et théâtrale, la poésie satirique et l'iconographie : la vieille y symbolise d'ordinaire des entités effrayantes, l'hiver, l'envie, la disette, la stérilité ou la mort.

Les parodies de la lyrique amoureuse exploitent volontiers le contraste entre les portraits de vieilles hideuses et ceux de jeunes et fraîches beautés, présentées sous forme de diptyques ou d'invectives dont *L'Antérotique de la Vieille et de la Jeune Amye* de Du Bellay donne un exemple significatif. La réaction contre l'idéalisme pétrarquiste suscite de même après les *Amours* les *Contr'Amours*. Les poètes qui glorifient la jeune beauté sont aussi ceux qui s'acharnent cruellement contre la vieille décrépite, identifiant, selon le néoplatonisme à la mode, beauté et bonté, déchéance physique et perversité. Antiféminisme traditionnel et antipétrarquisme se rejoignent ainsi dans l'exécration de la vieille.

Le terme même est à lui seul une injure. C'est ce qu'indique Maurice de La Porte, dans son recueil des *Épithètes françaises* (1571) où il répertorie les principaux noms propres et noms communs employés par les poètes, en les faisant suivre des adjectifs qui leur sont le plus couramment appliqués. Ceux qui accompagnent le mot Vieille révèlent à la fois la laideur physique : «édentée, chauve, ridée, crasseuse, baveuse», et morale «hypocrite, maquerelle, enchanteresse, envieuse, méchante», etc.

Il n'est pas surprenant que la littérature et les arts aient reflété le dégoût et la peur, face au vieillissement et à la déchéance, d'une époque qui compte tant d'adorateurs de la jeunesse. Mais, selon de récentes études historiques, notamment celles de Georges Minois, on pourrait peut-être y voir la manifestation d'une mutation démographique : alors que, de l'Antiquité jusqu'au XVIᵉ siècle, les femmes mouraient plus jeunes que les hommes et que les vieillards mâles étaient de loin les plus nombreux, c'est l'inverse qui se produit au XVIᵉ siècle, au moins dans les milieux aristocratiques, où les conditions d'hygiène lors des accouchements s'améliorent. La relative prolifération des vieilles femmes dans la noblesse est une des nouveautés du XVIᵉ siècle. Expliquerait-elle l'acharnement des hommes de lettres, spécialement les poètes appartenant à l'aristocratie, contre les vieilles, la belle ayant, avant le XVIᵉ siècle, toutes chances de mourir avant la cinquantaine ?

La tradition satirique distingue trois types de vieille infâme : la vieille folle d'amour, la prostituée âgée et la proxénète volontiers sorcière. Mais la plupart du temps, le type littéraire combine ces trois aspects.

Dans le dénigrement des vieilles, qui ressemblent à des «cadavres sortis d'entre les morts», nul n'a été plus violent qu'Érasme, le prince des humanistes. Dans l'*Éloge de la folie*, il a tracé un portrait cruel des vieilles «toujours en chaleur, désirant un mâle, comme disent les Grecs, et séduisant un jeune Phaon qu'elles ont acheté très cher. Elles passent leur temps à se maquiller, à s'épiler les poils du pubis, à exhiber leurs mamelles mollasses et putrides, à essayer d'éveiller le désir défaillant de leur voix tremblotante et plaintive, à boire et à danser avec les jeunes filles et à gribouiller des petites lettres d'amour. Cela fait rire tout le monde. On les trouve complètement folles, et elles le sont».

La vieille «immonde» de Du Bellay est le «déshonneur de ce monde». La Catin de Ronsard est «une image dédorée aux cheveux blancs, aux dents chancreuses et noires», à «l'œil chassieux», au «nez morveux». De sa bouche, dit Maynard, sort «une odeur infecte qui fait éternuer les chats», Sigogne voit en sa carcasse squelettique le «portrait vif de la mort, portrait mort de la vie».

La dérision et la condamnation des vieilles femmes ne se manifestent pas seulement en littérature. On sait quelle hantise de la sorcellerie traverse toute la Renaissance. La violence de la chasse aux sorciers et aux sorcières atteint son paroxysme entre 1560 et 1640, tandis que se renforce l'arsenal répressif et que se multiplient les procès. S'ils firent beaucoup plus de victimes parmi les femmes

que parmi les hommes, c'est que la traditionnelle conception misogyne faisait d'Ève l'alliée privilégiée du diable et inférait de la
«bestialité» de la nature féminine une plus grande propension à la
sorcellerie. Les vieilles femmes, plus souvent que les jeunes, étaient
réputées sorcières. Parmi les 164 sorciers et sorcières jugés devant
le parlement de Paris entre 1565 et 1640, la moyenne d'âge est de
plus de cinquante ans. Et dans les procès de sorcellerie du nord de
la France, pendant deux siècles, 82 % des accusés sont des femmes.
Étroitement lié au type de l'entremetteuse, celui de la sorcière varie
selon qu'il apparaît dans la poésie satirique, la littérature théâtrale
ou narrative. Mais il hante les imaginations en une époque où les
élites, pas plus que le peuple, ne mettent en doute la réalité de la
sorcellerie.

LA SORCIÈRE DE VILLAGE

Le monde des conteurs révèle, en milieu rural surtout, la vitalité
d'une mentalité magique qui distingue mal naturel et surnaturel,
religion et superstition. Dans les campagnes en particulier coexis-
tent des croyances apportées par l'Église et des rites, des conduites
religieuses héritées du paganisme, qui n'empêchaient pas les gens
de se considérer comme chrétiens. Les contes et les nouvelles, en
effet, où Albert-Marie Schmidt voyait une masse de documents
nécessaires à l'étude des mentalités du XVIe siècle, mentionnent
fréquemment des pratiques magiques, des croyances astrologiques,
la foi en la divination, l'interprétation des présages et des prodiges,
la peur du diable, des démons ou des revenants.

Les allusions précises à la chasse aux sorcières y restent exceptionnelles. La chronique de Philippe de Vigneulles, premier témoin
du siècle, signale toutefois les bûchers élevés en 1520 à Metz.

Les six vieilles commères, largement sexagénaires, qui prêchent
les *Évangiles des quenouilles* (le titre est clair : il s'agit d'enseignements, de révélations [«évangiles»] que proclament des femmes
[«quenouilles»], nés vers le milieu du XVe siècle et encore diffusés
avec succès au XVIe siècle), constituent de véritables portraits-
charges de la sorcière de village (cette qualité étant explicitement
attribuée à trois d'entre elles). Le savoir qu'elles communiquent à
leur auditoire, six veillées durant, au coin du feu et qu'enregistre
sans mot dire, avec une malice narquoise, un personnage masculin,

est présenté comme un savoir spécifiquement féminin : «Toutes femmes savent plusieurs choses à venir [...] selon les conjonctures et dispositions des temps, des personnes, des augurements [augures] des oiseaux et des bêtes, et bref, de toutes autres créatures», précise le transcripteur. En quoi consiste cette sagesse traditionnelle, étayée sur «les autorités des femmes de jadis»? Six journées la transmettent sous forme d'aphorismes, de pronostications, de talismans, de sortilèges, de recettes médicales, d'incantations, de conjurations, de prescriptions pour les cures vétérinaires, etc.

Nos «entre-parleuses» sont des sorcières, on ne peut en douter. Ysengrine, mal repentie, garde les appétits de sa jeunesse. L'une d'elles, Dame Abonde du Four, d'abord «marchande de luxure au détail» et jadis patronne d'un bordel à Bruges, a derrière elle un passé d'entremetteuse. Une autre est «meschine [concubine] de prêtre». Sébile de Mares, venue de Savoie, a été initiée aux sciences occultes chez les vaudois, accusés d'user de sortilèges et de sorcellerie, Transeline est experte en géomancie. La présidente de la sixième journée, Dame Berthe, tient de son père de précieuses connaissances médicales et les a utilisées ensuite «en tapinage [tapinois]», comme bon nombre de filles et de femmes de médecins à cette époque. Le père de Dame Berthe a aussi étudié la géomancie (ou divination au moyen de la terre) à Tolède, haut lieu des arts magiques au Moyen Age. Sciences douteuses que celles de ces bonnes vieilles, toutes pourvues au reste d'un sénile appétit de luxure, affirmant que «pour coucher dessus, il ne faut point regarder à l'âge, mais seulement au bon vouloir». Telle qui, aujourd'hui sage-femme, reçoit en ce monde les petits garçons préférerait, comme en ses beaux ans, en recevoir de grands. Telle autre a tourné la soupe dans le chaudron de Vénus, telle autre encore a étudié au collège de «Glatigny» (cette rue de Paris célèbre pour ses prostituées).

La présentation comique de ces pittoresques sorcières, incultes, bavardes, portées sur la boisson et déjà passablement éméchées, exorcise l'inquiétude que pourrait provoquer ce savoir suspect, venu du fond des temps et propriété héréditaire des femmes.

On ne retrouve plus de silhouettes aussi hautes en couleur dans l'ensemble des nouvelles, pourtant riches en allusions à leur art. De fait les conteurs, si souvent hostiles aux femmes, parlent ordinairement de sorciers, sans distinction de sexe et ignorent à peu près le personnage de la sorcière. Est-ce mépris de lettrés pour les superstitions populaires? On peut supposer plutôt qu'une prudence délibérée a détourné les auteurs d'aborder un thème dangereux qui relève du conte, témoin d'un autre monde, évocateur de croyances païennes et par là même suspect. Car les magistrats qui instruisaient les procès de sorcellerie s'intéressaient fort aux contes et cherchaient à y découvrir des indices révélateurs.

C'est une sorcière de village que la sibylle de Panzoust consultée par Panurge dans le *Tiers Livre*. Il va la trouver sur le conseil de Pantagruel qui a entendu vanter son savoir et ses dons de prédire « toutes choses futures ». Le coin de Touraine où elle habite « abonde en sorcières plus que la Thessalie », ce qui suscite la méfiance du sage Épistémon et son refus de se livrer à une pratique illicite. Il accompagnera pourtant Panurge et le prince à condition que la sibylle « n'use pas de sort ou enchantement en ses réponses ». Il s'agit en fait de recourir à la divination, qui n'est pas un art condamnable.

C'est dans une pauvre cabane à toit de chaume, mal bâtie, tout enfumée, qu'habite la vieille « mal en poinct, mal vêtue, mal nourrie, édentée, chassieuse, roupieuse, langoureuse, occupée à faire un potage de chou vert avec une couenne de lard et un os à moelle », quand arrivent les compagnons. La scène de la consultation a toutes les allures d'une cérémonie ritualisée, le prosaïsme du décor, des ustensiles et des vêtements, la personne même de la sibylle villageoise contrastent comiquement avec la parodie du culte chrétien jointe à celle des rites antiques. Non moins comique la peur que son comportement étrange et mystérieux inspire à Panurge, qui s'attend à voir Proserpine, la mère des diables des mystères, sortir avec son escorte de démons. Rien d'inquiétant toutefois dans cette scène de divination où Rabelais tourne en dérision des pratiques magiques, répandues sans doute dans les campagnes tourangelles – la précision de tous les éléments de la scène invite à le croire –, mais que des allusions savantes dépouillent de tout caractère subversif.

La sibylle de Panzoust est une pauvre paysanne inoffensive et son art se borne à la divination. Les sorcières de la poésie satirique paraissent autrement redoutables. Héritières directes de la sorcière antique, la Denise de Ronsard, et sa Catin, la vieille de François Habert, « plus experte que Médée et Circé en l'art magique », l'enchanteresse de Du Bellay, « vieille Gorgone, vieille Tisiphone », courtisane vieillie pratiquant elle-même la sorcellerie après avoir recouru aux spécialistes, possèdent les mêmes pouvoirs maléfiques que la Canidie d'Horace, l'Acanthis de Properce ou la Dipsas d'Ovide. Capables de « faire force à la nature », elles savent ternir ou «ensanglanter la lune et le soleil, arrêter le cours des fleuves ou les faire reculer contremont».

La nuit est propice à leurs enchantements. C'est alors que Denise, la tête couverte d'une peau de bête, terrorise les chiens qu'elle fait aboyer dans la plaine, les loups qu'elle fait hurler dans les bois.

Toutes hantent communément les cimetières. Les conjurations de Denise ou de la vieille des *Jeux rustiques* font sortir les morts de leur tombeau, de même que les «oraisons sorcières» de la vieille de Doublet qui s'entend à les faire «reparler» : Denise sait prendre «l'image vaine» de l'un d'eux pour faire trembler une veuve, ou une mère qui pleure un fils unique. Agrippa d'Aubigné, dans *Les Tragiques*, prêtera la même puissance à Catherine de Médicis, dans l'effrayante scène de sorcellerie des *Misères* (v. 885-945).

Cette transposition de la sorcière antique s'accompagne pourtant de quelques retouches significatives qui portent la marque du temps. L'héroïne de Doublet graisse toutes les nuits son «corps ridé» pour s'envoler par la cheminée, à cheval sur un balai. Ses charmes suscitent, «humble et tremblant», le noir peuple de l'enfer et c'est à Lucifer qu'elle adresse des missives écrites avec du sang humain. L'enchanteresse des *Jeux rustiques* guide, tout échevelée, le bal du sabbat autour d'une croix. Le supplice de Denise, que les bourreaux ont fouettée, et déchirée de coups, à moitié nue, l'épaule rouge de sang, au milieu d'une presse d'hommes et de femmes, évoque celui d'une sorcière contemporaine. La littérature reflète ainsi les peurs et les fantasmes d'une société qui du haut en bas de l'échelle se refuse à croire naturels certains faits inexplicables et les attribue au pouvoir de quelque personnalité maléfique.

Les imprécations des poètes dénoncent ainsi très précisément les méfaits imputés au «sorcelage» de la vieille par les villageois : il suffit à celle-ci de regarder trois fois de loin la brebis guide du troupeau, pour qu'elle tombe aussitôt morte et «les vers sur la peau». Aussi chacun ferme-t-il sa maison à celle qui est «la frayeur du village», craignant qu'elle n'ensorcelle le bétail. Du Bellay recense de même les effets des maléfices de la vieille : «Par toi les vignes sont gelées / Par toi les plaines sont grêlées / Par toi les arbres se démentent / Par toi les laboureurs lamentent / Leurs blés perdus et par toi pleurent / Les bergers leurs troupeaux qui meurent.»

Ces accusations contre le «mauvais œil», «l'haleine pernicieuse» d'une vieille réputée malfaisante sont précisément celles qui viennent de la population rurale dans les procès de sorcellerie. Jean

Delumeau a prouvé combien tenace demeure dans toutes les classes sociales à la Renaissance la croyance au vitalisme diffus d'un univers où tout est sympathie et correspondance, où l'on n'aperçoit pas de différence de nature entre causalité matérielle et efficacité des forces spirituelles. La poésie humaniste montre bien comment s'allient dans la mentalité du temps la persistance de superstitions et de croyances qui remontent au-delà du Moyen Age et l'influence des ouvrages de l'Antiquité évoquant des sorcières et leurs rites magiques qu'on lisait souvent en leur donnant une interprétation chrétienne. Ainsi l'humanisme devait-il paradoxalement contribuer à faire revivre d'anciennes superstitions et accroître dans l'élite la hantise de la sorcellerie.

La fusion entre la sorcière et l'entremetteuse était réalisée dès l'Antiquité et prêtait déjà au personnage l'art de préparer des philtres et le pouvoir de faire naître ou disparaître l'amour ou la haine. La sorcière de Doublet connaît les vertus de «l'araignée ense-velie dans une noix», et de «la cervelle sèche de chatte». Experte à cueillir des herbes venimeuses, à mêler au bon moment les «fleurs des femmes» au breuvage amoureux, la Denise de Ronsard, comme les sorcières de Du Bellay, a le pouvoir d'«éteindre dans une âme / l'ardeur d'une amoureuse flamme». Elles ont recours à diverses sortes de charmes pour détourner de lui l'amie du poète ou séduire de pauvres filles. La vieille femme, détentrice de secrets de médecine empirique, possède un pouvoir mystérieux et par là suspect. Capable de guérir par l'usage des plantes, ou de toute autre drogue, elle peut aussi bien nuire par des procédés semblables. De la magie blanche à la magie noire, le passage est aisé, les inquisiteurs en sont convaincus.

LA SORCIÈRE ENTREMETTEUSE

Les sorcières de la poésie, comme celles des nouvelles, sont des sorcières rurales, leurs interventions dans les intrigues amoureuses ne constituent qu'un des multiples aspects de leur art. C'est au contraire celui que privilégie la comédie en l'attribuant à l'entre-metteuse. Sorcière urbaine, celle-ci exerce un métier. «Agente de plaisir», elle s'adonne aux opérations magiques que ses clients lui demandent pour les usages les plus variés et se spécialise dans celles qui provoquent l'ardeur ou l'impuissance sexuelle, l'amour ou la haine. Son expérience, très riche en matière de secrets de beauté, de recettes de guérisseuses et de pratiques suspectes – avortements ou rhabillage de virginité –, s'étend aux conjurations, envoûtements, philtres d'amour qui nécessitent la confection de mixtures très élaborées et l'emploi de formules rituelles.

La célèbre Célestine de Rojas, vieille prostituée pourrie de vices, offre dans l'adaptation française de Lavardin l'incarnation la plus redoutable de l'entremetteuse sorcière. Suppôt du diable qu'elle appelle à l'aide, elle mêle superstitions païennes et croyances chrétiennes, invoque «Pluton, seigneur des profondités infernales, empereur de la cour maudite, superbe capitaine des anges condamnés, tourmentateur des âmes pécheresses, ministre des trois furies, Thésiphone, Megera et Alerto...» Amie intime des sorcières intrépides, elle connaît toutes sortes «d'apprêts pour donner remède à l'amour et pour faire aimer : os de cœur de cerf, langues de vipères, têtes de cailles, cervelles d'âne... cordeau de pendu, fleur de lierre, œil de loup, épine de hérisson, pierre du nid de l'aigle, graine de fougère et autres matières assez».

Méduse, la «magicienne» du *Fidèle* de Larivey, est la seule sorcière que la comédie montre à l'œuvre, au cours d'une conjuration au cimetière où elle se rend avec sa cliente, qui veut fléchir un insensible. Après lui avoir proposé divers types de sortilèges (lettres écrites de la main gauche avec le sang d'un oison, d'une chauvesouris, d'un lézard, cheveux et cambouis de cloche bouillis dans l'huile, etc.), elles s'arrêtent à la fabrication d'une figure de cire, «piquée et échauffée au feu du nom de l'amant». Toutes les étapes de la conjuration sont minutieusement décrites, formules récitées, eau et huile versées sur l'image de cire, aiguille plantée à l'endroit du cœur – sans le traverser, ce qui causerait sa mort –, chandelles éparpillées pour «réchauffer les os des morts». Ces pratiques devaient être courantes dans la réalité contemporaine.

Pour apprécier la dimension du personnage et son actualité envahissante dans l'imaginaire contemporain, ce sont les écrits et les traités démonologiques qu'il faudrait interroger. L'abondant dossier de la sorcellerie continue à s'accroître, le problème, brillamment posé dans des ouvrages récents a suscité des analyses éclairantes. L'aborder dépasserait tout à fait notre propos. Les données historiques et sociologiques s'accordent en tout cas avec les textes cités pour réfuter la thèse de Michelet qui voit dans la sorcière une rebelle poussée à un refus global de l'Église et de la société par la misère et le désespoir.

Ils confirment aussi le stéréotype du personnage dans la mentalité collective du temps : une vieille femme, veuve ou célibataire, «infâme», c'est-à-dire de réputation douteuse, souvent fille d'une femme de mauvaise vie, et à laquelle on prête un passé de débauche, en rapport avec des milieux équivoques si elle est citadine, solitaire si c'est une paysanne. C'est alors un membre d'une communauté rurale, hors des normes d'une société où les relations humaines sont primordiales, si elle vit à l'écart, mais non pas une mendiante ou une vagabonde.

La sorcellerie étant considérée comme héréditaire, ses enfants, si elle en a, sont déclarés sorciers et on peut les exécuter dès l'âge de huit ans. C'est une marginale en tout cas, pauvre d'ordinaire et d'une condition inférieure par rapport à ceux qui ont recours à ses services, sans être vraiment misérable. Qu'elle se signale par sa laideur, par quelque bizarrerie et on lui attribue un pouvoir néfaste sur les êtres et les choses, le «mauvais œil» ou le «mauvais souffle», pouvoir auquel elle peut croire elle-même ou ne pas contredire par intérêt. Qu'elle y ajoute la connaissance de recettes de guérison ou de divination nécessitant la récitation d'invocations à Dieu ou de formules et prières sacrilèges – utilisées à des fins bienfaisantes ou maléfiques, elles sont également condamnables aux yeux de l'Église – et l'on constate que le type littéraire n'est pas si éloigné du profil de la victime des procès de sorcellerie.

Les griefs qui viennent de la population locale parlent seulement de maléfices, de jeteurs de sort. Au contraire les chefs d'accusation des juges se réfèrent à l'existence d'une secte de sorciers voués à Satan, avec qui ils ont passé un pacte, dont ils portent sur le corps la marque et qui veulent instaurer une religion du diable, l'inverse éthique du christianisme et d'une conduite morale catholique fondée sur la notion de bien. Ils se réunissent dans des assemblées nocturnes, le sabbat. Ils y adorent le Malin, s'y livrent à des liturgies démoniaques, dévorent de jeunes enfants, leur banquet s'achève en une orgie où sorciers et sorcières s'accouplent à des démons. Ce culte du diable est assimilé à une hérésie.

LA SORCIÈRE DES INQUISITEURS

L'Église de Satan peut donc être considérée comme une construction intellectuelle élaborée par les clercs, les théologiens et les juges. La sorcellerie des masses n'est pas celle des inquisiteurs. En effet tout procès se déroulait en trois temps : information prépa-ratoire et audition des témoins ; interrogatoire du suspect avec ou (plus rarement) sans torture ; sentence et supplice. Or les témoi-gnages ne font presque jamais apparaître la religion satanique, qui envahissait la scène dans les deux stades suivants : car les magistrats réussissaient à imprimer les réponses à leurs questions dans l'esprit de l'accusé et à lui imposer leur conception de la sorcellerie, alors même que les témoins à charge parlaient, eux, de tout autre chose. La magie noire, la sorcellerie qu'ils décrivent est exactement semblable à celles que leurs ancêtres ont utilisées et redoutées à la fois. De même on chercherait en vain dans l'univers des nouvelles ou de la poésie satirique les traces d'un culte païen cohérent ou d'un monde démoniaque structuré, ce monde à l'envers dont les inquisiteurs et les juges eurent l'obsession.

L'explication populaire de faits aberrants tenus pour non natu-rels (maladie subite d'animaux, calamités climatiques qui ruinent les récoltes, mort d'un enfant après une menace, etc.), c'est qu'ils sont dus au pouvoir, à la «mana» d'un individu suspect. Ce à quoi les juges ne croient pas. Mais ils cherchent les preuves d'un pacte diabo-lique en vue d'amener le royaume et l'Église du diable en ce monde.

Aussi y a-t-il une grande différence entre ce que juges et témoins entendent par sorcellerie.

Au cours de la déposition des témoins, ceux-ci affirment bien connaître la personne suspecte, assurent que sa réputation malé-fique est bien établie. Puis ils en viennent aux accusations précises : les dommages causés aux biens, aux bêtes, aux récoltes, aux gens. Les dénonciations sont à la fois sollicitées et reconnues crédibles, les juges et le pouvoir prenant ainsi l'initiative de la persécution. (Une enquête sur les sorciers menée au Luxembourg et aux Pays-Bas a prouvé que des questionnaires étaient adressés aux prévôts, incités à provoquer les dénonciations, à rechercher les cas de malé-fices... moyennant des récompenses). Là, et sans doute ailleurs, les bourreaux furent des rabatteurs de sorcières au service d'une justice inquiète, rapporte Jean Delumeau.

L'accusée était amenée à comparaître, après avoir subi la torture, rasée après qu'on eut cherché sur son corps la marque diabolique (un point insensible). La torture peut tout faire avouer. Et comme le dira un jésuite au XVIIᵉ siècle dans sa *Cautio crimi-nalis*, F. Spee : «Si nous n'avons pas tous avoué être sorciers, c'est que nous n'avons pas été torturés.» Les procès révèlent des confessions effarantes, et pour cause.

Par ailleurs un fossé sépare le juge et une femme illettrée, apeurée, qui ne comprend pas toujours les questions qu'il lui pose. C'est alors que le diable fait son apparition. Pressée d'interrogations qui se succèdent à un rythme très rapide, de questions formulées de telle façon qu'elles comportent déjà la réponse, l'accusée avoue tout ce que souhaitent juges et confesseurs : rapports avec le monde satanique, envols vers le sabbat, orgies sexuelles, etc. Les juges peuvent alors amalgamer les croyances superstitieuses du monde rural concernant les sortilèges, les formules magiques, les nouements d'aiguillettes, les maléfices évoqués par les témoins et l'antireligion satanique définie par les démonologues. Juges et témoins parlent donc de la sorcellerie dans un langage différent. Quant à ces derniers, craignant d'être assimilés aux dévots de Satan, et suspectés eux aussi, ils évitent de faire allusion en quelque façon à l'antireligion des élites culturelles, dont ils connaissent en gros les caractéristiques. Et ils gardent le silence.

Des enfants peuvent, exceptionnellement, être amenés à témoigner. Ils assistent en tout cas, aux exécutions. Robert Muchembled cite en exemple Jean et Françoise Bucquet, âgés de dix et huit ans, condamnés en 1612 au procès d'Arras à assister au supplice de leurs parents – brûlés pour avoir usé de sortilèges –, à être fustigés, puis enfermés et catéchisés, selon le principe d'hérédité de la sorcellerie. En 1612 toujours, le seigneur de Bouchain signale à la cour de Milan l'existence de nombreux enfants sorciers de sept à neuf ans dans sa châtellenie. Il demande la permission de faire exécuter ceux qui sont âgés de huit ans et plus.

Si les juges ont provoqué les persécutions et fait surgir en grand nombre de prétendues coupables, la chasse aux sorcières n'aurait pas pris cette ampleur sans le soutien populaire. Elle reflète un désarroi profond du monde rural, dont les causes sont multiples, pestes, disettes, climat d'anxiété créé par la peur du Jugement dernier, l'avance turque, les guerres, l'affaiblissement de l'encadrement religieux dans les campagnes dû à l'absentéisme et à l'ignorance du clergé et par les troubles nés des conflits religieux.

En même temps que se dessine cette lente dégradation de la vie paysanne, étudiée par les historiens, se creuse le fossé entre ville et campagne, entre culture populaire et culture savante. La sécession protestante, qui a brisé l'unité du monde chrétien, suscite dans l'Église catholique la lutte sans merci contre l'hérésie. Les sorciers sont tenus pour des déviants, des hérétiques, au même titre que les luthériens, les juifs et les musulmans. Le pouvoir protestant tient de même toute déviance, toute forme d'hérésie pour le plus grand des crimes. Théodore de Bèze, en 1554, invite donc à livrer les hérétiques au bras séculier. Prédicateurs catholiques et pasteurs inspirent alors la peur du diable dans des prêches ardents où fait intrusion le discours démonologique.

La peur de l'hérésie atteint son paroxysme au XVIᵉ siècle et au début du XVIIᵉ siècle, la peur ressentie par les élites se doublant de celle qu'éprouvent les masses populaires. Accusations et dénonciations se multiplient auprès des autorités. Henri IV, en 1609, transmet au président du parlement de Bordeaux les plaintes des habitants du Labourd qui disent leur pays «infecté» d'un si grand nombre de sorciers et sorcières qu'ils seront contraints d'abandonner leurs maisons et leurs pays si on ne vient pas les préserver de «tels et si fréquents maléfices». Le roi donna commission au président et au conseiller de Lancre d'aller leur «faire procès». Ce dernier mena des centaines de poursuites en Labourd.

Si les vieilles furent plus nombreuses à être déclarées sorcières, des jeunes femmes, de prétendues coupables furent amenées par la torture, ou la simple menace de la question, à confesser des crimes monstrueux, à décrire les scènes de sabbat auxquelles elles avaient assisté, disaient-elles. Certaines allèrent s'accuser elles-mêmes auprès des juges, après des prédications exaltées, d'autres furent dénoncées par des voisins qui avaient quelque raison de leur en vouloir.

Confessions, aveux, témoignages étaient adaptés par les juges civils ou ecclésiastiques qui les déclaraient recevables et les traduisaient, au cours du procès, dans le langage des traités démonologiques.

La femme, une victime de prédilection

La conception de l'infériorité et de la faiblesse féminine admise dans tous les domaines du savoir faisait naturellement de la méchante vieille une victime de prédilection. Pourquoi? Parce qu'elle était plus vulnérable, moins dangereuse du fait de l'inexistence ou de la faiblesse de ses relations familiales qui la mettait en marge du village, suspecte si elle avait eu plusieurs maris (tués par elle peut-être?), attachée à de vieilles croyances, à des superstitions qu'elle transmettait, éléments d'une culture populaire que les juges voulaient précisément anéantir.

Le stéréotype de la sorcière prouve que la persécution visait la culture populaire. Mais le monde des magistrats l'a menée dans la mesure où lui-même croyait à la réalité de la sorcellerie. Les vieilles femmes, craintes en même temps que consultées en raison de leurs connaissances des recettes précieuses, des pratiques bienfaisantes ou susceptibles de nuire, étaient les principaux agents de transmission des superstitions (au cours des veillées, notamment). Elles donnaient la preuve de la capacité de survie et de résistance des cadres mentaux anciens. Pauvres, ces vieilles femmes n'étaient pas totalement misérables, et elles appartenaient au même milieu que les villageois persécuteurs qui les regardaient brûler, assez différents cependant pour ne pas craindre le même sort. Leur supplice démontrait que le non-conformisme, la mise en œuvre de dons peu communs ne paient pas ; les spectateurs, ainsi dissuadés de rester fidèles à une vision du monde populaire, étaient incités à suivre le droit chemin, mais aussi à dénoncer pour détourner d'eux-mêmes l'attention des magistrats et des délateurs.

L'antiféminisme se retrouve au cœur de l'argumentation de tous les traités. On s'en prit certes aux sorciers comme aux sorcières, mais elles furent bien plus nombreuses en deux siècles (80 % des accusés en moyenne) à être conduites au supplice. Accentuée par la large diffusion du fameux *Malleus maleficorum*, le «Maillet des sorcières», (1487), dû à l'inquisiteur Jakob Sprenger et à Henricus Institoris, renforcée au XVIᵉ siècle par le discours des théologiens, des confesseurs, des prédicateurs, une haine agressive de la femme, incarnation de la perversité et de la sexualité débridée, est partout présente dès qu'il s'agit de la pratique de la sorcellerie.

C'est le traité de Jean Bodin, *De la démonomanie des sorciers* (1580) qui montre le mieux à quel point la conception de la femme est liée au problème de la sorcellerie dans les milieux les plus éclairés. L'auteur de ce livre qui, plus que tout autre, selon Lucien Febvre, ranima les bûchers des sorcières dans toute l'Europe, est aussi celui d'un des plus grands ouvrages politiques du XVIᵉ siècle, *La République*, et l'un des créateurs du droit moderne et de la science historique. Dans sa véhémente *Réfutation de Jean Wier* qui, pour plaider l'indulgence envers les sorcières invoquait la fragilité du sexe féminin, Jean Bodin refuse de faire de cette débilité naturelle une circonstance atténuante : «L'opiniâtreté indomptable, la force de la cupidité bestiale» communes à son sexe doivent la faire juger pleinement coupable. Il énumère par la suite les sept défauts qui poussent la femme à la sorcellerie : crédulité, curiosité, naturel impressionnable et méchanceté, promptitude à la vengeance, au désespoir et bavardage. C'est pourquoi «il se trouvera cinquante femmes sorcières ou bien démoniaques pour un homme». Et Bodin de condamner ceux qui s'efforcent de les sauver par tous les moyens, comme si Satan les inspirait.

Partisan de mesures radicales pour couper «les parties putrifiées» dans la société, il juge indispensable la dénonciation par des complices auxquels est garanti un allègement de la peine, y compris les filles des sorcières, que leurs mères ont souvent instruites dans la religion du diable. Il indique les moyens de venir à bout de celles qui n'avouent rien (les raser entièrement, les mettre nues, les menacer, leur montrer les préparatifs de la question, introduire des espions dans leur prison…). Inutile de chercher beaucoup de témoins : trois suffisent. Pour punir un crime extraordinaire, tous les moyens sont bons. La persécution de la magie populaire s'accompagne d'une volonté de réprimer la sexualité trop libre des villageois. La sorcière, dont les appétits sexuels sont proclamés insatiables – comme ceux de toutes les femmes –, est tenue pour la principale coupable de la corruption des mœurs. Les magistrats contraignent souvent l'accusée à décrire ses accouplements avec le diable, à évoquer le fait qu'elle lui a «donné un poil de ses parties honteuses».

Devant cette psychose collective, on n'en admire que plus l'audacieuse indépendance d'esprit dont fait preuve Montaigne, admirateur au reste de Bodin juriste, quand il aborde, dans l'essai «Des boyteux», le problème de la sorcellerie. L'exercice d'un jugement critique fondé sur la leçon des faits, dont il dit lui-même qu'il ne «se laisse guère garrotter par préoccupation [idée préconçue]» l'amène à nier l'existence des sorciers, en un temps où un Ambroise Paré, un Ronsard croient aux interventions des démons. «Des boyteux» dénonce la puissance de l'imagination, source de la crédulité, d'autant plus que rien n'est cru si fermement que ce qu'on sait le moins : «Les sorcières de mon voisinage courent hasard de leur vie, sur l'avis de chaque nouvel auteur qui vient donner corps à leurs songes.»

Quand il s'agit de «tuer des gens», le doute n'est-il pas préférable à l'excessive assurance? L'esprit critique s'unit chez Montaigne au respect de la vie humaine. C'est mettre, selon lui, «ses conjectures à bien haut prix que d'en faire cuire un homme tout vif». Les confes-

sions mêmes de ceux qui avouent des crimes ne le convainquent
pas de leur culpabilité. N'en a-t-on pas vu parfois s'accuser d'avoir
tué des personnes qu'on trouvait saines et bien vivantes ? Ajoutons
que Montaigne est le seul en France à cette époque à condamner
la torture.

Le portrait de la sorcière dans les *Essais* diffère beaucoup de
celui qui hante l'imaginaire contemporain. On en jugera par le récit
de l'entrevue de Montaigne avec des prisonniers accusés de sorcellerie, auprès desquels l'avait amené un prince souverain – peut-être
Charles de Lorraine durant le voyage de 1580 – désireux de
« rabattre » son incrédulité. Une vieille, entre autres, retient son
attention, « vraiment bien sorcière en laideur et difformité », depuis
longtemps renommée en cette profession : « Je vis, dit-il, et preuves
et libres confessions et je ne sais quelle marque insensible (c'était là
le signe du pacte avec Satan) sur cette misérable vieille, et m'enquis
et parlais tout mon saoul, y apportant la plus saine attention que je
pusse… En fin et en conscience, je lui eusse plutôt ordonné de l'ellé-
bore [remède contre la folie] que de la ciguë » (pour la faire mourir).

Tenir la sorcière pour une malade et non pour une créature satanique est une attitude d'esprit assez rare en son temps pour qu'on
en souligne l'originalité et l'humanité. Il n'en est pas moins exceptionnel de n'établir aucune corrélation entre la faiblesse du sexe
féminin et la pratique de la sorcellerie. Sur ce point encore
Montaigne devance un siècle où la femme, dans l'idéologie comme
dans la réalité, demeure un être mystérieux, donc suspect.

L'opinion de Montaigne était tout de même partagée par
quelques esprits éclairés. Le médecin La Rivière était de ceux-là. Il
restait incrédule à l'égard des prodiges et tenait les sorciers pour
des malades atteints de « mélancolie ». C'est à lui qu'Agrippa
d'Aubigné, l'un des plus grands écrivains du temps, fait part dans
une lettre de sa perplexité devant les diverses interprétations de la
sorcellerie. Il s'était passionné depuis sa jeunesse pour les sciences
occultes, la magie, la divination et la sorcellerie. Il convient que
prononcer des arrêts de mort contre ceux qui sont « affligés en leur
esprit » et qui, s'étant persuadés d'avoir commis des crimes en
persuadent leurs juges, est une « grande brutalité ». Mais d'autre
part, n'est-ce pas une grande impiété de croire que l'Écriture ait
vainement condamné sorciers et enchanteurs ?

Seule une juridiction éclairée peut se prononcer sur des cas aussi
difficiles, estime D'Aubigné. Il s'indigne que des juges de village

aient, en son absence, condamné et brûlé un de ses tenanciers qui avait fait tourner devant eux un plat sur une table avec le bout du doigt, cite d'autres jugements iniques. Mais il propose, en contrepoint dans cette même lettre, l'histoire d'une jeune sorcière de Pau. Bouleversée par le prêche d'un pasteur qui traitait de sortilèges, elle vint se dénoncer d'elle-même à ses juges. Ses « auditions » furent trouvées si admirables qu'on pria le roi de Navarre, le futur Henri IV, d'assister à la confrontation de plus de quarante personnes, ses parentes pour la plupart, prisonnières sur le rapport de la fille. D'Aubigné, avec Duplessis-Mornay, accompagna le roi au procès. « Très belle, d'une grande blancheur qui ne sentait point le crime, un visage franc », elle n'était pas émue par les injures que vomissaient contre elle ses parentes, les assurant doucement qu'elle ne les haïssait point, mais qu'il fallait « donner gloire à Dieu et chercher sa miséricorde dans notre mort ».

L'interrogatoire dura six après-dîners, le premier président refeuilletait la *Démonomanie* de Bodin, pour faire les demandes les plus précises possibles. L'accusée prouva ses dires en indiquant où trouver un cadavre dépecé et mangé au sabbat peu avant, et l'on apporta en justice le talon, le pouce, un os du crâne, un menton, et autres restes que les médecins appelés jurèrent appartenir tous au même corps. D'Aubigné ajoute : « Ce procès fit mourir trente-quatre personnes à la mort desquelles assista la fille, une corde au cou, et au grand regret de ne mourir point, ayant été, comme elle disait, dès l'âge de neuf ans menée au sabbat et marquée du diable. » L'étrange crédulité de D'Aubigné n'a d'égale que celle des juges envoyant au supplice trente-quatre femmes sur la dénonciation d'une hallucinée sous les yeux du roi et de grands personnages qui n'élèvent aucune protestation. D'Aubigné partage l'avis de Bodin, qui s'appuyait sur les confessions des sorcières pour prouver la vérité de leurs crimes. Il est d'avis qu'il faut les punir, si elles ont été bien examinées. Son récit a pour but de convaincre La Rivière de l'existence du surnaturel, et de montrer leur erreur aux médecins « qui ont appris à Paris à changer le crime des sorciers en maladie ».

La plupart de ses contemporains partageaient le sentiment de D'Aubigné à l'égard des sorcières. Très peu étaient de l'avis de Montaigne lorsqu'il jugeait le doute préférable à l'assurance en « choses de difficile preuve et dangereuse créance [croyance] ».

Le discours médical, qui jouera un rôle important dans les derniers procès, à la fin du XVIIe siècle, contribuera à modifier l'opinion. La sorcière passera du domaine de l'hérésie à celui de la maladie. L'image de la femme y a-t-elle gagné? Guère. Réputée sorcière, on la tenait pour pleinement responsable. Hystérique ou folle, abusée par son imagination ou par sa sensualité, elle devenait une créature infirme et irresponsable.

XII

A la conquête du savoir

On sait l'intérêt porté, au XVIe siècle, aux problèmes de l'éducation, dont la conception subit alors une modification radicale. Les
humanistes vont travailler à intégrer l'instruction dans un système
éducatif, escomptant un profit moral de la culture profane, appelée
à jouer un rôle dans une société qui se laïcise de plus en plus. Mais
c'est à la formation d'une élite, et d'une élite masculine, qu'ils se
sont attachés, et ce sont surtout les classes aisées qui ont bénéficié
d'une plus large diffusion du savoir.

Dans toute l'Europe se multiplient les traités d'éducation, dont
s'inspirent collèges et précepteurs. Mais seule est envisagée l'organisation des études masculines. Les humanistes qui ont parlé de
pédagogie, Guillaume Budé, Jean Bodin ou Pierre Ramus, restent
muets sur l'éducation des femmes. Le célèbre chapitre des *Essais*
(I, XXVI) s'adresse exclusivement à «un enfant de maison». Les
traités s'abstiennent presque totalement de mentionner les filles.
L'éducation féminine en France ne deviendra un fait social qu'à
partir du XVIIe siècle avec la création d'ordres religieux spécialisés.

En fait, l'idéologie humaniste est restée essentiellement aristocratique et masculine. On pouvait encore, au XVIe siècle, élever la
même protestation que Christine de Pisan au XVe : «Si la coutume
était de mettre les petites filles à l'école et que communément on
leur fît apprendre les sciences comme on fait aux fils, elles apprendraient aussi parfaitement et entendraient les subtilités de tous les
arts et sciences comme ils font.»

Christine de Pisan engageait déjà un débat fondamental et posait le vrai problème de l'éducation des femmes, comme le feront au début du XVIe siècle quelques moralistes éclairés dépassant le simple jeu littéraire cher à la Querelle des femmes. L'ignorance féminine n'est pas inscrite dans les nécessités naturelles, mais dans les impératifs de coutumes injustes. C'est à la «nourriture» (l'éducation), à la fortune, à la domination tyrannique des hommes qu'est due l'inégalité intellectuelle des sexes. Ce que soutiennent, dès la première moitié du siècle, Henri Corneille Agrippa, dans son traité *De la noblesse et pré-excellence du sexe féminin* (traduit du latin en français en 1537), le juriste Louis Le Caron dans *Claire ou de la prudence du droit* (1554) ou le Lyonnais Claude de Taillemont dans son *Discours des champs faez à l'honneur et exaltation de l'amour et des dames* (1553). Montaigne de même affirmera plus tard que la supériorité masculine est une donnée culturelle et non pas naturelle : «Les mâles et femelles sont jetés en même moule : sauf l'institution [l'éducation] et l'usage, la différence n'y est pas grande».

Mais ces moralistes restent l'exception. La question de l'éducation des filles au XVIe siècle se pose dans un héritage culturel chargé d'images péjoratives. Le discours théologique et les théories médicales – qui remontent à l'Antiquité – se renforcent et se cautionnent mutuellement pour confirmer l'infériorité féminine. L'opinion des élites justifie la mentalité populaire, qui s'exprime notamment de façon très significative chez les conteurs.

La femme peut-elle et doit-elle être instruite ? De quelle utilité lui peut être l'étude ? Quels dangers guettent celle qui accède au savoir ? Telles sont les questions auxquelles humanistes, juristes, philosophes et médecins vont apporter une réponse décisive.

La fragilité, la débilité du sexe féminin lui permettent-elles d'acquérir science et vertu ? Les misogynes le contestent. Les champions des dames se contentent souvent de la preuve par l'exemple, en établissant de longues listes de femmes doctes, prises dans l'Antiquité païenne et chrétienne ou le *De claris mulieribus*, «Des femmes illustres», de Boccace, en plus grand nombre que les contemporaines.

Plus encore que les capacités intellectuelles, c'est l'utilité du savoir féminin qui prête à controverse. Ne risque-t-il pas d'encourager leur perversité naturelle, leur orgueil, de mettre en péril leur pudicité et de les détourner de leur vocation ménagère ? L'opposition entre le fuseau (ou la quenouille), emblème de la condition féminine, et la plume reparaît dès qu'il s'agit d'éducation de la femme.

Si on l'instruit, faut-il craindre que le savoir la rende capable d'affirmer son pouvoir, donc sa domination? Ce qui reviendrait à subvertir l'ordre social. Les apologies de la supériorité féminine, fréquentes au cours de la querelle des femmes, on l'a vu, relèvent du paradoxe dans une société où la supériorité masculine ne fait pas de doute. Et du monde à l'envers, dont les représentations caricaturales opposent à l'homme, tenant la quenouille ou berçant un enfant, la femme en robe de docteur ou tenant une épée. Ainsi ne paraissent-elles pas dangereuses. Quant à l'égalité des sexes, il n'en est jamais question.

Le point de vue d'Agrippa d'Aubigné, écrivain d'une prodigieuse culture, dans la lettre qu'il adresse à ses filles sur «les femmes doctes de notre siècle», est tout à fait représentatif des réactions des hommes de son temps devant l'aspiration des femmes au savoir : «Je ne blâme pas votre désir d'apprendre avec vos frères, écrit-il ; je ne le voudrais détourner ni échauffer et encore plustost le premier que le dernier.» Et après avoir passé en revue les doctes contemporaines les plus illustres, il finit par déconseiller à ses filles de chercher un savoir, «presque toujours inutile aux Damoiselles de moyenne condition comme vous». Qu'en feront-elles une fois mères? «Quand le rossignol a des petits, il ne chante plus.» Si les lettres sont nécessaires aux princesses, obligées par leur condition «à la connaissance, aux gestions et autorités des hommes», il redoute pour ses filles qu'une élévation démesurée «hausse le cœur aussi», autrement dit les rende orgueilleuses, d'où un mépris du ménage, celui d'un mari qui n'en sait pas tant, et la dissension entre les époux.

L'accès à la culture était reconnu de plein droit aux princesses et aux femmes de haut rang. Ne détenaient-elles pas, par leur position sociale, un certain pouvoir qui les rapprochait des hommes? Elles pouvaient donc accéder au savoir. A la cour de France, l'instruction des princesses fut facilitée par la tradition culturelle des Valois-Angoulême. Marguerite, la sœur de François Ier, reçut les leçons des précepteurs de son frère. Les filles d'Henri II et de Catherine de Médicis eurent des précepteurs particuliers (leur rôle était surtout intellectuel). Celui d'Élisabeth, Claude Sublet, la suivit dans son royaume quand, à quinze ans à peine, elle devint reine d'Espagne. Sa sœur, Marguerite de France eut tour à tour deux précepteurs. Elle reçut sans doute avec le futur Henri III les leçons d'Amyot. Et à vingt-cinq ans, partant pour la Gascogne retrouver son mari en 1578, elle choisit un précepteur pour l'accompagner. Le frère et la sœur souhaitèrent d'ailleurs, à l'âge adulte, reprendre et perfectionner leurs études.

Mais ce droit à la culture n'était pas communément admis dans toutes les classes de la société. On compte certes à la Renaissance plus de femmes lettrées qu'à aucune autre époque antérieure : princesses qu'on donne toujours en exemple, Marguerite de Navarre, Marguerite de Valois ou Marie Stuart, nobles et bourgeoises, parisiennes ou provinciales, femmes et filles d'imprimeurs, etc. Qu'une élite féminine, recrutée dans les milieux de la noblesse ou de la bourgeoisie ait eu accès à la culture et qu'on lui en ait volontiers reconnu le droit est indéniable. Cependant, dans les classes sociales aisées, le destin intellectuel de la femme varie très sensiblement en fonction du milieu. Si diverses qu'apparaissent l'éducation et l'instruction des femmes à la Renaissance, leur but reste identique. Être bonnes chrétiennes, épouses et mères, telle est leur vocation. Quant à l'enseignement qu'on leur dispense, il est inspiré par la méfiance de la nature féminine et vise avant tout à les prémunir contre leur faiblesse naturelle, à les tenir toujours occupées pour les préserver des tentations de l'oisiveté qui mène les filles aux pensées les plus pernicieuses. Il faut la proscrire à tout prix. Très révélateurs de cette mentalité, *Les Triomphes de la noble et amoureuse dame* de Jean Bouchet consacrent quelques pages à définir «comment les pucelles se doivent contenir en leur virginité», la chasteté étant la plus essentielle de leurs qualités. Elles doivent éviter toutes «occasions mauvaises, c'est à savoir être baisées et tâtées», sinon lorsque le père ou la mère le requiert, ne jamais se trouver en lieux secrets sans honnête compagnie, fût-ce avec leur frère, se garder des lettres missives, ballades, rondeaux, dons et présents. Toute parure excessive, et le fard bien sûr, leur est interdite.

Mais la grande masse des femmes petites-bourgeoises, artisanes et paysannes, qui partageaient avec les hommes les tâches les plus pénibles, est restée dans l'ignorance, comme eux d'ailleurs. Et personne ne songeait à ériger en droit et en devoir un savoir pour toutes, même modeste, qu'on admirait chez quelques-unes. L'instruction de la femme du peuple n'est évidemment jamais envisagée. Le moraliste Jean Bouchet estime impossible pour celles qui sont contraintes de «vaquer aux choses domestiques, de vaquer aux lettres, parce que c'est chose répugnante aux femmes de bas état et à la rusticité». Quant aux femmes de «moindre qualité», François de Billon souligne que lorsqu'elles cultivent le jardin du savoir, elles le font comme à la dérobée, et «nonobstant les épines de prohibition paternelle».

En société, la jeune fille, «honteuse», se doit de garder les yeux baissés, être peu parlante : on reconnaît les débauchées à ce qu'elles regardent en face et parlent trop. Toujours occupée, elle doit sans cesse filer, coudre, tisser, s'adonner à tout autre ouvrage convenable à son état, fréquenter l'église, les jours ouvrables et les jours de fête, ou faire quelque lecture spirituelle ou morale. On la tiendra, le plus qu'il se pourra, solitaire, recluse en la maison. Ainsi point de mauvaises compagnies, de danses déshonnêtes, et de mondaine éloquence. Il lui faut, avec humilité, prendre plaisir à être corrigée par ses père et mère et se garder de toute familiarité à l'égard des serviteurs, auxquels elle ne fera aucune confidence.

Dévote, obéissante, elle laissera à ses parents le soin de lui choisir un mari. Enfin, dernière de ces conditions indispensables à son bon comportement, elle doit être sobre, peu manger et boire, s'abstenir de vin, jeûner à tout le moins une fois par semaine, tenir ses vêtements bien nets, non par orgueil mais pour l'honneur de Dieu et pour trouver un mari, le dehors trahissant le dedans.

L'AVIS DES HUMANISTES

La formation intellectuelle ne tient guère de place dans l'éducation de la jeune fille accomplie selon Jean Bouchet, dont l'ouvrage connut un succès durable et de nombreuses rééditions. Si elle ne suscite pas beaucoup d'intérêt en France, elle ne paraît pas négligeable à deux grands humanistes de réputation européenne, le Hollandais Érasme et l'Espagnol Juan Luis Vives, qui appartiennent à la génération de Jean Bouchet, celle qui précède la Pléiade. Les problèmes de la vie féminine ont souvent été abordés par Érasme. Son *Institution du mariage chrétien* ne fut pas traduite du latin au XVIe siècle, mais trois de ses *Colloques*, publiés en latin dès 1518, furent diffusés en français. Clément Marot traduisit vers 1535 *La Vierge mesprisant mariage* et *L'Abbé et la Femme savante*, Barthélemy Aneau la *Comédie ou Dialogue matrimonial* en 1541. Vives est le premier à publier un traité complet de la vie féminine. Favorable comme Érasme à l'instruction des filles, tout comme les siennes, ses réflexions sur l'éducation à leur donner relèvent d'une préoccupation beaucoup plus large, celle d'une nouvelle définition du rôle de la famille dans la vie sociale, d'une même volonté de revaloriser l'institution matrimoniale, et de ce fait, le rôle de l'épouse et de la mère.

Vives cherche constamment à réprimer les mauvais penchants de leur nature. On peut, dit-il, proposer en un seul volume les commandements de la femme de bien, «car sa condition est une, à l'inverse des hommes, qui ont tant d'offices divers». Dès sept ans – l'âge où garçons et filles sont soigneusement séparés –, on lui inculquera donc à la fois le goût et la pratique du gouvernement de la maison, la «science du ménage», dira Montaigne, devant être «sa maîtresse qualité». En même temps, on l'initiera à la lecture, mais les travaux domestiques l'occuperont toujours bien davantage. Vives déconseille de donner aux filles des poupées, leur préférant de petits ustensiles de cuisine qui font prendre très tôt le goût du ménage.

Selon un vieil adage, la mère nourrit, le père instruit. Érasme souhaite que l'un et l'autre soient des éducateurs. Il faut d'abord, selon lui, préparer l'enfant comme un terrain, jusqu'à sept ans, à recevoir la semence des préceptes. Une bonne santé prédispose à une judicieuse formation de l'esprit. Plus exposée que le garçon parce que son esprit serait plus faible, la petite fille réclame plus d'attention. Il s'en prend avec virulence à l'extravagance des ajustements imposés aux filles, comme si elles étaient des singes ou des poupées, aussi nuisible à une bonne hygiène que favorable au développement de la vanité.

Aux filles pauvres, le fuseau et la quenouille, aux plus riches la tapisserie, prescrit Érasme. Vives, lui, veut qu'une femme connaisse, quel que soit son rang, toutes les tâches de son sexe et assure que la reine Isabelle et ses filles y excellaient. L'art culinaire n'est pas à négliger, non plus que l'économie domestique, ni la médecine usuelle.

Érasme convient des avantages de l'éducation ménagère. Mais il prise plus encore la culture intellectuelle, à laquelle il attribue une influence décisive sur la formation de l'esprit et du cœur. Aussi pense-t-il que seul le «vulgaire ignorant» juge inutile pour les filles de s'initier aux belles-lettres. Il est presque le seul, parmi les humanistes, à concevoir l'amertume des femmes auxquelles on refuse l'accès à la connaissance. Dans un de ses *Colloques*, il met aux prises un abbé ignare et très «lourdaud» qui philosophe avec une femme sachant le latin et le grec. Aux railleries de l'abbé, Ysabeau finit par répondre que «force femmes se trouveront / qui aux plus clercs savants disputeront» et le met en garde : «Il adviendra, dit-elle, qu'à votre nez / Aux écoles présideront / En pleine église prêcheront / Et auront vos mitres et vos crosses.»

Quant à Vives, il estime que l'instruction intellectuelle fait partie de la préparation au mariage. Il lui consacre les chapitres III et IV du livre I de son *Institution*, «La pucelle». Comme Érasme, il s'inscrit en faux contre le préjugé selon lequel la femme met son savoir au service du mal, et très précisément de l'impudeur. Puisque les hommes se perfectionnent par la science des lettres, pourquoi les femmes n'en feraient-elles pas autant ? L'étude, qui occupera toute l'âme de la jeune fille, la gardera de l'oisiveté, et des divertissements frivoles.

La connaissance, selon le principe socratique, mène à la vertu. Or la vertu pour une femme est identifiée à la chasteté et à la pudeur. Instruite, elle ne la préservera que mieux et saura distinguer le bien du mal. L'argument est nouveau : «Voudriez-vous la plus ignare être la meilleure ?» Autrement dit, l'ignorance des femmes sert-elle vraiment les intérêts des hommes ? Et si l'instruction leur est refusée, autant les envoyer vivre aux champs, pour les rendre tout à fait stupides.

L'ÉDUCATION DES FILLES

Le ton change dès qu'il s'agit d'établir un programme d'études. Les romans lascifs sont sévèrement proscrits. Foin des *Tristan*, des *Lancelot*, des *Amadis*, des facéties du Pogge et des contes de Boccace, passe-temps inutiles, «fables et inventions de mensonges composées par gens oiseux, ignorants et vicieux» (I, IV). L'étude des langues anciennes est exclue (une élite très restreinte peut être initiée au latin), les poètes latins et grecs qui parlent d'amour jugés dangereux. Restent les livres de piété, les Pères de l'Église – Érasme souhaitait aussi que les femmes lussent l'Évangile et les Épîtres de Paul – et quelques ouvrages philosophiques, ceux de Platon, Cicéron, Tertullien ou Sénèque.

Montaigne n'est pas Vives et ne borne pas aux lectures pieuses la curiosité féminine. Il avoue que la poésie, «art folâtre et subtil» (*Essais*, II, VIII), convient aux dames. L'histoire, la philosophie peuvent leur être utiles et leur offrent, sinon un recours contre l'injustice masculine, à tout le moins la résignation. Mais si la culture leur confère un charme supplémentaire, faire étalage d'une science mal comprise qui, faute d'arriver en leur âme, «leur demeure en la langue», lui paraît une coquetterie blâmable. Chez les hommes, comme chez les femmes, Montaigne hait l'artifice. Il leur suffit d'être naturelles, dit-il, de se laisser guider par leur intuition. Aussi l'éducation devrait-elle consister, selon lui, à «éveiller et réchauffer les facultés qui sont en elles. Elles ne se connaissent pas assez, le monde n'a rien de plus beau». Donc point de rhétorique, de logique, de droit, «drogueries vaines» dont elles ne sauraient que faire. Quant à la théologie, elle passe leur entendement.

Tous les efforts des éducateurs, fort défiants à l'égard de la nature féminine, visent à préserver la virginité de la jeune fille qu'elle doit livrer intacte au mari. Perdre cette «intégrité» est la pire atteinte qu'elle puisse porter à sa réputation. Vives n'a pas assez d'injures pour condamner «l'ordure» de celles qui commettent ce forfait, pour montrer l'horreur des punitions qu'elles encourent. Ce faisant, il exprime le sentiment général. Toute la littérature du temps en porte témoignage, dont le moralisme intransigeant fustige, sur le mode comique ou tragique, tant de pauvres filles séduites que la perte de leur honneur jette dans le désespoir. Comment combattre cette facilité des femmes à s'abandonner à la passion ?

Suffit-il de leur interdire, comme l'exigent Vives et d'autres conteurs, danses et bals masqués, où aucune n'est assez femme de bien pour conserver son honneur ? de les tenir enfermées, retirées en la maison, fuyant sorties et assemblées ? et de recourir aux châtiments corporels ? Montaigne, là-dessus, comme sur bien des points, entre en désaccord avec les éducateurs de son temps. Il légitime l'appétit des jeunes filles pour la compagnie, estimant que la meilleure sauvegarde est de laisser «bonne partie de leur conduite à leur propre discrétion». La contrainte imposée ou même consentie pour se donner l'air sage n'est qu'un masque et ne fonde nullement la vertu.

L'éducation des femmes lui paraît généralement mal conduite. On les oblige à cultiver dès l'enfance «l'art de cette honte virginale, une froideur rassise». On exige qu'elles fassent profession d'ignorance des choses «qu'elles savent mieux que nous qui les en instruisons». Et le père d'avouer, avec un sourire faussement scandalisé, son étonnement lorsqu'il surprit sa fille conversant avec des compagnes en toute liberté ! Donc, point de vaine «superstition de paroles» qui n'est qu'hypocrisie. «Nous avons appris aux dames de rougir entendant seulement nommer ce qu'elle ne craignent aucunement à faire.» Hypocrisie encouragée, à vrai dire, par la société masculine, dont le plaisir s'accroît avec le désir de triompher de «toute cette cérémonie».

Montaigne impute aussi à l'éducation qu'on donne aux filles, non à leur malignité naturelle, leurs tentations et leur désir de plaire. «Nous les dressons, dit-il, dès l'enfance aux entremises de l'amour... Toute leur instruction ne regarde qu'à ce but. Leurs gouvernantes ne leur impriment autre chose que le visage de l'amour, ne fût-ce qu'en le leur représentant continuellement pour les en dégoûter». Et il accorde plus de crédit à une continence née du sentiment de la dignité personnelle qu'aux rigueurs d'une discipline imposée par la contrainte. L'étude, qui aide à la formation du jugement, ne peut-elle contribuer à faire naître ce sentiment? Toujours est-il que, s'il apprécie fort le «commerce des dames» – qu'il préfère «un peu privé» –, il avoue que celui des hommes – intelligents bien sûr – est plus satisfaisant pour l'esprit.

Si libéral qu'il paraisse en regard de nombre de ses contemporains, l'auteur des *Essais* admet implicitement comme eux la supériorité intellectuelle du sexe masculin. Aux yeux des éducateurs, des plus rigoristes aux plus éclairés, il s'agit toujours de donner aux femmes l'accès à des domaines bien délimités d'un savoir judicieusement filtré et contrôlé par les hommes.

L'éducation idéale, qui prépare la jeune fille au rôle d'épouse, doit également la préparer à son rôle de mère. Celui-ci constitue l'un des plus essentiels pouvoirs féminins. La campagne en faveur de l'allaitement maternel menée au cours du siècle met l'accent sur l'importance du rôle de la nourrice, aussi déterminant selon le médecin Vallambert et le savant Scévole de Sainte-Marthe que celui du pédagogue : l'hérédité morale est transmise par le lait, le contact physique favorise le lien avec la mère, institutrice et préceptrice, lien fondamentalement utile, car c'est elle qui donne à l'enfant les premiers rudiments de la langue.

LIEUX D'ÉDUCATION

Où et comment les filles peuvent-elles acquérir une instruction convenable, qu'on ne songe plus à leur refuser? La question ne se pose vraiment que dans certains milieux, parmi les classes les moins favorisées.

Pour la majorité des filles, c'est à la maison, auprès de la mère que se fait leur apprentissage des travaux domestiques, souvent doublé d'un apprentissage professionnel dans l'atelier ou la boutique du père. En milieu rural et en ville, elles peuvent fréquenter la petite école où l'on enseigne – dans cet ordre – le catéchisme, le calcul, la lecture, puis l'écriture, moyennant un «écolage», trop cher pour la plupart des familles pauvres. A la campagne, l'école, s'il y en a une, est souvent mixte. Dans les centres urbains, l'existence d'écoles de filles séparées de celles des garçons est attestée par les cahiers de doléances. A Paris et dans les grandes villes épiscopales, elles sont payantes et dépendent de la cathédrale. La mixité y est interdite. Les écolières se recrutent parmi les familles d'artisans et de petits-bourgeois. On apprend d'abord à lire. L'initiation à l'écriture vient dans un second temps, lorsque la lecture est bien maîtrisée, et nombre de maîtresses ne sont pas suffisamment expertes en l'art d'écrire pour l'enseigner.

Les maîtresses, au contraire des maîtres, ne peuvent enseigner qu'aux filles. Elles sont d'ailleurs fort peu nombreuses. A Lyon, pour les années 1490 à 1570, Natalie Z. Davis en a compté 5, contre 87 maîtres d'école. Les conteurs signalent leur penchant pour la boisson. Érasme déplore leur ignorance, presque générale, et s'indigne qu'elles aient l'audace d'enseigner parfois aux garçons.

La licence de tenir école est délivrée tous les ans par le chantre de la cathédrale, assortie des droits à payer à la confrérie. Si la séparation des sexes n'est pas observée, l'autorité ecclésiastique sévit par la suppression de la licence, puis, en 1570, par l'excommunication : menace apparemment sans effet, à en juger par la fréquence avec laquelle cette interdiction est tournée ou bravée. Certaines communautés villageoises ou urbaines qui peuvent tout juste subvenir aux frais d'une école n'ont pas les moyens de multiplier par deux cette dépense pour ouvrir une école de filles.

Si la jeune fille appartient à une famille noble ou de bonne bourgeoisie, elle peut bénéficier, aux côtés de ses frères, des leçons d'un précepteur, comme les princesses. Ce fut le cas des trois filles de Thomas More, instruites exactement comme leur frère dans leur demeure londonienne. Il arrive qu'un père libéral – mais il s'agit plus souvent d'une mère lettrée – veille sur sa formation intellectuelle, à laquelle contribuent des gouvernantes, dont la qualité dépend du choix des parents, de l'idée qu'ils se font de l'éducation. La supériorité de la surveillance maternelle est universellement reconnue. Ainsi la fille de Montaigne, Léonor, fut-elle élevée par sa mère, avec l'aide de gouvernantes, et l'on dut recourir, pour l'instruction proprement dite, à des leçons particulières.

Le couvent aussi peut être un lieu d'éducation. Bien des familles y envoient leurs filles dès l'âge le plus tendre : l'héroïne de la nouvelle XXII de l'*Heptaméron*, Marie Héroët, y entre à cinq ans. Mais en l'absence d'ordres religieux spécialisés, au couvent comme dans la famille, les conditions de cette éducation sont loin d'être uniformes. Elle peut ne pas être toujours orientée vers la vie monastique, et viser à préparer la jeune fille au genre de vie convenable à sa naissance. Dans certains couvents, le relâchement auquel la Contre-Réforme s'efforcera de remédier encourage la vie mondaine et restreint souvent l'instruction à peu de chose. L'influence d'une abbesse cultivée, comme Anne de Marquets, incite parfois les pensionnaires à consacrer à l'étude les loisirs laissés par les devoirs religieux. Les familles qui mettent très tôt leurs filles au couvent, non seulement les font instruire à moindres frais, mais escomptent le plus souvent qu'elles entreront en religion. Belle économie, car la dot payée au couvent est moins coûteuse que celle à donner au mari.

UNE INSTRUCTION RELIGIEUSE LIMITÉE

Épouse et mère, la femme qu'on se soucie de former doit être avant tout une bonne chrétienne. Dès le début du siècle, les évangéliques comme Érasme, conseillent vivement aux femmes la lecture de l'Ancien et du Nouveau Testament. La Réforme, en faisant de la lecture et de l'étude de la Bible le premier devoir du chrétien, devait favoriser l'instruction féminine, liée à la foi religieuse. On a beaucoup raillé la science des huguenotes, qui se mêlaient de raisonner sur l'Écriture sainte. Ainsi Remi Belleau, dans la comédie *La Reconnue*, se moque-t-il du goût de la dispute théologale qui atteint jusqu'aux femmes les plus humbles : « La nouvelle Religion / A tant fait que les chambrières / Les savetières et tripières / En disputent publiquement. » Cette science appelle en fait bien des réserves comme l'a montré Natalie Z. Davis. Elle se borne souvent soit à la connaissance de versets entendus, soit à la simple lecture.

Rares sont les réformées capables d'écrire ou même de signer de leur nom.

Luther demande des écoles pour les filles comme pour les garçons, ne serait-ce qu'une petite heure par jour, mais assigne à l'éducation féminine des limites très strictes : elle doit lui permettre de diriger son ménage et d'élever chrétiennement ses enfants, sans plus. Moins exigeant, Calvin attend simplement de la femme qu'elle soit chaste, économe, patiente et bonne garde-malade. Avec le pasteur Pierre Viret, et bien d'autres, il interdit aux femmes de prêcher et d'enseigner. A partir de 1560, se multiplient, dans les articles des synodes nationaux et provinciaux l'interdiction de faire des lectures ou des prières publiques.

Luther et Calvin se préoccupent pourtant de rédiger en langue vulgaire, Luther un *Petit Catéchisme dialogué*, Calvin un *Formulaire d'instruire les enfants en la chrétienté* destiné aux enfants des deux sexes, dont l'influence en France fut considérable. L'instruction populaire ne devait guère progresser cependant. En 1590, Henri IV constatait que «l'ignorance prenait cours dans le royaume par la longueur des guerres civiles».

Quant aux catholiques, ils se montrent violemment hostiles à l'ambition intellectuelle des femmes en matière de théologie : ce savoir passe leur entendement. A Montaigne fait écho Ronsard déplorant, dans la *Remontrance au peuple de France*, que les «femmes fragiles, interprètent en vain le sens des Évangiles / Qui devraient ménager et garder la maison». Pour discréditer le protestantisme, il tente de l'associer à la faiblesse morale et intellectuelle du sexe féminin. Seul se laisse séduire le «vulgaire innocent», les femmes, en somme «Ceux qui savent un peu, non les hommes qui sont / D'un jugement rassis et d'un savoir profond».

Parmi les méfaits de l'hérésie réformée, la polémique catholique dénonce celui d'encourager l'orgueil des femmes qui leur fait désirer le savoir, et de causer ainsi leur dépravation.

La Contre-Réforme favorise la parution de traités d'éducation féminine d'un esprit très différent de l'*Institution* de Vives. Le *Discours chrétien contenant une remonstrance aux parents* (1578) de Mathieu de Launoy est très caractéristique des principes qui guident ces éducateurs. Fort défiant à l'égard de la nature féminine, soucieux de prémunir les filles contre leurs dangereux penchants, Launoy propose une éducation adaptée à une vocation sociale bien définie, selon le sexe et la condition. S'il admet en principe que filles et garçons ont d'égales capacités intellectuelles, il estime que certaines disciplines sont convenables seulement à l'un ou à l'autre sexe. La femme doit se conformer à sa vocation naturelle selon une hiérarchie établie par la Providence divine. Le savoir qu'on lui dispense doit être soigneusement choisi en fonction de sa condition. Launoy veut avant tout légitimer l'humilité féminine par la conscience de sa culpabilité originelle et se méfie de la femme savante qui s'enfle d'orgueil. Comme elle a «en horreur la condition de son sexe», elle recherche les sciences «non communes aux femmes». D'où la nécessité pour les pères et les maris d'exercer un contrôle vigilant sur des créatures susceptibles de contribuer à la corruption des mœurs et de la religion.

Le droit à l'étude

On conçoit que les femmes, face à une mentalité collective fortement marquée par la défiance masculine, aient protesté et revendiqué. Il est vrai qu'à la Renaissance, comme on l'a noté à l'époque des suffragettes, elles «ne soulèvent aucun pavé», ne lancent aucune Déclaration des droits de la femme et de la citoyenne. Bien que les lois ne leur soient généralement pas favorables, elles ne réclament pas qu'on les amende.

Il est pourtant des revendications qu'elles ont formulées clairement. L'une des plus fréquentes et des plus pressantes est celle du droit à l'étude. La floraison d'œuvres féminines apparues dans les milieux aristocratiques et bourgeois, comme le personnage de la «femme docte» vantée par nombre de voix masculines en témoignent. A en croire Rabelais, chantant avec enthousiasme les temps nouveaux, les «filles et les femmes ont aspiré à cette louange de bonne doctrine [science]». «Bibliothèques» et catalogues de femmes illustres entonnent à l'envi l'éloge des dames, de l'Antiquité à l'époque contemporaine, dédicaces et préfaces attestent l'intérêt des grandes dames, reines et princesses, pour les domaines les plus variés de la production romanesque, historique, philosophique et même scientifique.

Faut-il lire ces textes comme des témoignages de l'émancipation culturelle des femmes à la Renaissance? L'éloge de la femme docte obéit, sous les plumes masculines, à des mobiles qu'on ne saurait toujours qualifier de féministes. Beaucoup d'écrits relèvent encore de la polémique traditionnelle de la Querelle où est exaltée l'excellence – voire la supériorité – du sexe féminin. D'aucuns font de la femme savante un argument propre à glorifier le temps présent et le progrès des lettres. D'autres enfin cherchent à s'assurer la bienveillance de généreuses protectrices.

En fait, la plupart des femmes attirées par le savoir et par l'humanisme appartenaient à une élite sociale – familles royales, aristocratie, et société de cour – ou à des milieux intellectuels spécifiques, comme les familles d'érudits ou d'imprimeurs. Mais cette élite a suffi à susciter l'admiration des contemporains. La plus illustre des femmes savantes de son temps, Marguerite de Navarre, n'a pas revendiqué ouvertement dans ses œuvres l'accès au savoir, sans doute parce qu'il était reconnu de plein droit aux princesses, et nécessaire à leur condition. Mais elle prêchait d'exemple et Charles de Sainte-Marthe, dans l'oraison funèbre de la reine, se fait l'interprète de sa défunte maîtresse en affirmant que refuser aux femmes l'étude de la philosophie et des sciences profanes, c'est avoir tout à fait « perdu le sens, le jugement et la raison ». Ce véritable plaidoyer en faveur de l'instruction féminine, il le déclare lui-même, va lui attirer de véhémentes critiques. Mais il ne croit pas que vertus masculines et vertus féminines soient toujours identiques, pas plus que le rôle traditionnel des deux sexes, même si leur instruction intellectuelle est la même. L'*Heptaméron* le confirme.

Ce que Marguerite a expressément revendiqué, ses poèmes religieux et ses comédies le prouvent, c'est le droit et le devoir pour une femme de lire et d'interpréter la Bible et les commentaires de la Bible. Elle s'attira ainsi les foudres des « sorbonniqueurs ». Une littérature de « complaintes » traduisit, par la plume d'Henri Estienne et Étienne Dolet notamment, les doléances des femmes auxquelles on interdisait la lecture des textes sacrés en langue vulgaire.

La personnalité de Marguerite exerça, à coup sûr, une influence décisive sur la promotion de la femme. Vers 1557, à l'âge de quatorze ou quinze ans, Marie Stuart, rapporte Brantôme, pouvait déclamer, devant toute la cour au Louvre, une oraison (discours) en latin, qu'elle avait faite pour soutenir et défendre, contre l'opinion commune, qu'il était bienséant aux femmes de savoir les lettres et les arts libéraux.

Mais, plus énergiquement encore que les princesses ou les grandes dames humanistes, ce sont les femmes auteurs qui, dès le premier tiers du XVIe siècle, vont revendiquer le droit à l'étude, à la même formation intellectuelle que les hommes. Il va de pair avec l'aspiration à la création littéraire.

La célèbre *Épître dédicatoire* de Louise Labé, véritable manifeste culturel et féministe, répond à ces espérances. Mais cette fois, c'est la poétesse elle-même qui s'exprime. Dans cette préface, hymne à la liberté et exaltation des valeurs de l'esprit, elle réclame pour les dames le droit de «s'appliquer aux sciences et disciplines que leur refusaient jusqu'alors les sévères lois des hommes», rejetant dans le passé, avec un bel optimisme, l'époque où le sexe féminin a tant désiré «cette honnête liberté d'apprendre». Elle souhaite en somme pour toutes les femmes ce qui n'était accepté que pour les princesses, en même temps que la reconnaissance du fait que les capacités intellectuelles des femmes sont égales à celles des hommes.

Toute l'*Épître* de Louise Labé témoigne d'une haute estime pour les valeurs intellectuelles, dont elle attend «bien, honneur et gloire». Parvenir à la gloire, c'est aussi la récompense escomptée par les poètes et les écrivains de la Renaissance, mais ce n'est pas le but recherché par les humanistes les plus éclairés favorables à l'éducation féminine : ils y voient une préparation à un mariage réussi. C'est à l'épanouissement de sa personnalité que Louise veut voir servir l'acquisition du savoir.

La science (entendons la culture) est la seule qualité que la femme possède en propre. Les charmes empruntés aux parures traditionnelles, les biens matériels lui appartiennent seulement «par usage», la beauté lui est enlevée par la vieillesse. Aussi, en s'adressant à Clémence de Bourges, Louise Labé veut-elle engager toutes les femmes, celles du moins qui en ont la «commodité», à cultiver les «sciences vertueuses». Sans tracer de programme précis, elle n'établit aucune distinction entre éducation masculine et éducation féminine, aucune non plus entre les fins qu'elle se propose, réclamant l'égalité des sexes dans l'apprentissage comme dans la création. Ce qu'elle espère, c'est l'entrée des femmes dans le monde masculin.

Sans dénier aux hommes le droit de commander ou de gouverner, elle incite encore les vertueuses dames à prendre la place qui leur revient dans la société, celle de «compagnes tant ès affaires domestiques que publiques», non de servantes confinées dans les tâches de la maison. «Outre la réputation que notre sexe en recevra, affirme-t-elle, nous aurons valu au public que les hommes mettront plus de peine et d'étude aux sciences vertueuses de peur qu'ils n'aient honte de voir précéder celles desquelles ils ont prétendu être supérieurs quasi en tout». L'enrichissement culturel des femmes devrait donc provoquer chez les hommes une louable émulation pour le plus grand profit de la société tout entière.

On ne sent chez Louise Labé aucune agressivité à l'égard du sexe masculin. Le ton change dans les œuvres des dames des Roches, savantes bourgeoises poitevines des années 1570. Madeleine, confiante dans «la lettre» qui permet aux femmes d'échapper à leur condition inférieure, ne cache pas son amertume.

La liberté d'apprendre, faut-il croire, n'était pas si communément admise puisque vingt ans plus tard Madeleine déplore encore l'injuste répartition des devoirs entre les femmes et les hommes. Ceux-ci, dit-elle dans l'*Épître à ma fille*, abusent du pouvoir, que leur a toujours conféré l'usage «contre raison et contre l'équité», de s'arroger la meilleure part, «les joies de l'esprit», en n'octroyant à leurs compagnes que «le fuseau pour la plume». Aussi rappelle-t-elle à sa fille Catherine le «devoir» de l'étude et le «pouvoir de la lettre». Le vœu de la dame des Roches rejoint ainsi l'exhortation de Louise priant «les vertueuses Dames d'élever un peu leurs esprits par-dessus leurs quenouilles et fuseaux».

Catherine élève les mêmes protestations que sa mère. Elle veut «aux hommes faire veoir / Combien leurs loix nous font de violence». Son poème, *Agnodice*, débute par une introduction de soixante lignes sur le thème de l'envie. C'est cette passion destructrice qui a animé «les âmes / Des maris qui seront les tyrans de leurs femmes / Et qui leur défendant le livre et le savoir / Leur osteront aussi de vivre le pouvoir». Le thème de l'envie, familier à la poésie de la Pléiade, est modifié par Catherine des Roches (l'envie devient exclusivement masculine) de même que le mythe d'Agnodice, emprunté au *Fabularum Liber* attribué à Hyginus, écrivain du siècle d'Auguste. La vierge athénienne, une guérisseuse (elle se déguise en homme pour étudier la médecine), devient l'héroïne qui délivre les femmes des maux du corps et de l'esprit. Elle triomphe de la jalousie des hommes, qu'elle convainc finalement «de faire étudier les dames du pays». La signification du mythe est claire : c'est par le savoir que les femmes découvriront la liberté. C'est à une femme qu'Agnodice la devra, ce qui implique la nécessité de la solidarité féminine.

Ce sentiment, dicté peut-être par la force étonnante des liens qui unissent les dames des Roches, était déjà présent chez Louise Labé. Son *Épître*, totalement dépourvue des allusions à la malveillance masculine qu'on rencontre dans la préface d'Antoine du Moulin aux *Rymes* de Pernette du Guillet, laissait entrevoir une société harmonieuse où hommes et femmes seraient associés dans les plaisirs intellectuels.

On ne retrouve plus chez les bourgeoises de la fin du siècle l'optimisme confiant de la poétesse lyonnaise. La réflexion sur les pouvoirs et les privilèges de l'éducation s'est approfondie, peut-être aussi la conscience de la frustration dont les femmes sont victimes. L'opposition entre la plume et la quenouille est un lieu commun des débats sur l'éducation et la culture féminine dans le milieu bourgeois. Comment des «personnes simples et ordinaires» peuvent-elles satisfaire à la fois aux exigences de la vie intellectuelle et à celles de leur vocation ménagère ?

Madeleine, qui avoue «aimer mieux écrire que filer», mais ne veut pas fuir les devoirs de sa «profession», se plaint d'être toujours déchirée entre des désirs contradictoires. Catherine, qui ne s'est pas heurtée aux mêmes difficultés que sa mère, prouve que l'on peut cultiver en même temps talents intellectuels et vertus ménagères. Dans deux dialogues en prose, *Placide et Sévère* et *Iris et Pasithée*, elle aborde le problème de l'éducation de la femme et de son rôle dans la société. Le *Dialogue de Placide et Sévère* oppose deux méthodes d'élever les filles. Sévère, misogyne convaincu, pourvu d'une «grosse beste» d'épouse et d'une «bestiole» de fille, dédaigneuse, effrontée et «trotière» (coureuse), veut maintenir les femmes dans l'ignorance et la soumission. A quoi bon cultiver les lettres puisqu'elles ne pourraient leur être utiles, comme aux hommes, dans l'acquisition de charges ou de bénéfices ? Trop de science chez une femme tourne au désavantage du mari, qu'elle n'en trompe que mieux. En dépit, ou à cause de ce refus d'élargir l'horizon féminin au-delà du fuseau et de la quenouille, Sévère essuie l'humeur acariâtre de sa femme et déplore la frivolité d'une fille qui n'en fait qu'à sa tête.

LES AVANTAGES D'UNE ÉPOUSE INSTRUITE

Face au père revêche d'Iris «l'éventée», Placide incarne le père idéal aux yeux de Catherine. Veuf d'une épouse accomplie, il a donné à sa fille une éducation libérale qui a porté ses fruits. Pasithée, qui s'entend fort bien aux choses du ménage, a des clartés de tout. Elle a lu la Bible, Platon, Sénèque et Plutarque en même temps que la *Ménagerie* de Xénophon (traduction de l'*Œconomique* par La Boétie). Bonne musicienne, elle compose au luth, sait assez de médecine pour soigner nourrissons et servantes et quelque peu de droit.

N'est-il pas utile à une femme de connaître le droit, rétorque Placide aux protestations de Sévère, pour pouvoir tester en faveur de son mari ? Sévère, époux d'une « grosse bête » est bien placé pour savoir que l'ignorance des femme tourne souvent au préjudice des maris. Quant aux livres, ils offrent le plus sûr remède contre l'oisiveté et l'ennui. Les nobles exemples qu'elle y rencontrera l'aideront à unir le savoir aux bonnes mœurs, à vivre dans la dignité sa condition d'épouse, sans l'empêcher d'« honorer » l'homme auquel elle devra obéissance.

Le mari n'a-t-il pas tout intérêt à trouver à ses côtés une aimable compagne dont la culture charmera ses loisirs ? Voire, mais une femme savante attire-t-elle plus qu'une autre les candidats au mariage, s'exclame le père grincheux ? Et Placide de s'indigner : quoi de plus haïssable que de dresser les filles à chasser le mari ? « Femme qui cherche Amour mérite qu'on la fuie. » C'est Catherine en personne qui proteste contre cette quête dégradante, et l'on sait que, malgré ses talents et la cour d'admirateurs qui fréquentaient le salon des dames des Roches, elle choisit le célibat.

Le second dialogue met en présence les deux jeunes filles, Iris et Pasithée. Iris, qui s'ennuie dans la demeure paternelle, se distrait en courant les aventures avec bon nombre de galants qui n'épousent point et la courtisent un moment avant d'aller se faire tuer à la guerre. Elle ne tardera pas à s'éclipser pour rejoindre l'un de ces « éventés » qui l'attend à la porte et n'aime guère les « sçavantes ». Iris a de quoi lui plaire, car toute lecture la rebute, même celle de l'almanach. Pasithée tentera de lui démontrer l'inutilité de courir les fêtes et les banquets, et de se mettre en quête de « serviteurs » pour fuir l'ennui dont l'étude l'affranchirait. Mieux vaut rechercher les plaisirs de l'esprit pour être aimé d'un ami honnête et savant, car « chacun aime ce qui lui ressemble ». Mais elle parle en vain et reste seule, comme Catherine, entre sa quenouille, son luth et ses livres. Résignation désabusée et aussi constat d'échec : la solitude guette la femme qui tente par la culture de gagner son indépendance.

Par le biais d'une opposition caricaturale, Catherine des Roches montre les fâcheux résultats d'une tyrannie paternelle sans discernement, tout en soulignant les avantages d'une éducation éclairée qui formera une épouse accomplie, dont la culture charmera les loisirs d'un mari. Culture qui ne la conduira d'ailleurs pas à mépriser sa quenouille, à laquelle Catherine a consacré un joli poème.

Ce programme d'étude, que ne désavoueraient pas un Érasme ou un Vives, correspond en tout point à l'idéologie humaniste masculine. S'il prouve que le savoir est compatible avec la «nature» féminine, il n'a pas d'autre ambition que de permettre l'accès à la vie intellectuelle, sans manifester la moindre révolte contre le rôle traditionnellement dévolu à la femme.

Marquée par l'idéologie dominante, la conception que les dames des Roches ou la poétesse Marie de Romieu se font d'une éducation apte à former l'esprit n'exclut pas le respect de l'idéal «mesnager» et l'acceptation souvent douloureuse d'une hiérarchie dans les rôles de l'homme et de la femme, celle-ci assurant une fonction «basse» à laquelle elle ne veut pas se soustraire tout en s'efforçant de la dépasser. D'où les conflits où se débat la conscience féminine. L'ardeur de l'appel à l'enrichissement de l'esprit, manifestée dans l'*Épître dédicatoire* de Louise Labé ou dans les *Colloques* traduits par Marot, était significative de l'explosion généreuse d'une Renaissance humaniste et de l'espoir d'une transformation de la condition féminine.

On s'attendrait à voir les femmes auteurs chercher en la Belle Cordière, leur célèbre devancière, une justification ou une caution. Il n'en est rien. Son nom disparaît des catalogues de femmes illustres dès la seconde moitié du XVIe siècle, il est effacé des discours composés par des femmes à la gloire de leur sexe. Dans son *Brief Discours de l'excellence des femmes* (1581), Marie de Romieu évoque des contemporaines, Hélisenne ou Marguerite, mais Louise Labé est oubliée. Catherine des Roches fait de même dans ses *Dialogues de Placide et Sévère* (1583). Faut-il imputer cette absence aux accusations d'impudeur, voire de débauche lancées contre la poétesse lyonnaise ? Peut-être. Plus vraisemblablement faut-il y voir une nouvelle image de la femme docte. Sage et vertueuse, elle n'affiche plus la liberté d'allure, l'indépendance de celle qui chantait avec la même ardeur l'exaltation des sens et les joies de l'esprit. Savante certes, revendiquant hautement le droit au savoir et à la gloire littéraire, elle entend manier la plume sans abandonner la quenouille, concilier aspirations légitimes et vertus domestiques, sans franchir les limites imparties par la morale traditionnelle.

Dans les *Dialogues* de Catherine et les poèmes de sa mère se devinent la réaction de l'autorité masculine, la méfiance et la peur de la femme savante dans cette seconde moitié du siècle où l'horizon s'est singulièrement assombri. Castiglione souhaitait chez la femme de cour une culture semblable à celle du gentilhomme, mais Bandello, son contemporain, n'écrivait-il pas déjà : «Si le monde changeait et si les femmes pouvaient un jour prendre la baguette en main et s'adonner à l'exercice des armes et des lettres dans lesquelles sans aucun doute elles ne tarderaient pas à exceller, malheur à nous!» Et la plupart des conteurs masculins de la fin du siècle lui font écho.

XIII

L'écriture au féminin

Les premières bibliographies nationales, celles de François de La Croix du Maine et d'Antoine du Verdier (1584), soulignent le rôle important des femmes doctes dans la vie littéraire du temps. En fait, de la première édition d'un texte de femme, en 1497 – le *Trésor de la Cité des Dames* de Christine de Pisan –, à la première édition de l'*Ombre de la demoiselle de Gournay*, la «fille d'alliance» de Montaigne, en 1626, seules 35 femmes auteurs ont été publiées, dont une vingtaine de leur vivant, et une dizaine ont connu une réelle célébrité. La Croix du Maine cite 46 noms de femmes adonnées aux lettres, dont toutes n'ont pas écrit, dans les 2 000 rubriques de sa *Bibliothèque*. Du Verdier, lui, soucieux de dresser un catalogue d'ouvrages français existants, ne cite que 30 noms féminins. Pourtant les écrits de femmes se sont multipliés et diversifiés dans la seconde moitié du siècle et une centaine d'entre elles en France ont laissé des traces de leur activité littéraire. Comment expliquer cette discordance entre la célébration enthousiaste des femmes doctes et la rareté de leurs publications ?

Faire acte d'écrire n'entraîne pas nécessairement le désir et le souci d'être imprimée. L'écriture peut s'apparenter à un divertissement élégant. Représentatives d'un milieu lettré, provincial ou parisien, princesses et grandes dames, bourgeoises appartenant à l'aristocratie intellectuelle témoignent la plume à la main de l'essor culturel d'un pays ou d'un groupe social qu'on veut célébrer à travers elles. La femme lettrée, selon La Croix du Maine, connaît les langues anciennes, pratique l'italien et l'espagnol, est excellente musicienne et cultive surtout la poésie. Qu'elle écrive, paraît être une forme de sociabilité plus qu'une vocation littéraire. L'étude devrait confirmer les femmes dans leur vocation « naturelle » sans aboutir à un changement des rôles dévolus aux deux sexes.

Pourtant des femmes auteurs ont énergiquement réclamé le droit de publier et de se faire connaître. Le livre va de pair avec la plume. La préface d'Antoine du Moulin à l'édition posthume des *Rymes* de Pernette du Guillet (1545) comporte une exhortation adressée aux dames de Lyon qui les invite, au nom du patriotisme lyonnais et de la dignité féminine, à suivre les traces de Pernette en imitant les dames lettrées d'Italie qui s'étaient déjà illustrées par la plume.

Or, prendre la plume, s'aventurer dans un domaine réservé aux hommes, où leur supériorité semble acquise, est une hardiesse insolite de la part d'une femme. Passe encore de « mettre ses conceptions par écrit », comme les y invite Louise Labé. Mais vouloir les « mettre en lumière », « montrer leurs louables œuvres » comme le demande Jeanne Flore, ne pas dédaigner la gloire et communiquer leurs écrits au public, est une transgression, c'est manquer à la pudeur féminine, au devoir impératif de modestie et de silence qu'on attend d'une femme de bien. Une publication risque donc de ternir sa réputation. Tel a été le cas de Louise Labé.

Ainsi s'explique le très petit nombre de femmes publiées à la Renaissance, et plus encore de celles qui ont entrepris de publier elles-mêmes leurs œuvres. D'où la nécessité de se justifier, et les précautions prises pour déjouer la malveillance. Ce que révèlent leurs préfaces. La plupart, disent-elles, destinaient leurs écrits à un public privé, parents, enfants, amis. La responsabilité de la publication leur a échappé. « C'est à mon insu et même contre ma volonté, écrit Anne de Marquets, qu'ils ont paru. Je ne cherchais dans cet exercice que mon seul contentement. »

Dans son *Épître dédicatoire*, Louise Labé elle-même, dont l'œuvre a d'abord circulé sous forme manuscrite, assure avoir cédé aux instances de « quelques amis » qu'elle n'a pas osé éconduire. Ce sont des hommes, des gens d'esprit, qui l'ont incitée à faire paraître des œuvres que « plusieurs gens savants par le monde » ont appréciées. Elle a d'autant moins à se justifier qu'un hommage collectif de vingt-quatre poèmes anonymes, *Écrits de divers poètes à la louange de L. Labbé Lyonnaise*, est adjoint à la fin de son édition.

Marguerite Briet (de son nom de plume Hélisenne de Crenne) et Jeanne Flore, sans doute, utilisent un pseudonyme. Lorsque la publication a été posthume, l'initiative en revient à un ami fidèle, l'un des membres de la famille; celle des *Rymes* de Pernette du Guillet, par Antoine du Moulin, l'a été «sur les instantes et affectionnées remontrances de son dolent mari», celles des *Poésies chrestiennes* de Gabrielle de Coignard par ses deux filles, en témoignage de leur admirative affection.

Conscientes de conquérir un domaine interdit, les femmes de lettres ont toutes senti qu'il fallait sacrifier au préjugé de l'humilité féminine, faire preuve d'une modestie qui fasse accepter leur audace. Attitude qu'elles conserveront bien au-delà du XVIe siècle durant l'Ancien Régime.

La dédicace d'une œuvre de femmes à une autre femme apparaît à la fois comme une garantie et une marque de retenue de la part de celle qui a besoin d'être encouragée, Louise Labé se choisit un «guide» en la personne de Clémence de Bourges, dont la condition élevée est à elle seule une recommandation. Les dames des Roches s'apportent une caution réciproque. Marie de Gournay, «fille d'alliance» de Montaigne, utilise le soutien posthume de l'auteur des *Essais* pour présenter son roman, *Le Promenoir de M. Montaigne*.

Elles peuvent également se dissimuler sous l'anonymat ou un pseudonyme. Catherine des Roches, elle, affirme n'avoir consacré à l'écriture que «le temps de sa plus grande oisiveté». D'autres assurent n'y chercher qu'un honnête passe-temps. Bref, il s'agit toujours de montrer que ce sont là œuvres sans conséquence, et sans prétention.

La prudence impose aussi à la femme qui prend la plume d'afficher une certaine dépréciation de ses écrits, qui ne sauraient égaler ceux du sexe fort. Hélisenne de Crenne, pour excuser sa maladresse, sa main «tremblante et débile», allègue que «notre condition féminine n'est tant scientifique que naturellement sont les hommes». Pernette déplore son manque de savoir, Jeanne Flore justifie les faiblesses de ses *Contes*. «C'est œuvre de femme, d'où ne peut sortir ouvrage si limé que celui d'un homme.» Louise elle-même, qui ne sous-estime pas ses dons, réclame l'indulgence pour sa «simplesse».

On citerait sans peine bien des déclarations semblables, d'aveux d'impuissance à s'exprimer, à bien «agencer son langage», etc., qu'il ne faut pas prendre trop au sérieux. Cependant, en dépit de toutes ces précautions oratoires pour désarmer la critique, Louise ou

Hélisenne se sont rebellées contre l'image conventionnelle de la femme humblement silencieuse dans la littérature et la poésie masculine. Lorsque, vingt ans plus tard, la femme auteur se fera moins vindicative et renoncera à toute liberté d'allure, Madeleine des Roches, dans sa préface, préviendra les reproches d'un lecteur supposé, avançant que «le silence est le seul ornement qui convienne aux femmes. Il peut bien empêcher la honte, mais non pas accroître l'honneur», rétorque-t-elle.

Ce droit d'être un auteur, de passer de l'écriture à l'impression, et d'en attendre de la renommée, les dames des Roches seront les premières dans les années 1580 à le mettre en pratique.

Dans le dernier tiers du siècle, et au début du XVIIe, le nombre de femmes auteurs se multiplie et elles trouvent des éditeurs diversifiés : Abel L'Angelier, Étienne Groulleau, etc. Pourtant, celles qui peuvent publier restent «du nombre de peu». Il est vrai qu'il faut jouir d'une certaine aisance pour passer par l'atelier de l'imprimeur et qu'au XVIe siècle on ne peut vivre de sa plume. Ce qui explique, dans une certaine mesure, que si beaucoup de femmes ont éprouvé la «volupté d'écrire», très peu ont réussi à se faire éditer. Aussi est-il difficile de mesurer exactement quelle a été alors l'importance de la production littéraire féminine. En fait, une bonne partie est restée manuscrite ou très tardivement publiée.

LE PLAISIR D'ÉCRIRE

Les femmes auteurs n'ont pas été détournées d'écrire pour autant. Ce que toutes ont affirmé bien haut, c'est l'intense jouissance de la création littéraire. Louise Labé en fait l'un des arguments les plus décisifs de sa préface, où reparaissent les termes qui évoquent ce plaisir, sans comparaison supérieur aux autres «divertissements». Ceux-ci aident seulement à passer le temps, écrire laisse un contentement durable. Priver les femmes de cette ambition littéraire, c'est leur ôter le plaisir «où l'âme se récrée». Si Louise tient pour une séduction supplémentaire de troquer paniers et coutures pour les plumes et les livres, pour plaire à ses amis poètes, elle savoure bien davantage des joies tout intérieures. Celles d'abord de prolonger l'aventure amoureuse par l'écriture : «Le plus grand plaisir qui soit après amour, c'est d'en parler», dit-elle dans le *Débat de Folie et d'Amour.*

Celle aussi d'aller à la recherche du temps perdu, car, affirme-t-elle avec des accents pré-proustiens, «le passé nous resjouit et sert plus que le présent». L'écrit vient au secours de la mémoire : il nous remet dans la «disposition où nous estions. Lors nous redouble nostre aise : car nous retrouvons le plaisir passé qu'avons eu, ou en la matière dont escrivons ou en l'intelligence des sciences où lors étions adonnés». Cette jouissance à recréer par l'art la présence du temps évanoui, à lui donner une réalité plus vraie, aucun poète de la Renaissance n'en a pris une conscience aussi aiguë, et en tout cas ne l'a manifestée.

Le plaisir d'écrire, ce singulier contentement, si souvent répété dans son œuvre, toutes les «écrivaines» contemporaines l'ont éprouvé. Plaisirs de l'esprit, plaisirs des sens, Louise et Hélisenne les revendiquaient au même titre que les hommes, et voulaient les chanter également, au mépris des conventions et sans aucun sentiment de culpabilité. Passion et talent poétique sont étroitement liés. Lorsque, sentant sa «voix cassée» et sa main «impuissante», elle ne pourra plus montrer «signe d'amante», c'est la mort que Louise priera de «noircir son plus clair jour» et qu'elle accueillera alors comme une délivrance. C'est un défi – et un paradoxe – que de réclamer l'honnête liberté de chanter l'amour et la sensualité dans un recueil destiné aux «vertueuses dames» et de prendre la parole en refusant qu'on parle en son nom.

L'épître liminaire des *Angoisses douloureuses qui procèdent d'amour* proclame tout au contraire l'intention moralisatrice qui préside à cette brûlante confession. Hélisenne y exhorte toutes «honnêtes Dames à bien et honnêtement aimer, en évitant toute vaine et impudique amour». Sa triste destinée doit mettre en garde les femmes contre les pièges de la passion et la malice des hommes. Mais, à vrai dire, la «délectation infatigable» que l'auteur trouve dans l'écriture, la joie de faire courir sa plume, le plaisir de se confier et de se confesser, qui apaise ses souffrances, ont engagé la romancière, on le devine, à entreprendre son œuvre bien plus que le désir d'édification.

A la différence de l'*Épître dédicatoire* de Louise, les *Epistres invectives* d'Hélisenne, lettres combatives, traduisent sa colère vengeresse à l'égard des hommes. Comme la Belle Cordière, elle revendique l'égalité sexuelle et intellectuelle avec eux. Mais elle le fait, par un renversement significatif, en attribuant au sexe fort, traître, dissimulateur, tous les défauts prêtés d'ordinaire aux femmes.

Et à l'appui de sa véhémente défense des dames, elle énumère, dans sa IVᵉ épître, de l'Antiquité à l'époque contemporaine, des noms de femmes héroïques ou savantes, «exerçant œuvres viriles», pourvues de toutes les qualités que s'arrogent les hommes, pour conclure par l'éloge enthousiaste de Marguerite de Navarre, dont «la splendeur à la condition féminine donne lustre».

Dans les deux premières décennies du siècle, ce qu'on nomme «le beau XVIᵉ siècle», seules sont éditées de 1497 à 1522, Christine de Pisan et Anne de France (ses *Enseignements* sont publiés en 1522), à la demande de sa fille, Suzanne de Bourbon. Mais dans les années 1530-1560, la France prend un remarquable essor culturel, auquel participent la littérature et surtout la poésie féminine. Si aucun des grands éditeurs humanistes – Robert Estienne, Josse Bade... – ne publie de textes féminins, Jean de Tournes à Lyon entre 1547 et 1555 édite Marguerite de Navarre, Pernette du Guillet, Hélisenne de Crenne, symboles de l'éclat des lettres françaises, et aussi de l'apparition d'un nouvel idéal féminin, encouragé par l'exemple et l'appui des princesses de la Cour.

DAMES LYONNAISES

Au milieu du siècle, les cercles lyonnais jouirent d'un prestige exceptionnel. L'ancienne métropole des Gaules occupait alors un rang au moins égal à celui de Paris la ville rivale, en tant que ville carrefour où les banquiers italiens côtoyaient les courtiers des Pays-Bas, d'où partaient par eau ou par route des convois vers la Méditerranée, les terres d'Empire, Genève ou l'intérieur du royaume. Lyon était l'un des premiers marchés d'Europe. Les échanges commerciaux y atteignaient un volume considérable, grâce aux quatre foires annuelles, les plus importantes de France, et à l'imprimerie qui, depuis 1473, y jouissait de franchises royales et de privilèges particuliers. Ses quelque quatre cents ateliers étaient dirigés par d'illustres lettrés comme Gryphe, Dolet, Trechsel. Dès la fin du XVᵉ siècle, Lyon était un centre humaniste, où se rencontraient érudits et amateurs de belles-lettres, tel le médecin Symphorien Champier, auteur de la *Nef des Dames vertueuses*, exposé d'une théorie de l'amour néoplatonicien.

La plupart de ses habitants étaient, selon la relation des ambassadeurs vénitiens, des étrangers, et surtout des Italiens. Depuis le début des expéditions dans la Péninsule, la cour de France venait fréquemment séjourner à Lyon. La présence de grands personnages comme Marguerite de Navarre, de dignitaires ecclésiastiques et d'écrivains, comme Marot, Rabelais, Alamanni, donnait à la ville un éclat exceptionnel et en faisait un creuset de la vie intellectuelle.

La remarquable ouverture du climat lyonnais tenait d'abord à l'autonomie des notables vis-à-vis du pouvoir central, le roi, le Parlement, la Sorbonne (qui exerçaient la censure), à l'existence d'une élite de bourgeois et de juristes indépendants de la Cour et de ses mécènes. L'importance de la population italienne favorisait l'influence de la Renaissance, du platonisme, des grands auteurs de la Péninsule, de la culture et en particulier de la poésie néolatine. A Lyon, ville cosmopolite, relativement indépendante, la communauté intellectuelle, le *sodalitium lugdunense*, faisait preuve d'un éclectisme qui lui permettait d'accueillir volontiers des tenants de tendances diverses, hermétistes, occultistes, mystiques, et réformés. Antoine du Moulin, dans sa préface aux œuvres de Pernette du Guillet, peut vanter « ces bons esprits qu'en tous arts ce climat lyonnais a toujours produit en tous sexes, voire assez plus copieusement que guère autre qu'on sache ».

La vie intellectuelle y atteignit son apogée entre 1530 et 1536, lorsque Guillaume Scève, cousin de Maurice, devint l'âme d'un cercle où se rencontraient savants, lettrés, archéologues, Lyonnais ou visiteurs de marque, Clément Marot, Étienne Dolet, Corneille Agrippa, et des poètes tout particulièrement attirés par le platonisme et la philosophie de l'amour.

A la même époque à Lyon, Marie de Pierre-Vive, mère du futur maréchal de Retz, dame du Perron, avait réussi à attirer dans son salon, « temple de la science et de l'esprit », quelques grandes personnalités du monde littéraire et artistique. Il devint le rendez-vous de la meilleure société lyonnaise, son hôtesse fut célébrée, comme ses œuvres, aujourd'hui perdues, avant de devenir la confidente de Catherine de Médicis, et la gouvernante des enfants de France.

Ce climat lyonnais particulièrement favorable à l'inspiration poétique l'était aussi au développement d'un certain féminisme culturel. *Le Courtisan*, titre français de l'Italien *Il Cortegiano*, de Baldassare Castiglione (paru en 1528), bréviaire de l'homme de cour, contribuait à développer le goût d'une nouvelle civilité, et à accorder aux femmes une place de premier rang. Lyon se signale alors par le grand nombre de poétesses qu'elle connaît à cette époque.

A côté de Pernette du Guillet, figurent Jacqueline de Stuart, Marguerite Du Bourg, mère de Maurice Scève, Claude et Sibylle ses sœurs, Jeanne Creste, Jeanne Gaillarde (dont on ne connaît qu'un rondeau adressé à Marot), Clémence de Bourges, Marie de Pierre-Vive, dame du Péron, Claude de Bectoz, entrée en religion, dont on a célébré les talents artistiques et la vertu. La fameuse « Querelle des Amyes » trouvait à Lyon un terrain favorable à son développement.

LOUISE LABÉ : LA POÉSIE AU FÉMININ

Le climat intellectuel de ces cercles humanistes ainsi que la liberté étonnante de l'imprimerie lyonnaise expliquent que Louise Labé, fille et femme de marchands cordiers, ait été admise dans cette société très féminisée, et qu'elle l'ait également reçue. Car son salon accueillait, comme le cercle des Scève, humanistes, poètes, amis et disciples de Marot, et lettrés de toutes sortes. On y admirait ses talents de poète et de musicienne (elle jouait du luth à ravir) et on se délectait de ses confitures : c'était une hôtesse accomplie. On y discutait beaucoup des problèmes à la mode, du pétrarquisme et du platonisme. Le *Débat de Folie et d'Amour*, en prose, qui accompagne son *Canzoniere*, se rattache aux préoccupations les plus actuelles de l'époque et du milieu lyonnais, aux discussions sur la nature de l'amour qui alimentent la Querelle des Amyes. Il a fallu un concours de circonstances spécialement favorables, particulières au milieu lyonnais, pour que des poètes célèbres encouragent une femme à publier ses œuvres en y associant un concert d'éloges, et pour faire admettre les déclarations féministes de son *Épître* et son appel aux dames à suivre son exemple.

Peut-on entrevoir, chez nos savantes « écrivaines », ce qui caractérise la poésie au féminin ? Nous avons abordé ailleurs cette étude, et nous y renvoyons. La question de l'écriture féminine est fort débattue de nos jours. En une époque où la création littéraire passe nécessairement par l'imitation des grands modèles latins ou italiens (imitation nullement assimilée à un plagiat, mais tenue pour preuve de culture), les modèles de référence restent évidemment les mêmes pour les écrivains des deux sexes. En fait, il faudrait parler de marques du féminin plutôt que d'écriture féminine.

Elles se manifestent par une sensibilité particulière dans le choix et le traitement des mêmes thèmes, ou par leur absence (obsession de la fuite du temps, du vieillissement, sentiment de la nature, etc.), par la subversion des mythes antiques, des renversements inattendus, la distance prise par rapport aux modèles, par l'aisance à se dire et par la présence de la voix dans le texte.

L'exemple du *Canzoniere* de Louise Labé est l'un des plus convaincants. Louise, qui s'affirme à la fois comme femme et comme écrivain, est l'une des premières à affronter un genre nouveau, le *Canzoniere*, recueil homogène consacré à un amour unique, dont Maurice Scève a donné l'exemple, et une forme nouvelle, le sonnet. Elle reprend les lieux communs, les accidents stéréotypés du commerce amoureux à la manière pétrarquiste. Mais au lieu d'y tenir l'habituel rôle passif et silencieux de l'héroïne, la femme objet, c'est elle, le sujet aimant qui dit «je» et qui chante son amour pour un homme.

La résonance de ses poèmes en est totalement modifiée. Le même propos, dit par une voix féminine et masculine – «je te veux» – n'a pas le même retentissement, le discours amoureux s'en trouve complètement subverti, l'arsenal des métaphores mis au féminin reprend une vitalité et un pouvoir tout neufs. Louise transpose les thèmes chers au pétrarquisme et au platonisme, qu'elle revit à sa manière. Le jeu des oppositions et des antithèses n'est plus pour elle un exercice littéraire, mais l'expression vraie et douloureuse du désir féminin, indissociable de l'amour. Ces poèmes directs, sans ruse, vous atteignent de plein fouet, leur intensité et leur éclat font pâlir ceux des contemporains, qui parviennent rarement, même ceux de Ronsard, à donner cette impression de passion à l'état brut.

On trouverait sans peine des exemples de ce renversement des rôles chez d'autres poétesses. Nous avons vu Hélisenne prêter au sexe masculin tous les défauts traditionnellement attribués aux femmes. Plus tard, dans l'*Agnodice* de Catherine des Roches, poème en l'honneur de la femme savante, l'héroïne, pour permettre à son sexe d'avoir accès au savoir interdit, se déguise en homme, et devient «grande maîtresse en médecine». Un des *Dialogues* de Catherine (celui de *Sincero et Charite*), montre cette fois la femme qui, après s'être emparée du *Logos*, devient le guide spirituel de l'homme.

L'aventure des lettres lyonnaises devait être sans lendemain. Vers le milieu du XVIᵉ siècle, les plus grands auteurs sont morts ou renoncent à la poésie, la Pléiade les ignore, ou les assimile, et nos poétesses seront longtemps oubliées. Même si la vie littéraire ne fut pas aussi brillante qu'à Lyon dans toutes les villes de France, elle n'en connut pas moins un bel éclat en province et la littérature féminine y tint sa partie dans la seconde moitié du siècle.

Marie de Romieu fut «la gloire du Vivarais, la quatrième des Grâces». Son frère Jacques, à son insu dit-elle, publie, en 1581, le recueil de ses œuvres poétiques, mélange d'églogues, d'élégies, de sonnets, d'hymnes, d'anagrammes. En riposte à la satire contre les femmes due à la plume de Jacques, elle avait écrit à ses débuts une apologie de son sexe – le *Brief discours de l'excellence des femmes* –, destinée à prouver leur supériorité dans tous les domaines dont on leur refusait l'accès.

Dans d'autres provinces aussi, les femmes mirent les lettres à l'honneur. En Maconnais, Philiberte de Fleurs, avec ses *Soupirs de viduité* (1585), en Anjou, Esther de Beauvais, dont les œuvres furent jointes aux œuvres de Béroalde de Verville, en Provence, la dame Desjardins (Joachim du Bellay, qui l'estimait, a mêlé plusieurs de ses sonnets à ses propres œuvres), en Dauphiné, Marie Delahaye, et Marseille d'Altovitis à Marseille.

Les Parisiennes qui n'appartenaient pas aux milieux lettrés de la Cour firent, elles aussi, montre de leurs talents. Anne du Laurens, dame de Champ-Baudoin, qui s'adonnait aux mathématiques et écrivait en vers et en prose, jouit d'une belle réputation dans les années 1580. Les compositions de Diane Symon, vers 1570, circulaient manuscrites, fort estimées des connaisseurs. Françoise Hubert, épouse du grand auteur dramatique Robert Garnier, figurait parmi les femmes «les plus versées en poésie», ainsi qu'Artuse de Vernon, dame de Téligny. Anne Séguier, femme d'un parlementaire, composa des *Poésies chrétiennes*, et ses filles Anne et Philipinne Dupart suivirent ses traces. On allongerait sans peine la liste de ces oubliées dont les œuvres ne virent jamais l'impression, connues seulement par les éloges de ceux qui en ont parlé.

DAMES POITEVINES

Certaines femmes auteurs sont tout de même passées à la postérité. En 1578, L'Angelier publiait, parmi ses toutes premières nouveautés, les œuvres des dames des Roches. On a reconnu l'importance de leur rôle dans la littérature féminine de la Renaissance. Nous les avons déjà mentionnées et de nombreuses études leur sont consacrées depuis deux décennies.

La capitale du Poitou fut la patrie de Madeleine Neveu, née vers 1520. Veuve d'André Fradonnet, père de sa fille Catherine (née en 1543), elle épousa ensuite un notable de Poitiers, avocat au présidial, François Éboissard et devint veuve de nouveau vers 1578. La dénomination de dame des «Roches» vient de la famille de Madeleine, qui possédait la terre des Roches (près de Châtellerault). Et c'est sous ce nom que la mère et la fille publièrent ensemble leurs œuvres. Leurs relations avec des intellectuels de Poitiers les amenèrent à réunir autour d'elles un cénacle dès le début des années 1570, à l'exemple des cercles lyonnais et parisiens, cénacle sur lequel nous reviendrons.

Elles incarnent le nouveau type de la bourgeoise savante et vertueuse. Sans jamais nommer Louise Labé, elles veulent, comme elle le fit avec les Lyonnaises, inciter les dames poitevines à préférer aux parures frivoles «l'encre et la plume», répandre ainsi la renommée de leur ville natale «par tout l'univers», tout en revendiquant leur droit à la gloire littéraire.

Madeleine avait toujours porté aux lettres un intérêt passionné, lisait le latin, le grec et l'italien. Mariée très tôt, elle dut négliger l'étude : «Mais en perdant ma jeune liberté / Avant le vol ma plume fut cassée.» Mère remarquable et fort cultivée, elle veilla avec une active et intelligente sollicitude sur l'éducation de son unique enfant (elle en avait perdu deux autres), lui inculqua sa passion de l'étude et lui donna une solide formation à la fois biblique et classique. L'étendue de la culture de Madeleine a beaucoup frappé les contemporains, qui ne lui ont pas ménagé les éloges. Le savant Joseph Juste Scaliger la juge «la plus docte personne qui soit en Europe, plus docte encore que sa fille, elle a plus lu et retenu d'histoires, à mon jugement, qu'aucun Français, et parle autant proprement, facilement et éloquemment qu'il est possible».

Catherine a dit, dans une épître, son admiration et sa tendresse reconnaissante pour cette mère qu'elle s'efforçait d'égaler et qui s'applaudissait de retrouver dans sa fille son portrait tout entier : «Et l'âge seul faisait la différence.»

Les désordres des guerres civiles, de graves problèmes financiers ne les empêchèrent pas de se livrer à leur passion de lire et d'écrire. Mais ces soucis, joints à une santé toujours chancelante, expliquent sans doute la mélancolie reflétée dans les vers de Madeleine, presque uniquement tournée vers la poésie, alors que l'œuvre de Catherine compte une bonne centaine de pages de prose dans les

Œuvres de 1578 et les *Secondes Œuvres* de 1583, dont six *Dialogues*, entrecoupés de poèmes. Ils la montrent sensible aux malheurs des temps et l'on a très justement souligné les tendances volontiers réalistes de ses écrits.

Catherine s'est aussi essayée à la poésie dans une grande variété de genres : sonnet, chanson, épitaphe, poème narratif. Elle rédige également un acte d'une tragi-comédie, *Tobie et Sarah*. Elle est la première femme à y tenter de réhabiliter la chair féminine, marquée par le péché originel, en démontrant que seul le mariage conforme à la volonté divine pourra exorciser la souillure du péché.

Madeleine et sa fille, vers 1578, étaient en relation avec les milieux littéraires parisiens. Elles avaient aussi des liens avec la Cour, qui avait séjourné à Poitiers durant l'été de 1577. Elles avaient pris part à plusieurs fêtes, adressé des poèmes, Madeleine à la louange du roi, Catherine à celle de la reine Louise et de Catherine de Médicis.

Leur soudaine célébrité, des soucis financiers et familiaux les incitèrent sans doute à publier leurs premières *Œuvres* en 1578 chez un jeune libraire, Abel L'Angelier, attentif aux nouveautés littéraires. L'édition en deux parties, la première comprenant les écrits de Madeleine, la seconde ceux de Catherine, eut du succès. Elle fut rééditée en 1579. Les *Secondes Œuvres* parurent à Poitiers cinq ans plus tard.

En 1586, L'Angelier éditait leurs *Missives*. Les dames des Roches étaient les premières femmes en France à faire publier leur correspondance privée. Le juriste Étienne Pasquier qui, un an auparavant, avait envoyé au même éditeur le premier volume de ses *Lettres familières*, signalait que le seul titre (de *Missives*) était «un sujet non accoutumé à la France». Relevant à la fois de la tradition humaniste et de la lettre mondaine, mises à la mode vers 1560, ces *Missives* étaient aussi un éloge de la dame érudite, digne d'entrer dans la république des lettres, l'aristocratie de l'esprit valant celle de la naissance.

C'est à cinquante-huit ans, dégagée des contraintes domestiques, que Madeleine se met à écrire. Catherine, qui n'a pas connu les mêmes difficultés que sa mère pour s'adonner aux lettres, ayant, dit-elle, «dedans la main le fuseau et la plume», avoue avoir toujours désiré «être du nombre de peu», c'est-à-dire des filles qui écrivent. La modestie des raisons qu'elle invoque pour le faire ne dissimule pas son ambition véritable : obtenir l'ultime récompense des poètes masculins, l'immortalité poétique. Ce *topos* des œuvres de la Pléiade est distinct de la gloire, bien fragile, éphémère, limitée à la vie terrestre. Madeleine aussi invitait les femmes à triompher de la mort par la « vertu immortelle » de leurs propres poèmes.

Toute l'œuvre de sa fille révèle un esprit contestataire, tant par la volonté proclamée de s'affranchir des sévères lois des hommes que par sa conception de l'amour. Elle l'envisage comme un échange entre égaux, refuse l'amoureux servage qui nuirait à la liberté de l'amant comme à la sienne : « Ne désirant point de serviteur, je ne demande non plus ni compagnon ni maître. » Elle dédaigne le rôle de muse inspiratrice et passive, se moque des demoiselles qui, sans vouloir prendre la peine d'écrire, se contentent de faire composer « leurs serfs ». Les ignorantes se font instrument de leur propre soumission. « Le mal du sexe féminin est dans la dépendance », disait déjà Louise Labé. Dépendance dont Catherine veut s'affranchir, par le savoir, par l'écriture, tout en constatant, non sans amertume, qu'on ne fait guère de cas « des savantes vertueuses. Au contraire les hommes s'en moquent bien fort », dit l'une de ses héroïnes. La science d'une femme effraie plutôt les hommes, qui n'en demandent pas tant.

NOUVELLE IMAGE DE LA FEMME SAVANTE

A partir des années 1560, les guerres de Religion vont modifier très fortement le paysage de l'édition. Plutôt qu'aux belles-lettres, c'est aux ouvrages d'actualité et de controverse qu'elle s'intéresse. La poésie féminine avait d'abord cultivé le lyrisme amoureux. Elle se tourne, alors, vers l'expression du sentiment religieux, et s'inscrit dans le contexte des luttes entre catholiques et protestants. Les femmes accèdent aussi à des domaines jusque-là réservés aux hommes : pédagogie, morale, philosophie, quelques-unes à celui des sciences et des mathématiques, et s'adonnent à la traduction, celle d'ouvrages italiens surtout.

La poésie était en honneur jusque dans les couvents. Anne de Marquets, religieuse dominicaine au monastère de Poissy, où se réunissait une société d'élite, y était fort admirée pour sa science et son esprit. De bonne noblesse normande, cultivée, elle parlait et écrivait le latin, comme il seyait à une disciple de la Pléiade. Ronsard salua dans un sonnet cette « fleur nouvelle qui apparaissait à ses yeux». Au cours du colloque de Poissy qui, en 1561, réunit les principaux prélats et docteurs pour tenter de mettre fin aux querelles entre chrétiens, elle composa une centaine de poèmes, prières et devises, en hommage aux représentants marquants du parti catholique. Ronsard, qui publiait alors ses textes les plus polémiques et d'Espens, rapporteur du Colloque, l'incitèrent à faire paraître ses poèmes, fort utiles à la défense du catholicisme (1562). Elle les dédia au cardinal de Lorraine. Devenue aveugle, Anne de Marquets continua à s'adonner à la poésie méditative. Mais ses *Sonnets spirituels* ne seront publiés qu'après sa mort en 1565. Ils serviront les objectifs de la Contre-Réforme auprès d'un public féminin dont on veut encourager la piété.

Du côté des réformés, une autre poétesse dévote, Georgette de Montenay, met au service de sa foi le recueil de ses *Emblèmes chrestiennes*, rédigé à la cour de Jeanne d'Albret. Dénuée de toute ambition personnelle, elle entend seulement que son talent, «le talent du Seigneur», favorise l'édification de ses lectrices.

La publication posthume, en 1594, des *Œuvres chrestiennes*, de la poétesse toulousaine Gabrielle de Coignard, veuve d'un bourgeois notable, répond au même souci du côté catholique. Elles sont dédiées à la «dévote» reine Marguerite, alors exilée à Usson. Gabrielle se défend d'être «grande clergesse», précise l'adresse «Aux dames dévotieuses» de ces «vers dévotieux», et ses filles insistent sur le plaisir que prit à écrire celle qui sut à la fois «gouverner sa maison et entretenir son esprit de vertueuses pensées». Le recueil se présente comme une longue élégie autobiographique, sorte de confession où l'on reconnaît les étapes d'une ascension spirituelle, vécue dans une ardente et sincère ferveur religieuse. Ce modèle édifiant de piété et de vertu bourgeoise s'accordait parfaitement avec les desseins de la Contre-Réforme.

Marie Le Gendre, dame de Riverry, moins célèbre que Gabrielle ou les dames des Roches, a pourtant excellé dans la poésie comme dans la prose. Très caractéristique de l'évolution de la création littéraire au féminin, dans les années 1580-1590, elle se plaît aux «matières plus solides que la poésie», à la morale et à la philosophie qui apprend à vivre dans la paix de l'âme, et à se préparer contre les passions. Telle est la question à laquelle veulent répondre les dix-huit discours du *Cabinet des saines affections*, recueil anonyme, qu'on lui a attribué (mais qui pourrait être dû plus vraisemblablement à la plume de Madeleine de L'Aubespine) et publié sous son nom, réuni à l'*Exercice de l'âme vertueuse* et au *Dialogue des chastes amours d'Éros et de Kalisti* (1594-1595, 1595-1597?), dont elle est incontestablement l'auteur. Le dialogue, dont les sources littéraires, le cadre, le sujet et les motifs rappellent ceux du *Débat* de Louise Labé débouche sur un enseignement moral tout différent. De même les *Stances* et les *Poèmes* qui déplorent son veuvage avec les accents passionnés d'une Gabrielle de Coignard. Ils furent publiés à la suite de son *Exercice*, réflexion sur la rhétorique amoureuse et ses excès.

Comme les œuvres des dames des Roches, celles de Marie Le Gendre, marquée par l'influence de Montaigne, appartiennent à «cette école de la raison plutôt que de la passion», a-t-on dit, où les affections du foyer, le sentiment religieux, l'amour maternel, filial, les regrets du veuvage, sont les sources de l'inspiration. Il faudrait leur adjoindre la passion du savoir. Une passion qui n'est pas seulement le privilège d'une élite de la naissance ou de la fortune, ignorante des réalités matérielles, mais qui habite des bourgeoises confrontées aux exigences de la vie quotidienne et soucieuses de s'accomplir pleinement comme intellectuelles et comme femmes.

Un autre domaine de la vie littéraire s'ouvre encore aux dames, celui de la traduction, pratiquée souvent en même temps que la poésie. La littérature italienne jouit d'un grand prestige, et la connaissance de l'italien permet l'acquisition d'une culture moderne. La Languedocienne Marguerite de Cambis, veuve du baron d'Aigremont, publie à Lyon des traductions du Trissin et de Boccace (1554-1556). Anne de Graville, la bisaïeule d'Honoré d'Urfé, met en vers la *Théséide* de Boccace, à la demande de la reine Claude, et à Bourges, Jeanne de La Fontaine exécute la même traduction. Anne de Marquets publie, en 1569, les œuvres sacrées de Flaminio. Marie de Costeblanche traduit et publie en 1571 les *Trois dialogues de Pierre Messie touchant la nature du soleil, de la terre et de toutes choses qui se font et apparaissent en l'air*, témoignant de l'intérêt nouveau des femmes pour les sciences physiques.

La vaste culture de Catherine de Parthenay, nièce d'Anne, dont Théodore de Bèze vantait la formation classique et théologique, égala son courage héroïque. Veuve du baron de Pont, tué à la Saint-Barthélemy, épouse en secondes noces de René de Rohan, elle composera des élégies à la mémoire des réformés massacrés et, après la mort de ce roi, de belles strophes dédiées à Henri IV, qu'elle avait d'abord attaqué. Bonne helléniste, elle traduisit un

Discours d'Isocrate et elle correspondait par prudence en latin avec sa mère. Calviniste convaincue, elle fit représenter, pendant le siège de La Rochelle qu'elle soutint avec intrépidité, une de ses tragédies, *Judith et Holopherne*, et mourut en captivité, préférant la prison à une capitulation.

A Poitiers, les dames des Roches qui partageaient, on l'a vu, le goût des lettres antiques, entreprirent de mettre en français le poème de Claudien, *L'Enlèvement de Proserpine* et Catherine, passionnée par l'étude du grec, donna une traduction des vers de Pythagore et aspirait à imiter Pindare.

Bien des domaines du savoir se sont ouverts aux femmes à la Renaissance, mais certains leur sont demeurés résolument étrangers. L'histoire, le droit, sont des genres d'études dont elles restent complètement coupées. Écrire l'histoire suppose l'accès aux matériaux nécessaires, écrits ou imprimés, aux documents d'archives. Il leur est beaucoup moins facile qu'aux hommes d'État ou aux moines de les consulter, les universités et leurs bibliothèques leur étant interdites. Difficile aussi de voyager pour aller voir sur place monuments et inscriptions.

Par ailleurs les femmes n'ont guère de responsabilités politiques comme citoyennes ou comme sujettes. Leur peu d'expérience de la vie publique ne leur permet pas d'observer ou de questionner. Une Christine de Pisan, fille d'un conseiller de Charles V, veuve d'un secrétaire du roi, pourvue d'une solide instruction, pouvait, elle, obtenir des informations directes, et ordonner le matériau historique. Mais, à une époque où l'on estimait que les écrivains les plus capables d'écrire l'histoire sont ceux qui ont contribué à la faire, quel public aurait pris au sérieux des écrits féminins sur de tels sujets ?

Tout au plus une épouse, une veuve pouvait-elle prendre la plume pour rédiger une histoire familiale, privée. Si le mari avait joué un rôle important dans la vie publique, l'épouse pouvait faire se recouper histoire familiale et histoire politique. Tel est le cas des *Mémoires* de Charlotte Arbaleste, épouse de Philippe Duplessis-Mornay, l'une des figures les plus remarquables du siècle, huguenot polémiste et conseiller d'Henri de Navarre. Mais la voix de l'époux, dans le récit, éclipse celle de la narratrice : elle est la seule à se faire entendre, et c'est d'ailleurs à son fils que Charlotte destine ses écrits, pour lui rappeler le souvenir de ses parents, et la foi qu'ils ont servie.

On peut s'étonner de la quasi-absence des femmes dans le domaine de la création artistique en France au XVIe siècle, ceux de la peinture et de la musique notamment. Absence d'autant plus frappante qu'en Italie et en Flandre des femmes peintres avaient commencé à jouir d'un beau succès. Les Françaises ont-elles été oubliées ? A peine cite-t-on deux ou trois noms de «painteresses», dont celui de la fille de Corneille de Lyon, qui peignait «divinement bien».

Bien mal connue reste Jacquette de Montbron, belle-sœur de Brantôme. Intelligente, très cultivée, capable d'aborder tous les sujets, y compris la théologie et l'histoire, elle lisait beaucoup et composait en vers et en prose. Moins répandue parmi les dames était sa prédilection toute spéciale pour la géométrie et l'architecture. Grande bâtisseuse, elle entreprit la construction du Château-Neuf, tout près du vieux château des Bourdeille, «de son invention», sans architecte, présidant à l'exécution des plans qu'elle avait dressés elle-même, prenant l'équerre et le té, et dessinant de ses mains le «prospect» d'une élégante demeure, témoignage de la science et de l'ingéniosité féminines.

L'éducation musicale des femmes était généralement bien plus poussée que celle des hommes. Les poétesses, les grandes dames étaient souvent d'excellentes musiciennes dont on admirait la virtuosité à jouer du luth. Pourtant aucune composition féminine ne nous est parvenue, ou n'a été mentionnée. On a en vain cherché jusqu'ici à expliquer cette absence.

Si peu nombreux que soient les textes édités, l'apparition d'un nombre accru de femmes écrivains est ressentie par les contemporains comme un phénomène tout nouveau. Est-ce à dire que «la cause des femmes», comme le dit Marie de Gournay, est désormais gagnée, que la dignité du sexe féminin et les droits auxquels il peut prétendre sont reconnus ? On en douterait à voir l'énergie déployée à la fin du XVIe et au début du XVIIe siècle par les championnes de leur sexe pour les faire admettre.

Nicole Estienne, dame Liébault, dont nous avons mentionné les plaintes dans les «Misères de la femme mariée», écrit une *Défense des femmes contre ceux qui les méprisent*. Le *Mérite des femmes* de Modeste Dupuis fait leur apologie, Charlotte de Brabant écrit une harangue «qui s'adresse aux hommes qui veulent défendre la science aux femmes». Jacqueline de Miremont publie une *Apologie des femmes*.

MARIE DE GOURNAY, UNE FÉMINISTE RÉSOLUE

Mais la personnalité la plus représentative du féminisme militant est Marie Le Jars de Gournay, la «fille d'alliance» de Montaigne (1566-1645). A la mort de son père, gentilhomme ruiné, sa mère se retire en Picardie avec ses six enfants, dans son domaine de Gournay. Seule, sans maître ni grammaire, Marie va apprendre le latin en comparant les textes avec les traductions françaises, puis le grec, et s'intéresser aux sciences réservées aux hommes, histoire, physique, géométrie, et même à l'alchimie. A dix-huit ans, elle lit les *Essais* de Montaigne, qui l'enthousiasment, cherche à rencontrer l'auteur, lors d'un voyage à Paris en 1588. Montaigne séjournera à Gournay deux ou trois fois. Installée à Paris après la mort de sa mère, en 1591, la jeune femme va entrer dans la mêlée littéraire avec une fougue jamais démentie. Bonne critique, elle réfléchit sur la poésie et le langage poétique, prend la défense de Ronsard et de la Pléiade contre Malherbe et son école. Elle publie un roman d'aventures, le *Promenoir de M. de Montaigne*, qui aura cinq éditions entre 1594 et 1607.

Entre-temps, elle avait été chargée de l'édition posthume des *Essais* chez L'Angelier, qui avait édité son roman. Sans entrer dans le détail des problèmes posés par cette édition de 1595, notons que l'auteur, avec une remarquable compétence, devint une scrupuleuse relectrice et correctrice d'épreuves. On ne connaît pas d'autre exemple de femme auteur mêlée à des travaux d'atelier dans un milieu exclusivement masculin, les femmes n'étant chargées d'ordinaire que de la vente, ou de tâches subalternes. Pour les dix éditions qui suivirent, jusqu'en 1635, elle ne cessa d'améliorer, d'éclairer le texte.

Ses écrits sont innombrables. Impossible de les énumérer tous. Mais ils comportent des dissertations sur le langage, la poésie, des poèmes, des traités de morale sur les sujets les plus variés. Elle finit par les rassembler tous dans un ouvrage unique, *L'Ombre de la demoiselle de Gournay*, nommé enfin *Les Advis et présents*. Sa critique littéraire est originale et pertinente. En tant qu'auteur, elle avoue sa préférence pour les «matières solides» plutôt que pour les légères. «Mon gibier n'est pas la poésie, et les vers ne sont pas mon ouvrage, ils sont seulement mon jouet», écrit-elle.

Deux écrits retiennent notre attention parce qu'elle y montre son engagement en véritable amazone dans la querelle féministe et le difficile et courageux combat qu'elle mena en sa faveur. *L'Égalité des hommes et des femmes* (1632) est le premier ouvrage à parler d'égalité entre les sexes, non de supériorité de l'un ou de l'autre. C'est à la fois un plaidoyer, reprenant une argumentation traditionnelle en faveur des femmes, et un réquisitoire contre les hommes et les a priori hostiles de saint Paul et de l'Église.

Le cri de colère qui introduit son *Grief des dames* (1626) indique l'essentiel de son propos, donner libre cours à ses plaintes contre les hommes : «Bien heureux es-tu, Lecteur, si tu n'es point de ce sexe qu'on interdit de tous les biens, le privant de la liberté [...] qu'on interdit encore à peu près de toutes les vertus, lui soustrayant les charges, les offices et fonctions publiques : en un mot lui retranchant le pouvoir, en la modération duquel la plupart des vertus se forment, afin de lui continuer pour seule félicité, pour vertus souveraines et seules, l'ignorance, la servitude et la faculté de faire le sot, si ce jeu lui plaît. »

Les œuvres militantes de Marie de Gournay eurent-elles quelque influence dans le milieu lettré qu'elle fréquentait ? En dépit de la protection de quelques grands personnages, Henri IV et Louis XIII, de grands seigneurs, de grandes dames et de savants, on se moqua d'elle, de ses bizarreries de vieille fille. Tallemant des Réaux raconte comment ceux qu'elle appelait les «pestes» s'amusaient à la faire enrager. On ne la prit pas au sérieux : c'était une femme.

Elle fut longtemps connue seulement comme «fille d'alliance» de Montaigne. Consciente d'ailleurs de son audace et tout en prenant grand soin de diffuser ses œuvres en France et à l'étranger, elle était sans illusion sur l'accueil qu'on ferait à ses protestations. Car, au début du XVIIe siècle, la femme docte ne jouit plus du même prestige qu'à l'époque de l'humanisme triomphant, mais devient l'objet de railleries. A une élite de princesses latinistes, de filles et de femmes d'humanistes tenues pour des prodiges succéderont des mondaines cultivées, qui auront des clartés de tout mais dont le savoir restera discret.

L'amalgame se fait très tôt entre la femme savante et la femme légère (Louise Labé était déjà traitée de courtisane) ou le bas-bleu insupportable et ridicule à qui s'en prend le Chrysale de Molière.

L'image de la femme savante largement célébrée, et ce par des hommes, a ébranlé bien des préjugés sur l'esprit féminin et son incapacité intellectuelle. Mais l'égalité des sexes dans le domaine de l'intelligence reste un paradoxe au XVIe siècle. Les préjugés tenaces sur l'infériorité des femmes que Marie de Gournay dénonce avec amertume au début du XVIIe siècle survivront longtemps encore. Cette image est pourtant annonciatrice d'espoir, même si la femme docte se voit contrainte à avouer, comme la fille d'alliance de Montaigne : «Je sens la défaveur où je vis en mon siècle et […] me rejette autant que je puis vers le siècle futur.»

Les revendications des femmes de la Renaissance peuvent paraître aujourd'hui bien modestes. Le féminisme culturel reste un féminisme de classe, une revendication de privilégiées. Mais il importait pour l'avenir que des voix de femmes l'eussent exprimé.

XIV

Les dames, ornement de la Cour

La plupart des précédents chapitres semblent justifier que l'on se soit posé (tardivement, au XXᵉ siècle) la question : les femmes eurent-elles une Renaissance ? Autrement dit que leur a-t-elle apporté, en France spécialement, en quoi a-t-elle modifié leur condition ? Au plus grande nombre d'entre elles, dans les classes les plus défavorisées, guère de changement dans leur vie. Encore a-t-on vu que l'accès au savoir d'une élite, sa principale revendication, a été une conquête difficile, partiellement réussie. Mais la place et le rôle des femmes (de certaines !) ont pris une importance inconnue jusqu'alors dans l'aristocratie et la grande bourgeoisie.

Cette promotion est particulièrement sensible à la Cour. Jusqu'au début du XVIᵉ siècle, l'entourage du roi de France était exclusivement masculin. La Cour désignait les conseillers, les proches et n'avait de signification que politique ou juridique. C'est à Anne de Bretagne, deuxième épouse de Louis XII, que revient le mérite d'avoir créé ce que depuis on a appelé la Cour.

Louis XI n'aimait ni le faste, ni les divertissements collectifs. Sa femme vivait retirée à Amboise avec ses suivantes. Anne de Bretagne n'eut guère l'occasion de prendre d'initiatives pendant le règne de Charles VIII, son premier mari. En l'absence du roi, toujours parti en guerre, sa belle-sœur, Anne de Beaujeu, la seule femme en qui Louis XI, son père, disait pouvoir se fier, tenait les rêves du pouvoir. Mais, sous le règne de son second mari, la reine

Anne s'employa à la création d'une véritable cour, dont elle fixa la physionomie. Elle fut la première à rassembler autour d'elle «une grande cour des dames [...] et en installa quelques-unes à demeure, alors qu'auparavant, les femmes n'y venaient qu'occasionnelle-ment : elle avait une très grande suite et de dames et de filles et n'en refusa jamais aucune. Elle put réunir les plus nobles et les plus belles, qui paraissaient comme déesses au ciel». Participer à cette «belle École pour les Dames» était un honneur très recherché et promettait de brillants établissements. Car «elle les faisait très bien nourrir [éduquer] et sagement; et toutes, à son modèle, se façon-naient très sages et vertueuses». C'est là ce qu'en dit Brantôme. Anne veillait aussi sur leur conduite avec une rigueur impitoyable.

Sans être très belle, la reine en imposait par sa distinction majes-tueuse, son élégance sobre : longues robes qui cachaient sa jambe malade, coiffe bretonne en velours noir brodé. Sa cordelière, emblème de continence, empruntée aux armoiries de Bretagne et l'hermine ducale bretonne, image de pureté, symbolisaient le climat de vertu austère qu'elle entendait donner à sa cour.

Elle avait su pourtant lui conférer un bel éclat, tant par le luxe de ses demeures que par le nombre de sa garde personnelle de cent, puis de deux cents archers aux couleurs de la Bretagne (jaune et rouge garni d'hermine) et surtout par cet essaim de femmes de haut rang qui l'entouraient.

Anne aimait les choses de l'esprit, protégea et pensionna écri-vains et artistes (dont Jean Marot, le père de Clément), pratiquait la lecture et la conversation. Elle savait «entretenir et contenter» les grands personnages invités par le roi à la Cour. La présence des dames de sa suite, bien formées à son école, n'était pas un des moindres attraits qu'ils y trouvaient. En incitant aussi les hommes à faire assaut de courtoisie, d'élégance, et à briller autrement que par des exploits militaires, elle contribuait au prestige du roi et au rayonnement de la Cour.

«Une cour sans dames, c'est un jardin sans aucunes bonnes fleurs», dira plus tard François Ier. Considérant que «toute la déco-ration d'une cour était des dames, il l'en voulut peupler plus que la coutume ancienne». Innovation dont Brantôme le loue fort. Dans un entretien à Fontainebleau avec un «grand prince de par le monde» qui blâmait François Ier d'avoir introduit les dames à la Cour, il prit énergiquement la défense du roi. Celui-ci s'était livré dans sa prime jeunesse à tous les débordements. «De ce temps, confie le mémorialiste, il n'était pas galant qui ne fut putassier partout indifféremment dont il prit la grande vérole.» Ainsi échaudé, il renonça à l'«amour vagabond». Et sa cour s'emplit de belles et honnêtes princesses, grandes dames et damoiselles «qui avaient le mérite d'être nettes et saines, au moins aucunes [quelques-unes] et ne gâtaient ni ne rendaient les gentilshommes impotents comme celles des bordeaux».

C'est dire que la chasteté n'était pas leur principal mérite. Ces «honnêtes femmes», seules jugées dignes d'intérêt par Brantôme, le sont par la qualité de leur naissance, qui en fait du même coup des dames bien éduquées, de bonne et aimable compagnie ou de belle humeur. Quant à leur conduite, «le roi n'en pouvait mais». Elles n'en devenaient pas moins des modèles pour les autres femmes de France qui s'efforçaient d'imiter leurs habits, leur grâce, leurs façons, leurs danses et leur vie… Et leur paillardise, constate sévèrement l'interlocuteur de Brantôme.

Celui-ci reconnaît l'attrait suscité par la présence des dames dans les cours royales qu'il a fréquentées. Leur absence, quand les souverains quittaient la capitale sans les emmener, rendait les gentilshommes «si ébahis, si perdus, si fâchés» qu'ils souhaitaient ardemment leur retour, n'appelant pas la Cour bien souvent là où était le roi, mais où était la reine et les dames. Car, fréquenter princes, grands capitaines, gentilshommes et «gens de conseil», les entendre parler de la guerre, de l'État, de la chasse, du jeu, tous ces exercices, au gré de Brantôme, ennuient en peu de temps. Mais jamais on ne s'ennuie de converser avec les honnêtes dames. En outre, partir pour la guerre, s'y hasarder à tous les périls, pour l'amour de sa maîtresse – et de son prince – avec la perspective de recevoir, au retour, force bons visages de sa dame et force accolades, rien de plus réjouissant pour un gentilhomme. La Cour est le repos du guerrier. Bref, «une cour sans dames est une cour sans cœur».

Sous François Iᵉʳ, ni sa première épouse, la douce Claude de France, accablée par les maternités et morte à vingt-quatre ans, ni la seconde, Éléonore d'Autriche, sœur de Charles Quint, reine délaissée, ne purent prendre en main l'organisation de la Cour. Marguerite de Navarre, âme d'un centre intellectuel et spirituel, protectrice d'écrivains et de penseurs, y tenait un rôle d'hôtesse mais n'eut guère le loisir d'y veiller. Le roi, lui, s'en préoccupait. Il souhaita, pour s'inspirer de ses leçons, que *Le Courtisan* de Baldassare Castiglione, paru en 1528 à Venise, et dont il devait être le dédicataire (l'auteur y renonça pour des raisons politiques), fût traduit en français, ce qui fut fait en 1537. Le récit-dialogue s'étend sur quatre soirées. Les interlocuteurs sont des familiers de la cour d'Urbino et des visiteurs venus dans la suite du pape Jules II. Le thème en est la formation du parfait courtisan, dans une société où la présence des femmes est la condition nécessaire d'une vie de cour.

Castiglione confère à la «dame du palais» (la *donna di palazzo*, qui n'est pas la *cortegiana*, femme libre sans être une prostituée) une importance comparable à celle du parfait courtisan, dont elle constitue le pendant achevé, et lui reconnaît une égale dignité dans la vie de cour. Elle n'en est plus seulement un bel ornement, mais y participe au même titre que le gentilhomme. Elle doit donc, comme lui, accéder à une éducation humaniste. Les vertus domestiques de la dame, nécessairement belle et de haute naissance, ne sont que très brièvement mentionnées, car ces «charges-là» ne sont pas tenues pour sa principale «profession». Conception jusque-là inhabituelle, même dans la société aristocratique. L'étiquette de la vie de cour lui imposera toutefois un certain nombre de contraintes non moins astreignantes que la vie familiale.

Doit-elle ressembler en tous points à son partenaire, ou être dotée de qualités particulières? L'admiration de l'auteur pour la femme héroïque n'empêche pas qu'il lui recommande de s'adonner aux arts d'agrément (musique, danse, peinture) plutôt qu'aux exercices virils, armes, chevauchées et chasses, auxquelles certaines excellent pourtant. Mais sa qualité maîtresse, celle qui lui convient le mieux consiste en une certaine «affabilité plaisante» qui lui permette d'entretenir toutes sortes d'hommes. Son comportement sera constamment empreint du sens de la mesure. Sa conversation sera aussi éloignée de la brutalité militaire que de la sécheresse des rapports entre savants et érudits. Point de pruderie, mais point de liberté excessive : elle doit sauvegarder sa réputation. Les commentaires des devisants de l'*Heptaméron*, composés entre 1542 et 1546, donnent une idée exacte des entretiens, des échanges de pensées et d'opinions sur les questions morales et sentimentales à la mode, qui prêtent souvent à de vifs débats.

Dans la discussion très vive qui oppose défenseurs de l'ordre traditionnel et «amis des femmes» (Julien le Magnifique surtout), Castiglione revendique ainsi pour la dame un système d'éducation hautement humaniste qui ne le cède en rien à celui du parfait courtisan et lui donne une nouvelle dignité morale. Apanage de la seule femme noble, dont *Le Courtisan* dessine une image idéale. Notons que la qualité de la culture exigée d'elle est quelque peu disproportionnée à la fonction ornementale que lui assigne la vie de cour. Elle peut, il est vrai, comme son partenaire masculin, jouer un rôle auprès du prince, sans qu'on puisse pour autant lui donner les mêmes charges qu'aux hommes (guerre, garde de la ville), car il s'agit de former, précise l'auteur, une grande dame, non une reine. Mais la grande affaire entre le courtisan et la dame de palais reste l'amour. Leurs relations sont évoquées avec un curieux mélange d'idéalisme courtois et de gaillardise. Les allusions à la sensualité sont faites avec élégance, mais sans pudibonderie, et l'ouvrage, écrit par un dignitaire de l'Église, semble ignorer le sens et la peur du péché, avec une sérénité quasi païenne. La fidélité conjugale tient à un souci de dignité personnelle, non à la crainte de la punition divine.

La création de la «cour des dames» revient à Anne de Bretagne. Mais c'est Catherine de Médicis qui va lui donner tout son éclat. Dauphine, puis reine, elle reste fort effacée jusqu'à la mort d'Henri II, que sa maîtresse, Diane de Poitiers, tient entièrement sous son emprise. Mais devenue régente, puis reine douairière, elle domine ses trois fils de toute la hauteur de son expérience et de son intelligence, et va faire des dames de son entourage les auxiliaires précieuses du prestige royal en même temps qu'un instrument politique. La cour des Valois a proposé un modèle culturel, et créé une vie sociale dont le rayonnement s'est répandu dans les milieux aristocratiques, eux-mêmes imités par la bourgeoisie. De cette cour de Catherine, Brantôme déclare avec enthousiasme qu'elle était «un vrai paradis du monde et école de toute honnêteté, de vertu, l'ornement de la France».

Catherine avait gardé un souvenir ébloui de la cour de François Ier et d'Henri II. Elle renoua, dès que les circonstances le permirent, avec la tradition. Les dames et les demoiselles choisies pour leur beauté, leurs talents mondains (ornement de la Cour, et honneur pour leur famille), étaient assurées d'un bel avenir.

En temps de paix, comme en temps de guerre, à Paris ou dans ses voyages, la reine Catherine était entourée d'une troupe d'environ trois cents dames et demoiselles, dont les noms figurent, en partie, dans le livre consacré à Catherine, le premier de *Vies des dames illustres*. Elles occupaient alors la moitié des logis, au dire des fourriers du roi, et entraînaient, dans leur sillage, un même nombre de gentilshommes.

LA COUR DE CATHERINE

La reine Catherine n'a pas été seulement et tardivement une « femme d'État », une femme politique. Elle n'eut cependant pas le loisir, ni sans doute le goût d'écrire. Mais la cour de dames qu'elle réunit et organisa au sein de la cour de France exerça une influence décisive sur les mœurs contemporaines, et servit à l'étranger le prestige d'une France qui, après les troubles, retrouvait sa grandeur. Orpheline très tôt, cette Médicis héritière d'une dynastie remarquable d'hommes d'affaires et de mécènes avait connu une enfance difficile. Enfermée d'abord dans des couvents, la petite-cousine du pape, amenée à Rome à onze ans, y forma son intelligence, son goût et son sens artistique, étudia beaucoup. Elle avait libre accès à l'une des plus riches bibliothèques de l'époque, celle des Médicis transférée à Rome, et fut aussi de toutes les fêtes à Florence, où Clément VII l'avait envoyée en 1532.

Aussi réussit-elle à imposer auprès d'Henri II « une façon de cour, chose qui plaît infiniment aux Français ». Elle tenait, chaque après-midi, un cercle qui regroupait dames et seigneurs de la Cour pour leur apprendre à converser. Le roi Henri II s'en allait, après son dîner (déjeuner) dans la chambre de la reine avec sa suite. Et là, nous dit Brantôme, « trouvant une troupe de déesses humaines, les unes plus belles que les autres, chaque seigneur et gentilhomme entraînait celle qu'il aimait le mieux ». Ce devis (conversation) durait deux heures, le roi sortait et allait à ses exercices – chasse, course de lances ou de bague, là où les dames l'allaient trouver le plus souvent et participer au plaisir. « Les soirs après souper, ce devis avec les dames se faisait de même, s'il n'y avait bal, qui se faisait assez souvent. » Ces réunions durent exercer une action profonde sur l'affinement des classes aristocratiques, et des milieux qui les prenaient pour modèles.

Catherine encouragea aussi les représentations dramatiques qu'elle aimait beaucoup, surtout les pièces inspirées par l'Antiquité, dont l'Italie était friande. Elle fit construire au Louvre un théâtre dans ses appartements, rapporte Brantôme, y fit représenter des comédies et tragi-comédies, y prenant grand plaisir et « riait son saoul comme une autre ». Mais elle tenait à exclure tout ce qui pouvait offenser la décence, et, superstitieuse, refusait de voir représenter des tragédies. Elles avaient, disait-elle, « porté malheur aux affaires de France », en mettant sur scène de fabuleuses infortunes.

Les dames l'accompagnèrent pendant son voyage de deux ans à travers le royaume avec le jeune roi Charles IX, huit mille courtisans et six mille chevaux. Quand Catherine partait, «par pays», enceinte, dans sa litière, ou à cheval aux rendez-vous de chasse, quarante ou cinquante d'entre elles, excellentes cavalières, chevauchaient, montées sur de belles haquenées, les plumes de leurs chapeaux «volletantes en l'air», entourant la reine toujours vêtue de noir.

L'«escadron volant» était de tous les spectacles et de toutes les fêtes, entrées royales, réceptions de souverains étrangers ou de grands personnages, noces, concerts, etc. Catherine veillait à ce que ces belles créatures, «toutes battantes pour mettre le feu par tout le monde» parussent toujours en haut et superbe appareil. Elle exigeait d'elles des manières élégantes et raffinées, une parfaite tenue. Les filles de la reine l'entouraient aussi lorsqu'elle recevait dans sa chambre, qu'elle voulait ouverte à toutes sortes de visiteurs, à la française, à l'exemple du roi François Ier, son beau-père, qu'elle admirait fort, non pas resserrée à la mode d'Espagne ou d'Italie. Mais la conversation, pour libre qu'elle fût, restait toujours dans les limites de l'honnêteté.

Au reste, la reine attendait de ses filles d'honneur un comportement tel qu'elles sachent toujours, quoi qu'elles fissent, sauver les apparences. Elles pouvaient choisir d'être religieuses aussi bien de Vénus que de Diane, pourvu qu'elles eussent de la sagesse et de l'habileté et qu'elles réussissent à éviter l'«enflure du ventre». Malheur à celles qui avaient été imprudentes, telle la belle Limeuil, qui cacha sa grossesse jusqu'au bout, accoucha dans l'antichambre de la reine et envoya à Condé, dans un panier, le fils qu'elle avait eu de lui... On l'expédia, elle, au couvent.

Henri II, qui avait désapprouvé le dévergondage de l'entourage de son père, montrait la même sévérité. Sa cour était devenue l'exemple le plus parfait de l'élégance, la grande école du goût et du bon ton. Lui-même tenait secrètes ses affaires amoureuses, réprimait impitoyablement les fauteurs de scandale (en fait, il n'y en eut que quatre en vingt ans), et très respectueux des dames, ne souffrait pas les «calomniateurs de leur honneur».

Ses fils suivirent son exemple. Charles IX, pas plus que François II ne voulait voir sa cour vilipendée et méprisée, estimant que s'il était permis de se livrer à des écarts, il ne l'était point de le dire. Henri III, qui imposa le premier une stricte étiquette de cour dans ses *Règlements*, fut aussi soucieux de voir respecter, sinon la morale dans la vie privée, du moins les bienséances et la décence dans la vie publique. En somme, comme le dira Tartuffe, ce n'était point pécher que pécher en silence à la cour de Catherine, «école de toute honnêteté et vertu».

Bon nombre de ces écolières peuplent l'univers féminin, purement aristocratique, du second livre des *Dames*, dames «galantes» qui sont parfois les mêmes que les dames «illustres» du premier. Brantôme n'a pourtant pas hésité à prendre la défense de cette cour que Jeanne d'Albret jugeait «la plus maudite et corrompue compagnie qui fût jamais». Il protestait contre l'opinion de certains : «les filles et les femmes y bronchent fort, voire coutumièrement», disent-ils. A quoi il rétorque qu'il y en a de très chastes et vertueuses, voire plus qu'ailleurs.

Tout le monde ne partageait pas cet optimisme. La réputation de la cour de France, en matière de mœurs, n'était pas fameuse en Occident et les Parisiens étaient les premiers à s'indigner de sa dépravation. Pierre de L'Estoile en donne, dans son *Journal*, de nombreux témoignages. Le comportement amoureux et matrimonial de l'aristocratie, où la doctrine courtoise et néoplatonicienne était en vogue, se heurtait à une moralité bourgeoise rigide de plus en plus affirmée. Dans *L'Amie de Court* (1541), Bertrand de La Borderie, un des valets de chambre du roi, décrit complaisamment l'étonnante liberté d'une jeune dame de haut rang, belle et cultivée, qui avoue : «... n'étant point de mes serviteurs serve [esclave] l'autorité sur eux je me réserve». Mais *La Contr'amie de cour* de Charles Fontaine (1543), une honnête bourgeoise, dit son mépris pour les mœurs légères des dames à la mode : «Et follement au plus riche donneur / On vend son corps, son âme et son honneur.»

François Ier avait cherché à attirer à la Cour des femmes de la noblesse. Sous les Valois, elles y tinrent une place et un rôle de plus en plus importants. Elles coûtaient cher. Chacune d'elles recevait une pension. Le Roi-Chevalier, un des rois les plus prodigues de l'Ancien Régime, dépensait trois fois plus d'argent en pensions pour les dames de sa cour que pour ses bâtiments. Les seigneurs mariés qui y amenaient leurs épouses avaient droit à un logement avant ceux qui y venaient seuls. Avantage appréciable, car les logements étaient peu nombreux. Cependant la Cour restait un univers masculin : des milliers d'hommes la fréquentaient mais les femmes n'y étaient que quelques centaines.

Le personnel féminin (lingères et lavandières) était en minorité dans les maisons royales, dans celles du roi et de ses frères, et plus encore dans celles des reines (un quart ou un cinquième), les souveraines ayant à leur service un grand nombre d'officiers domestiques du sexe masculin.

La Cour ne comptait pas seulement les membres pourvus d'une charge précise. Des courtisans, surtout des nobles, se faisaient accompagner de leurs épouses quand ils venaient s'acquitter de leur service, faire leur quartier de gentilhomme de la chambre du roi. Mais les voyages étaient onéreux et tenir son rang l'était plus encore. Les vêtements en particulier coûtaient des fortunes, et suivre la mode imposait d'en changer souvent.

Si la dépense faisait hésiter des femmes d'une très bonne famille, mais peu argentée, la crainte de ne pas paraître à leur avantage retenait celles dont l'éducation avait été insuffisante. L'influence pernicieuse et émancipatrice de la Cour inquiétait d'ailleurs certains pères, tel ce M. de Stavay, qui redoutait d'y envoyer sa fille, et céda aux instances d'Henri III, désireux de la faire entrer dans la suite de la reine Louise. Méfiance justifiée. Après une brève liaison avec le roi, puis une autre avec le duc d'Épernon, dont elle eut un enfant, elle tomba dans la galanterie.

LA TYRANNIE DE LA MODE :
LOIS SOMPTUAIRES ET MODES SCANDALEUSES

Pour sauvegarder leur prestige, les courtisans, comme les femmes d'un certain rang qui figuraient dans l'entourage royal, se devaient d'être magnifiquement vêtus. Dans une société du paraître comme celle du XVIe siècle, le costume est un véritable miroir de la condition sociale. Signe du métier ou de l'état, il l'est aussi de la fortune et de son possesseur. Au sommet de la hiérarchie sociale, la noblesse est en même temps la classe détentrice des biens les plus considérables. C'est pour elle qu'est faite la mode. De François Ier à Henri IV, le costume aristocratique parvint à un degré de somptuosité et de raffinement inouïs. Les relations avec l'Italie, le développement de la richesse nationale, les progrès du luxe et du goût, l'influence d'une élite éprise d'élégance modifient profondément l'habillement des Français, nobles et bourgeois s'entend (le peuple ignore la mode et les costumes régionaux folkloriques datent du XVIIIe siècle).

Les vêtements décrits dans les inventaires des dames et de gentilshommes appartenant aux maisons royales représentaient chacun plusieurs mois de salaire d'un artisan.

La richesse des tissus, velours, satin, taffetas, damas, toiles (d'or et d'argent), faits de soie, matière rare venue d'Italie, d'Espagne, de Sicile mais le plus souvent du Levant, explique le prix extraordinaire de ces étoffes à la vente. Aussi offrait-on ces livrées médiévales en cadeau, même aux plus hauts personnages. Les habits complétaient avantageusement une dot, ou faisaient l'objet d'un legs. On se précipitait aux liquidations de la garde-robe des grands. Au cours des pillages si fréquents pendant les guerres civiles, de grands seigneurs n'hésitaient pas à s'emparer de riches vêtements et à les porter. Brantôme conte comment, aux noces de Charles IX, la Cour s'amusa fort de voir la future maréchale de Saulx-Tavannes parée des atours de la princesse de Condé, après la mise à sac du château de Noyers.

Pour se conformer aux modes du temps les vêtements nécessitaient beaucoup d'étoffe : huit à neuf aunes pour une robe, quatre à neuf pour un manteau. Et des fournitures considérables, passementerie, quantité de boutons précieux en perle, ou en or. Il fallait se préserver du froid dans des appartements peu ou pas chauffés. D'où les robes fourrées, et le manchon, l'hiver (pour les deux sexes). Les vêtements de femme étaient fort incommodes. Le jour de ses noces avec le frère du duc d'Épernon, Mlle de Batarnay était «si chargée» de sa magnifique robe de velours cramoisi qu'il lui était impossible de se tourner. Pour donner plus de finesse à la taille, on portait des corps à l'espagnole, corsages rigides, munis d'éclisses de bois sur les côtés qui entaillaient parfois la chair. Montaigne admire le stoïcisme des dames qui sacrifiaient ainsi à la mode.

Nombre d'accessoires venaient rehausser la toilette d'une grande dame et marquer sa condition; éventails (Marguerite de Valois en offrit un à la reine, estimé à 12 000 écus), masques de velours noir pour préserver la délicatesse du teint, sacs de velours pour les livres d'heures, gants parfumés, qu'on appelait des «frangipanes». Une ordonnance de 1577 limita le prix des bas de soie, articles d'un grand luxe, à sept écus la paire.

La grande noblesse de cour raffolait des bijoux, chaînes d'or, liens de tête, «enseignes» de coiffure, carcans et bracelets de pierreries pour les dames, dont beaucoup possédaient des perles par centaines.

Ce luxe nécessaire pour affirmer son rang social grevait lourdement les budgets familiaux, d'autant plus que la mode était fort
changeante et suscitait l'émulation des courtisans. Quand on s'absentait de la Cour, il fallait avant d'y revenir s'enquérir des
dernières tendances vestimentaires pour ne pas être ridicule. Un
mari soucieux de faire venir sa femme à la Cour l'en avertissait, tel
M. de Saint-Sulpice signalant très sérieusement à la sienne, dame
de la reine mère, qu'«on ne porte plus de robes à manches
pendantes mais toutes froncées et plusieurs en ont à haut collet».
Plus tard c'est la dame qui s'informa elle-même et apprit qu'il fallait
alors utiliser des bertugales (ou vertugadins) si grandes que les
robes paraissent courtes sur les côtés. Mme de Saint-Sulpice fut-elle
effrayée par la dépense ? En tout cas, elle ne rejoignit pas son mari.

Plus que de simple passe-temps pour la noblesse oisive, le souci
de la mode fait figure de règle du jeu. La suivre devient l'un des
plaisirs d'une élite avide de jouir de tous les raffinements de la civilisation, la marque d'un goût qui se développe avec la culture. A la
Cour, le costume est spectacle, comme en témoigne l'émerveille-
ment de Brantôme devant les diverses toilettes de Marguerite de
Valois, dont il admire le goût, l'élégance et la beauté. Beauté qu'il
décrit en termes assez vagues, alors qu'il mentionne avec minutie
ses toilettes, comme cette robe de drap d'or frisé, présent du Grand
Turc à l'ambassade de France, dont il précise le métrage et le prix :
quinze aulnes à cent écus l'aune. L'élégance est un devoir pour une
fille de France. Catherine de Médicis attend de Marguerite qu'elle
se pare toujours somptueusement. Les toilettes de la princesse,
nombreuses et diverses, prêtent aux commentaires des courtisans.
Chacun en disait son mot, relate Brantôme. Il confie son admiration à Ronsard, et inspirera un sonnet au poète en lui suggérant une
comparaison : l'arrivée de Marguerite à celle de l'aurore. C'est à
une princesse de dicter la mode : à sa fille qui craint de paraître
démodée si elle s'absente longtemps de la Cour, Catherine
réplique : «C'est vous qui inventez et produisez les belles façons de
s'habiller, et en quelque part que vous alliez, la Cour prendra de
vous et non vous de la Cour.»

Ce luxe ruineux, qui fascinait les cours étrangères et qu'on s'efforçait d'imiter, les rois tentèrent de le freiner par des lois somptuaires. Leur abondance, d'un bout à l'autre du siècle, démontre
éloquemment leur absence d'efficacité. Charles VIII, Louis XII,
François Ier, Charles IX prirent en vain des mesures pour réserver

aux seuls nobles la richesse vestimentaire. Un roi aussi épris de faste qu'Henri III, et dont la Cour donne, comme lui-même, l'exemple d'un luxe effréné, promulgue des édits, en 1576, en 1583 pour interdire aux roturiers l'usage de vêtements de soie ou de velours, certaines couleurs, et pour interdire en particulier à leurs filles et à leurs femmes de porter l'accoutrement de «demoiselle», habit de soie et chaperon de velours. L'Estoile a consigné dans ses *Mémoires-Journaux* les sanctions effectives auxquelles s'exposèrent les rebelles. Des bourgeoises (50 ou 60) furent ainsi emprisonnées par le grand prévôt, en dépit des démarches de leurs parents et maris, qui offrirent de payer des amendes.

Ces mesures ne visaient pas tant à restreindre les dépenses ruineuses de la bourgeoisie qu'à maintenir chacun dans son ordre. Vêtements et parures étaient, plutôt qu'affaire de coquetterie, démonstration évidente du prestige de la naissance, qui l'emportait sur celui de la fortune et assignait à chacun le costume convenable à son rang.

Le luxe de la Cour symbolisait la frivolité et le gaspillage aux yeux des Parisiens (la Cour séjourna presque en permanence à Paris entre 1570 et 1588) et plus largement à ceux du petit peuple, plongé dans la misère des guerres civiles. Mais c'est l'indécence scandaleuse du vêtement féminin, instrument de corruption, que vont stigmatiser avec virulence moralistes, théologiens et prédicateurs. La guerre du sein, qui débute au XVe siècle, et la polémique du caleçon, à partir du règne d'Henri II, en offrent deux exemples caractéristiques.

Le passage du costume drapé au costume ajusté au XIVe siècle était lourd de conséquences. La poitrine désormais maintenue par les corsets pouvait se dévoiler plus aisément. D'Agnès Sorel aux dames de la cour d'Henri III, la mode des décolletés déchaîne l'indignation de l'Église et la verve des satiristes. Excessif au XVe siècle, où il plonge jusqu'au nombril, le décolleté est condamné avec violence par les prédicateurs (les sermons de Michel Menot et d'Olivier Maillard sont restés célèbres). Mais, dès 1503, la renaissance de la mode médiévale est saluée par des poèmes gaillards. En pointe, ronds ou carrés selon la mode, voilés modestement d'un fichu chez les femmes du peuple, les décolletés laissent souvent les seins nus, qu'on porte alors bien séparés, mode attestée par les blasons ou par Ronsard. Les poètes chantent les «mamelettes pommelées», les auteurs de nouvelles, de Vérité Habanc à Nicolas de Cholières et

Étienne Tabourot, se scandalisent d'une mode vulgaire qui permet de «montrer ses tétins à tout un chacun, au mépris de son salut, et de celui des malheureux hommes». Car c'est toujours à la réaction masculine que songent écrivains et théologiens !

La Cour d'ailleurs donne l'exemple. L'Estoile rapporte que le 26 juin 1577, la reine organise à Chenonceaux un banquet où «les dames les plus belles et les plus honnestes de la Cour, estant à moitié nues et ayant les cheveux espars comme espousées, furent employées à faire le service». «Les dames et demoiselles de Paris», nous apprend encore L'Estoile, emboîtent le pas. «Comme les soldats qui font parade de monstrer leurs poictrinals dorés et reluisants, elles faisaient monstre de leurs seins et poitrines ouvertes, que ces bonnes dames faisoient aller par compas ou mesure comme une horloge...»

La guerre du sein se poursuivra bien au-delà du XVIᵉ siècle. La Contre-Réforme continuera à stigmatiser les «femmes débraillées», les «seins de feu», pourvoyeurs du diable de la poésie baroque. Du côté des catholiques, on refusera la confession et la communion si les décolletés sont trop généreux. On dénoncera les distractions que les femmes causent à l'église. Les protestants ne seront pas en reste, ils multiplieront les synodes sur les toilettes du XVIᵉ au XVIIᵉ siècle (synodes d'Orléans en 1576, de La Rochelle en 1581, de Vitré en 1620, de Castres en 1626). Les femmes réformées elles-mêmes se joindront à ces protestations : une satire de Marie de Brabant, *L'Épître aux bombancières*, s'en prend rageusement à tous les artifices de la toilette féminine, à tous «ces fatras de chambre, bourrelets, attifés, corsets, grands échafauds de patins hauts montés», et pour les condamner va jusqu'à prêter la parole au Seigneur :

> Et de votre poitrine allongeant l'ouverture
> Je mettrai tout à nu jusques à la ceinture
> Votre honte au soleil, s'il vous en reste encore.

Le décolleté qui exhibe le haut du corps féminin fait scandale, le caleçon qui cache le bas va déchaîner toute une polémique. On sait que les dames, jusqu'à la Renaissance, ignorent les dessous. C'est Catherine de Médicis (Brantôme nous l'apprend) qui en inaugura la mode. Passionnée d'équitation et de chasse, elle introduisit en France une nouvelle manière de monter à cheval. Auparavant les dames étaient sur un siège, placé sur le cheval, ou «sambue». Ni le trot ni le galop n'étaient possibles. Les dames, contraintes à aller l'amble, ne pouvaient suivre une chasse à courre. Catherine eut l'idée de monter en amazone, innovation qui plut au roi – les femmes dès lors pouvaient l'accompagner partout – et qui avanta-geait Catherine (elle avait de belles jambes, ce qu'elle avait de mieux). Cette nouvelle technique d'équitation eut un succès foudroyant. Mais il fallait passer la jambe au-dessus de l'arçon. Au grand détriment de la pudeur, puisque jusque-là les dames ne portaient rien sous leurs jupes. Elles eurent alors recours au caleçon long, porté communément de nos jours par nos contemporaines.

Le caleçon, complètement indispensable de la selle à l'amazone, suscita une virulente polémique. Il eut ses partisans : l'érudit Henri Estienne l'admettait pour des raisons pratiques – il tenait les fesses plus nettes, les gardant de la poussière et du froid (le vertugadin, petite jupe, y rendait plus sensible) – et morales : « il leur évite de montrer – et là Henri Estienne cite en grec – ce qu'il faut cacher aux mâles pour user des mots d'Euripide » et les protège « contre les jeunes gens dissolus, car venant à mettre la main sous la cotte, ils ne peuvent toucher aucunement la chair ». Brantôme l'approuve, pour des raisons esthétiques : on peut rembourrer d'étoupe ces caleçons qui moulent les cuisses et la silhouette acquiert ainsi un aimable embonpoint. On sait que Catherine veillera à pourvoir son escadron volant de caleçons aguichants. Henri Estienne prévoyait d'ailleurs le bel avenir des culottes et la séduction qu'exercerait cette pièce de lingerie ou de velours. Les dames se la faisaient tailler dans « quelque étoffe bien riche ». Ne sembleraient-elles pas alors « vouloir plustost attirer les dissolus que se défendre contre leur imprudence » ?

Le caleçon reste d'ailleurs un vêtement aristocratique : il ne figure guère que dans la garde-robe des reines et des grandes dames (le mot apparaît pour la première fois dans l'inventaire des biens de Marie Stuart, dressé à Édimbourg, en 1563). Les femmes du peuple n'en portent pas, chez les conteurs du moins, où l'absence de ce « bride à fesses » prête aux anecdotes grasses, de Rabelais, riant de celles qui, en tombant, montrent leur « comment-a-non », à Béroalde de Verville regardant une servante relever ses jupes pour se chauffer et exposer sans rougir ses avantages.

Ce vêtement hautement favorable à la décence aurait dû emporter l'approbation des pudibonds et des théologiens. Il suscita leur indignation. C'est que le caleçon était un vêtement spécifique-ment masculin. On sait que l'Église condamnait le port des habits d'un autre sexe. Seules les courtisanes se permettaient, avec délices, de s'habiller en homme, s'il faut en croire l'Arétin, Brantôme et *La Vieille Courtisane* de Du Bellay. Aussi les tenants de la vertu préféraient-ils voir les amazones risquer d'exhiber ce que la décence oblige de cacher plutôt que de les voir porter les chausses et les hauts-de-chausses masculins.

En dépit des critiques et des railleries, l'élégance des femmes, la somptuosité de leurs atours contribua au prestige et au rayonnement de la cour de France. Mais elles ne se contentaient pas d'en être l'un des plus beaux ornements, l'écrin où brillent les reines. Elles eurent un rôle civilisateur en favorisant une culture de cour. La diffusion du savoir dans les milieux cultivés leur donnait accès à une éducation solide, qui ne négligeait pas la vie de l'esprit, et l'on attendait d'elles des qualités intellectuelles suffisantes pour entretenir toutes sortes de gens savants, d'érudits et d'artistes qui fréquentaient la Cour. Catherine exigeait de ses filles d'honneur de la vivacité d'esprit, une civilité gracieuse, mais entendait qu'on les traitât en retour avec beaucoup d'égards. La fréquentation des femmes devint alors l'indispensable complément d'une éducation masculine achevée.

LES MAÎTRESSES DES VALOIS

Anne de Bretagne s'était entourée d'une cour de dames séduisantes où elle brillait la première sans partage. Épouse de Charles VIII, elle n'avait pas eu à subir l'installation à la Cour d'une maîtresse en titre, telle Agnès Sorel auprès de Charles VII. Durant son second règne, plus expérimentée, la reine s'entendit à fixer Louis XII, qui ne se serait pas risqué à introduire une maîtresse à la Cour. Ses successeurs n'eurent pas les mêmes scrupules.

François Ier aimait le plaisir, ne se priva certes pas d'aventures mais conserva à l'égard de la reine Claude assez de respect pour ne pas lui imposer la présence d'une maîtresse officielle. Il n'en usa pas de même avec Éléonore de Habsbourg, qui, à son arrivée à la Cour, y trouva installée la radieuse Anne de Pisseleu. De sa première maîtresse en titre, Françoise de Foix, épouse de Jean de Montmorency-Laval, comte de Châteaubriant, on sait peu de chose. Quand rencontra-t-elle François Ier? Quand tomba-t-elle en disgrâce? On l'ignore. On ne peut non plus retirer d'informations valables des lettres d'amour et des poèmes attribués à François et à Françoise, car leur authenticité est douteuse.

On sait toutefois que, mariée en 1509 au comte de Châteaubriant, elle séjournait à la Cour en 1516, qu'elle était l'une des douze dames d'honneur de la reine Claude, et que son père était le maréchal de Lautrec. Son élégance la faisait remarquer. Elle parut notamment, lors d'un banquet à L'Arbresle, en juillet 1517, vêtue somptueusement d'une robe de velours cramoisi, toute parée de chaînes d'or et d'argent, que le roi avait fait venir d'Italie. Ses trois frères obtinrent grâce à elle de hautes dignités militaires.

Anne de Pisseleu, dame d'Heilly, qui lui succéda dans la faveur du roi, devint bientôt duchesse d'Étampes. Elle sut à la fois veiller à sa fortune et s'intéresser aux affaires du royaume, dans la mesure où elles lui permettaient de montrer le pouvoir qu'elle exerçait sur le roi. Capricieuse et insolente, elle entretint avec lui une liaison orageuse, traversée de passades de part et d'autre, mais qui dura jusqu'à la fin du règne.

La Cour était déchirée par des factions alimentées surtout par la rivalité entre les deux fils de François Ier, le dauphin Henri et Charles, duc d'Orléans, favori de son père. Mme d'Étampes était l'ennemie implacable du connétable de Montmorency. Ses amis se ralliaient autour d'Henri, tandis que Charles attirait à lui ses ennemis, dont Marguerite de Navarre. Les manœuvres allaient bon train, surtout à la fin du règne où le roi vieillissant s'affaiblissait. Les relations étaient tendues entre le roi et le dauphin et leurs maîtresses respectives, Diane de Poitiers et la duchesse. Celle-ci, au cœur des intrigues, cherchait à placer proches et amis, protégeant ou disgraciant avec une belle inconstance. Mais elle ne réussit pas à se débarrasser de l'amiral d'Annebault, son ancien protégé, ni à faire exclure du gouvernement le cardinal de Tournon. Ses visées politiques s'accordaient souvent avec ses inclinations personnelles : favorable aux luthériens, comme Marguerite de Navarre, sa sympathie allait à l'Angleterre, alors que Diane, catholique ultramontaine, encourageait la répression des hérétiques.

Son sort était lié à celui du roi, dont la mort en 1547 déclencha une révolution de palais, et une longue série de vexations à l'égard de la duchesse. Son arrogance, son népotisme lui avaient créé de nombreux ennemis. Contrainte de rendre les bijoux offerts par le roi et assignée en justice par son mari, elle finit par se retirer dans un de ses châteaux. Sa disgrâce remplit d'aise la reine Éléonore à qui elle avait infligé tant d'humiliations, et marqua le triomphe de son ennemie, Diane de Poitiers.

Celle-ci ne se contentait pas d'être la brillante maîtresse d'Henri, dont la beauté et l'éclat contribuaient à rehausser le prestige de la cour de France. C'est parmi les femmes au pouvoir que nous la retrouverons, car cette favorite tint un rôle exceptionnel dans la vie politique du royaume. Aucune des maîtresses des fils d'Henri II n'égala sa maîtrise et aucune n'exerça d'influence sur la politique du royaume. Catherine de Médicis y veillait. Charles IX était «d'amoureuse complexion», et courut les aventures avant de tomber éperdument amoureux en 1569 d'une jeune et très belle bourgeoise, Marie Touchet. Une maîtresse de condition médiocre n'aurait pas les prétentions d'une Diane de Poitiers, Catherine ne s'inquiétait pas. L'Allemande ne lui faisait pas peur, avait déclaré Marie en voyant le portrait de la future épouse du roi. Elle avait raison. Il ne tarda pas à lui revenir, nous l'avons vu, mais à cette époque elle ne manifesta aucune ambition politique.

On sait qu'Henri III épousa Louise de Lorraine par choix, par goût, et sans aucune considération d'intérêt. Les débuts de leur mariage furent très heureux. Le roi avait eu une liaison avec Renée de Rieux, demoiselle de Châteauneuf, d'une grande lignée bretonne, avant son départ pour la Pologne, puis à son retour. Fort embarrassé par elle après son mariage, il chercha à trois reprises à la marier. Elle finit par épouser un Italien (qu'elle poignarda parce qu'il la trompait), puis un autre, et utilisa son passé sans vergogne lorsqu'elle s'établit en Provence, mais ne troubla pas l'harmonie du couple royal.

Henri III fut loin d'être un mari fidèle, et collectionna les aventures sans lendemain. Il cherchait toujours à les dissimuler à la jeune reine, sans pouvoir empêcher les rumeurs et la jalousie de Louise. Ses visites au monastère de Poissy, puis à celui de Maubuisson, peuplés de nonnes titrées et de mœurs fort libres, firent beaucoup jaser. Mais le roi, en dépit de ses passades, restait fort attaché à Louise et lui donnait toujours la préférence sur ses rivales. A partir de 1582, une crise de conscience, une conversion intérieure lui fit juger ses infidélités comme des fautes graves. Le couple royal se souda plus que jamais dans la tourmente des dernières années du règne. Henri III espérait que sa fidélité conjugale lui vaudrait d'obtenir des enfants. Louise se résigna à la volonté de Dieu, évitant ainsi de s'abandonner au désespoir.

Dans cette cour où les intrigues ne manquaient pas, l'escadron volant de la reine mère fut utilisé à des fins politiques. Mais aucune de ces brillantes femmes de cour n'eut d'influence sur les affaires d'État. Ce à quoi Catherine prenait garde, entendant bien qu'elles travaillassent dans son intérêt à elle, et non dans le leur.

Henri de Navarre n'eut guère le loisir, ni d'ailleurs le goût, d'organiser une vie de cour. Durant quelques brèves années, entre 1579 et 1582, la reine Marguerite anima celle de Nérac. La cour d'Henri, chef du parti protestant tandis que se succédaient les guerres de Religion, puis roi de France contraint à conquérir son royaume, ressemblait davantage à un état-major qu'à une assemblée de dames et de courtisans policés.

Parmi les cinquante-six maîtresses répertoriées d'Henri IV – sans compter celles qui ne l'ont pas été –, la plupart appartenaient aux milieux les plus variés et n'eurent jamais accès à la Cour. Le roi de Navarre ne trouva guère de rebelles, pendant son séjour au Louvre, dans l'entourage des reines, et même emprisonné à Vincennes, il partagea avec Alençon, son beau-frère, les faveurs de la pulpeuse Mme de Sauve. Point de filles farouches non plus parmi les suivantes de la reine Marguerite.

Certaines purent nourrir l'espoir de supplanter la reine, car Henri avait la fâcheuse habitude de promettre le mariage à ses maîtresses. Ainsi la très jeune Françoise de Montmorency, dite la Belle Fosseuse, l'une des filles d'honneur de la reine, dont il s'éprit à Nérac, qu'il rendit enceinte et que Marguerite, sur les instances de son époux, dut aider dans ses couches. « Dieu voulut qu'elle ne fît qu'une fille, qui encore était morte », se félicite la reine dans ses *Mémoires*. La Belle Fosseuse avait cru qu'elle épouserait le roi si elle avait un fils. Mais elle n'était pas de taille à éclipser Marguerite, qui l'emmena avec elle lorsque, peu après, elle partit pour la cour de France, persuadée, dit-elle, que le roi ne tarderait pas à « s'embarquer » avec quelque autre.

La « GRANDE CORISANDE »

C'est pour Diane d'Andouins, comtesse de Gramont et de Guiche, qui a choisi le romanesque pseudonyme de Corisande (c'est le nom d'une héroïne de l'*Amadis*), qu'Henri de Navarre éprouva sa première grande passion. En 1585 Corisande était veuve, Henri séparé de sa femme. Elle est catholique, il est protestant, mais héritier présomptif du trône, Henri III n'ayant pas d'enfants. La fière et ambitieuse comtesse, véritable égérie guerrière, voulait faire de son amant un Amadis béarnais, vertueux et héroïque, l'aider à faire figure non de chef de parti, mais de dauphin, ennemi seulement des ligueurs ultracatholiques qui cherchaient à troubler l'ordre du royaume.

Fort différente des conquêtes d'un jour ou des maîtresses en titre qu'il avait collectionnées jusqu'alors, cette beauté altière et dominatrice témoigna à celui qu'elle nommait «Petiot» une tendresse condescendante. Férue d'héroïsme romanesque, elle attendait de lui qu'il fût prêt à tous les exploits et à toutes les épreuves pour la mériter.

Il l'avait rencontrée au château de Pau, où résidait son amie la princesse Catherine de Bourbon. Les deux femmes restèrent très proches. La «grande Corisande» – ainsi la nommait Montaigne, qui la connaissait bien – se tint à l'écart de la cour de Nérac, où son charme et son intelligence auraient pu faire merveille. Elle n'était pas femme non plus à suivre Henri dans ses chevauchées itinérantes et ses haltes au sein d'un entourage militaire. C'est dans son château d'Hagetmau, au milieu d'un vaste domaine, qu'elle accueillait son amant quand il venait la voir.

Pour l'aider à marcher vers la victoire, Corisande prodigua à «Petiot» exhortations à passer à l'offensive ou conseils de prudence, en maîtresse exigeante, attendant des preuves de son amour, de son courage et de son intelligence. Les lettres d'Henri (où il témoigne de réelles qualités d'écrivain) sont, de 1585 à 1589, de véritables bulletins militaires, que Corisande transmettait à Catherine de Bourbon, régente de Béarn au nom de son frère. Bulletins dangereux, quand ils étaient saisis sur les messagers qui les portaient du camp d'Henri à Pau ou Hagetmau, car ils renseignaient les catholiques sur les positions du roi ou sur ses projets d'attaques. Correspondance qui montre aussi à quel point il se confiait à la maîtresse dont il admirait l'esprit, la *virtù*, la dignité et dont il appréciait l'aide et les ressources qu'elle lui apportait.

Leur union charnelle fut courte. Après le retour de la victoire de Coutras, où il dépose à ses pieds les lauriers de la victoire, il ne la reverra plus. Mais il lui restera longtemps fidèle «en esprit», en dépit des passades et d'une liaison plus durable avec une jeune Rochelaise, Esther Ymbert. Corisande, point dupe, se lassera la première, tandis qu'il continue à la tromper et à lui envoyer dans ses lettres des «millions de baisers».

LE « BEL ANGE »

Gabrielle d'Estrées, dont le roi s'éprit en 1590, appartenait à un tout autre monde que la fière Corisande. Sa famille comptait nombre de femmes célèbres pour leur galanterie. Les réussites militaires de son amant ne lui importaient guère. Henri d'ailleurs au cours des années 1593-1594, essentielles dans sa carrière, est dévoré de jalousie : Gabrielle entretient parallèlement une liaison avec le séduisant Bellegarde, grand écuyer de France.

En 1594, Henri IV s'installe dans sa capitale, la pacification du royaume s'opère peu à peu. En 1598 sont signés l'édit de Nantes et la paix de Vervins. Le Louvre n'est plus celui des Valois, peuplé de princesses et de dames d'honneur doctes et raffinées, de gentils-hommes élégants, où les arts et les lettres étaient à l'honneur. Les anciens militaires, les Gascons notamment, sont nombreux, peu soucieux de belles manières et de beau langage. Gabrielle va sept ans durant jouir véritablement du rang de reine de France. Mère de trois enfants, dont deux garçons, elle a satisfait le désir de paternité du roi qui la fait marquise, puis duchesse de Beaufort, songe à l'épouser et à légitimer ses enfants. Mais en avril 1599, Gabrielle, enceinte de nouveau, meurt d'une crise d'éclampsie. Mort « miraculeuse » dit L'Estoile, soulagement aussi dans l'opinion publique. Noces et légitimation risquaient d'entraîner des troubles graves.

Son rôle a-t-il été néfaste ? Il faut reconnaître, avec Jean-Pierre Babelon, que cette favorite ambitieuse, cette croqueuse de diamants pour laquelle Henri IV avait dilapidé les deniers publics a été une femme de douceur et d'apaisement. Alliée des huguenots dont elle se fit plusieurs fois l'avocate et dont elle vantait la fidélité au roi, elle s'est ainsi acquis la sympathie de D'Aubigné, qui d'ordinaire a la dent dure et n'a pas épargné Corisande. Et l'édit de Nantes lui doit peut-être quelque chose.

UNE CONSPIRATRICE PERVERSE

Henri IV, « peu difficile dans ses choix », a-t-on dit avec une sévérité justifiée, était esclave de ses maîtresses, pour les oublier dès que le sort le délivrait d'elles. De fait, la mort de l'encombrante Gabrielle permettait d'envisager le règlement de la situation matrimoniale du roi. Marguerite, qui avait refusé de se retirer au profit de cette « bagasse », ne faisait plus obstacle à l'annulation de son malheureux mariage avec le roi de Navarre. L'union avec une princesse florentine catholique était la solution raisonnable. En attendant le roi n'avait pas l'intention de vivre dans la continence.

A la blonde Gabrielle succéda une brunette de vingt ans, Henriette d'Entragues, née dans une famille tout aussi galante. La mère d'Henriette, Marie Touchet, avait été la maîtresse de Charles IX, avant d'épouser François de Balzac d'Entragues. Le clan familial était bien décidé à vendre la vertu d'Henriette au prix le plus haut. La belle fit volontairement attendre Henri (vingt et une lettres écrites en octobre 1599 le montrent enflammé, exaspéré), jusqu'au jour où il accepta de signer une promesse de mariage.

Pendant les négociations engagées pour les noces du roi avec Marie de Médicis, Henriette accoucha d'un enfant mort. Celles-ci célébrées, Henri se partagea entre Henriette et Marie, montrant un véritable esprit de compétition dans les naissances de sa progéniture, légitime et illégitime : Henriette met au monde un fils un mois après que la reine a accouché du dauphin, le futur Louis XIII : « Dépêchez-vous de faire ce fils, écrit-il à Henriette, afin que je vous fasse une fille. » Deux filles naissent ensuite chez la reine Marie, une chez Henriette, bientôt marquise de Verneuil.

La vie du double ménage se poursuivit, traversée de crises. La reine Marie s'irritait de plus en plus de l'attitude insolente de la marquise, cruelle et méprisante aussi bien à l'égard d'Henri, se moquant en public des défaillances de ce « capitaine Bon Vouloir ». Elle avait toujours en main la promesse de mariage, menace contre la légitimité du couple royal, dont elle empoisonna littéralement la vie conjugale. En 1604, à l'instigation de son père et de son frère, le comte d'Angoulême, la marquise se laissa entraîner dans un complot avec des agents de l'Espagne. Quels en étaient exactement les objectifs ? On ne sait. Mais Philippe III avait promis d'aider les conjurés, de recevoir la marquise en lieu sûr, de reconnaître le fils d'Henriette duc de Verneuil, en remplacement du dauphin légitime, et de le marier à une infante. Qu'aurait-on fait du roi et du futur Louis XIII ?

Henri IV laissa d'abord prononcer des condamnations contre Henriette, son père et son frère. Mais il retomba dans les lacs de sa maîtresse à la lecture de la missive ensorceleuse qu'elle lui adressa. La marquise obtint des lettres d'abolition pleine et entière du roi, la peine capitale des d'Entragues fut commuée en prison à vie. En fait, seul son frère resta douze ans à la Bastille. Par la suite la liste des bonnes fortunes d'Henri s'allongea toujours. Jacqueline de Bueil, faite comtesse de Moret, en 1604, Charlotte des Essarts en 1607, et bien d'autres encore.

Quant à la cour de France, elle ressemblait au harem du Grand Turc. Presque tous les enfants du roi étaient réunis à Saint-Germain, y compris ceux d'Henriette, quelles que fussent leurs mères. Six légitimes et cinq illégitimes. La reine Marie s'était indignée, mais n'avait pas voix au chapitre. Le roi veillait à l'éducation du dauphin, traité en héritier du trône et conscient de sa supériorité sur les bâtards. Les maîtresses sollicitaient la permission de venir voir la petite bande de Saint-Germain, belle occasion de se concilier les bonnes grâces du futur roi. La réputation de la cour de France, véritable «*bordello*» selon l'ambassadeur florentin, souffrit beaucoup de ces promiscuités. Le prestige et l'éclat de la cour des Valois étaient bien oubliés.

XV

Reines et princesses lettrées

Si la cour des Valois a proposé un modèle culturel aussi achevé, c'est que, plus qu'en aucun autre siècle, apparut une pléiade de reines et de princesses cultivées qui symbolisaient le rayonnement et la splendeur des lettres françaises. Elles donnaient le ton à tous les milieux qui s'intéressent à la vie de l'esprit. L'exemple venait de haut.

LA «MARGUERITE DES PRINCESSES»

Marguerite de Navarre est sans conteste la figure dominante, la plus attachante aussi, du premier âge de la Renaissance. Elle était l'arrière-petite-fille de Valentine Visconti, la fille de Charles d'Orléans, comte d'Angoulême (neveu du poète), et de Louise de Savoie. Sœur de François Ier, elle fut d'abord duchesse d'Alençon, puis par son second mariage reine de Navarre (elle sera la grand-mère d'Henri IV). Marguerite eut une enfance austère, auprès d'une mère veuve à vingt ans, vivant à l'écart, à la cour de Louis XII, et de son frère François, de deux ans plus jeune. Louise de Savoie lui fit donner une instruction particulièrement soignée, inhabituelle pour une fille à l'époque, et une solide formation religieuse.

Élevée avec son cadet, dont elle partagea les études et les passe-temps virils, elle reçut avec lui les leçons de deux érudits. L'un leur enseignait le latin et l'histoire sainte, l'autre la philosophie et leur mère leur inculqua les rudiments de l'italien et de l'espagnol. Marguerite était douée d'une vive intelligence et d'une curiosité d'esprit que son enfance retirée contribua à développer. Sans posséder l'érudition d'un Budé ou d'un Rabelais, elle fut une grande lettrée, ouverte à toutes les tendances et à tous les mouvements culturels de son temps.

Louis XII n'avait pas d'héritiers et sa santé était mauvaise. Aussi Louise de Savoie avait-elle rêvé de voir monter sur le trône un fils qu'elle adorait : « Mon seigneur, mon César, mon fils » l'appelait-elle. Marguerite voua elle aussi toute sa vie à ce frère bien-aimé, son « Soleil », une affection passionnée.

Durant les premières années du règne de François Ier, la sœur du « Prince des Lettres » tint à la Cour, avec sa mère, un rôle de tout premier plan. A Louise la responsabilité des affaires politiques, à Marguerite celle de ce que nous appellerions les affaires culturelles, ce qui n'excluait pas qu'elle jouât par moments un rôle politique et diplomatique : son nom fut souvent mentionné dans le courrier des ambassadeurs étrangers.

Elle tint alors, a-t-on dit, l'emploi de reine de France, que la pauvre Claude était bien en peine d'occuper. A la perfection d'ailleurs. Ornement de la Cour, elle s'entendait à recevoir et à entretenir ambassadeurs étrangers et visiteurs de marque qui admirèrent son esprit, son affabilité d'hôtesse et de négociatrice. Ce fut alors sa période mondaine.

Un premier mariage avec le duc d'Alençon ne l'empêchait pas de résider souvent à la Cour. Elle assistait aux bals, aux banquets, aux voyages d'une cour toujours en mouvement, auprès de son frère, qui l'emmenait partout.

Veuve et remariée en 1527 à Henri d'Albret, ses séjours répétés en Béarn ne l'empêcheront pas de revenir à la cour de France, d'en connaître les fastes et les fêtes, les intrigues galantes et politiques. Retirée en Navarre à plusieurs reprises, lorsque les querelles religieuses rendent sa situation critique et que la question de la Navarre espagnole met aux prises son frère et son mari, ses séjours à la Cour se feront de plus en plus rares et c'est en Béarn, à Pau, et surtout à Nérac qu'elle tiendra la sienne.

On sait quel fut le rayonnement de celle que le poète Clément Marot qualifiait de « corps féminin, cœur d'homme, et tête d'ange », sa largeur de vues, sa curiosité d'esprit, l'étendue de sa culture, son indulgente bonté et sa modestie ; Marguerite est la seule princesse française à avoir abordé à la fois la poésie, le théâtre et la prose narrative. Première poétesse française publiée, elle s'est occupée elle-même de faire éditer le *Miroir de l'âme pécheresse* en 1531 et 1533, et en 1547 a confié à l'imprimeur *Les Marguerites de la Marguerite des princesses*, tâche surprenante à l'époque de la part d'une femme et d'une princesse.

On peut s'étonner que la sœur du roi ait trouvé le temps, ait eu le goût d'écrire, au milieu des obligations et des épreuves d'une existence très pleine : vie mondaine à la cour de France, négociations avec Charles Quint à Madrid pour sauver le roi de la geôle espagnole, appuis apportés à ses protégés lorsque vint l'ère des persécutions, audaces réprimées en 1533 par la Sorbonne qui condamne son *Miroir de l'âme pécheresse*, et s'offense qu'elle fasse prêcher le carême au Louvre par l'évangéliste Gérard Roussel.

A cela s'ajoutent les heurts d'influence autour du roi (avec Montmorency entre autres), les tensions entre la volonté de son frère et les ambitions de son mari à propos de la Navarre espagnole, les désillusions conjugales, et les amertumes (mariage forcé de sa fille Jeanne en 1541), les indignations véhémentes devant les massacres de Mérindol et Cabrières, la solitude des dernières années en Navarre (le nouveau roi, son neveu, Henri II, ne l'aime guère, elle ne vient qu'exceptionnellement à sa cour).

Mécène généreuse, elle a encouragé, protégé, recueilli quand ils étaient inquiétés une foule d'écrivains de toutes disciplines. Les 75 dédicaces qu'on lui adresse entre 1509 et 1533 attestent l'importance de son mécénat et l'étendue de son prestige. Elle chercha très tôt la compagnie d'esprits distingués et novateurs, s'intéressant aux hommes et aux idées les plus étranges. Peu de reines ont, autant qu'elle, attiré penseurs, poètes, artistes. Elle prit notamment à son service Clément Marot, poète officiel du royaume, dont cette cour vagabonde, vivante, ouverte à toute nouveauté, fut la «maîtresse d'école», puis Bonaventure Des Périers, conteur satirique, poète et penseur énigmatique. Dévouée comme son frère à la cause de l'humanisme, elle encouragea les traductions d'œuvres antiques (celles de Platon et des néoplatoniciens surtout) ou italiennes auxquelles travaillèrent ses valets de chambre et secrétaires : Silvius à celle du commentaire de Marsile Ficin sur *Le Banquet*, Antoine du Moulin à celle d'Épictète. Elle fit traduire par Antoine Le Maçon le *Décaméron* de Boccace.

Son tempérament, son éducation l'inclinaient à porter l'intérêt le plus vif aux questions religieuses. Vers 1521, elle entra en relation avec le petit groupe d'humanistes réunis autour de l'évêque de

Meaux, Guillaume Briçonnet, qui s'efforçaient de diffuser l'évangélisme : Jacques Lefèvre d'Étaples, Gérard Roussel, futur aumô-
nier de Marguerite, Michel d'Arande, l'hébraïsant Vatable. Lefèvre
d'Étaples avait traduit toute la Bible. L'Évangile devait être, selon
lui, le seul fondement de la doctrine du Christ, à laquelle il faut
revenir, au mépris de toutes les «constitutions humaines», selon la
formule d'Érasme et de Rabelais, c'est-à-dire de tout ce que les
hommes y ont ajouté. C'était le maître à penser du groupe de
Meaux. Comme Briçonnet, il s'était attaché au problème du salut
acquis non par les œuvres, mais par la foi, l'amour de Dieu. De 1521
à 1524 elle entretint avec Briçonnet une correspondance suivie qui
exerça une influence profonde sur l'orientation de sa vie spirituelle
et sur les poésies chrétiennes qu'elle écrivit tout au long de sa vie.
Ses lettres manifestent, et c'est une audace, l'intrusion d'une femme
dans le discours théologique masculin. De cette période datent ses
premiers écrits importants. Son activité littéraire s'étendra sur près
de vingt-cinq ans, de 1524 à sa mort en 1549.

L'intérêt des milliers de vers où elle aborde les grands
problèmes qui furent au cœur de sa réflexion au long d'un inces-
sant cheminement spirituel tient surtout à l'image qu'ils reflètent
d'une personnalité exceptionnelle et d'une conscience perpétuellement en crise. Premier poète mystique des lettres françaises, elle y
introduit la poésie philosophique et religieuse, où revivent les
efforts de croyants éclairés pour briser les cadres étroits des Églises,
dans la première moitié du XVIᵉ siècle.

«Esprit abstrait, ravi et extatique» a dit Rabelais de la reine, en
lui dédicaçant son *Tiers Livre*. Sans chercher à systématiser les
doctrines philosophiques et religieuses auxquelles elle s'intéressait,
elle s'en est nourrie pour épanouir une spiritualité très vive, toute
personnelle, marquée par une immense soif d'amour. Elle avait
connu la gloire du monde, elle n'avait jamais connu l'amour. La
religion lui fut un refuge pour se payer de ce qui lui manqua. Une
quête incessante du «vrai et parfait amour» – et «Parfait amour, c'est
le Dieu éternel» –, ainsi peut se définir la vie spirituelle de
Marguerite. Sa poésie comme son théâtre exaltent la confiance en la
grâce divine, la nécessité de son intervention active, sans laquelle
l'homme ne peut rien, le salut par la foi, la vanité des œuvres et
dénoncent l'orgueil humain, le «cuyder» (l'outrecuidance).

Dans les périodes de crise, et à la fin de sa vie, Marguerite résidait de plus en plus volontiers dans ses États. Son crédit à la Cour

allait déclinant. Elle avait regroupé autour d'elle un cercle de lettrés, à Pau, à Nérac, sa résidence préférée, à Mont-de-Marsan où elle ne faisait que de courtes haltes. Marot en fuite y était passé, puis Calvin en disgrâce. Lefèvre d'Étaples y vieillissait. Elle continuait à y recevoir, et à pensionner réformés et contestataires, écrivait ses dernières poésies, toutes pénétrées d'exaltation mystique et de résignation mondaine, et rédigeait l'*Heptaméron*, l'un des plus beaux textes de la Renaissance, et son chef-d'œuvre.

L'œuvre de la reine est à la fois vaste et variée. En poésie lyrique, des épîtres, des épigrammes, des «Chansons spirituelles», d'amour religieux et mondain, écrites sur des «timbres» de chansons souvent fort grivoises, et de grandes méditations lyriques, *Le Dialogue en forme de vision nocturne, Le Triomphe de l'Agneau* (à la gloire du Christ). *Le Navire* est un dialogue entre la reine et l'âme de son frère défunt (1547). Au soir de sa vie, le grand poème des *Prisons*, récit allégorique d'un héros qui conte sa libération des trois prisons, l'amour, les richesses, le savoir, apparaît comme une somme de son expérience spirituelle. Bilan de sa vie aussi que son recueil des *Marguerites de la Marguerite des princesses* (1547; «Marguerite» transcrit le latin *margarita*, «perle»), le seul dont la publication ne soit pas posthume.

Au théâtre, une tétralogie sacrée, quatre «comédies» (au sens latin, neutre, de pièce de théâtre), paraphrasant le Nouveau Testament, et sept comédies profanes, d'inspiration religieuse, qu'elle «faisait jouer et représenter, dit Brantôme, par des filles de sa cour». *La Comédie de Mont-de-Marsan* est la plus riche de sens et la plus originale. Elle appelait aussi des comédiens italiens, et le roi de Navarre assistait aux représentations dans la grande salle du château. L'un des thèmes majeurs de tout ce théâtre est la supériorité du petit sur le superbe (c'est lui le plus clairvoyant qui ouvre la voie au puissant) et la revanche des humbles.

Frappante est la continuité de l'inspiration religieuse dans l'œuvre poétique et dramatique, mais aussi dans son œuvre en prose, l'*Heptaméron* qui a paru d'une inspiration si différente qu'on a parfois refusé de l'en croire l'auteur.

Dans ce recueil de soixante-douze nouvelles, réparties en huit journées, dix «devisants», hommes et femmes de haut parage, content des aventures – dont certaines sont historiques – vécues par des personnages qu'ils ont connus et les commentent ensuite. Le propos de l'auteur est de «n'écrire nulle nouvelle qui ne soit véritable histoire ». Plusieurs sont d'ailleurs authentiques. Le récit se contente de rapporter des faits dont la discussion au cours du commentaire prête à une analyse morale et crée une tension dramatique : deux partis s'y affrontent, celui des misogynes convaincus pour qui la femme reste une proie à conquérir, soit la quasi totalité des hommes, et celui des défenseurs de la femme, soucieux d'établir sa dignité, qui expriment manifestement les convictions de la reine.

Le passe-temps de cette petite société aristocratique, provisoirement isolée dans l'abbaye pyrénéenne de Serrance, consiste en effet à prendre tour à tour la parole pour conter des histoires vraies (dont chacun connaît les protagonistes). L'*Heptaméron* avait été projeté à la cour de France dans l'enthousiasme soulevé par les nouvelles de Boccace. Mais, à la différence de celles-ci, les entretiens à plusieurs voix des auditeurs succèdent aux récits à une voix, en toute liberté. L'unanimité ne règne pas, hommes et femmes s'affrontent, confrontent leurs jugements sur le récit, avec vivacité, acrimonie parfois, mais sans jamais se départir d'une élégante courtoisie.

Le conte devient matière à débat, la leçon à tirer change selon les points de vue, sans qu'aucune conclusion définitive soit apportée. Longue variation sur l'amour et le mariage, vaste enquête sur les problèmes que posent les rapports entre hommes et femmes, l'*Heptaméron* est un document précieux sur la mentalité et les mœurs de l'époque. Les témoignages les plus convaincants, l'analyse la plus lucide et la plus ample de la condition féminine dans le mariage ou l'adultère, ce sont dans ces soixante-douze nouvelles qu'il faut les chercher. Nous les avons d'ailleurs souvent utilisées dans de précédents chapitres.

Les entretiens des devisants permettent d'imaginer des échanges de pensées et d'opinions dans les milieux cultivés, des discussions sur les questions morales et sentimentales à la mode vers 1540, celles que l'on débattait à la cour de Marguerite. La reine de Navarre qui, au soir de sa vie, écrivait souvent dans sa litière de velours noir, accompagnée de la fidèle sénéchale de Poitou, grand-mère de Brantôme, a laissé avec l'*Heptaméron* un vivant témoignage de l'art et de la pratique de la conversation à la française.

A la Renaissance, dans une société de loisir, l'apprentissage de ce que nous appelons aujourd'hui la culture ne passe pas seulement par les livres, mais par la conversation. Version mondaine de l'acquisition du savoir ? Pas seulement, car la discussion naît bien souvent de la lecture et la prolonge.

Marguerite, figure de proue de la littérature féminine à l'aube de la Renaissance française, est apparue comme la messagère de l'épanouissement culturel que le royaume allait connaître. Mêlée de très près au mouvement des idées et des lettres, aux luttes politiques et religieuses de son temps, elle symbolise tous les espoirs, les progrès et les échecs de la Renaissance. Le prestige moral et intellectuel de cette personnalité complexe, ses qualités exceptionnelles d'intelligence et de cœur devaient contribuer à rehausser l'image de la femme et encourager la créativité féminine.

FILLES DE FRANCE

Si elle est la plus connue, Marguerite de Navarre ne fut pas la seule princesse à briller par son intelligence et sa culture à la cour de France. Renée, la seconde fille de Louis XII et d'Anne de Bretagne, et la belle-sœur de François Iᵉʳ, qui lui fit épouser Hercule d'Este, devint ainsi duchesse de Ferrare. Elle reçut les enseignements de Lefèvre d'Étaples, alors précepteur du troisième fils du roi. Elle apprit le latin, le grec, les mathématiques. Elle avait, dit Brantôme, «fort étudié. Je l'ai vue fort savante discourir fort hautement et gravement de toutes sciences jusqu'à l'astrologie et la connaissance des astres», au point d'étonner Catherine de Médicis. Elle avait eu pour gouvernante Michelle de Saubonne, protectrice des poètes Jean Lemaire et Jean Marot, fort savante, qui l'accompagna en Italie. Marguerite de Navarre veilla sur elle et entretint des rapports très amicaux avec la duchesse durant les trente années où elle fit de la cour de Ferrare – très francophone – le centre d'une culture raffinée, «aimant littérature, savoir exquis et arts libéraux», selon Marot qu'elle accueillit avec chaleur. Nous la retrouverons plus loin, mêlée aux luttes religieuses.

La deuxième Marguerite, fille de François Iᵉʳ et de Claude de France, fut duchesse de Savoie et, comme sa tante, une princesse érudite. Mécène généreuse, elle étendit sa protection aux domaines de l'esprit les plus variés : poésie, science, histoire, philosophie. L'éducation de la «Minerve de France» fut comme celle de ses frères et sœurs, confiée à toute une équipe de professeurs et de précepteurs. Le latin, le grec, l'italien, l'histoire et la géographie tenaient une large place. Mais Marguerite manifesta aussi un vif intérêt pour les sciences.

A la cour de France, puis à Bourges, dans son duché, et à Turin après son mariage avec le duc de Savoie, elle «aimait entre tout les gens savants auxquels elle souhaitait toujours "faire du bien" et dont les "leçons" [conférences] et la conversation enrichissaient ses connaissances», nous apprend Brantôme. Rien d'étonnant à ce que quantité d'auteurs et de traducteurs lui aient dédicacé leurs œuvres, car elle protégea les grands poètes, notamment Ronsard, Du Bellay, Jodelle, Dorat. Elle n'a, quant à elle, rien écrit qui soit passé à la postérité. Pourtant Marguerite et Catherine de Médicis, qui s'étaient liées d'amitié, et partageaient le goût des lettres, avaient projeté d'écrire des nouvelles sur le modèle de l'*Heptaméron*.

Très populaire en Savoie, elle s'efforça d'attirer à l'université de Turin de bons jurisconsultes. Dans tous ses États d'ailleurs, elle favorisa beaucoup l'enseignement du droit, et avait gardé des liens avec Michel de L'Hospital, son ancien chancelier. Ronsard composa un tombeau en l'honneur de cette protectrice des lettres.

Marie Stuart, fille unique du roi d'Écosse, Jacques V, et de Marie de Guise, était arrivée en France à cinq ans. Fiancée au dauphin François, elle devait être élevée auprès de son futur époux. C'était l'usage d'envoyer une princesse dans le pays dont elle allait être la reine, pour mieux l'acclimater dès son plus jeune âge à sa nouvelle patrie. Marguerite d'Autriche, fiancée au futur Charles VIII, avait été ainsi élevée auprès de lui (avant de repartir dans sa famille quand le roi lui eut préféré Anne de Bretagne). Elle écrivait élégamment en vers et en prose et composa même en français le *Discours de ses infortunes et de sa vie*.

Quant à Marie Stuart, sa destinée était en France, on le croyait du moins. Elle reçut donc une éducation soignée. Les exercices sportifs, les arts d'agrément, l'enseignement religieux y tenaient une large place. Mais elle apprit le latin, l'italien, possédait six langues outre le français, qu'elle parlait et écrivait remarquablement. Comme les enfants d'Henri II et de Catherine, elle compta parmi les princesses les plus cultivées de sa génération, sans être une savante. On a conservé un recueil de thèmes latins rédigés dans son enfance. Brantôme a gardé le souvenir émerveillé d'un discours latin qu'elle prononça, à l'âge de quinze ans, devant le roi, la reine et toute la Cour, au Louvre. Ses poètes préférés étaient Ronsard et Du Bellay, et c'est dans leur style qu'elle écrivit elle-même des poèmes. Elle jouait du luth et chantait à ravir. Les contemporains ont beaucoup célébré l'esprit et la science de Marie Stuart. Mais la petite reine de quinze ans, qui aimait les fêtes de la Cour et suscitait l'admiration d'une foule enthousiaste, ne tarda pas à être veuve. A dix-huit ans, elle n'était plus rien en France et regagna son Écosse natale.

De Jeanne d'Albret, reine de Navarre, mère du futur Henri IV, on connaît surtout la calviniste fervente, à l'énergie virile. Ce fut aussi une princesse qui «se plut grandement en la poésie», au dire d'un contemporain. Il ajoute que si quelques-uns de ses vers ont été publiés, une infinité d'autres n'ont point été imprimés. On connaît au moins deux de ses sonnets, en réponse, et en remerciement à des poèmes de Du Bellay, et un quatrain, improvisé durant une visite à l'atelier de Robert Estienne, pour célébrer l'imprimerie.

De sa fille Catherine de Bourbon, fort cultivée elle aussi, qui versifiait à l'âge de douze ans, on a conservé une intéressante correspondance et des poésies.

La troisième Marguerite du siècle était la septième des enfants d'Henri II et de Catherine de Médicis, la benjamine des filles de France. Reine de Navarre et première femme d'Henri IV, baptisée par Alexandre Dumas la reine Margot, Marguerite de France fut une vraie princesse de la Renaissance par son intelligence, sa culture, sa prestance et son sens de la représentation.

Ses précepteurs, dont le second devint évêque de Digne, lui firent faire de bonnes études, qu'elle jugea insuffisantes par la suite. Marguerite devait toujours, en dépit des vicissitudes de sa vie, manifester un goût très vif pour les livres et les choses de l'esprit. Sa participation à la vie politique ne fut pas négligeable. Nous y reviendrons, pour ne considérer d'abord que la princesse, mondaine accomplie et femme de lettres.

Cultivées, les princesses et les reines que nous avons rencontrées le furent sans aucun doute. Mais elles n'étaient pas des écrivains pour autant. Leurs écrits, si elles en ont laissé, correspondance ou Mémoires, concernent leur rôle politique. En revanche, Marguerite, reine de Navarre comme sa grand-tante, puis duchesse de Valois après son «démariage» avec Henri IV en 1599, a été un écrivain à part entière.

Elle aimait la poésie – conservait dans un album ses pièces préférées – et, mieux, pratiqua le genre tout au long de sa vie. «Elle compose tant en vers qu'en prose, ses compositions sont très belles, doctes et plaisantes, car elle en sait bien l'art», écrit Brantôme dans le discours qu'il lui a consacré. Beaucoup, qui n'avaient pas été publiées, et étaient oubliées, dispersées dans les ouvrages de ses protégés, ou dans les textes anonymes de recueils collectifs, viennent d'être retrouvées et tout récemment éditées. Les poèmes qui nous sont parvenus, d'inspiration élégiaque en majorité (des stances sur la mort de ses amants notamment), attestent sa fidélité au néoplatonisme et à la préciosité en vogue dans le salon de Mme de Retz.

Ses études, assez décousues dans sa prime jeunesse, lui permettaient de bien parler l'italien et l'espagnol, et de faire un discours en latin. Marguerite, gaie, vive, brillante, cultivée, adulée, vécut son adolescence à la Cour dans les divertissements, les fêtes, les plaisirs. Fille de France, catholique, elle accepta sans joie, mais sans protester, d'épouser Henri de Navarre, un roitelet et un huguenot. Ce mariage, destiné à réconcilier les deux partis, permit en fait de prendre au piège la fleur de la noblesse huguenote et fut le prélude d'un bain de sang, la Saint-Barthélemy. Henri est sommé d'abjurer le protestantisme. Marguerite refuse la proposition de sa mère de la «démarier».

Les époux restent quasi prisonniers à la cour de France. En 1573, la réception des ambassadeurs polonais venus offrir le trône de Pologne au duc d'Anjou, le futur Henri III, permit à Marguerite de briller de tous ses feux. Son élégance (robe de velours incarnadin d'Espagne avec bonnet assorti, plumes et pierreries) et son éloquence éblouirent les seigneurs polonais qui ne parlaient que le latin, et que ses frères étaient incapables de bien comprendre. A la harangue de l'évêque de Poznan, elle répondit «sans s'aider d'aucun truchement», tandis que la maréchale de Retz, son amie, poursuivait l'entretien dans la langue de Cicéron.

LES ÉCRITS DE LA TURBULENTE MARGUERITE

En 1574, le parti des Malcontents souhaita, après les tueries déclenchées dans toute la France, une politique de tolérance civile. Il se tourna vers le duc d'Alençon, le benjamin des Valois, et vers Henri de Navarre et Henri de Condé, espérant trouver des chefs en ces princes du sang, maintenus dans une défiance humiliante par le roi Charles IX.

Nous reviendrons sur les deux conjurations dont l'objet était de faire évader de la Cour, avec la complicité de Marguerite, Henri de Navarre et François d'Alençon. Emprisonnés à Vincennes, après l'échec du complot, ils durent comparaître devant une assemblée de commissaires du Parlement. Henri de Navarre présenta une plaidoirie fort élaborée, le *Mémoire justificatif*, rédigée en quelques jours par Marguerite à la demande de son mari. Demande insolite, les rois ne s'adressant pas à leurs épouses pour des écrits de ce genre. Elle laisse entendre qu'il avait confiance en ses talents.

Avec raison. Car le discours remporta un franc succès. Marguerite en convient, non sans fierté, dans ses *Mémoires*. Son mari en fut satisfait, et les commissaires étonnés de le voir « si bien préparé ». L'historien Jacques Auguste de Thou, au début du XVIIᵉ siècle, en résume le contenu et en souligne l'habileté. « Ce prince ne parla point en criminel qui vient pour se justifier, mais il adressa la parole à la reine, en présence du chancelier et des commissaires, et se plaignit hautement de tous les outrages qu'elle lui avait faits. »

La conjuration prenait ainsi l'allure d'un drame familial. Ce *Mémoire* n'est pas seulement un texte politique où la reine de Navarre démontre sa belle éloquence de femme d'État. Il relève aussi du genre autobiographique. Car, pour être signé Henri, ce petit manifeste n'en traduit pas moins les sentiments de Marguerite. L'accusation répétée de manque d'amour adressée à Catherine, le reproche implicite de sa préférence marquée pour ses fils (la mère fait toujours bloc avec Charles et Henri), ses rancunes s'expriment d'autant plus librement qu'elle ne parle pas en son nom.

Elle allait plus tard donner à l'autobiographie féminine ses lettres de noblesse avec ses *Mémoires*, son œuvre la plus connue. Lorsque Marguerite, reine de Navarre et de France, entreprend de les rédiger, elle vit au château d'Usson, mi-prisonnière, mi-suzeraine. Elle y a été enfermée après des péripéties romanesques et dramatiques en novembre 1586 et y restera dix-neuf ans, jusqu'à son retour à Paris en 1605.

La fortune de ce genre nouveau s'affirme fortement en France durant la Renaissance, notamment dans la seconde moitié du XVIᵉ siècle. Les mémoires se distinguent de l'Histoire, genre noble, conçu comme une narration rhétorique, sur le modèle antique. Écrite par des lettrés dans le style de la grande éloquence oratoire, l'Histoire échappe ainsi aux hommes d'action.

Les auteurs de mémoires protestent tous avec une modestie, feinte ou non, qu'ils ne sont pas des historiens de métier. Ils parlent en témoins oculaires, veulent informer, fournir des matériaux en somme, à la grande histoire, convaincus, comme leur contemporain

Montaigne, que ceux qui ont fait l'Histoire sont les plus compétents pour la raconter.

Plaidoyer, justification, revanche sur les échecs et les humiliations, excuse au regard des hommes d'action ou simple passe-temps, les mémoires sont une littérature de compensation, le substitut d'une activité guerrière ou politique dont les écartent l'exil, la disgrâce, la vieillesse ou l'ingratitude du pouvoir. On voit la parenté entre la situation de ces mémorialistes et celle de la reine Marguerite, disgraciée, déçue dans ses ambitions, exilée en Auvergne. La retraite, volontaire ou non, est donc un thème littéraire à la mode, ce dont Marguerite était à coup sûr bien consciente.

MÉMOIRES DE FEMMES

Bien des princesses ou des reines françaises de la Renaissance ont joué un rôle politique. Certaines – elles sont très rares – ont voulu l'expliquer ou le justifier. Mais les textes qu'elles nous ont laissés les montrent toujours dans leurs rapports personnels avec un homme au pouvoir, fils, époux et frère, tenant le rôle que Louise Labé, après Platon, assignait aux dames, non pas «faites pour commander [...] mais comme compagnes tant pour les affaires domestiques que publiques». Si Louise de Savoie rédige un *Journal*, elle s'empresse de préciser aussitôt qu'elle n'a pas l'intention de parler d'elle. Son but est l'exaltation de «César», François Iᵉʳ, son fils, et aussi une justification de son propre rôle politique.

Jeanne d'Albret, fille de Marguerite d'Angoulême, nièce de François Iᵉʳ, est reine, héritière de plein droit de la petite Navarre française, où la loi salique n'a pas cours. Elle est aussi mère d'un prince du sang protestant, chef de parti. Dans ses *Mémoires*, Jeanne utilise l'écriture comme une arme politique, non pour raconter sa vie mais pour défendre son droit à agir en toute indépendance. Sa volonté de justification, comme celle de Louise de Savoie, est d'autant plus forte qu'elles veulent l'une et l'autre démentir leur infériorité féminine.

Ces documents restent d'ordre public plus que privé. Marguerite de Valois est la première à se poser d'emblée à la fois comme la narratrice et comme l'objet de sa narration. Par ailleurs les mémoires d'épée ou d'État sont des mémoires masculins. Elle est la première femme à faire le récit rétrospectif en prose de sa propre existence, en mettant l'accent sur sa vie individuelle, en particulier sur l'histoire de sa personnalité.

La dédicace à Brantôme indique à la fois le dessein de Marguerite et les circonstances qui l'ont déterminée à prendre la plume. Pierre de Bourdeille, seigneur de Brantôme, depuis longtemps un de ses admirateurs passionnés, lui avait envoyé son *Discours sur la reine de France et de Navarre*, véritable panégyrique qui exalte sa beauté et ses qualités d'esprit. Elle se propose d'en rectifier les erreurs, et les louanges par trop flatteuses. Marguerite tenait surtout à réfuter le jugement de Brantôme qui imputait tout son malheur à son «courage» trop grand... c'est-à-dire son orgueil. Elle voulait donner d'elle et de sa vie une image toute différente. Elle va donc dérouler l'ensemble de son existence, en évoquer divers aspects, en suivant l'ordre chronologique.

Les mémoires naissent de la rencontre d'un individu avec l'histoire. Les siens ont le caractère privé d'une chronique familiale, l'histoire n'y entre que parce qu'elle vit parmi les grands. Fille de roi, sœur et épouse de rois, elle a été intimement mêlée aux événements d'une époque troublée, à tous les conflits familiaux et religieux des Valois. Son histoire personnelle s'est longtemps confondue avec l'histoire de son temps, comme celle de tous les personnages de sa royale famille. Mais cette histoire ne l'intéresse que dans la mesure où elle a une répercussion sur sa vie personnelle. Elle ne se livre pas à des considérations générales, passe sous silence les grands événements auxquels elle n'a pas été mêlée. Elle veut offrir d'elle-même une image héroïque, bien faite pour donner la mesure de son aptitude à jouer dûment un rôle.

Elle fait, bien évidemment, un certain nombre d'entorses à la vérité historique, et on n'a pas de peine à repérer les déformations, légères ou non, qu'elle lui fait subir. «On est toujours très bien peint lorsqu'on s'est peint soi-même, dira Rousseau. Quand même le portrait ne ressemblerait point.» Au-delà du vrai et du faux, au sens historique du terme, les mémoires offrent une autre espèce de vérité, qui est la projection de l'univers intérieur de leur auteur.

On chercherait en vain dans ceux de la première épouse d'Henri IV la moindre allusion à sa turbulente vie sentimentale. Le code de l'honneur, partagé par toutes les femmes de l'aristocratie, le souci des bienséances imposaient de nier des liaisons, même lorsqu'elles étaient de notoriété publique, comme celle qu'elle eut avec Bussy d'Amboise ou même La Mole, qui sont pourtant nommés. Mais aussi parce que celle qu'on a longtemps confinée dans son alcôve n'a nullement l'intention de tenir un journal intime. Ce qu'elle veut, comme les mémorialistes masculins, c'est faire connaître son être public. Ses *Mémoires* s'interrompent sur la perspective de son retour à la cour de France. Elle va alors vivre ses années les plus turbulentes, celles où elle prend en main son existence.

L'interruption des *Mémoires* en 1582 a prêté à diverses hypothèses. Sont-ils restés inachevés ? A-t-elle manqué de temps pour les poursuivre ? La dernière partie en a-t-elle été perdue ? Ou voulait-elle laisser dans l'ombre ses dernières équipées, qu'on pouvait juger peu édifiantes ? Enfin, a-t-elle été la seule narratrice ou s'est-elle fait aider d'une de ses dames de compagnie, Mlle Thorigny, devenue Mme de Vermont ? Questions restées jusqu'ici sans réponse.

Tels quels, ces *Mémoires* témoignent du plaisir de la mémoire et du plaisir d'écrire, comme du soin de la narratrice attentive à séduire son lecteur. L'aisance, l'apparente simplicité et la vivacité du style tiennent à la volonté de faire œuvre d'écrivain.

Marguerite s'installe avec brio dans un genre naissant, encore dépourvu de tradition. En inaugurant les mémoires au féminin, elle inaugurait aussi l'autobiographie féminine. Alors que beaucoup de mémorialistes hésitent – et hésitent encore après elle – entre le récit à la troisième ou à la deuxième personne (usant du il comme D'Aubigné, ou du vous comme Sully) et répugnent au «je», honteux, a-t-on dit, elle adopte d'emblée la première personne et parle en son nom.

A la différence de toutes les femmes qui prennent la plume au XVIᵉ siècle – Louise Labé exceptée –, elle n'a aucun sentiment de l'infériorité féminine et n'invoque pas la faiblesse de son sexe pour s'excuser de l'imperfection de son œuvre. Les *Mémoires* sont dédiés à Brantôme, qui lui-même lui dédiera toute son œuvre posthume, à l'exception des *Vies des dames galantes*.

Appartenant à une dynastie où les femmes avaient manifesté une remarquable maîtrise intellectuelle, la troisième de nos «Trois Fleurs, nos Trois Perles, nos Trois Princesses, dont la première fut mère de la Poésie française, la seconde de nos Poètes et la dernière de tout le peuple français tant de l'Épée que de la Plume», au dire d'Étienne Pasquier, Marguerite avait naturellement de son sexe une idée très haute. Aussi comprend-on son indignation à la lecture de l'ouvrage que lui envoya le père Loryot S.J., *Les Secrets moraux concernant les passions du cœur humain, divisés en 5 livres* (Paris, 1614), où le jésuite dénonçait tous les défauts des femmes, conformément à la misogynie médiévale.

Marguerite n'avait jamais pris part à la Querelle des femmes, qui s'inscrit dans une tradition littéraire à la Renaissance. Mais, au cours d'une des discussions brillantes qu'animait régulièrement sa petite cour dans l'hôtel parisien de la rue de Seine, elle «donna bien de l'exercice» à six personnes savantes, dont Loryot. Elle répondit en effet, une heure durant, à deux questions posées par l'ouvrage du jésuite : «Pourquoi la femme est plus dévote que l'homme», et «Pourquoi l'homme rend tant d'honneur à la femme». A la suite de cet entretien, d'autant plus touchée par la diatribe du religieux qu'elle s'était toujours montrée fort généreuse à l'égard des Jésuites, elle décida de répliquer par écrit. En une riposte «promptement dictée et envoyée» au jésuite dès qu'il partit, la reine s'employa à démontrer, avec brio et subtilité, l'éclatante supériorité du sexe féminin, au moins en ses plus brillantes représentantes. Elle espérait que, si le bon père se laissait convaincre par ses arguments, et s'il consentait à les parer de son éloquence, disait-elle, son sexe en recevrait un éternel honneur.

L'allusion était claire. Le père Loryot s'exécuta sans tarder. La même année paraissait une seconde édition de son livre, avec un nouveau titre, *Les Fleurs des secrets moraux...* en six livres. Il était dédié à la duchesse de Valois, prodiguait des louanges «à la plus docte princesse de la chrétienté», s'ouvrait sur le *Discours docte et subtil*, le dernier écrit de Marguerite, et s'achevait par un recueil de poèmes en son honneur, une esquisse en somme de la *Guirlande de Julie*. Mais l'ensemble de son ouvrage montre qu'il restait en désaccord avec sa royale dédicataire !

La reine, qui lisait tout, était bien au fait des textes écrits en faveur de son sexe. Elle connaissait notamment le célèbre ouvrage de Corneille Agrippa. Son discours rappelle les arguments les plus courants des champions des dames. Le manifeste féministe, constamment marqué par l'élégance et la noblesse du style, oppose la cruauté des hommes à la douceur des femmes : au lieu de faire la guerre, elles ont initié l'humanité à la bienfaisance, à la vertu et découvert les arts. Elle estime aussi qu'aucun domaine du savoir ne devrait leur être interdit. Mais elle n'élève aucune protestation contre l'iniquité des lois, faites par les hommes, qui les asservissent dès leur naissance, les excluent de toute fonction publique, leur

interdisent tout acte civil : telles étaient les revendications du réquisitoire de Corneille Agrippa.

Que la duchesse de Valois ait cru certaines femmes supérieures
en beauté, peut-être même en intelligence, le *Discours docte et
subtil* tendrait à le prouver. Mais ce féminisme littéraire, marqué
par une tradition rhétorique et philosophique, féminisme élitiste
aussi, qui ne concerne qu'un petit nombre de privilégiées, est celui
d'une princesse d'exception qui se range d'office parmi «les plus
remarquables de son sexe et de son temps», sans trop songer à
réhabiliter toutes les femmes.

La volumineuse correspondance de la reine Marguerite s'étend
sur quarante-cinq ans, de 1569 à 1614 et comprend un demi-millier
de pièces. Elle devait être beaucoup plus importante, nombre de
lettres ayant été perdues ou détruites. Les destinataires sont en
majorité des souverains français et étrangers, des hommes d'État,
des dirigeants de grandes familles, des amies et amis, et les amoureux de la reine, Champvallon surtout, et Fourquevaux.

A la variété des destinataires correspond la diversité des sujets :
la guerre et la paix d'abord, alliances, négociations, questions d'argent, épisodes de la vie de la reine, pourparlers durant la procédure
d'annulation en mariage.

Ces lettres, écrites d'ordinaire au fil de la plume, entièrement
autographes lorsque les correspondants sont des familiers, ou des
personnes avec qui elle se sent en confiance, n'étaient pas destinées
à êtres lues en public. D'un intérêt documentaire évident puisque
Marguerite fut au centre de la vie politique et culturelle de son
époque, elles témoignent de la verve narrative, de la désinvolture
d'une reine habituée à l'écrit et à la parole telle qu'elle s'apprenait
chez ceux qui étaient appelés à intervenir dans la vie publique.

XVI

Les salons des dames

Dès la fin du XVe siècle, en Italie, s'était développée une floraison d'académies, groupes de lettrés qui, à l'opposé de l'enseignement donné dans les universités, aimaient discuter librement. Vers 1530, plusieurs centaines d'académies italiennes s'étaient spécialisées dans divers domaines, à Vicence le théâtre, à Vérone la musique, à Naples les questions scientifiques. En 1540, l'Academia degli Umidi à Florence, de privée, devint, sous le patronage de Cosme Ier, une institution publique, où des conférenciers donnaient des cours sur Dante et Pétrarque.

A l'imitation de l'Italie, des académies se créèrent en France, dans le monde de la Cour. Tous les enfants d'Henri II et de Catherine furent des princes et des princesses cultivés qui avaient le goût des arts et des choses de l'esprit. Avec l'appui de Charles IX, Jean Antoine de Baïf et Thibaut de Courville fondèrent en 1570 l'Académie de poésie et de musique. Société privée de concerts et conservatoire de poésie mesurée (à l'imitation de la poésie antique) et de musique, elle devait être une «école pour servir de pépinière d'où se retireraient un jour poètes et musiciens par bon art instruits et dressés». Le souverain en avait rédigé les statuts. Ses membres se réunissaient une fois par semaine, le plus souvent à l'hôtel de Baïf, au faubourg Saint-Marcel, parfois au collège de Boncour, le «Parnasse de Paris» selon Ronsard. Une police très stricte réglait les séances de musique, qui se donnaient dès le dimanche matin, durant deux heures. Le souverain allait les écouter, avec les princes. A celles-ci succédaient conversations littéraires et discussions subtiles. Parmi les «Académiques» figuraient les poètes de la Pléiade, Ronsard, Jodelle, Belleau, Amadis Jamyn, auxquels se joignaient d'autres poètes, Jean de La Taille, Rapin, et des musiciens, comme Claude Le Jeune et Jacques Mauduit.

La mort de Charles IX en 1574 ne mit pas fin à l'Académie, la plus ancienne des réunions officielles littéraires et artistiques de France. Sa brève existence correspondait à un mouvement de recherche artistique. Elle fut restaurée et élargie en 1576 par Guy du Faur de Pibrac – on l'en nomma «Entrepreneur» – dans un esprit différent, et avec des attributions plus étendues. Mais l'Académie du Palais, dont Henri III se déclara le protecteur, était d'une autre nature que celle de son frère. Plus de spécialistes ni d'auditeurs, mais plusieurs dizaines d'hommes de cour ou de Parisiens remarquables. Diplomates, hommes de science, médecins, magistrats, avocats, y coudoyaient des hommes d'épée, de grands seigneurs, des princes, des princesses et de grandes dames, car la compagnie était ouverte à celles «qui avaient étudié». Marguerite, la reine de Navarre, Mme de Retz, Mme de Lignerolles, la duchesse de Nevers et ses deux sœurs de Clèves, figuraient au nombre des académiciennes.

Les réunions avaient lieu deux fois par semaine dans le cabinet du roi au Louvre, et à Ollinville, dans sa résidence privée. Henri III s'intéressait surtout à la philosophie, à la linguistique et à la cosmographie. Il avait établi un programme de débats, exposait d'ordinaire un argument. Les membres de la compagnie devaient le traiter tour à tour et celui qui avait le mieux parlé à la dernière dispute proposait le sujet à débattre. Agrippa d'Aubigné, qui fut membre de l'Académie, rapporte ainsi à ses filles le débat qui opposa la maréchale de Retz et Mme de Lignerolles. «Il me souvient qu'un jour, entre autres, dit-il, le problème était sur l'excellence des vertus morales et intellectuelles : elles furent antagonistes et se firent admirer.» La compagnie, qui promettait des choses merveilleuses, «soit pour les sciences, soit pour la langue», poursuivit ses travaux sur la morale, la philosophie, la rhétorique, la poésie pendant neuf ans, puis semble avoir cessé ses réunions vers 1584.

Mais la cour des Valois avait inauguré une forme de sociabilité dont le rayonnement devait se répandre dans l'aristocratie et la bourgeoisie. Les salons sont les héritiers de la Cour, qu'elle a initiés à l'art de la conversation, de la discussion auxquelles participent les deux sexes, épris d'arts et de lettres, et où les dames jouent un rôle de premier plan.

LE CERCLE DES MOREL

Vers le milieu du siècle, le premier salon littéraire à Paris se constitue dans l'accueillante demeure de Jean de Morel, maréchal des logis de Catherine de Médicis, maître d'hôtel d'Henri II, plus tard gouverneur d'Henri d'Angoulême, bâtard du roi. Ce gentilhomme dauphinois, érudit, poète et orateur qui avait étudié en Italie, avait bien connu Érasme (il assista à sa mort, à Bâle). Il devait protéger les poètes novateurs et exercer une influence culturelle profonde au début des années 1550.

Sa femme, Antoinette de Loynes, tenait, par un premier mariage, à la bourgeoisie parlementaire. Épouse idéale d'un ami des lettres – son «Pylade» selon Du Bellay, pour Ronsard la «nymphe Antoinette», à qui il dédie son *Hymne du ciel* –, elle possédait une érudition peu commune, une culture étendue, célébrées à juste titre, semble-t-il, par ses admirateurs. C'est en latin qu'elle rédigeait des épîtres au poète Nicolas Bourbon ou à Henri d'Angoulême. Elle participa à un «tombeau» collectif en l'honneur de Marguerite de Navarre, avec les grands noms de l'humanisme et de la poésie.

Antoinette fut l'âme du cercle d'humanistes, de magistrats et de poètes que les Morel recevaient dans leur demeure de la rue Pavée (aujourd'hui rue Séguier), près de l'église Saint-André-des-Arts, aux abords du quartier de l'Université. Presque tous les membres de la Pléiade y furent accueillis. Morel, de l'aveu du poète lui-même, eut le mérite de «découvrir» Ronsard et de le défendre contre ses adversaires. Il joua d'ailleurs, avec sa femme, un rôle d'importance dans les combats livrés par la jeune école poétique pour s'imposer, et lui apporta un soutien efficace. A côté des poètes novateurs figuraient des poètes néolatins, des provinciaux, les savants lecteurs du Collège de France, Adrien Turnèbe, Denis Lambin, Ramus, le mathématicien Forcadel, et Michel de L'Hospital.

Discussions, déclamations poétiques, chant et luth se succédaient dans ces réceptions et bien des œuvres de Ronsard, Du Bellay et Baïf y furent lues ou chantées pour la première fois (musique et poésie étant associées). Le salon était également ouvert aux disciplines classiques et aux dernières nouveautés.

Si l'on ne sait rien de la formation d'Antoinette de Loynes, on imagine sans peine que ses trois filles aux noms romains, Camille, Lucrèce et Diane, ont pu acquérir dans la maison paternelle une instruction d'une étendue peu commune à l'époque où celle de la plupart des filles se bornait à quelques enseignements élémentaires. Mais surtout les sœurs Morel eurent comme précepteur un jeune Flamand, Charles Uytenhove, gentilhomme polyglotte, qui séjournait à Paris. L'aînée, Camille, la plus douée, maniait avec aisance à dix ans à peine le latin et le grec, écrivait l'hébreu, composait des poèmes et chantait, en s'accompagnant au luth, ceux des contemporains.

Du Bellay, qui éprouvait de la tendresse pour cette fille prodige, chanta en latin celle qu'il nommait la dixième Muse. Étienne Dorat, qui avait été un peu son maître de grec, et l'Écossais George Buchanan l'admiraient et lui adressaient leurs compliments en latin. Les seuls écrits de Camille – ses deux sœurs, mortes très jeunes, ont été moins célébrées – parvenus jusqu'à nos jours sont des pièces latines, datant de son enfance : les langues anciennes étaient assurément fort à l'honneur, dans la famille Morel.

Avoir su si parfaitement les maîtriser, telle est la louange le plus souvent adressée à Camille surtout, et à ses sœurs. Notons que ces filles prodiges, exceptionnelles en leur temps, paraissent alors remarquables et par leur sexe et par leur âge. Mais Camille, la jeune latiniste, si célébrée dans son enfance, ne reçoit plus de témoignages d'admiration lorsque, de fille prodige, elle devient femme savante. Ronsard ne participe pas au «tombeau» posthume que Camille s'efforce d'obtenir pour son père, mort en 1581. Seul Pierre de L'Estoile mentionne encore, à plusieurs reprises, dans ses *Mémoires-Journaux* «la perle des filles de notre âge», l'une de ses «bonnes amies», qui a gardé sa passion pour l'étude, les livres, la poésie, et est restée célibataire. En 1559, Du Bellay fit réciter dans l'hôtel des Morel, par Antoinette et ses filles, un épithalame dialogué. Il l'avait destiné d'abord à être dit au festin du mariage de Marguerite de France et du duc de Savoie, mais la mort d'Henri II interrompit les fêtes, et il fit ensuite hommage à Antoinette de la plaquette du spectacle. Le cercle de la rue Séguier est sans doute le premier où ont figuré des femmes et des jeunes filles dans un spectacle de société.

Ces premières réunions de fervents amis des lettres, auxquelles préside une femme aimable et cultivée, préfigurent ainsi les salons précieux du Grand Siècle comme les salons des philosophes.

LES SALONS ARISTOCRATIQUES

Dans la seconde moitié du siècle, le salon littéraire de la maréchale de Retz est celui qui, dans la capitale, acquit le plus vif éclat. Claude Catherine de Clermont-Dampierre, veuve de Jean, baron d'Annebaud et de Retz, épousa en 1565 Albert de Gondi, sieur du Perron, à qui elle apporta en dot la terre de Retz dont elle allait désormais porter le nom. Il était le fils de Marie-Catherine de Pierre-Vive, que nous avons rencontrée parmi les Lyonnaises les plus lettrées chez qui se réunissait un cercle de beaux esprits, plus tard gouvernante des enfants de France. L'ascension de cette famille d'origine florentine, protégée par Catherine de Médicis, la carrière fulgurante de Gondi, duc, puis maréchal de Retz, vite devenu l'un des premiers personnages du royaume, diplomate et habile politique, parurent prodigieuses à ses contemporains, qui y voyaient un exemple de la faveur du roi et de la «fortune de la Cour».

Il eut l'esprit (ses ennemis disaient qu'il n'en avait guère) de s'allier à la séduisante Claude Catherine, qui à la naissance et à la beauté joignait une solide et vaste culture, une bonne connaissance des langues anciennes, et naturellement de l'italien et de l'espagnol. Elle était la plus belle, la plus spirituelle et la plus docte des dames de la Cour, assure dans ses *Mémoires* Michel de Castelnau. En 1573, lors de l'arrivée à Paris des ambassadeurs polonais qui venaient offrir à Henri le trône de Pologne, la maréchale servit à plusieurs reprises de truchement entre les étrangers et le prince et répondit, on l'a vu, au nom de Catherine de Médicis à la harangue de l'évêque de Poznan par un discours latin qui lui valut les félicitations de ses auditeurs les plus savants.

L'union d'Albert de Gondi et de Claude Catherine était scellée par une ambition commune, pour le succès de laquelle ils se répartissaient les tâches. A lui la gestion des affaires les plus secrètes, la diplomatie, la guerre. A elle le rôle de représentation à la Cour (elle fut notamment l'organisatrice de ce banquet de Chenonceaux qui fit scandale à Paris) et la tenue d'un salon dont la réputation contribuait au prestige du ménage et au maintien d'une clientèle de brillants intellectuels. Cette politique conjugale se conforme aux mœurs aristocratiques du temps : les gentilshommes, absorbés par la guerre et les factions, encore respectueux parfois d'une tradition qui, dans la noblesse, fait préférer l'épée à la plume, laissent aux dames le soin de protéger les arts et lettres, voire de les cultiver. C'était le rôle que remplissaient leurs pères. La maréchale est à la fois une mécène et une grande dame mêlée aux intrigues de la Cour.

Elle n'avait, selon La Croix du Maine, «rien mis en lumière de ses œuvres et compositions». Agrippa d'Aubigné a eu entre les mains «un grand œuvre de sa façon» qu'il voulait voir publier. Mais plus rien ne subsiste de ses écrits, poèmes, ou discours, pour donner la preuve de ses talents littéraires, sinon la réputation élogieuse que leur firent les familiers du salon.

Dans les années 1570-1580, la maréchale recevait dans l'ancien hôtel de Dampierre (à l'intersection des actuelles rues de Castiglione et Saint-Honoré), non loin du Louvre, dans un quartier alors peu bâti. La maison était largement ouverte aux visiteurs, qui avaient libre accès à ses salons. Mais ceux que leurs talents ou leur amour de la poésie rendaient particulièrement dignes d'être admis dans l'intimité de Catherine et de ses belles compagnes étaient reçus dans le «cabinet de Dichtyne», ou salon Vert (car probablement tapissé de verdures).

Avec huit de ses amies, elle personnifiait les neuf Muses ou neuf nymphes : elle-même est Dictynne ou Pasithée, Henriette de Nevers, Pistère, Marguerite de Valois Callipante ou Éryce, la duchesse d'Uzès Sibylle, Hélène de Surgères Statyre. Madeleine de Bourdeille, la sœur de Brantôme, Jeanne de Piennes, Madeleine de L'Aubespine, Marguerite d'Aquaviva, les plus grandes dames de la Cour étaient parmi les habituées du salon.

Les poètes célèbres s'y rencontraient, ceux de la Pléiade finissante, Jodelle, Pontus de Tyard, qui dédia à Mme de Retz *Le Solitaire Premier*, et ceux de la nouvelle génération. Desportes, le plus assidu, Amadis Jamyn, du Bartas, Rapin, des peintres et des musiciens, tous écrivains et artistes admirés. Jean de Vivonne, marquis de Pisani, fréquenta également l'hôtel de Retz. Il était le père de la marquise de Rambouillet, la belle «Arthénice» qui, à cinquante ans de distance, tiendra le même rôle que Catherine. Étienne Pasquier a fait le récit d'un des soupers à l'hôtel de Retz où l'on sautait d'un propos à l'autre, la justice, le labour, la calamité des temps, le discours sur l'amour, «assaisonnement des beaux esprits», dans une atmosphère joyeuse et raffinée. Pendant la belle saison, c'est au château de Noisy-le-Roi, près de Versailles, que l'on se rendait en coche (par des chemins si mauvais que le coche s'embourbait, à en croire un pittoresque sonnet) aux réceptions de Mme de Retz.

L'album de la maréchale (conservé à la Bibliothèque nationale de France) rassemble cent cinquante poèmes, anonymes, mais aisément identifiables, où les auteurs célèbrent la maîtresse de maison et aussi les nymphes qui l'entourent. Les extraits de ce recueil font allusion aux événements d'actualité à la Cour (le complot d'Alençon en 1574, l'exécution de La Mole et Coconas) et font revivre aussi les occupations, les goûts et les sentiments de cette société. Elle favorisa à coup sûr le regain du néo-pétrarquisme, l'engouement pour la poésie galante et précieuse, qui se manifeste d'ailleurs dans l'album.

« Conservatoire des belles manières et du beau langage », le salon de la maréchale fut un centre de réunions mondaines et littéraires particulièrement accueillant pour les poètes, fort différent du cercle des Morel, où l'humanisme, le culte de l'Antiquité et les études savantes étaient surtout en faveur. Différent aussi par l'atmosphère bien plus libre qui y régnait. Si les apparences sont sauves, si l'amour y est prétexte à des discussions et à des poèmes d'une élégante préciosité, les « Nymphes » comme la belle Catherine ne sont pas de pures vertus. Par contre l'influence féminine, propre à affiner les esprits, à faire régner élégance et courtoisie, y fut plus sensible que dans l'érudite demeure de la rue Saint-André-des-Arts.

La maison de Retz réalisait l'alliance de la haute noblesse et d'Italiens élevés par la faveur du prince. Celle des Villeroy appartenait à la noblesse de robe des grands commis de l'État.

Madeleine de L'Aubespine, épouse de Nicolas de Neufville de Villeroi anima, elle aussi, des réunions de lettrés. Elle était la fille de Claude de L'Aubespine, conseiller et confident de Catherine de Médicis, le plus influent des quatre secrétaires d'État, et d'un rang plus élevé que son mari. Mais la carrière brillante de secrétaire d'État de Villeroi, sous les Valois, Henri IV et Louis XIII, en fit un personnage très influent, habile et aimant le pouvoir. Madeleine, célèbre pour sa beauté et son savoir et mondaine accomplie, aida aux débuts de sa carrière. Très cultivée, elle avait notamment traduit les *Épîtres* d'Ovide. Les cénacles intellectuels de la Cour l'accueillirent volontiers. Elle versifiait tantôt avec une délicate élégance, tantôt sans craindre la verdeur du langage.

Elle brillait à la Cour, mais s'irritait de n'être pas choisie, lors des grandes fêtes, pour jouer un rôle qu'obtenaient les princesses. Elle recevait les poètes en vue, Ronsard qui la célèbre sous le nom de Rhodente, Desportes, Jamyn, au château de Conflans, entre Seine et

Marne, dont on admirait les splendides jardins, ou dans le beau château de Villeroy achevé en 1560, et son inventaire après décès (1596) prouve qu'elle vivait en grande dame, possédant quantité de vêtements, de bijoux et de tableaux. Elle eut des bontés pour le poète Desportes, puis pour le duc de Mayenne – par intérêt? – pendant la Ligue. Son mari ne lui en tenait pas rigueur. Sa naissance, plus élevée que la sienne, lui permettait d'en prendre à son aise. En tout cas il fit un recueil posthume des beaux poèmes qui lui avaient été dédiés.

UN SALON BOURGEOIS EN POITOU

Rendons-nous maintenant en province. Nous avons déjà rencontré Madeleine Neveu et Catherine Fradonet, dames des Roches, parmi les femmes auteurs. A Poitiers, la mère et la fille présidèrent en outre avec brio à des réunions d'érudits et de lettrés.

Par ses deux mariages, Madeleine appartenait doublement, on l'a vu, à la bourgeoisie de robe. Elle avait dû participer à l'enthousiasme pour la vie littéraire qui fleurit à Poitiers entre 1545 et 1555. La ville était alors devenue un des grands centres du renouveau intellectuel et poétique, animé par la première génération de l'humanisme poitevin, Jacques Peletier, Jacques Tahureau, Guillaume Bouchet, Jean Antoine de Baïf. Le sac de la ville par les protestants en 1562, puis son siège en 1569, affectèrent sensiblement la vie des deux femmes. Les difficultés juridiques et financières auxquelles elles se heurtèrent ne les empêchèrent pas de se livrer à leur passion de lire et d'écrire et d'ouvrir leur maison à la meilleure compagnie de la ville, où tout étranger de distinction cherchait à être introduit. Par son mari, avocat, actif dans la vie locale, l'un des soixante-quinze bourgeois du conseil de la ville, Madeleine fréquentait tout ce qu'elle comptait de gens influents.

La célébrité des dames des Roches commence vers 1570. De 1570 à 1587, leur activité intellectuelle va se déployer tandis que grandira la réputation de leur salon : les nombreuses dédicaces adressées aux deux dames par leurs hôtes en font foi. L'essor de ce salon est inséparable de la production littéraire de la mère et de la fille. Comme ce fut le cas pour les Lyonnaises et pour d'autres femmes lettrées du siècle, c'est au sein d'un cercle amical, dans une atmosphère confiante d'échanges intellectuels que ces savantes bourgeoises vont éprouver le désir d'écrire et de publier, et même de se faire connaître dans les milieux parisiens.

En 1577 le séjour prolongé de la Cour à Poitiers, qui donna lieu à des fêtes et des divertissements variés, y avait amené des écrivains connus et incita les deux Poitevines à composer quelques œuvres de circonstance. Mais le grand événement dans l'histoire du salon fut l'arrivée à Poitiers d'avocats célèbres, une députation du parlement de Paris, durant les Grands Jours de 1579. Ils avaient mission de rétablir le fonctionnement de la justice, interrompu par la violence des guerres civiles dans une province particulièrement ravagée. Lorsqu'en 1519 les magistrats parisiens étaient venus à Poitiers pour l'établissement des Grands Jours, ils avaient trouvé la ville bien morose et les maisons peu hospitalières. Il en va tout autrement en 1579, où la mentalité bourgeoise a évolué, même si les «perles du Poitou» restent exceptionnelles. Leur renommée avait déjà franchi leur province et atteint la capitale : Étienne Pasquier (nous le savons par ses lettres) engage ainsi son ami Loisel à rendre visite, dès son arrivée, à la mère et à la fille, «honneur de la ville de Poitiers et de notre siècle».

Outre les amis de longue date, les frères Sainte-Marthe, Jules César Scaliger, Nicolas Rapin et sans doute D'Aubigné, les nouveaux venus s'empressèrent d'aller les trouver : Étienne Pasquier, Odet de Turnèbe, François d'Amboise, Pierre Le Loyer, magistrats, auteurs connus eux-mêmes, en relations avec les écrivains réputés du temps. Les Grands Jours durèrent trois mois, et nos avocats passèrent chez les dames le plus clair de leurs loisirs.

Étienne Pasquier a laissé, dans deux lettres à Pierre Pithou une description admirative du salon, des entretiens et des jeux auxquels on s'y livrait. Une puce, aperçue par Pasquier sur la poitrine de Catherine des Roches, fut l'occasion d'une impressionnante collection de poèmes offerts par les habitués. Ce concours poétique consistait à célébrer le bonheur de la puce, admise en des endroits secrets. Catherine, qui sait se mettre au diapason, remercie les «Chantepuces», en s'exerçant à la manière de Lucien. Ces variations sur le thème de l'heureuse bestiole en français, en latin, en grec, en espagnol, furent, en partie, rassemblées en un volumineux ouvrage, *La Puce de Madame des Roches*, publié en 1582 chez L'Angelier.

Ces plaisanteries, souvent gaillardes, des graves magistrats «Chantepuces» ne constituent qu'un divertissement au sein des entretiens sérieux des hôtes de la maison : ils en ont eux-mêmes souligné la haute tenue et l'élévation. D'après Pasquier (qui tient cette demeure pour une «vraie école d'honneur»), «les après-dîners et soupers la porte est ouverte à tout honnête homme. Là l'on traite divers discours, ores de philosophie, ores d'histoire ou du temps ou bien de quelques propos gaillards. Et nul n'y entre qui n'en sorte ou plus savant ou mieux édifié». Et Scévole de Sainte-Marthe fait la même constatation en saluant le salon poitevin du nom d'Académie d'honneur.

La conversation remplissait la plus grande partie de ces réunions, et nombre de discussions sérieuses s'élevaient. La lecture et la récitation d'œuvres poétiques, ou de passages en prose y tenaient également leur place. Catherine, dont on célébrait la voix y chantait les poésies de sa mère, les siennes ou celles de leurs familiers. En outre elle dansait fort bien. A l'imitation des cénacles italiens, les jeux de société étaient fort en faveur (on jouait aux merveilles, aux ventes, etc.), y compris les jeux proprement littéraires (anagrammes, quatrains épigrammatiques, etc.).

Ceux qui ont fréquenté ce salon en ont évoqué avec nostalgie le charme et les mérites : car il conjuguait la civilité des cercles aristocratiques et galants et le savoir des cénacles érudits, sans tomber ni dans la préciosité, ni dans le pédantisme.

On se méprendrait si l'on tenait Madeleine et Catherine pour des bas-bleus uniquement absorbés par la vie de l'esprit. Nous les voyons le matin, nous dit Pasquier «se mettre sur les livres, puis tantôt faire un sage vers, tantôt une épître bien dictée», mais seulement «après avoir donné ordre à leur ménage». Et c'est un mérite supplémentaire, aux yeux de ces bourgeois à l'esprit conservateur, que de trouver, dans une maison bien organisée, parfaitement tenue, une mère et une fille habiles aux travaux d'aiguille, expertes à mettre en œuvre la laine et la soie, à la fois «femmes d'étude et femmes de ménage», comme dit un contemporain.

Les qualités d'esprit des dames des Roches, leurs talents de maîtresse de maison, leur surprenant attachement mutuel, leur étroite communauté d'occupations et de goûts ont suscité une admiration unanime. Pourtant Pasquier avoue être déconcerté par l'attitude de Catherine : une fille si bien douée à tous égards a éconduit tous ses prétendants, résolue à vivre et mourir avec sa mère. Aux remontrances du vieil ami, la docte demoiselle répond qu'elle ne craint pas la solitude à venir, «ayant ses livres et papiers qui lui feront perpétuelle compagnie», choix paradoxal à l'époque et qui contrevient à l'ordre social. Mais le vœu de Catherine devait être exaucé, puisqu'elles moururent toutes deux le même jour de la peste. Et c'est comme dames des Roches, mère et fille indissociables, qu'elles passèrent à la postérité.

LE PARADIS DE NÉRAC

A l'imitation de la cour de France et des salons parisiens, de petites cours provinciales brillèrent d'un vif éclat. La troisième Marguerite, reine de Navarre comme sa grand-tante, anima la cour de Nérac, lorsqu'elle y revint vivre auprès de son époux. Un bref séjour à Pau, capitale du Béarn, où, princesse catholique, elle avait été en butte à l'hostilité des Béarnais huguenots, lui fit quitter cette « petite Genève » où elle jura de ne plus retourner tant que le catholicisme en serait banni.

En août 1579, les époux s'installèrent à Nérac dans l'agréable château lové dans une boucle de la Baïse. Henri l'avait fait orner des splendides tapisseries de haute lisse et de tentures brodées prélevées sur les murs du château de Pau. Jeanne d'Albret avait travaillé de ses mains à plusieurs d'entre elles. Au pied du château, le roi avait fait aménager un jardin au bord de la rivière, planté de cyprès, de lauriers, orné de caisses d'orangers, avec parterres, bassins et pavillon de bains. En face, sur la rive gauche, une belle promenade, la Garenne.

Deux ans et demi durant, elle vécut dans cet oasis de paix la période la plus heureuse de son existence, le seul épisode serein d'une vie conjugale orageuse. « Notre cour était si belle et si plaisante, écrit-elle, que nous n'enviions point celle de France : y ayant madame la princesse de Navarre [Catherine de Bourbon, sœur du roi] [...] et moi avec bon nombre de dames et filles, et le roi mon mari étant suivi d'une belle troupe de seigneurs et de gentilshommes aussi honnêtes gens que les plus galants que j'ai vus à la Cour ; et n'y avait rien à regretter en eux, sinon qu'ils étaient huguenots. » Mais de cette diversité de religions, on n'entendait point parler : le roi et la princesse sa sœur allaient d'un côté au prêche, Marguerite et sa suite à la messe dans la chapelle du parc.

On se retrouvait ensuite pour se promener et s'adonner à « d'honnêtes plaisirs », chasse, jeu de paume, parties de billard, et cartes (on y jouait gros jeu). Il y avait bal, d'ordinaire, l'après-midi et le soir. Nérac offrait aussi tous les divertissements aristocratiques les plus raffinés. Poésie, musique, que le couple royal et Catherine aimaient fort (chacun avait son joueur de luth, la reine en avait deux et l'on organisait des concerts avec les musiciens d'alentour), théâtre aussi (des comédiens italiens de passage furent retenus à Nérac par Henri). Marguerite, entourée de ses trente-trois dames et filles d'honneur et de celles de sa belle-sœur, était la reine de toutes les fêtes.

A la cour de France, Marguerite avait tenu une grande place dans la vie mondaine et culturelle. Mais à Nérac elle est pour la première fois maîtresse chez elle. Elle veut alors que cette cour, qui est sienne, rivalise avec celle de Paris, et y organise une vie littéraire brillante, sur le modèle de celle qu'elle a connue dans le salon Vert de son amie, la maréchale de Retz. Elle attire à Nérac la fine fleur des beaux esprits de la province, catholiques ou huguenots. Elle aussi fait recopier dans un album les textes qu'elle préfère, ceux des écrivains qui l'entourent, et ceux restés à Paris : on y trouve des poèmes de Pibrac, de Du Bartas, de D'Aubigné (quatre-vingts !), de Desportes et de Madeleine de L'Aubespine. Un recueil de poésies, dédiées surtout à Marguerite, dont on a récemment retrouvé le manuscrit, chante tour à tour sous les noms de Pallas, Vénus et Uranie « la déesse d'amour, de concorde et de paix ».

Mais les membres de l'académie de Nérac débattent de sujets fort sérieux, autant que d'art poétique. Car Pibrac, le Gascon qui avait travaillé à Paris à l'Académie du Palais, veut la recréer à Nérac et y accueille magistrats, juristes, médecins, et gentilshommes, tout ce que le Sud-Ouest compte d'érudits et de poètes. L'évêque d'Aire, François de Foix-Candale, grand physicien et mathématicien, traducteur d'Euclide et adaptateur des écrits ésotériques d'Hermès Trismégiste, alpiniste (il fut le premier à faire l'ascension du pic du Midi d'Ossau) peut rencontrer Michel de Montaigne, venu en voisin, dont Marguerite sera une lectrice assidue. Lors de sa réclusion au Louvre après la Saint-Barthélemy, elle avait lu et apprécié la traduction (1569) que le magistrat bordelais avait faite de l'œuvre d'un théologien catalan, *La Théologie naturelle*. Henri, de son côté, a reconnu les talents de négociateur, l'esprit pacifique de Montaigne qui partage ses vues et il l'a nommé, dès 1577, gentilhomme de sa chambre. Celui-ci, séduit par la vive intelligence de Marguerite, a dû parler avec elle de son traité et peut-être est-ce à la suite de leurs entretiens qu'il rédigea la fameuse « Apologie de

Raymond de Sebon», le plus long chapitre des *Essais*. Grande
lectrice, à la différence de son époux, elle fait acheter des livres
pour monter la bibliothèque du château, un dictionnaire de grec, un
Cicéron, un Du Bellay en 1581.

Elle entreprend aussi de policer les gentilshommes huguenots
de l'entourage d'Henri, et de faire régner un climat de civilité et de
galanterie dans sa petite cour. Nourrie de platonisme (elle a lu *Le
Banquet* dans *L'Honnête Amour* que vient de lui dédier, en 1578,
Guy Lefebvre de La Boderie, traduction française de l'adaptation
italienne de Marsile Ficin), elle fait de l'«honnête amour» le sujet
favori des conversations. L'amour humain idéal, reflet de l'amour
de Dieu, privilégie le commerce des esprits, servi par la beauté des
corps, avant même qu'ils ne se «mêlent», selon les théories néo-
platoniciennes. C'est aussi reprendre la tradition courtoise où la
dame attend de son serviteur soumission et discipline dans
l'amour. On a souvent donné de la «reine Margot» l'image fausse
d'une débauchée effrontée. La reine de Navarre avait certes du
goût pour les réalités, et raffolait des guerriers héroïques, mais,
précieuse avant la lettre, elle savourait fort les commerces spirituels entre amants.

Ce n'était pas le cas du futur Henri IV, qu'elle tenta d'éduquer.
«Elle apprit à son mari qu'un cavalier était sans âme quand il était
sans amour, et l'exercice qu'elle en faisait n'était nullement caché»,
dit D'Aubigné (qui la détestait), ajoutant que, selon la reine, «le
secret en la matière était la marque du vice».

A Nérac, chaque gentilhomme devint donc le «serviteur» d'une
dame – Sully et D'Aubigné eurent la leur – et l'honnête amour qui
ne se cache pas dissimulait des liaisons qui n'étaient pas forcément
platoniques. Mais Marguerite sut donner le ton d'une galanterie
décente. Henri lui-même s'apprivoise, soigne maintenant sa
personne et sa tenue (on sait que le fameux gousset, cette fâcheuse
senteur «de l'aile et du pied» du roi et des Gascons, était tenue
pour preuve de virilité), porte pourpoints de soie, de satin noir et
jaune, chausses de velours vert, poudre d'or pour les dents. Le roi et
la reine suivent sereinement, et séparément, leurs penchants amoureux. Point de duels, ni de disputes.

Entre hommes et femmes règnent une entente, une réciproque
«amitié», un assentiment pour les divertissements communs qui font
songer à l'abbaye de Thélème rêvée par Rabelais. La politesse, la
pratique sociale de l'amour, apprise à la cour de France, l'étiquette

imposée par les dames font de Nérac «le Paris et les délices» de la cour huguenote, à cause de «la grande quantité de belles dames que la reine de Navarre et Madame avaient amenées avec elles».

En pleine guerre civile, la cour de Nérac, plus de deux ans durant, sut préserver un climat de bonheur tranquille, dont tous ceux qui l'ont savouré ont gardé la nostalgie. Sully, dans ses *Mémoires*, rappelle le charme de cette cour féminine, «car on n'y parlait que d'amour, et des plaisirs et passe-temps qui en dépendent». D'Aubigné, pour s'en indigner, constate que «l'aise y amena les vices comme la chaleur les serpents. La reine de Navarre eut bientôt dérouillé les esprits et fait rouiller les armes».

Le paradis de Nérac frappa l'imagination des contemporains. Vers 1595, Shakespeare s'en souviendra pour placer dans ce cadre de rêve sa comédie *Love's Labour Lost* (*Peines d'amour perdues*).

USSON, LE «NOUVEAU PARNASSE»

C'est en Auvergne, quelques années plus tard, après sa fuite en 1586, sa rébellion contre le roi son frère et le roi son mari, que nous retrouvons Marguerite en exil, sur ordre d'Henri III. Usson est une forteresse médiévale que Louis XI tenait pour la plus sûre des prisons d'État. Elle devait y rester dix-neuf ans.

Les premières années de son séjour à Usson, elle vécut dans une grande gêne matérielle, couverte de dettes, en s'efforçant de conserver les apparences de son rang, avec une maison réduite à quelque quatre-vingt-dix personnes.

Son train de vie s'améliora lorsqu'elle renoua en 1593 avec Henri IV, qui envisagea dès lors une annulation de leur mariage. En dépit des difficultés financières, des menaces qui pesaient sur sa vie – sa mort arrangeait tout le monde –, elle s'efforça de reconstituer autour d'elle une cour brillante, d'y attirer des visiteurs de marque et de reprendre les traditions de la cour fastueuse des Valois.

Brantôme en témoigne. Mais lorsqu'il alla lui faire la révérence à Usson, ce qu'il apprécia par-dessus tout ce fut de voir son idole marier les nourritures terrestres et spirituelles et présider durant les repas un cercle de fort honnêtes gens et savants. «Elle les mettait toujours sur quelques beaux discours, disputes et propos non communs, donnant son avis et tranchant les débats par une juste et brève sentence».

Dans sa petite cour se réunissaient les intellectuels du Lyonnais et du Forez, le juriste poète Loys Papon, La Puyade, Antoine du Verdier, François Maynard, Lefebvre de La Boderie, les trois frères d'Urfé, Anne, Antoine et Honoré, seigneurs de La Bastie. Honoré fit d'elle le modèle de la reine Galatée dans son *Astrée*. Elle accueillait avec joie des hôtes de passage, Scaliger, Du Bartas, les gentilshommes de la province, les La Rochefoucauld-Randan, les Noailles. Écrivains et poètes lui envoyaient et lui dédicaçaient leurs œuvres.

Elle-même lit avec frénésie, souvent tard dans la nuit, des ouvrages de piété, de théologie, les écrits de saint Augustin, de saint Bernard, de saint Jean Chrysostome, de saint Thomas d'Aquin et ceux des mystiques espagnols, approfondissant toujours davantage spiritualité et dévotion. Elle fait venir «tous les beaux livres nouveaux, tant en lettres saintes qu'humaines», qu'elle dévore de bout en bout. Lorsqu'elle regagnera Paris, sa librairie comptera, selon les sources, plus de trois cents – ou plus de mille – ouvrages.

Elle écrit beaucoup. Sa correspondance est particulièrement fournie pour cette époque. A Henri et à ses ministres, les missives les plus nombreuses, à ses amies les duchesses d'Uzès et de Nevers, à Diane de France, sa demi-sœur, et des lettres de politesse. Elle entreprend aussi de rédiger ses mémoires. Elle ne devait plus revoir Brantôme. Mais les relations de la princesse et de son fidèle adorateur se poursuivirent par des échanges épistolaires et par ces mémoires croisés qu'ils devaient se dédier réciproquement.

Elle s'était toujours intéressée aux mathématiques, à l'histoire et à la philosophie. Et c'est une sorte de petite académie philosophique qu'elle souhaitait établir à Usson. Le frère minime François Hublot y anime plusieurs mois durant des discussions sur les sciences, naturelles et philosophiques, les mathématiques. Soucieuse d'encourager la divulgation des sciences, elle prend sous sa protection le philosophe Scipion Du Pleix.

Et elle continue à s'intéresser de près à la musique, écrit poèmes et chansons qu'elle fait interpréter par sa chorale, et fait construire un théâtre dans le château. Papon pourra célébrer à juste titre le «nouveau Parnasse» qu'est devenu Usson.

Marguerite, reine de France, est devenue duchesse de Valois, après l'annulation de son mariage (1599). Mais elle est toujours appelée la reine Marguerite, le titre n'étant attaché qu'à sa personne. Dans l'été de 1605, elle retourne à Paris. Rétablissement

spectaculaire. Chassée de la capitale par son frère, Henri III, déshé-
ritée par sa mère, privée de ses biens, emprisonnée près de vingt
ans, elle a fini par gagner la partie. Elle est au mieux avec Henri IV,
dont elle se veut la «sœur». Ils ne se sont jamais sentis aussi
proches que depuis qu'ils sont séparés. Reçue au Louvre, elle s'entend bien avec Marie de Médicis, cajole le petit dauphin. Et, parta-
geant la passion de sa mère pour les bâtiments, elle acquiert en 1606
un vaste terrain sur la rive gauche en face du Louvre. Elle y fait
bâtir à grands frais l'hôtel des Augustins et à Issy sa résidence de
plaisance. Là, pendant ses dernières années, elle va mener un train
presque royal, à la hauteur de ses ambitions.

LE CÉNACLE DE LA RUE DE SEINE

La dernière des Valois fait de son salon un conservatoire des
mœurs polies et des fastes de l'ancienne Cour. Face au Louvre (ce
dont les médisants se moquent dans des pamphlets), où le Béarnais,
peu soucieux de vie intellectuelle, ne pratique pas le mécénat à
l'exemple de ses prédécesseurs, la reine Marguerite se veut protectrice des lettres et des arts. Fidèle à l'esprit de la cour de Catherine
de Médicis, elle ne léguera pas seulement aux Bourbons ses biens
matériels mais aussi le goût du beau, du luxe, le sens de la fête, tout
ce qui avait contribué à la grandeur et à la séduction de la cour des
Valois.

Celle qu'elle anime rue de Seine réunit des fidèles de la
première heure, qui l'ont célébrée au temps du salon de la maréchale de Retz, Desportes, La Roque, des poètes qui restent attachés aux modes littéraires de sa jeunesse, au culte de Ronsard, du
néoplatonisme. On y pétrarquise, et l'on y débat encore des questions d'amour qui enchanteront les lecteurs de *L'Astrée*, dont elle
applaudira le succès. On sacrifie aux Muses en écrivant sur la
beauté du jardin d'Issy, ou sur l'éloquence de la reine Marguerite.
Dès 1570, Mme de Retz, Mme de Villeroy avaient préparé l'évolution des salons féminins sous le règne d'Henri III, en accueillant
des écrivains pour fournir à leurs divertissements. Elles inaugu-
raient ainsi une pratique qui, par la suite, allait assurer aux
mondaines une influence dans la vie littéraire. Le salon de la rue
de Seine contribuera aussi au succès de cette pratique galante et
mondaine de la poésie.

Mais elle accueille également des poètes de la nouvelle école, Mathurin Régnier, Théophile de Viau, Malherbe. Toutefois, dans la querelle qui oppose – déjà – les Anciens et les Modernes, c'est aux disciples de Ronsard que vont ses sympathies plutôt qu'au purisme de Malherbe.

Elle s'intéresse toujours davantage aux études philosophiques et aux ouvrages de dévotion ; en témoignent la présence dans son cercle de philosophes, et de Vincent de Paul (dont on connaît l'immense œuvre religieuse), l'un de ses aumôniers. Sa bibliothèque, dont elle confie le soin à Mlle de Gournay s'enrichit d'ouvrages de philosophie et de théologie, aussi nombreux que ceux de poésie.

Comme à Usson, Marguerite, au cours des dîners et soupers qu'elle donne libéralement, mais selon les règles de l'étiquette, associe la nourriture du corps et celle de l'esprit. Elle a ordinairement, nous dit Étienne Pasquier, « quatre hommes près de soi », à qui elle soumet pour examen telle proposition qui lui plaît. Les sujets concernent la philosophie et la théologie, et les interlocuteurs choisis sont « personnes de rare savoir ». La reine intervient pour approuver ou contredire, leur fait souvent perdre pied. On pouvait donc voir ainsi combien elle avait « profité aux lettres et aux sciences, et que son éloignement de la Cour lui avait acquis plus qu'elle n'avait perdu ».

Son cénacle regroupe aussi des poétesses et des femmes d'esprit qui refusent les communs exercices de leur sexe pour cultiver leur intelligence, se plonger dans les bons livres, s'adonner avec plaisir et profit aux mathématiques, à la musique, à la poésie et à la peinture, et dont l'historien Pierre Matthieu admire l'activité émancipatrice. Cet entourage féminin et son état d'esprit expliquent, en partie, le manifeste du *Discours docte et subtil*.

La musique n'est pas négligée dans l'hôtel de la rue de Seine où réceptions et après-dîners s'agrémentent de concerts et de chants et les nombreux musiciens de Marguerite jouent même pendant les repas. C'est chez elle qu'elle organise collations, bals et réceptions où elle reçoit des ambassadeurs étrangers et même Henri IV et Marie de Médicis. Ainsi en dépit de sa coquetterie qui fait de la corpulente Marguerite, selon les satiriques, une « vieille sainte plâtrée », de ses amours d'arrière-saison, de ses prodigalités excessives, de son train de vie fastueux, et... de ses dettes immenses, la dernière des Valois suscita l'admiration.

Elle fut l'un des plus grands mécènes de son temps, et sut réunir dans sa maison, les esprits les plus cultivés et les plus curieux, les plus susceptibles d'ailleurs de contribuer à son prestige. Cinquante ans avant la marquise de Rambouillet, elle donne l'exemple d'un salon précieux et, plus largement, d'un cénacle ouvert aux domaines les plus sérieux, sans en avoir la sévérité ou le pédantisme.

La plupart des cercles féminins de la fin du XVIe siècle sont restés nostalgiques de l'«humanisme de cour». Les dames qui, sous le règne d'Henri IV, président à des assemblées de la société mondaine organisées en dehors de l'entourage immédiat du prince sont des femmes de l'ancienne cour, la duchesse de Rohan, la duchesse de Guise, etc., restées fidèles aux traditions des Valois.

La maréchale de Retz, morte en 1603, Marguerite, morte en 1615, sont les dernières incarnations de la grande dame humaniste. Un autre idéal de culture va s'imposer, l'«honnêteté», un autre type de femme cultivée, l'«honnête femme».

XVII

Femmes en religion

LA RELIGION OMNIPRÉSENTE

La Renaissance a été une époque où le sentiment religieux s'est manifesté avec une intense ferveur, déchaînant des hostilités passionnées. On peut donc s'interroger sur le rôle et la participation des femmes dans les conflits religieux du XVIᵉ siècle. Quels types de femmes ont pu être attirés par la Réforme, ou au contraire s'y opposer? Quelles modifications les troubles et les changements religieux ont-ils apporté à leur vie aux différents échelons sociaux?

Au XVIᵉ siècle, on ne choisit pas d'être chrétien, on l'est. La religion est présente à tous les moments de la vie humaine. De la naissance à la mort, elle marque de son empreinte toute une chaîne de cérémonies, de traditions, de coutumes, de pratiques qui jalonnent la vie privée : baptême (où l'on reçoit son nom), bénédiction nuptiale, extrême-onction (sacrements respectés en général), messes, obsèques, ensevelissement en terre chrétienne. Hommes et femmes, dans leur testament, règlent leur sépulture, leurs dons et aumônes, les messes à instituer pour le salut de leur âme et les cérémonies des funérailles.

La nourriture est entourée de prescriptions, de rites et d'interdits (on mange gras ou maigre) et la loi civile renforce la loi religieuse (manger lard en carême est puni du fouet, de la bastonnade, ou pis). La religion pénètre aussi la vie professionnelle : les rites de la vie universitaire ne sont pas encore laïcisés, les examens sont des actes solennels, encadrés par des cérémonies religieuses, l'enseignement et l'Église étant intimement liés. Quant au travail des corporations de métier, il est rythmé par le calendrier chrétien qui, outre les dimanches, prescrit une soixantaine de fêtes chômées (grandes fêtes, fête du saint de la paroisse, du saint patron de la confrérie, etc.).

La vie religieuse de la masse des fidèles (qui ne savent pas tous lire) est guidée par la parole du prédicateur. Elle est d'abord une pratique, pour les hommes comme pour les femmes : messe et confession à l'église du village, de la paroisse urbaine, chapelles privées pour les plus riches, qui sans doute sont plus assidus que la majorité des paroissiens populaires. Il n'est pas sûr que la communion pascale, obligatoire, ait été respectée par tous.

L'Église est le cadre de presque toutes les solennités, fêtes, processions, vénérations, pèlerinages, actes collectifs, auxquelles participent les deux sexes (en particulier lorsqu'on sollicite la protection divine au cours d'une peste, d'une famine). Mais la vie religieuse s'organise vraiment au sein des confréries, des corporations et les femmes y sont alors beaucoup moins nombreuses que les hommes comme membres actifs (à Lyon, sur près de cinquante-cinq confréries de 1500 à 1562, une seule comprend des femmes). Mais elles ne sont jamais officiers et ne figurent pas sur la liste des membres. A Paris, la confrérie de la Passion, très importante, est interdite aux femmes. Et l'on ne trouve pas trace dans la France du début du XVIe siècle d'expérience de vie communautaire et spirituelle à l'image des béguines des Pays-Bas, ou de la tentative italienne des Ursulines.

C'est dire que la vie religieuse des femmes est confinée dans le cadre de leur vie privée : visites aux églises, aux sanctuaires proches, prières, chapelets, cultes des saints dont les temps forts se situent à l'accouchement (on invoque alors sainte Marguerite). Pourtant, dès avant la Réforme, les prédicateurs s'en prennent à celles qu'ils traitent avec indignation de « semi-théologales » : ce sont des femmes capables de lire la Bible ou de l'entendre lire dans le milieu familial (on pratique beaucoup alors la lecture à haute voix). Avec la Bible, elles lisent des ouvrages de piété qui les incitent à se mêler de théologie. Larmes et repentirs, et non sottes réflexions, voilà ce que les Franciscains attendent de l'audition de leurs sermons.

En dehors de cette pratique de la foi, signe d'une routine familiale et sociale plutôt que fruit d'une méditation individuelle, plus assidue sans doute dans les villes, réchauffée par la présence de réguliers, bons prédicateurs, la vie religieuse des fidèles, hommes et femmes, est aussi essentiellement une morale, où la notion de péché occupe la place primordiale, avec l'obéissance aux dix commandements.

LA VIE DANS LES COUVENTS

Les couvents ne sont pas alors des foyers d'organisation bien actifs de la vie religieuse féminine. Dans les villes presque toutes les femmes d'âge adulte sont mariées. Le mariage étant tenu pour l'état auquel la femme est naturellement destinée, point d'autre recours donc que le couvent pour l'honnête fille à qui sa famille n'a pu ou n'a voulu trouver un mari. Tel est l'avis des contemporains qui n'envisagent pas d'autre refuge pour les délaissées. Lorsque Gargantua fonde pour frère Jean une abbaye «au contraire de toutes autres», il décide de n'y admettre que les belles bien formées et d'heureuse nature puisque «en icelui temps on ne mettait en religion sinon celles qui estaient borgnes, boyteuses, bossues, laydes, defaictes, folles, insensées, maléficiées et tarées» (*Gargantua*, chap. LII).

Quelque cinquante ans plus tard, du Troncy, dans son *Formulaire*, assurera de même que les monastères sont faits «pour les pauvres femmes veuves, ou pour celles qui par leur difformité ou vieillesse ne pourront trouver ni mari ni ami». Le couvent paraît bien, à l'époque, le meilleur moyen de se débarrasser des indésirables.

Tel père de comédie vient-il de surprendre sa fille dans les bras d'un amant? «Cette misère m'est advenue, déplore-t-il, qu'elle me demeure sur les bras tout le temps de ma vie ou que je l'envoie en monastère.»

Et c'est toujours du couvent dont ses pareils menacent les rebelles. Que bien des religieuses aient été cloîtrées contre leur gré par des parents désireux d'avantager et de «faire grands leurs héritiers masles», les protestations féminines nous en assurent. A celle de l'héroïne des *Nouveaux récits* fait écho le refus de l'Apolline de Larivey, riche orpheline dont on veut faire malgré elle une religieuse. «On a envie qu'elle le soit, dût-elle en crever, pour ce qu'elle est nièce de l'abbesse du lieu à laquelle, et au couvent, le père par son testament a donné tout son bien, pourvu que sa fille qu'il avoit mis dedans pour apprendre, y voulust demeurer religieuse.»

Enfermer les filles au couvent permettait aux familles de résoudre le problème de leur éducation et de préserver le patrimoine. On pouvait espérer qu'elles choisiraient d'y rester de leur plein gré ; sinon la toute-puissance paternelle avait le dernier mot.

Une importance obsédante est accordée à la question de la clôture dans toutes les tentatives de réformation des communautés féminines, au XVIᵉ siècle.

Celles-ci, affiliées dès l'origine aux grands ordres masculins à l'exception de Fontevrault, n'envisagent pas d'autre mode de vie que celles de moniales recluses à l'intérieur d'un cloître. Aux trois vœux de chasteté, de pauvreté et d'obéissance, s'ajoutent l'obligation de la vie en commun et celle de la clôture. La création de congrégations admettant des contacts réguliers avec l'extérieur, une initiative extraordinairement nouvelle, comme celle d'Angela Merici qui en 1535 fonde à Brescia en Italie l'ordre des Ursulines voué à l'enseignement, n'aura pas d'équivalent en France avant le XVIIᵉ siècle. Lorsque des religieuses s'occupent de soigner des malades, l'hôpital fait partie du couvent.

Il semble inadmissible, dans la mentalité du XVIᵉ siècle, que des religieuses ne se vouent pas à la vie contemplative, qu'elles puissent sortir du couvent pour soigner, secourir les pauvres et les malades ou pour enseigner. On sait les difficultés que rencontrèrent les « Filles spirituelles » de la congrégation Notre-Dame, fondée par saint Pierre Fourier dans les dernières années du siècle. Elles souhaitaient se consacrer à ces activités, vécurent d'abord en communauté, mais sans prononcer de vœux. A l'envoyé du fondateur, le pape Urbain VII répondit : « Est-ce que ce sont des jésuitesses ? Nous n'en voulons pas à Rome. » Et la clôture fut imposée au nouvel ordre. Les Ursulines, moniales à vœux solennels, ne s'établiront à Paris qu'en 1612.

Dans tous les ordres, les statuts indiquent que l'idéal poursuivi est une vie tout entière livrée à la pénitence et à la contemplation ; les moyens mis en œuvre pour y parvenir sont fort semblables, quels que soient les fondateurs. Toutes les règles prescrivent clôture, silence, systèmes de mortifications et de pénitence qui ne présentent que des différences quantitatives. Au XVIᵉ siècle, comme dans les siècles précédents, réformer les religieuses c'est toujours, c'est avant tout les enfermer. Quant au recrutement, les textes littéraires s'accordent avec les documents historiques pour prouver qu'il était hautement sélectif sur le plan social. Les couvents sont peuplés par des filles de la noblesse et de la bourgeoisie. La charge d'abbesse passe d'ordinaire de tante en nièce. Elle est réservée aux membres des grandes familles. Celles-ci fondent des monastères et veillent à l'élection des dignitaires de l'ordre.

Le recrutement du couvent de clarisses de Genève, que nous allons retrouver plus loin, donne les mêmes indications. Fortes de leur haute naissance, qui les met plus que d'autres à l'abri, l'abbesse et la mère vicaire peuvent le prendre de haut avec les autorités de la ville. Les nonnes au reste sont, une seule exceptée, toutes «gentilles [nobles] femmes». L'antagonisme religieux se double, à Genève, d'un antagonisme politique et dans une certaine mesure social. Les luthériennes sont des bourgeoises hostiles au duc de Savoie, auquel vont les sympathies des sœurs, qu'on suspecte de mépriser les roturières. Et l'on sait qu'il faut être bien née et bien dotée pour se consacrer à la sainte pauvreté chez les Clarisses.

Les familles promettaient par contrats les dots et les pensions accordées au couvent. Ainsi les parents d'une jeune persécutée croient-ils sa mort dissimulée par les religieuses «pour avoir la pension annuelle», et l'abbesse de l'Apolline des *Esprits* est-elle soucieuse de ne pas voir s'échapper, avec la novice, la dot promise par le père. Lorsque les réformés ont décidé l'une des clarisses à quitter le couvent, ils réclament à l'abbesse «deux cents écus, robbes, cottes, chaisnes, carquans et bordures», en compensation de la chapelle fondée par le père et «du don d'une chasuble de satin blanc pour la sépulture».

Ce recrutement n'est pas particulier aux ordres réputés pour leur austérité et leur ferveur. Tous les couvents féminins – beaucoup moins nombreux que les couvents masculins – sont territoire réservé de l'élite sociale, sauf à y admettre quelques filles du commun dans les tâches serviles, domestiques et tourières acceptées sans dot, venues surtout du milieu rural. D'où un écart sensible entre les différentes classes sociales à l'intérieur du couvent. Les plus fortunées gardent des liens étroits avec la famille, accueillent près d'elle une jeune sœur, une nièce, possèdent potager et poulailler propres, et vivent dans un luxe qui est loin d'être le lot de toutes. Beaucoup de communautés, par contre, vivent dans une rigoureuse pauvreté.

Celles que l'on destine au couvent y entrent d'ordinaire très tôt, vers cinq, six ou sept ans dans la première moitié du siècle (Marie Heroët, dans la nouvelle 22 de l'*Heptaméron* est mise en religion à cinq ans) et font profession à treize ans. L'âge d'entrée et de profession seront plus tardifs à la fin du siècle. Celles qui prennent le voile déjà adultes renoncent souvent au monde à la suite d'une déception ou de quelque infortune, telle la Poline de l'*Heptaméron* (nouvelle 19) : contrainte par la marquise de Mantoue, sa «maîtresse», de renoncer à épouser un gentilhomme pauvre, malgré leur amour mutuel, elle entre «en la religion de sainte Claire», après que son ami est lui-même devenu cordelier. Ainsi poursuivront-ils sur terre le même chemin avant d'être unis à jamais. Là encore la vie monacale apparaît l'issue la plus souhaitable pour celle à qui le mariage est refusé. La veuve solitaire y trouve refuge, celle aussi qui veut y faire repentance, comme la courtisane de Brantôme.

ATTRAITS ET RIGUEURS DU CLOÎTRE

Le cloître a pu bien évidemment être un choix volontaire et l'on ne saurait nier la séduction qu'il a exercée sur de jeunes âmes. Érasme l'a signalé à plusieurs reprises pour contester surtout, à vrai dire, la liberté d'une vocation suscitée par la pression des familles et des tuteurs, ou les flatteries intéressées des gens d'Église. Dans la traduction par Marot du Colloque *La Jeune Fille mesprisant mariage*, Catherine avoue que le désir d'être moinesse lui est venu tout enfant. Elle évoque sa première rencontre avec «ces nonnains fresches comme roses», semblables aux anges, leurs églises reluisantes, leurs préaux et leurs jardins riants, leurs jeux innocents qu'elle a partagés. Cette attirance pour la vie monastique, lui dit son interlocuteur, vient de «la puissance de ce lieu que vous vistes petite fille / Des nonnains la douce babille, / leur habit saint, le chant d'icelles / Leurs cérémonies tant belles».

La mépris d'un auteur gagné à la Réforme pour les fastes sensibles du catholicisme n'empêche pas Marot d'analyser finement leur effet décisif sur un esprit d'enfant. L'argumentation du poète ne parviendra d'ailleurs pas à détourner Catherine de se faire religieuse. Mais elle retrace la naissance d'une vocation, favorisée par un climat de piété dès la toute petite enfance, les plaisirs sensuels du culte, l'aimable fréquentation des nonnes qui veillent sur les jeux et l'éducation, le désir secret de partager leur vie.

Clément lui suggérera en vain de vivre «vierge auprès de père et mère», sans entrer au cloître. «Sans vostre habit changer / Pouvez faire autant d'œuvres bonnes / Au logis, comme font les nonnes / Et leur couvent», assurera-t-il encore. La conception érasmienne du monachisme dans le monde, celle de la vie dévote dans le siècle chère à François de Sales, semble inacceptable à Catherine comme à ses contemporains.

Toutes les rigueurs de la vie conventuelle vont alors être énumérées par l'amoureux dédaigné : n'est-ce pas un genre nouveau de servitude qui attend la future nonnain ? Au lieu d'obéir à des parents doux et humains, elle « achètera » sa soumission à une mère étrangère, à de rudes maîtresses, s'enflera orgueilleusement d'obédience [obéissances], renoncera à tous biens personnels, changera le nom qu'elle a reçu au baptême, perdra toutes libertés, y compris celles d'étudier, faire oraison, psalmodier à sa guise, de s'entretenir avec des savants, d'écouter de bons prêcheurs. Dépossédée de ses biens elle ne pourra plus « subvenir aux indigens », et son abandon désespérera ses parents. Non que Marot blâme entièrement cette façon de vivre, ni qu'il veuille faire sortir du couvent celles qui « s'y sont fourrées », mais il conseille à toute fille « de n'entrer point à l'adventure / En lieu d'où ne puisse sortir ».

Catherine persistera dans son ferme vouloir, sans faire cas des allusions traditionnelles à la dépravation de certains couvents où celles qui ont pris le voile « de meurs ressemblent à Sapho » et où « la virginité / Plus tost qu'ailleurs est en danger ».

Si les fautes ou les peccadilles des nonnes prêtent à rire dans bien des genres littéraires (Rabelais illustre la curiosité des femmes qui « ordinairement appettent [recherchent] chose défendue », ou la sotte naïveté de sœur Fessue par de comiques mésaventures), on s'en prend beaucoup moins aux religieuses qu'aux clercs et aux réguliers dont farces et nouvelles dénoncent impitoyablement la paillardise et l'hypocrisie. La sottise, l'ignorance, ou la crainte des nonnes sans défense en font souvent les victimes de prêtres, moines, confesseurs peu scrupuleux, tel le prieur de la nouvelle 22 de l'*Heptaméron*, qui ne se privent pas de jouer les séducteurs s'il s'en trouve « quelqu'une un peu sotte ». A l'égard des nonnes qui se laissent engrosser, scandale fréquemment évoqué dans les comédies, les nouvelles et les chroniques, les auteurs sont enclins à l'indulgence.

Brantôme, de son côté, est d'avis de témoigner de la pitié envers les pauvres recluses coupables, assaillies des tentations de la chair malgré leurs jeûnes et macérations. Il plaint celles qui le souhaiteraient de ne pouvoir se « raffraischir comme les mondaines ». Beaucoup n'ont-elles pas pris le voile qui bien souvent « pour s'estre repenties se repentent » ? Il s'écrierait volontiers avec la

dame qui voyait mettre en religion une belle et honnête demoiselle : « En quoi avez-vous tant péché que si prestement vous venez
à pénitence et êtes mise toute vive en sépulture ? »

Si les pécheresses sont souvent, comme celle de Du Bellay, des
« contre-repenties » impuissantes à lutter contre les concupiscences
de la chair et désespérées d'avoir accepté librement une prison
dont la mort seule les délivrera, les jeunes innocentes ne sont pas
plus qu'elles exemptes de cette flamme qui brûle les nonnes en leur
couvent. Dans les *Sonnets pour Hélène* (I, 36), Ronsard reprend ce
thème à propos des religieuses de Montmartre :

« Sur les cloistres sacrez la flamme en voit passer / Amour dans les
déserts comme aux villes s'engendre / Contre un Dieu si puissant, qui
peut les Dieux forcer. / Jeusnes ny oraisons ne se peuvent défendre. »

A celles qui ont choisi volontairement le cloître, l'absolue
soumission que des supérieurs parfois indignes ou intéressés
exigent de filles privées de tout appui du monde extérieur peut
imposer de douloureuses épreuves. L'aventure de l'exemplaire
Marie Heroët dans l'*Heptaméron* (nouvelle 22) en témoigne. Elle
est d'ailleurs authentique. Jeune et belle, sage et d'esprit subtil, cette
bénédictine oppose un refus catégorique aux avances d'un prieur
longtemps irréprochable avant d'être saisi par le démon de la
cinquantaine. Elle résiste à ses prières sournoises, à ses promesses
(il la fera nommer abbesse si elle consent à l'aimer), à ses menaces
et l'assure qu'elle gardera le silence s'il cesse de la poursuivre.

L'hypocrite prieur l'accuse faussement de pécher avec son
confesseur, la déchoit de son titre de maîtresse des novices, lui
impose de manger à terre « devant toutes les sœurs pain et eau »,
prêt à la mettre « *in pace* » (en prison perpétuelle) si elle réplique et
lui interdit pendant trois ans toute communication avec sa famille.
Celle-ci finit par s'inquiéter, croit que les religieuses leur cachent sa
mort, et le frère de Marie exige de la voir. Marie réussit à lui passer
un billet où elle conte ses infortunes, et l'intervention de la reine de
Navarre fait éclater l'innocence de la persécutée.

Le récit qui exalte sa vertu sans défaillance vise à discréditer
l'hypocrite paillardise et l'odieuse tyrannie des méchantes gens
d'Église. Il montre aussi à quelles pressions pouvaient être soumises
des filles sans défense dans les murs d'un couvent.

Que toutes les religieuses n'aient pas mené la vie exemplaire de
Marie Heroët, les témoignages, historiques ou littéraires, ne
manquent pas pour l'affirmer. La nouvelle 22 même fait allusion à

la réformation de Fontevrault, la plus illustre des «religions» de l'époque, peuplée des filles de la haute noblesse. La réorganisation des couvents de femmes, entreprise dès les premières années du siècle, sera poursuivie activement par la Contre-Réforme. Preuve que beaucoup d'entre eux, fort laxistes, n'avaient qu'un semblant de règle. Bien des filles de grande maison n'étaient prieures que pour la forme et, dans nombre de monastères, on ne s'abstenait pas des plaisirs mondains. Sans accorder trop de crédit à Brantôme, on peut admettre avec lui que, parmi les recluses, certaines savaient remédier à l'austérité du cloître «ou par dispenses ou par plaines libertés qu'elles prenaient d'elles-mesmes». La reine de Navarre, après la mort de François Ier passa cinq mois au monastère de Tusson, où la rigueur de sa retraite ne l'empêchait pas d'être attentive aux nouvelles de la Cour. Bien des grandes dames venaient ainsi, après un veuvage ou quelque épreuve, vivre à l'ombre d'un cloître et y faisaient pénétrer l'écho du monde.

Enfin les visites de parentes ou d'amies n'étaient point interdites dans les couvents les plus sévères. Au monastère de Poissy, la cellule d'Anne de Marquets accueille une société lettrée où l'on vante la vivacité des entretiens de la belle religieuse. Dans une épître, *Aux candides lecteurs*, celle-ci s'est d'ailleurs défendue contre les propos d'un anonyme qui l'accusait de ne vivre à l'écart ni du monde ni des lettres.

Un témoignage très révélateur des échanges entre nonnes et femmes de la ville est fourni par l'œuvre de Jeanne de Jussie, «écrivaine» du couvent de clarisses de Genève au moment des premiers troubles de la Réforme. Elle y retrace la vie de son couvent de 1530 à 1535, jusqu'au départ des clarisses après l'abolition du culte catholique.

CLÔTURE ET VIE SPIRITUELLE

La narration de Jeanne de Jussie, tout en faisant une large part aux tribulations des sœurs, ne se limite pas aux événements survenus à l'intérieur du couvent. Elle analyse les causes et les conséquences de la révolution religieuse et décrit avec pittoresque la situation à Genève. L'abondance et l'exactitude des détails, corroborés par d'autres documents, prouvent la sûreté de son information. Comment cette clarisse, qui ne sortait jamais du couvent, était-elle si précisément avertie de tout ce qui se passait à l'extérieur? C'est que la clôture passive – l'absence de communication entre les femmes de la ville et les religieuses – n'était guère respectée. Les nouvelles circulaient entre Genève et le couvent. Les «bonnes chrétiennes», autrement dit les catholiques, renseignent les sœurs sur les agissements et les intentions des «hérétiques», les mettent en garde, les réconfortent, les incitent à la résistance et font office de messagères. Les «luthériennes», de leur côté, viennent voir leurs parentes à la grille, tentent de les gagner à la foi réformée, prêchent avec acharnement pour les convaincre de quitter le cloître. Il faut sans doute imputer aux troubles les rapports multipliés avec l'extérieur des clarisses, dont l'ordre était particulièrement rigoureux.

Dans le colloque d'Érasme traduit par Marot, le prétendant malheureux soulignait les limitations de la vie intellectuelle et spirituelle dans les couvents. Les réformes des ordres féminins, tout au long du siècle, ne visent pas à l'intensifier, mais seulement à rendre les règles et surtout la clôture plus strictes. L'emploi du temps des clarisses de Genève, évoqué à plusieurs reprises par sœur Jeanne, ne fait aucune part à la vie intellectuelle. Leur vie est essentiellement une vie de prières, elles chantent matines, laudes, prime, tierce, sexte, none, vêpres et complies en leurs heures : s'y ajoutent des oraisons particulières selon leur dévotion. Les sœurs de la nouvelle 72 de l'*Heptaméron*, occupées à soigner des malades, se contentent de lire «leurs patenostres et heures de Notre Dame», tandis que les religieux du corps de maison voisin tous les jours disent «le service». Sans doute les nonnes sont-elles les seules femmes à chanter les offices, qui sont ceux des prêtres, mais les sœurs illettrées remplacent les textes par un grand nombre de Pater, qui sont probablement les seuls textes latins qu'elles connaissent : d'ordinaire c'est en français qu'on traduit et explique les bulles du pape aux religieuses.

Jeanne de Jussie, qui se qualifie elle-même d'«écrivaine» du couvent (c'est-à-dire secrétaire, chargée de rédiger les suppliques, les quittances des legs, les lettres et requêtes), de famille noble mais peu fortunée – ce qui détermina peut-être son entrée chez les Clarisses –, avait dû recevoir une bonne instruction, et ses écrits prouvent qu'elle savait certainement le latin. De l'abbesse et de la mère vicaire seules, il est dit qu'elles «savent bien de la saincte écriture». Seules aussi elles sont capables d'argumenter avec les «hérétiques» qui veulent les gagner à leur cause et leur faire quitter le couvent, répondant «toujours efficacement et les rendant vaincus et confus», refusant de voir «pervertir la Saincte Écriture tout à rebours» et discutant d'égal à égal avec les magistrats de la ville.

Le reste de la communauté, dans le récit de sœur Jeanne, apparaît comme un troupeau de femmes terrorisées qui se réfugient dans la prière, le silence ou dans les larmes. Processions, la tête couverte de cendres, invocations à Dieu et à ses saints, pénitences sont les seuls moyens de défense envisagés par les religieuses. Longtemps dressées à l'obéissance passive, à la vie collective, elles redoutent par-dessus tout de se retrouver isolées, les plus jeunes craignant d'être séparées des «mères anciennes»; toutes s'affolent devant l'éventualité d'un retour dans le monde des laïcs.

L'existence de ces femmes vouées à la soumission, à la contemplation et à la pénitence, tenues pour la plupart dans l'ignorance et coupées très tôt du monde extérieur, explique le rôle de victimes désarmées, crédules, naïves ou sottes que leur assigne souvent la littérature narrative. Elle permet aussi de comprendre que très peu d'entre elles aient rejoint la Réforme. Si dans les ordres monastiques les hommes furent nombreux à passer au calvinisme, rares furent par contre les conversions féminines. Il n'y en eut qu'une aux couvents d'Orbe et de Genève – et sœur Jeanne en tire gloire –, une seule aussi parmi les cent soixante-quinze Lyonnaises réformées, prisonnières ou victimes à Lyon, mentionnées par Jean Crespin dans son martyrologe protestant.

Si l'idéal ascétique d'une vie hors du monde est de loin le plus répandu dans les ordres féminins, certaines communautés pourtant s'étaient vouées à soulager la souffrance humaine. Au XVe siècle, des franciscaines, les «Sœurs noires» et les «Sœurs grises» dans le nord de la France, les «Sœurs blanches» à l'Hôtel-Dieu de Paris, soumises à la règle de saint Augustin, astreintes aux trois vœux traditionnels, mais non à la clôture, se consacraient à soigner les malades jour et nuit, tout en assurant les divers services d'un hôpital. Recrutées dans des milieux populaires très modestes, elles assumaient de rudes tâches (pouillerie, laverie) et de lourdes responsabilités.

Ces hospitalières énergiques, au verbe haut et coloré, promptes à défendre leurs droits, avaient le sentiment d'exercer un métier bien plus que de répondre à une vocation spirituelle. Elles refusèrent de se soumettre à la règle, en invoquant les exigences de leur service. Les autorités ecclésiastiques furent contraintes de châtier l'impiété et le relâchement des religieuses rebelles. Certaines furent exclues. Mais des scandales n'en éclatèrent pas moins, tant à l'Hôtel-Dieu de Paris en 1533 qu'à celui de Lyon en 1537. Les «filles blanches» introduisirent des «compagnons» la nuit à l'hôpital. On y soupait, dansait, paillardait (à Lyon avec les dominicains voisins); on faisait mauvais usage des fonds commis à leurs soins.

Il faut sans doute imputer ce relâchement dans la discipline à l'absence de formation des sœurs, recrutées sans discernement dans des milieux suspects. Mais ceux qui s'employèrent à les réformer y virent l'impossibilité de concilier vie spirituelle et vie exposée aux dangers du monde. Plusieurs communautés d'augustines renoncèrent à leur apostolat charitable et adoptèrent la clôture. Ce sont des laïques, des dames dévotes, comme Suzanne Habert ou Barbe Acarie, qui prendront le relais pour soigner les pauvres dans les hôpitaux, non sans se heurter à bien des difficultés. La première d'ailleurs finira par se retirer dans un monastère, la seconde abandonnera la vie dans le siècle pour entrer chez les Carmélites.

Érasme, hostile aux couvents, avait ardemment souhaité une réforme intérieure de l'Église. Pendant les vingt premières années du XVIᵉ siècle, les commentateurs, les traducteurs de la Bible, le groupe de Meaux, Briçonnet, Lefèvre d'Étaples et bien d'autres espéraient le retour à une foi épurée, simplifiée dans ses dogmes et dans ses rites, appuyée sur la seule parole divine. Marguerite de Navarre était du nombre de ces novateurs.

MARGUERITE DE NAVARRE ET L'ÉVANGÉLISME

Des liens étroits unissent le féminisme culturel des «bibliennes» et le mouvement réformé, qui a fait beaucoup d'adeptes parmi les femmes les plus ouvertes à la culture humaniste. La Réforme a fait plus d'adeptes parmi les femmes que parmi les hommes de la noblesse française; ce sont elles qui ont été les plus actives réformées.

Les premières évangélistes, groupées autour de Marguerite de Navarre, ont été peu nombreuses mais très influentes. Sœurs et mères de rois, veuves souvent, donc plus indépendantes, suivantes de grandes dames participant à la vie de cour, ouvertes à la Renaissance intellectuelle, leur rang leur permet d'avoir accès à la culture, notamment à la culture humaniste. Et l'on sait quels liens étroits unissent l'humanisme et l'évangélisme à ces débats. Le contact direct avec l'Écriture séduit davantage ceux qui savent lire et écrire, comme l'ont prouvé plusieurs historiens, et la culture, jointe à une vive piété, a favorisé les conversions féminines.

Marguerite, dont les idées religieuses ont prêté à une multiplicité d'interprétations, fut, à coup sûr, séduite par les diverses tentatives de renouveau spirituel dans l'époque d'espoir et d'attente du «beau XVIᵉ siècle» où s'affrontent novateurs et routiniers, plutôt que protestants et catholiques. «Ondoyante», si elle s'est laissée tenter par toutes les formes de croyance, elle n'a jamais pris catégoriquement position sur les grands thèmes sujets à débat (prédestination, culte de la Vierge et des saints) et ne s'est jamais attachée à une doctrine constituée.

Les évangélistes d'ailleurs, une fois la rupture consommée entre Luther et Rome, vont se taire, se replier sur eux-mêmes et, en tout cas, rester au sein de l'Église catholique. Ce sera le cas de Rabelais, comme de Marguerite. François Iᵉʳ et sa sœur avaient choisi d'appuyer la réforme nécessaire de l'Église sur Lefèvre d'Étaples et ses amis. Mais le groupe de Meaux se disperse en octobre 1525, après l'arrêt de condamnation du parlement de Paris. Pendant la captivité de François Iᵉʳ en Espagne, leurs ennemis de la Sorbonne s'étaient déchaînés contre ses membres. A son retour, le roi prend des mesures en faveur des amis de Marguerite qui tentent le soufre, et elle-même est fort bien en cour. Son *Miroir de l'âme pécheresse*, long poème, examen de conscience en présence de Dieu, avait été imprimé sans problème en 1531. C'est seulement sa réédition, deux ans plus tard, qui déchaînera la tempête, Marguerite devenant pour les théologiens réformistes une cible à travers laquelle ils tenteront de combattre les protestants. L'ouvrage sera inscrit sur la liste des interdits, en l'absence du roi; celui-ci réagira vivement par la suite, sévira contre Noël Bédier, le syndic de la Sorbonne, en le frappant d'exil. Mais l'affaire des Placards (affiches collées sur la porte du roi stigmatisant les «abus de la messe papale») va infléchir la politique royale, jusque-là tolérante, en faveur du catholicisme ultra.

Le fossé se creuse entre le frère et la sœur. Dans les années 1540, déceptions et épreuves vont s'accumuler. Les amis de la reine sont maltraités ou en fuite et les réformés, sont contraints par l'exaspération des persécuteurs à proclamer leurs croyances. L'affreux massacre des vaudois (jugés hérétiques, par leur refus de la messe, des sacrements, leur vœu de pauvreté et de non-violence) à Mérindol et à Cabrières indigne et désespère Marguerite, tout aussi impuissante devant l'exécution ou le bannissement des réformés de

Meaux, berceau de l'évangélisme. Ses protestations passent auprès des ultras pour la confirmation de sa «fureur hérétique».

Quant aux protestants, Calvin en tête, qui s'étaient réfugiés à Nérac, ils se défient de la «tiédeur» de la reine de Navarre. Elle rompt avec Calvin en 1545 mais ne peut s'entendre avec le pape Paul III, qui met en place le concile de la répression.

Si les idées religieuses de la reine ont donné lieu à force controverses, c'est sans doute parce que sa foi très vive s'est épanouie en une époque où l'opposition entre catholiques et protestants restait encore indécise, mal définie, où l'on parlait de réformation plus que de réforme de l'Église. Son emblème était la fleur du souci et sa devise, dit Brantôme, «*Non inferiora secutus*» («Sans m'être attaché à ce qui est trop bas»), «signifiait qu'elle dirigeait et tendait toutes ses actions, pensées et affections à ce grand soleil d'en-haut qui était Dieu. Et pour ce, la soupçonnait-on de la religion de Luther». Mais, par respect pour son frère pour qui les réformés étaient des séditieux, elle ne manifesta pas extérieurement sa foi. Il ajoute toutefois qu'elle mourut «bonne chrétienne et catholique et que lors de sa retraite au monastère de Tusson, après la mort de son frère, elle faisait l'office de l'abbesse et chantait avec les religieuses».

Foi inquiète et toujours en quête que la sienne. Car elle fut en relations avec plusieurs cercles réformateurs et de partisans du renouveau spirituel de l'Église à l'étranger, allemands, anglais, suisses et italiens. Et ce tout en correspondant avec les papes, notamment avec un sympathisant du courant évangélique à la curie, Giberti, conseiller de Clément VIII. Elle connaissait également des laïcs italiens de même tendance, protégea les exilés florentins ennemis du pape, entre autres Antonio Brucioli, suspect de luthéranisme qui devait plus tard être condamné par l'Inquisition italienne.

Pendant les années 1530, Marguerite continua à correspondre avec le pape sur la réforme des couvents tout en multipliant ses relations avec des Italiens peu orthodoxes, et elle persista à s'intéresser aux juifs convertis. Vingt-cinq d'entre eux, qui avaient été inquiétés, purent être relâchés grâce à son intervention.

Elle gardait des rapports très affectueux avec Renée de Ferrare, et prit sa défense et celle de son entourage français lorsque les penchants de Renée pour la Réforme furent jugés inquiétants par Hercule d'Este, son époux; Marguerite intervint en sa faveur auprès du roi son frère, du nonce Pio, et demanda au pape, si les serviteurs de Renée devaient être poursuivis par les Ferrarais, d'évoquer l'affaire à Rome : elle pensait ainsi user de son crédit auprès du pape Paul III devant les tribunaux romains, auxquels elle se fiait plus qu'à ceux de Ferrare.

La reine de Navarre entretenait une correspondance suivie avec Vittoria Colonna, marquise de Pescara, veuve d'un des meilleurs généraux de Charles Quint, qui partageait sa conception de la vie spirituelle et qui, comme Marguerite elle-même, était en relations avec divers groupes évangélistes italiens, les *spirituali*, très proches des réformés. Ceux-ci, en dépit de leurs divergences, partageaient les mêmes vues sur la nécessité d'une vie religieuse simplifiée, moins formaliste, d'une morale fondée sur l'Évangile, la réconciliation avec les luthériens, la réforme des ordres religieux.

Dans les années 1530, tous les diplomates italiens de cette décennie soulignent l'ascendant de Marguerite dans le Conseil du roi : elle fait intervenir François Ier en faveur de Sadolet, évêque de Carpentras, qui avait eu maille à partir avec la Sorbonne, puis avec le Vatican. Et elle retrouve Sadolet cardinal et partisan d'un Concile pour réformer l'Église en 1538, lors du colloque de Nice.

La même année, Marguerite, s'acheminant avec la Cour vers Aigues-Mortes, rendit visite à Tarascon à Claude de Bectoz, sœur Scholastique en religion. Celle-ci, poète, humaniste, animait un cercle lettré au monastère de Saint-Honorat. Marguerite, dès 1532, avait fait intervenir François Ier pour qu'il ordonnât la réforme de ce couvent.

Son appui aux humanistes suspects ne se démentait pas : à Antonio Brucioli, réfugié florentin, traducteur de la Bible en italien, qui lui dédia ses commentaires et fut deux fois jugé pour hérésie, au Vénitien Caracciolo, déclaré lui aussi hérétique après la mort de la reine de Navarre, à Pietro Paolo Vergerio, qui publia ses lettres à Marguerite et à Vittoria Colonna, et voyait en elle et en Renée de France des âmes d'élite capables d'enflammer les cœurs des fidèles, de prêcher d'exemple en faveur d'une régénération spirituelle de la chrétienté.

Inspiré par les éloges de Vergerio, un autre Frioulan, Betussi, consacra un chapitre à Marguerite dans sa traduction des *Dames illustres* de Boccace, accompagnée de l'éloge de quelques contemporaines. Son panégyrique s'achevait sur l'exemple qu'offrait aux femmes une reine d'une piété accomplie qui avait choisi de vivre dans le mariage et dans le monde (et non pas dans un couvent).

Les dernières années de la reine de Navarre lui apportèrent désillusions et tristesse, tandis que s'assombrissait en France le climat religieux : Des Périers, Marot, ses amis, étaient morts en exil, Dolet, pour lequel elle s'était battue, fut conduit au supplice sans qu'elle pût même le défendre, pas plus qu'elle n'avait pu sauver Berquin. La répression à l'égard des réformés s'accrut à la fin du règne de François Ier et sous celui de son fils Henri II, qui tenait sa tante à l'écart.

Marguerite mourut à Odos en décembre 1549, après trois semaines de vives souffrances. Elle se confessa au moine Gilles Caillau et reçut l'extrême-onction : son agonie fut catholiquement exemplaire.

RENÉE DE FERRARE ET LA RÉFORME

En dépit de ses sympathies pour tous les partisans d'un renouveau spirituel, Marguerite de Navarre est restée au sein de l'Église romaine. Il n'en fut pas de même pour celle qui avait toujours été très proche d'elle, Renée de France, duchesse de Ferrare. La vie de la seconde fille de Louis XII et d'Anne de Bretagne s'est déroulée alternativement en France et en Italie, où elle demeura trente ans sans revoir son pays natal. Sa mère, qu'elle perdit à l'âge de cinq ans, l'avait confiée en mourant à Louise de Savoie ainsi que sa sœur Claude, la future épouse de François Ier. Renée fut promise successivement au futur Charles Quint, Charles d'Autriche, au roi Henri VIII d'Angleterre et au marquis de Brandebourg. Mais François Ier, son beau-frère, cherchant un appui dans sa politique de conquêtes italiennes, lui fit épouser en 1527 Hercule d'Este, fils d'Alphonse Ier, duc de Ferrare, auquel il succéda en 1534.

Renée, on l'a vu, d'une vive intelligence, avait reçu une solide éducation humaniste mais était, selon Brantôme qui l'admirait fort, «disgraciée de son corps». Aux côtés d'un époux qui partage son goût des lettres et des arts, Renée anime l'une des cours les plus brillantes et les plus raffinées d'Italie francophone, phare de la culture européenne, tant littéraire qu'artistique et scientifique. Entourée de tout un peuple de serviteurs français, de femmes remarquables, lettrées, élégantes (dont sa gouvernante, Michelle de Saubonne, baronne de Soubise, et ses deux filles), puis de ses propres filles, la duchesse accueille avec magnificence les personnages les plus marquants de l'époque, écrivains, poètes, penseurs, universitaires et savants.

Nombre d'entre eux étaient porteurs d'idées et d'inquiétudes nouvelles. Hercule, conscient du prestige qu'apportait à son duché la présence de cette *intelligentsia* internationale, exerçait sur elle une certaine surveillance, sans entraver la liberté de penser. Cette cour était ainsi un havre sûr pour des personnages condamnés, bannis, poursuivis, car la duchesse éprouvait une sympathie croissante pour la Réforme. Clément Marot, exilé, devint ainsi son poète et son secrétaire. Calvin, avec qui elle correspondra par la suite, va la visiter en 1536 et elle accueille nombre d'Italiens suspects. La poètesse Vittoria Colonna, l'amie de Marguerite de Navarre dont nous avons déjà signalé les sympathies évangélistes, séjourna plusieurs mois à Ferrare et Renée subit l'influence de cette forte personnalité, d'une piété exaltée et mystique. Elle se fit d'ailleurs l'intermédiaire entre les milieux évangélistes français et italiens, et envoyait à Lyon les réformés bannis d'Italie.

Ses options religieuses suscitèrent la colère du duc, qui obtint de François Ier le rappel de sa gouvernante, Michelle de Saubonne, dont on connaissait les sympathies pour la Réforme, et qui, pensait-il, avait sur sa femme une influence pernicieuse ainsi que sa fille et son gendre, qui s'enfuirent à Venise. Le duc, vassal du pape, était opposé à sa femme, dévouée aux intérêts de la France. Les tendances calvinistes de Renée s'affermirent. De très loin on venait chercher asile et réconfort auprès d'elle, elle envoyait des subsides aux persécutés, ses largesses étaient prodigieuses, elle correspondait avec les plus illustres hérétiques, et était devenue l'espoir et le soutien de la Réforme en Italie. Mais elle tenta en vain d'arracher au bûcher quelques suspects.

Les Jésuites s'inquiétaient, envoyaient à Rome des rapports alarmants : Renée ne se confessait pas, n'allait pas à la messe. Le duc craignait que les croyances de sa femme ne fournissent aux papes, Paul III, puis Jules III, un prétexte pour s'emparer de ses États. En 1555, Renée, fille de roi, tante du roi de France, fut traduite devant un tribunal d'inquisition, condamnée à la prison perpétuelle, séparée de ses enfants! Ses biens furent confisqués, sa bibliothèque, qui contenait beaucoup d'ouvrages interdits, brûlée. Renée accepta le jugement sans fléchir. C'était, disait-on d'elle dans sa jeunesse, « une petite tête dure à convaincre ». Elle devait rester en prison, en butte aux persécutions, jusqu'à la mort de son époux en 1559.

Veuve, elle regagna la France. Retirée au château de Montargis, elle y protégeait, abritait, nourrissait les huguenots italiens exilés en France comme elle avait fait à Ferrare pour les Français. Sa générosité se manifestait d'ailleurs, sans distinction de religion ou de nationalité, à l'égard des victimes des guerres civiles, et de tous les malheureux. Ainsi Brantôme, passant à Montargis avec ses Gascons catholiques allant combattre les huguenots, fut-il accueilli au château de Renée, où il vit «plus de trois cents personnes de la Religion» qui s'y étaient retirées de toutes parts du pays et qu'elle nourrissait tous les jours, lui jura son vieux maître d'hôtel. Le protestant Agrippa d'Aubigné la fait figurer parmi les héroïnes protestantes dans ses *Tragiques*. Il témoignait ainsi sa gratitude à celle qui l'avait reçu «avec son humanité accoutumée», lorsque, à dix ans, il fuyait Paris et les persécutions avec son précepteur.

Sa trop grande charité la perdit. La cour de France ne pouvait supporter un tel rassemblement d'hérétiques et, en 1562, on la menaça d'une retraite dans un monastère. Calvin se méfiait d'elle, la jugeant trop «tiède». Le duc d'Anjou, en 1569, lui imposa une garnison catholique. Tenue pour hérétique et indésirable à Ferrare, Renée, par son humanité et sa générosité, devait, jusqu'à sa mort, rester suspecte aux deux partis en France.

Marguerite la catholique, Renée la protestante : deux princesses exemplaires par l'intelligence, la dignité, le courage, la foi ardente, la compassion devant toutes les infortunes quelles qu'elles soient, et une indépendance d'esprit qu'on qualifierait aujourd'hui de tolérance, terme tout à fait anachronique en un siècle où les convictions religieuses étaient, de part et d'autre, nécessairement intolérantes.

Favorables l'une et l'autre à l'œcuménisme en pleine crise du christianisme, protectrices des persécutés, Marguerite, catholique déclarée, et Renée, inébranlable devant l'Inquisition, ont été suspectes à chaque confession chrétienne, en dépit d'une générosité qui les rendaient secourables aux malheureux et aux persécutés.

XVIII

Catholiques contre huguenotes

LES « BIBLIENNES »

L'expérience religieuse des deux personnalités remarquables que furent Marguerite de Navarre et Renée de Ferrare reste exceptionnelle. Comment ont pu réagir les femmes, de différentes conditions, face à la rupture consommée entre Luther et Rome ? En fonction de leur milieu certes et surtout de leur culture. Nous avons vu combien a été ardue la conquête du savoir féminin. Dans un de ses *Colloques*, « *Abbatis et eruditæ* » (« De l'abbé et de la femme savante »), Érasme mettait en scène un abbé ignare, bête comme un âne, se moquant d'une dame cultivée, sachant le latin et le grec. Celle-ci finissait par s'en prendre aux « pasteurs muets » comme lui devant les interrogations des fidèles, et concluait : « Vous voyez bien que tout maintenant est sens dessus dessous sur la scène du monde. Il faut quitter le masque. »

Or, dans les années 1540-1550, la revendication du droit à la lecture de la Bible en langue vernaculaire caractérise la chrétienne protestante. Le dialogue du réformé avec Dieu est essentiellement individuel, ce n'est pas une extase mystique, mais c'est d'abord une lecture, le contact direct avec les textes sacrés, que peuvent aider à mieux comprendre les Anciens et les pasteurs, hommes de savoir. La référence à l'Ancien Testament, aux Évangiles et aux Épîtres reste le fil directeur de ce retour à la « pureté » d'une religion simplifiée, que les traditions catholiques ont fait oublier. Il s'agit donc d'une nouvelle façon de sentir et de vivre le christianisme.

Au bas de la hiérarchie sociale, hommes et femmes étaient également illettrés, la lecture de la Bible ne les concernait pas. Des serviteurs pouvaient cependant être initiés à la « nouvelle » religion par leurs maîtres, telle Marie Becaudelle, servante à La Rochelle, dont Jean Crespin, dans *Le Livre des martyrs* (protestants) conte le débat public avec un franciscain : son maître lui avait enseigné l'Évangile et elle remontra au frère que sa prédication n'était pas fidèle à la parole divine. Certains milieux de la grande et de la petite bourgeoisie qui comprenaient le commerce et les arts libéraux, les métiers les plus spécialisés – libraires, imprimeurs, orfèvres, etc. – et la robe, étaient attirés par le protestantisme. C'étaient ceux des citadins dont le taux d'alphabétisation ou de culture était le plus élevé. Les femmes, qui, grâce à leur père ou à leur mari, avaient reçu une certaine instruction, toute limitée qu'elle fut (beaucoup ne savaient ni lire ni écrire leur nom parmi les martyres lyonnaises dans les années 1570), pouvaient souhaiter, elles aussi, accéder à la même alphabétisation que leurs maris, lire et commenter l'Écriture à leurs côtés. Le culte réformé leur paraissait ainsi un appel à la culture, en même temps que l'instauration d'un nouveau mode de rapports avec les hommes.

Parmi les femmes des villes qui se convertirent au protestantisme, beaucoup suivirent l'exemple de leur époux, à l'inverse des aristocrates. Celles-ci firent le premier pas vers la conversion plus souvent que leur mari, sans doute parce que leur rôle dans la vie publique était plus important que celui des bourgeoises citadines. Mais on a pu montrer que les bourgeoises mariées ont fait aussi preuve d'indépendance, en n'optant pas toujours pour la même religion que l'époux. Par ailleurs, un grand nombre de converties semble s'être recruté parmi les veuves, des femmes (couturières, sages-femmes, etc.) travaillant à leur compte, plus mêlées à la vie publique.

Quant aux femmes lettrées, celles qui écrivent ou tiennent des salons littéraires, Louise Labé (dont une des tantes, barbière, s'est convertie au calvinisme) et les dames des Roches sont restées au sein de l'Église catholique. Ces dernières, qui avaient eu à souffrir des protestants dans leurs biens, lors du sac de Poitiers, leur furent même franchement hostiles. Sans doute parce qu'elles avaient eu accès au savoir, ces bourgeoises cultivées n'eurent pas besoin de la religion du Livre.

LES ABBESSES

Dans les couvents, ce sont les abbesses, nobles pour la plupart, dont la vie intellectuelle était généralement très supérieure à celle des autres religieuses, qui sont passées à la Réforme. Il faut signaler l'exceptionnelle situation de l'abbaye de Fontevrault, où le pouvoir des femmes était plus absolu que nulle part ailleurs dans le royaume de France. L'abbesse de cet ordre unique au monde y exerçait son autorité non seulement sur la communauté des religieuses, mais aussi sur celles des religieux, logés dans un monastère voisin de celui des femmes, qu'ils n'approchaient jamais, mais dont ils recevaient tout, de la règle à la nourriture, les livres et le droit de les lire.

Cinq siècles durant, jusqu'à la Révolution, les religieux de l'ordre de Fontevrault, la plus riche et la plus prestigieuse des abbayes de femmes en France, durent supporter la supériorité du sexe féminin. L'écart entre les religieuses et les frères était d'autant plus grand qu'elles appartenaient à des maisons riches, de haute naissance, vivaient sous l'autorité d'une abbesse de famille royale, coupées très tôt du monde, ignorantes, confites en dévotions formelles.

Les frères, par contre, d'origine modeste, se tournaient d'ordinaire vers les études et la recherche d'une position honorable. D'où leur mépris pour la sottise des nonnes, dont ils supportaient mal les vexations. Aussi la révolte des hommes fut-elle une maladie chronique à Fontevrault. En 1504 notamment, ils s'en prirent à l'abbesse qui réformait la congrégation, Renée de Bourbon, sœur de Louis XII. Sans hésiter, elle fit venir les soldats de la ville de Condé pour contenir la révolte. Celle-ci s'enfla encore avec la réaction catholique qui suivit les guerres de Religion : un des religieux tenta même de mettre le feu à l'abbaye.

La Contre-Réforme veillait à s'emparer des monastères de femmes. Fontevrault, l'abbaye la plus en vue et de surcroît proche de Saumur, ville accordée aux protestants par l'édit de Nantes, était une place stratégique. En dépit des contestations qui s'élevèrent, l'autorité de l'abbesse ne fut jamais vraiment menacée, sans que le pouvoir masculin fût non plus remis en cause hors de l'ordre et de la clôture. Et les abbesses de Fontevrault restèrent résolument au sein de l'Église catholique.

D'autres choisirent la rupture. Ainsi Philippe de Chasteigner, abbesse de Saint-Jean de Bonneval, correspondante de Calvin, qui se convertit et s'enfuit à Genève avec huit de ses nonnes, et de Charlotte de Bourbon, qui sauta par-dessus les murs du couvent de la Jouarre, où elle était abbesse, et s'exila hors de France.

L'une des plus éclatantes de ces conversions, qui nous est connue par la littérature, est celle de Marie Dentière. Abbesse de Tournay, gagnée à l'évangélisme, elle quitte son couvent, comme le firent au dire d'Érasme beaucoup de religieuses des Pays-Bas, pour se marier en premières noces avec un ancien curé de Tournai, Simon Robert, établi avec elle à Strasbourg en 1526 et dont elle aura trois filles. Elle devait par la suite épouser un compatriote de Guillaume Farel, de dix-neuf ans plus jeune qu'elle, Antoine Froment, l'un des plus actifs propagateurs de la Réforme à Genève, où elle se fixa vers 1535, et qui fut pasteur à Thonon. «Première femme deschassée pour l'Évangile», selon celui-ci, elle est l'auteur d'un pamphlet, non signé mais dont l'attribution n'est pas douteuse. *La guerre et deslivrance de Genève* (1536), la plus ancienne production littéraire sortie à Genève d'une plume protestante à en croire son dernier éditeur, où s'exprime l'exultation de l'évangéliste devant le triomphe de la Réforme. Femme de l'un des principaux acteurs du drame, l'un des porte-parole du parti genevois contre le duc de Savoie et des réformés hostiles au catholicisme, l'ex-abbesse prit une part active à la campagne de prosélytisme et seconda les magistrats de la ville en pénétrant avec eux dans le couvent pour convaincre les sœurs de renoncer à la vie monastique, en les appelant à la «dispute» (à la discussion). Mais ils se heurtèrent à leur résistance farouche. La jeune Jeanne de Jussie était du nombre. Elle donne, dans *Le Levain du calvinisme*, une relation très animée de ces événements dramatiques. Son récit comporte, notamment, un portrait pittoresque et vengeur de Marie Dentière, «moine abbesse, fausse, ridée et langue diabolique», au cours d'une des scènes d'affrontement entre les «hérétiques» et les religieuses.

LA BATAILLE DES COUVENTS

Les deux ouvrages, où les mêmes événements suscitent chez ces deux femmes écrivains, également passionnées et dévouées à leur cause, des sentiments opposés, sont dignes d'intérêt à plus d'un titre. De facture très différente, d'une même violence et d'une incontestable partialité, ils fournissent, et c'est ce qui retiendra notre attention ici, de précieux renseignements sur la vie des Clarisses et sur les diverses réactions à la Réforme dans un couvent féminin. Ils laissent entrevoir aussi les motivations des deux religieuses, Marie Dentière et Jeanne de Jussie, qui incarnent les principes contraires engagés dans la révolution dont elles furent les témoins oculaires, l'une ancienne, l'autre future abbesse, l'une Picarde « deschassée » de son pays par les « papistes », par zèle pour la nouvelle religion, l'autre Savoyarde inébranlable dans sa foi traditionnelle, quittant sa ville natale par fidélité au couvent.

Une épître adressée par Marie Dentière à Marguerite de Navarre, qui, raconte Froment, voulut s'informer auprès « d'une sienne commère » des événements survenus à Genève au moment du bannissement de Calvin, explicite les raisons qui ont gagné l'ex-abbesse à la cause protestante. Après avoir longtemps vécu dans « les ténèbres et hypocrisie » du catholicisme, cette ardente polémiste dont les écrits prouvent la culture intellectuelle et théologique, la connaissance de la Bible et du droit canon acquise lorsqu'elle était encore dans son « moustier », s'associe au mouvement évangélique. Son épître est une profession de foi en même temps qu'une *Défense des femmes* pour qui elle revendique le droit de lire l'Évangile, « lequel jusques à présent a esté tant caché qu'on n'osait dire mot et sembloit que les femmes ne deussent rien lire n'entendre en sainctes lettres ».

En réclamant pour elles le droit de traiter publiquement des questions de religion et de théologie, injustement accordé aux hommes seuls, en affirmant que ce que Dieu a, « à nous femmes révélés, non plus que les hommes le devons cacher et fouir dedans la terre », et qu'il n'est pas défendu de s'« admonester l'une l'autre », à défaut de pouvoir prêcher publiquement, elle espère que les « femmes ne seront plus tant mesprisées comme par le passé ».

Marie Dentière ne sépare pas l'exhortation à écouter la parole de Dieu et à vivre selon l'Évangile de l'exhortation au mariage. Lors de l'irruption des réformés dans le couvent, elle se donne en exemple, elle qui a quitté cette « chétive vie », se flatte d'avoir « cinq beaux enfans » et de vivre « salutairement ». Toutes les « plus infectées luthériennes » qui interviennent à ses côtés usent des mêmes arguments, « louent l'estat de mariage et de liberté, alléguant que les Apostres avoient tous esté mariés et que St Paul lui-même a dit que c'est bonne chose d'estre marié et deux en une chair ».

Leurs harangues reprennent de façon frappante les grands thèmes des colloques matrimoniaux d'Érasme. On ne cesse d'inviter les sœurs à quitter le couvent et de leur promettre de les marier séance tenance avec de bons partis. Trois cents personnes attendent les luthériens à leur sortie de Sainte-Claire, pour voir si les religieuses sortiraient avec eux :

> Plusieurs mauvais pensoient en retirer en leur maison pour les marier à leur gré et mesme un Cordelier renié avait juré d'en espouser une.

Plus modérés, les syndics de la ville avaient proposé aux clarisses de rester au couvent avec la liberté d'entrer et de sortir, en renonçant à l'habit et à la messe ou mieux encore, de les ramener dans leur famille. C'était leur permettre, comme le suggère Marot, dans la traduction du colloque d'Érasme, d'«étudier, faire oraison, psalmodier» à leur gré, «ouïr les cantiques» et les prêches «sans caphardie», profiter d'entretiens savants et édifiants, faire leur salut sans renoncer à être utiles à la société. L'une des réformées se désole ainsi de voir «plusieurs belles jeunes filles qui perdent leur jeunesse en oisiveté qui pourraient faire de grands fruits au monde».

Conscientes des pressions familiales qui ont pu déterminer leur entrée au couvent, Marie, «la capitaine de malice» et ses «adhérentes» procèdent à un interrogatoire des religieuses une par une, pour s'assurer qu'elles ont pris le voile de leur plein gré, que les plus jeunes ne sont pas contraintes à la résistance par les «mères anciennes».

Des vingt-quatre clarisses dont les noms sont mentionnés, une seule sera «pervertie» et abandonnera joyeusement le couvent, Blaisine de Warambert, dont la vocation était visiblement forcée et qui, un an plus tard, devait épouser un prêtre passé à la Réforme. L'abbesse l'exhorte au refus silencieux, ses tantes «bien estimées et vraies catholiques» lui remontrent qu'en sortant et en se mariant, elle va couvrir de honte toute sa famille, tandis que sa sœur, clamant bien haut que «la pauvre fille demeure là en grand regret» réussit à ce que soit libérée «l'apostate» enjeu de cette bataille de dames. Blaisine reparaîtra ensuite au couvent en «robe mondaine». Passée dans le camp des adversaires, animée du même prosélytisme, elle se flatte d'avoir «trouvé la voie de vérité» et exhorte à son tour ses plus chères compagnes à sortir avec elles. Elle se plaint d'avoir été battue, emprisonnée, « les grésillons aux mains, les fers aux pieds », à la grande indignation de l'abbesse, qui reconnaît toutefois avoir usé de « correction nécessaire en Religion comme autre part ». Puis elle lance contre les clarisses les accusations traditionnelles de paillardise et d'hypocrisie :

« Elles couchaient de nuit avec les convers [...] de moi et de la pauvre folle se cachaient – l'une des sœurs en effet n'a plus sa raison – faisant souvent bonne chère malgré leur apparente pauvreté ».

Accusations peu justifiées à en juger par les témoignages que sœur Jeanne donne de l'austérité de ses compagnes, dormant sur un lit de paille, vivant d'aumônes, si déconcertées par les souliers qu'on leur remet lorsqu'elles quittent le couvent que la plupart les portent attachés à leur ceinture, mais aussi par le respect et la pitié qu'elles suscitent chez les réformés eux-mêmes.

Une âpre contestation s'élèvera ensuite entre l'abbesse et dame Hemme : celle-ci réclame, en compensation du don fait par leur père au couvent, une dot nécessaire au mariage de sa sœur Blaisine, qui a passé quatorze ans en religion. Marie Dentière se vantait de même d'avoir pris cinq cents ducats du trésor de l'abbaye.

Les motifs qui ont poussé l'ex-abbesse à renoncer à la vie conventuelle apparaissent clairement au travers du récit passionné de son adversaire : l'ardeur de la foi évangélique s'accompagne du sentiment de la dignité et de l'utilité d'une vie dans le siècle, et d'une active propagande pour le mariage, de la revendication féministe à la même culture que les hommes s'associe au droit de manifester comme eux ses convictions religieuses et de choisir sa voie, indépendamment des contraintes dictées par l'intérêt des familles. Celles-ci se devinent à la part active que prennent aux polémiques et aux luttes à l'intérieur du couvent, en paroles et en actes, tant les « infestées luthériennes » que les « dames papistes ».

A toutes les sollicitations des réformées, les clarisses opposent une résistance dont sœur Jeanne souligne la fermeté et l'unanimité, dans une relation qui se propose de les offrir en exemple à « ceux qui souffriront pour l'amour de Dieu » et de les exhorter à souffrir de même.

Venir à la « dispute » comme l'exigent les syndics Farel et Viret, dans le but avoué « pour leur sauvement de les mettre hors de prison » et les faire toutes se marier selon le commandement de Dieu, c'est, pour les clarisses, renier tous leurs vœux, que l'abolition de la règle urbaniste, après la réforme de sainte Colette, avait rendus plus stricts : ils comportent l'engagement de vivre « en obédience, sans propre, en chasteté et gardant la clôture perpétuelle ». L'obéissance absolue qu'elles doivent à leur abbesse, implique le refus d'écouter les paroles des prédicants – « Aucunes des sœurs avoient bouché leurs oreilles de cire pour ne les ouïr » – et de leur répondre. Opposer une résistance passive et muette, c'est bien là ce qu'attendent l'abbesse et la mère vicaire, ce à quoi celles-ci les encouragent à plusieurs reprises, se réservant le droit de riposter et d'argumenter. Sans doute sont-elles les seules à pouvoir le faire. Les religieuses obéissent aussi à leur confesseur qui leur interdit « ces erreurs », et, de crainte de les voir « pervertir la Sainte Écriture tout à rebours », ne leur permet pas une connaissance directe des textes. Aucune ne semble tentée d'accepter la discussion, tous les sentiments qui agitent la communauté sont décrits comme des manifestations collectives. A celles qui la dirigent seules sont dévolues toutes les initiatives.

Par ailleurs se dérober à la discussion et se taire, c'est se soumettre à la coutume, et aux impératifs de la condition féminine. « Ce n'est pas le métier des femmes de disputer. Jamais femme ne fut appelée à la dispute ni en témoignage. »

C'était aussi l'argument avancé par l'abbé ignare d'Érasme, dans son colloque avec « une femme savante ». Et saint Paul n'a-t-il pas prescrit aux femmes de se taire à l'église ? Les religieuses refusent donc d'écouter des « femmes qui preschent », préférant encore avoir affaire aux hommes.

L'atmosphère d'inquiétude et d'angoisse qui règne dans la ville, et dont les échos parviennent au couvent, les incite tout naturellement à redouter les fauteurs de trouble. Mais surtout la fidélité à la foi traditionnelle leur fait rejeter une « nouvelle » religion. Ce mot clé est à lui seul porteur de scandale. L'abbesse et la mère vicaire manifestent à plusieurs reprises leur opposition farouche à toute nouveauté – « En nulle matière ne voulons innovation de foy ni de loy » – et revendiquent leur droit à persister dans leurs vœux : « Par ce que chacun a sa liberté, gardez la vostre et nous laissez la nostre. »

L'obstination des clarisses finira par triompher : elles quitteront peu après Sainte-Claire pour gagner sur le territoire du duc de Savoie le couvent d'Annecy, dont Jeanne de Jussie deviendra plus tard l'abbesse.

On conçoit sans peine l'inflexible résistance de celles dont la vocation était un choix délibéré. Tout aussi explicable apparaît la résolution de celles dont la prise de voile avait pu être moins spontanément acceptée. A ces femmes rompues à une vie collective toute de soumission et d'austérité, le remords du péché qu'impliquait la renonciation à leurs vœux, la séparation d'avec leurs compagnes et les mères qu'elles avaient appris à révérer, la liberté soudaine qu'on leur proposait devaient paraître redoutables. Le célibat féminin gêne ou déshonore la famille : retourner auprès d'elle, c'était risquer sa désapprobation, un mariage précipité, conclu peut-être sous la contrainte.

La résistance farouche des clarisses de Genève ne fut pas un cas isolé. Ce n'est pas dans les couvents que se recrutèrent les calvinistes, et la Contre-Réforme, qui travailla partout à renforcer la clôture, devait accroître le nombre des vocations. Cette fidélité à la foi traditionnelle s'explique par la conception que l'époque s'est faite de la vie religieuse féminine et plus largement par sa conception de la place et du rôle de la femme dans la société.

MATCH NUL

Marie et Jeanne paraissent bien représentatives de deux types de religieuses face à la Réforme. L'une et l'autre avaient la conviction que les femmes n'étaient pas inférieures aux hommes en courage et en piété. On a vu l'ardeur de Marie Dentière à revendiquer l'accès à la même culture. De son côté, Jeanne de Jussie, louant les jeunes filles et femmes qui se sont montrées «viriles contre ces ennemis luthériens», affirme : «Les femmes se sont montrées de tout temps plus fermes et plus constantes en la foi que les hommes.»

Aucune n'a vraiment triomphé. La première a été contrainte à l'anonymat et au silence, l'autre à l'exil. Si Marie Dentière apparaît l'incarnation de la virago – au sens italien – chère à Érasme, en Jeanne de Jussie s'incarne un autre aspect de l'idéal féminin de la Renaissance, plus traditionnel, celui passif et chrétien qu'on a opposé à l'idéal masculin, créatif et païen. La première est tournée vers l'avenir, l'autre vers le passé, toutes deux témoins et apôtres de la dignité féminine.

Les catholiques, et le clergé en général, se sont ancrés dans leurs positions. Ils n'étaient pas prêts à contenter la curiosité théologique des femmes, à leur permettre d'accéder seules, sans l'aide d'un intermédiaire qualifié, à l'Écriture sainte, étant donné la faiblesse de leur esprit, et le risque de les voir devenir «paillardes» et «tomber en erreur».

Quant aux réformés, Calvin et Théodore de Bèze en tête, s'ils voulaient remplacer la caste hiérarchisée des prêtres par des pasteurs, ils n'envisageaient pas de voir des femmes prendre la parole, prêcher, monter en chaire et lire la Bible dans les cultes réguliers ou les réunions clandestines. Elles peuvent évidemment se réunir et chanter avec eux des psaumes en langue vulgaire (la langue des femmes et des illettrées). Ils chanteront de même ensemble dans les rues, lors des troubles des années 1560, au grand scandale des catholiques. Cette participation commune à un rituel simplifié n'empêche pas que leur tâche est d'être des épouses, engagées dans la foi aux côtés de leurs maris, mais inférieures à eux «selon l'ordre naturel».

Aussi les vœux de la championne de l'évangélisme, Marie Dentière, ne devaient-ils pas trouver d'écho dans le parti réformé, non moins méfiant à l'égard des femmes que le parti catholique. Ils s'accordaient avec les propos que Marot prête à Dame Ysabeau ripostant à l'abbé misogyne dans sa traduction du colloque d'Érasme :

«Force femmes se trouveront / Qui aux plus clercs disputeront / Et si garde à vous ne prenez / Il adviendra qu'à votre nez / Aux ecoles présideront / En pleine église prêcheront / Et auront vos mitres et crosses».

Mais ces prédictions restèrent lettre morte. L'*Epistre* de Marie Dentière fit scandale à Genève et lui valut des réprimandes, comme à Antoine Froment, au compte duquel elle fut portée, malgré ses dénégations. Elle fut si blessée d'avoir été attaquée en tant que femme pour avoir publié la *Délivrance* qu'elle ne signa plus ensuite ses écrits. Pas un seul livre de femme ne paraît au XVIᵉ siècle dans la capitale de la Réforme. Pasteurs et consistoires restent exclusivement masculins. Aux ambitions des huguenotes, Calvin et de Bèze sont restés hostiles. Dans un camp comme dans l'autre, c'est une foi silencieuse qui leur est prescrite. Et les illustrations du monde à l'envers de l'époque continueront longtemps encore à mettre en scène le mari berçant l'enfant, et la femme portant les armes ou en robe de docteur.

Quant au modèle réformé des relations entre époux, il soumet la femme au mari de manière aussi catégorique que le modèle catholique. Le mariage des clercs, permis aux protestants, établissait une certaine égalité entre les sexes, et favorisait la femme : mieux valait être l'épouse d'un pasteur que la concubine d'un prêtre, jusqu'alors tenue pour une putain dans les deux confessions. Il n'est pas sûr que par sa conception du divorce (dont la procédure peut être engagée par l'un et l'autre conjoint, et qui n'empêche pas le remariage) Calvin ait mis la femme sur un pied d'égalité avec le mari. Ces mesures, pour être d'importantes innovations, ne remédient pas à l'inégalité existant dans la législation matrimoniale. Et le double système de valeurs qui fait admettre l'adultère du mari plus volontiers que celui de la femme, la difficulté pour une femme seule d'assurer sa subsistance et celle de ses enfants rendaient quasi impossible pour elle le divorce. Rares furent d'ailleurs les divorces à Genève, au XVIe siècle.

DES COMPAGNES EXEMPLAIRES

La nécessité de combattre en commun pour la foi a contribué à sceller d'exemplaires unions conjugales chez les réformés et à resserrer les liens entre parents et enfants. Compagnes vertueuses, pleines d'abnégation et de courage, filles et femmes de protestants leur ont apporté un soutien efficace qui les a encouragés à l'action, et réconfortés. Le *Livre des martyrs* de Crespin, l'*Histoire universelle* de D'Aubigné font revivre l'héroïsme des mères marchant, avant leur fils, vers le supplice, des épouses encourageant leurs époux à mourir, oublieuses de leur propre mort.

Mémoires et récits historiques évoquent les nobles figures des filles et des femmes des chefs protestants : Charlotte de Laval, épouse de Coligny, dont Agrippa d'Aubigné rapporte les pressantes exhortations à l'amiral, qu'elle incite à poursuivre la lutte, lorsqu'il est ébranlé par le massacre de Vassy. Éléonore de Roye, princesse de Condé, Jeanne d'Albret, reine de Navarre, plus fermes que leurs époux dans leur attachement à la foi. Charlotte Arbaleste, épouse de Philippe Duplessis-Mornay, participe directement à la lutte, assure les transmissions entre les chefs protestants, est chargée de recevoir (plus facilement qu'un combattant en pleine guerre) les documents qu'on lui remet ouverts, assume parfois une mission politique, et très souvent séparée de son mari, veille seule aux affaires domestiques. Le testament des époux, « fait conjointement et de commune main », atteste la profondeur de leur affection partagée.

Louise de Coligny, fille de l'amiral assassiné en 1572, seconde épouse de Guillaume d'Orange, assassiné sous ses yeux en 1584, dont on a célébré le courage politique, fut aussi une mère très attentive à l'éducation de son fils, dont elle voulait faire le digne héritier des Coligny et des Nassau, comme à celle des filles de Charlotte de Bourbon, première épouse de Guillaume, et de ses propres filles. L'une d'elles, Charlotte Brabantime, vécut avec Claude de La Trémoille (dont elle fut veuve à vingt-quatre ans) une véritable passion conjugale, dont leur correspondance porte témoignage.

Ces grandes familles protestantes voient naître un idéal tout nouveau de la femme, où celle-ci est appelée à jouir sans conteste d'une autorité morale et affective, et à tenir un rôle décisif d'éducatrice, pleine d'une inhabituelle sollicitude pour l'enfant.

Destins exceptionnels que ceux de ces femmes d'élite. Les huguenotes françaises n'ont pas, dans l'ensemble, vécu de grands changements dans leur statut social ou leur vie quotidienne, si elles n'appartenaient pas à des familles nobles, ou riches et puissantes. Tout au plus ont-elles pu défier les catholiques, en filant à leur fenêtre leur dimanche, en s'habillant sobrement de noir, en s'en prenant aux statues et aux images saintes, en aidant à l'impression d'un ouvrage protestant, si elles étaient femme ou veuve d'imprimeur, en manifestant par la récitation des psaumes dans la rue, en lisant la Bible.

Mais les huguenotes restaient soumises à leurs maris, et à leurs pasteurs. Aucune, a remarqué Natalie Z. Davis, n'a su (ou pu) montrer une capacité d'organisation comparable à celle des plus célèbres catholiques de la Contre-Réforme, telle Angela Merici, s'efforçant de créer un ordre sans clôture, absolument nouveau. Aucune calviniste, excepté dans les milieux aristocratiques, n'a publié autant d'ouvrages que les catholiques du même milieu : les seules poétesses réformées sont alors la reine Jeanne d'Albret (son hymne *Jésus est mon espérance* a paru dans un chansonnier lyonnais en 1544), Georgette de Montenay, dont les *Emblèmes ou Devises chrétiennes* paraissent à Lyon en 1571, Marie de Brabant, dame de Blacy, auteur d'une version française du Cantique des cantiques, d'*Annonces de l'esprit et de l'âme fidèle*, ainsi que d'une *Satire* contre les *Bombancières*, et Catherine de Bourbon. Maigre moisson, face à l'abondante production de poésies dévotes catholiques, énumérées plus haut.

Il n'y eut pas non plus d'équivalent protestant d'une poétesse comme Louise Labé. Le mouvement huguenot n'était guère susceptible d'attirer les femmes qui menaient une vie jugée trop libre – une vie de débauche – par le consistoire, et qui revendiquaient le droit à la culture profane et à l'amour, en se mêlant aux hommes dans les fêtes et les cercles littéraires. Bien des poètes français d'ailleurs se détournèrent du calvinisme, effarouchés par sa rigueur. La Réforme imposait un autre style de vie et de pensée à la vertueuse et modeste huguenote.

Statu quo de part et d'autre

Les conflits religieux n'ont pas modifié le statut de subordination du sexe féminin, dont la soumission au sexe fort est toujours jugée nécessaire, au XVIe siècle, du côté protestant comme du côté catholique. La Réforme permettait aux femmes l'accès à une nouvelle sociabilité religieuse en les réunissant aux hommes dans le culte, sans pour autant instaurer l'égalité des sexes. La Contre-Réforme accordera à la dévotion féminine un rôle important dans la reconquête catholique, dans le respect de la hiérarchie traditionnelle. Il serait hasardeux d'affirmer que l'un ou l'autre système religieux a mieux contribué à transformer les rapports entre les deux sexes. Tout au plus peut-on penser que chacun a pu servir à l'autre de correctif en préparant, à longue échéance, une nouvelle manière de les concevoir et de les vivre.

XIX

La condition de reine

En France, à la différence des pays voisins, point de reines de plein exercice. Le pouvoir est toujours aux mains d'un roi, et la reine n'est que son épouse. Une loi, dite loi salique, parce qu'on la fait remonter aux antiques coutumes des Francs Saliens, interdit en effet aux femmes l'accès au trône, ainsi qu'à leurs descendants mâles : un lointain cousin, par filiation masculine, est toujours préféré à un petit-fils, par sa mère, du roi défunt. Selon une loi d'origine immémoriale, la « *terra salica* », le fief était accordé au guerrier lors du partage des conquêtes, en échange du « service » militaire, ce qui excluait les femmes de ce genre de possession.

En fait, cette loi, auréolée du prestige d'une antiquité mythique (on attribuait sa création à Pharamond, le premier roi des Francs), ne fut appliquée qu'à partir de 1316, lorsque les deux fils puînés de Philippe le Bel furent préférés, tour à tour, à la fille de son fils aîné, mort prématurément. Au Moyen Age, dans cette société militaire et virile, on distingue du point de vue politique comme du point de vue juridique le « côté de l'épée » et le « côté de la quenouille ». L'exclusion des femmes du pouvoir semble aller de soi, étant donné leur faiblesse, corporelle, psychique, intellectuelle. Et les rois, ayant toujours eu des fils depuis trois siècles, la vocation héréditaire de la lignée masculine paraît indiscutable à la Renaissance.

Étienne Pasquier, dans ses *Recherches de la France*, présente la loi salique comme une loi spécifiquement française, face aux lois héritées ou imitées du droit romain. Mieux, elle est à l'origine de toutes les autres lois qui fondent l'identité du royaume de France. Selon notre juriste, le droit français, en matière de droit successoral, a dépassé le droit romain, car il privilégie «l'utilité du public» tandis que le droit romain privilégiait le droit du particulier. Or la loi salique est fort profitable au Royaume des lis «qui ne veut que la couronne ne tombe en quenouille». Du Moyen Age au XVIᵉ siècle, on s'est efforcé de l'étayer par une série d'arguments rationnels ou présentés comme tels. Argument théologique d'abord : les Saliens, ancêtres des Français, en évinçant les femmes de la succession au trône, ont respecté le commandement de Dieu qui a mis Ève sous la puissance de l'homme. Vers 1500, c'est en vertu de la nature sacrée de la fonction royale, non pas héritage mais dignité, que l'on justifie l'application de la loi : pas plus que la prêtrise, la femme n'est capable de l'assumer. Cette loi assure donc de la meilleure façon la transmission du pouvoir.

Argument guerrier ensuite : l'exclusion du sexe faible, inapte à la guerre, incapable de garantir la sauvegarde du royaume, permet à celui-ci de survivre. L'argument le plus décisif est sans doute celui du fondement patriarcal du pouvoir, de la correspondance entre la famille et l'État, soumis l'une et l'autre à l'autorité masculine. La famille est le modèle selon lequel s'organisent, avec la monarchie, le couple et la famille royale. La faiblesse naturelle de la femme s'accompagne de dépendance et de soumission : pourrait-on donner le pouvoir à celle qui doit se reconnaître un maître en son époux ?

Si la loi salique n'était pas appliquée, la fille d'un roi pourrait faire monter à ses côtés sur le trône, étant donné «l'imbécillité de jugement» de son sexe, un personnage susceptible de laisser la France passer en des mains étrangères. La nation risquerait d'être agrégée au territoire d'un souverain étranger, par les hasards d'un mariage, ou revendiquée par les descendants d'une lignée féminine, ce qui avait été le cas lors de la guerre de Cent Ans. Le recours à la loi salique ne visait pas alors, à proprement parler, à exclure les femmes de la politique, même si cette interprétation devient dominante par la suite. Invoquée pour empêcher le roi d'Angleterre de s'emparer de la couronne, la loi salique protégeait le royaume contre une investiture étrangère.

La grande majorité des jurisconsultes ont été des défenseurs de la loi salique, en vertu de préjugés antiféministes. L'exercice du pouvoir, pensaient-ils, était une dignité en désaccord avec la condi-

tion féminine. Brantôme est l'un des rares à contester violemment
cette loi. Dans le chapitre qu'il consacre à Marguerite reine de
France et de Navarre, il démontre par l'exemple que les dames sont
aussi capables de bien gouverner que les rois, que les Françaises ne
seraient pas inférieures aux «Dames étrangères» qui exercent ou
ont exercé le pouvoir, que le royaume s'est mal trouvé d'une infinité de rois «fats, sots, tyrans, simples, fainéants, idiots, fous»,
auxquels des filles de France «habiles et prudentes» auraient été
bien supérieures. Cette loi salique, d'ailleurs, a été léguée par un
païen et l'observer conduit à offenser Dieu. Les trois filles de
Catherine et d'Henri II n'auraient-elles pas gouverné aussi bien
que les rois si elles avaient eu le pouvoir? Conclusion toute naturelle dans son apologie de la première femme d'Henri IV, dont il
louait, entre autres dons, les aptitudes politiques.

Au XVIᵉ siècle, le souverain n'est plus seulement, comme aux
origines de la royauté, l'élu de ses pairs. Son pouvoir, il le tient de
Dieu et il lui est conféré par le sacre. Il est l'incarnation du royaume
entier, un lien mystique l'unit à son peuple, attaché à sa personne,
non à une forme abstraite de gouvernement. L'infériorité de la
reine, à ses côtés, se manifeste par la différence de dignité dans le
cérémonial du couronnement : le roi est sacré à Reims, la reine à
Saint-Denis, par deux onctions seulement au lieu de neuf, au moyen
d'une huile moins prestigieuse que le saint chrême, qui confère au
roi le pouvoir de guérir les écrouelles. Le sceptre de la reine, comme
son trône, est plus petit que celui du roi et sa couronne est portée
par les barons, alors que celle du souverain l'est par les pairs du
royaume. Sa dignité, elle la tient de sa qualité d'épouse du roi.

Les mariages royaux ne sont évidemment pas conclus pour
complaire aux conjoints, mais en vue d'établir d'utiles alliances avec
des pays, et plus précisément des souverains, étrangers, d'acquérir
un territoire, une province, et d'obtenir de sérieux avantages financiers (ce qui ne s'avoue guère, mais entre en ligne de compte).
Éléments actifs de la politique monarchique, ils conditionnent la
continuité dynastique. Le choix des princesses dépend des besoins
de l'État, des orientations de la diplomatie, et aussi de la disponibilité, sur le marché matrimonial européen, de celles qui sont en âge
de se marier.

Les noces royales au XVIᵉ siècle sont déterminées par des motivations et des situations très diverses. Très différente aussi est la
condition des épouses choisies : fille de France, reine douairière ou

reine régnante, fille de roi ou d'empereur, princesse étrangère de moindre prestige, ou de second rang. Les filles aînées sont toujours préférées aux cadettes. Quant aux fiancés, roi, dauphin ou simple cadet, leur position influe beaucoup sur les alliances.

A la différence des habitudes matrimoniales des siècles précédents, les rois de France n'épousent pas des Françaises, des sujettes, de peur de trop élever leur famille et de s'y créer des rivaux, mais des étrangères appartenant à des familles régnantes, dont le prestige rehausse le leur et les place au-dessus de leurs sujets.

Gage de paix à l'extérieur, le mariage royal l'est aussi de la paix intérieure, de la stabilité du royaume, qui assure la stabilité dynastique. La naissance d'un dauphin reste l'objectif principal de l'union conjugale, dont la réussite suppose que la reine soit féconde. C'est là sa fonction primordiale. On attend d'elle des enfants au plus vite, pour assurer l'avenir de la dynastie.

La maternité est son unique atout, la stérilité la pire des malédictions. Une visite prénuptiale permet de s'assurer qu'elle est vierge et en mesure de procréer, ses accouchements ont lieu en public, pour éviter tout risque de substitution, aucun soupçon ne devant peser sur la légitimité des enfants qu'elle met au monde, et qui sinon, ne recevraient pas la consécration divine.

Mais la position d'une reine n'est vraiment assurée que lorsqu'elle a mis au monde un fils, ce qui lui vaut aussitôt égards et considération. Un roi sans héritier n'est pas un vrai roi. Et si elle devient veuve, elle peut jouir de la situation enviable de reine mère. Malheur à celle qui n'a que des filles! Elle pourra, en cas de veuvage, rester en France dans quelque province en qualité de reine douairière, mais si elle opte pour le retour dans son pays ou pour le remariage, il lui faudra abandonner en France sa ou ses filles, princesses françaises, qu'elle ne reverra sans doute plus. Plus précaire encore est le sort de la reine stérile. Si le divorce est interdit, l'Église peut annuler le mariage, bien qu'elle ne tienne pas la stérilité pour un motif recevable. Mais il est aisé aux juristes de trouver des vices de forme pour justifier l'annulation.

TRIBULATIONS ET HONNEURS

Promises souvent à des fiancés successifs, dès la petite enfance, mariées précocement, vers quatorze ans en général, pour consolider les traités ou les alliances dont elles sont le gage, les reines doivent, au moins les premières années, affronter des grossesses répétées et tous les risques qu'elles comportent : à l'époque, ils ne sont pas minces. Les reines n'allaitent pas ; des nourrices s'en chargent. Ainsi ne sont-elles pas protégées de maternités trop rapprochées par l'allaitement. D'où un épuisement qui, si elles ne meurent pas en couches, les écarte de la vie de cour et des affaires.

Étrangères le plus souvent, mais issues des familles princières d'Europe ou alliées à elles, elles se font généralement sans trop de peine aux usages de leur nouvelle patrie. Certaines d'ailleurs, savoyardes, lorraines ou bretonnes, sont déjà françaises par la langue et l'éducation. Plus pénible que la séparation d'avec des parents, le plus souvent lointains et avec qui elles ont peu vécu, ou le dépaysement, est assurément l'adaptation au milieu de la Cour, traversée d'intrigues, où se heurtent des grands hostiles et leurs clientèles respectives, et où gravitent autour du roi des personnalités féminines qui peuvent être redoutables, de la reine mère aux sœurs, aux belles-sœurs et aux maîtresses, avec lesquelles la jeune «reine régnante» doit composer, seule et sans alliés au départ.

Arrivée avec un entourage de dames d'honneur et de servantes de son pays, elle s'en voit très vite privée pour être plongée directement dans le milieu français. Quant au roi, il n'accorde guère de place à son épouse dans la vie privée. Leur maison, leurs gens, leurs appartements sont distincts. Les souverains font normalement chambre à part. Si l'on admet, et même approuve, les frasques extra-conjugales du souverain, où le bon peuple peut voir une preuve de gaillarde et saine virilité, la reine, elle, doit être au-dessus de tout soupçon : la légitimité des enfants royaux est en cause. Aussi vit-elle fort surveillée, inaccessible, sous le regard continuel de son entourage, remplissant les obligations contraignantes imposées par le métier de souveraine. Quant à l'amour qu'elle est susceptible d'éprouver, il ne peut s'adresser, elle le sait bien, qu'au roi son époux.

Le couple royal entouré d'enfants incarne la fécondité heureuse du royaume, chacun des époux tenant son rôle respectif et complémentaire : au roi la guerre, la justice, la sage administration du pays, à la reine, la piété, la douceur, la charité, c'est-à-dire les bonnes œuvres ; elle se montre compatissante envers les malades et les miséreux, tout comme les reines d'aujourd'hui ou les premières dames des démocraties modernes visitant crèches et hôpitaux.

Dans les nombreux voyages des rois, fort itinérants au XVIe siècle, dans les « entrées » de villes, la présence de la reine à leurs côtés, gage de paix, de fécondité et de prospérité, est indispensable : ils apparaissent grâce à elle non en guerriers, mais en pères de famille. La place de choix accordée dans le cérémonial de l'entrée à la première dame du royaume témoigne de sa dignité, de la « communication des honneurs » qui lui vient du roi, mais elle reste toujours dans sa dépendance. Apparaître comme épouse et mère la rend plus proche de ses sujets, prête à leur offrir une protection maternelle, à intercéder en leur faveur auprès du roi, dans un rôle d'intermédiaire, à la fois souveraine et sujette. Maternité et spectacle donné au bon peuple du couple qui incarne la France, telles sont les fonctions irremplaçables des reines.

Associée à la vie publique du souverain, la reine vit continuellement en représentation. Elle est de toutes les cérémonies civiles et religieuses, des banquets et des bals, de tous les voyages, enceinte ou malade, assiste au Conseil et siège aux côtés de son époux à l'ouverture des états généraux.

A partir du XVIe siècle, une nouvelle fonction de représentation vient s'ajouter aux autres : celle de présider à la vie de cour. Aux vertus traditionnelles de celles qui les ont précédées s'ajoutent d'autres qualités chez les princesses de la Renaissance : elles se doivent d'être remarquablement cultivées, de protéger les arts et les lettres en mécènes judicieuses, de faire régner à la Cour l'élégance, le bon goût, la civilité en prêchant l'exemple et de donner le ton en matière de modes, vestimentaire ou littéraire. Si l'institution monarchique y gagne en éclat, et en pouvoir, la reine y acquiert, à titre personnel, un prestige accru.

Mais de pouvoir politique, il n'est pas question. Au moins en droit, la reine a été sacrée et couronnée parce qu'elle est personne royale, mais elle n'est que l'épouse du roi. Celui-ci accède au pouvoir en même temps qu'à la couronne et le conserve tout au long de son règne. La reine change de situation suivant le lien qui l'unit au roi : elle peut être reine régnante ou douairière, et elle perd son titre à la mort de son époux. Elle se différencie donc du roi par son manque de personnalité politique. Sans doute peut-elle servir d'intermédiaire privilégiée dans les relations diplomatiques, les rapports entre souverain européens ayant un caractère très familial. Le XVIe siècle compte certes bon nombre de reines qui, à la faveur de crises politiques, ou parce qu'elles étaient douées d'une personnalité exceptionnelle, ont su s'imposer aux hommes de leur famille, mari ou fils, et ont rempli les mêmes fonctions sans en avoir le titre, en participant activement aux «affaires». Mais leur autorité restait soumise aux circonstances, à la bonne volonté du souverain. Seule la régence, nous le verrons, permet à une reine d'exercer réellement le pouvoir politique, avec les réserves qu'implique nécessairement son sexe.

Au cours du siècle, les reines perdirent tout accès au pouvoir, tandis que se renforçait celui des rois, et que la monarchie, peu à peu dégagée du cadre féodal, n'avait plus à tenir compte des héritières de fief, épouses dangereuses, capables de suppléer leur mari et d'exercer la même autorité. Après Anne de Bretagne, qui apportait au trône une province, les reines de France, gages d'alliances précaires ou détentrices de droits théoriques sur des territoires tenus par d'autres, n'ont aucune raison de prétendre partager le pouvoir.

ANNE, LA DUCHESSE REINE

Seule fait exception la première reine française du siècle, qui épouse en 1491 Charles VIII, la duchesse Anne. La loi salique ne jouant pas en Bretagne, Anne l'aînée des filles du duc François, se trouvait de plein droit héritière du duché à la mort de son père. C'était un parti enviable, qui tentait fort Louis XI pour son fils. Mais il se heurtait à un obstacle de taille : les deux futurs époux avaient été fiancés solennellement, quasi mariés, Charles à la fille de l'empereur Maximilien et de Marie de Bourgogne, la petite Marguerite d'Autriche qui vivait à la cour de France, et Anne à l'empereur veuf lui-même. La double rupture s'effectua, bon gré mal gré, en dépit des difficultés.

Le contrat de mariage stipulait qu'Anne conservait son titre ducal, mais que l'administration de ses terres revenait au roi. Un jeu de clauses très complexes permettait le rattachement à la France à la génération suivante. Le contrat était humiliant pour elle puisqu'il consacrait sa dépendance. Anne se résigna sagement. Leur vie commune fut brève : six ans et demi dont quatorze mois d'absence du roi pendant son expédition italienne. Durant ce premier règne, Anne n'eut aucun rôle dans l'État. Le pouvoir, en l'absence de Charles, était aux mains d'Anne de Beaujeu, sa sœur, la seule femme en qui le misogyne Louis XI avait confiance, «la moins folle de France», et de Pierre, son beau-frère. La reine, d'ailleurs fort occupée par ses maternités, allait être assaillie par nombre d'épreuves : échecs français en Italie, mort du dauphin, fausse couche, mort d'une fille, et enfin l'accident qui causa la mort de Charles VIII, à vingt-huit ans.

Son cousin Louis d'Orléans, désormais Louis XII, lui succède, puisque le roi n'avait pas d'héritier. Désireux d'épouser sa veuve, il s'occupe aussitôt de faire annuler en cour de Rome son désastreux mariage avec Jeanne de France, fille de Louis XI, à laquelle il avait été fiancé dès le maillot. On les avait mariés de force à des fins politiques et économiques lorsqu'ils avaient lui quatorze ans, elle douze, selon la volonté de Louis XI. Hélas! la pauvre Jeanne, qui avait grandi à l'écart de la Cour, était infirme. Sa difformité s'accentua avec l'âge, et fit de sa vie un martyr.

Vingt-deux ans durant, la situation fut intolérable pour les deux époux. Reine de France, à la mort de son frère, puisqu'elle était l'épouse légitime du nouveau roi, Jeanne était intelligente. Elle avait su se montrer digne, douce, discrète, capable de gérer ses affaires et sa maison lors de sa captivité. Mais elle refusa l'annulation, avec une obstination tranquille, et contraignit ainsi Louis XII à s'engager dans un procès scandaleux où Jeanne seule, en position d'accusée, fit preuve d'un beau courage, assurant que le mariage avait été charnellement consommé.

Mais une lettre de Louis XI, retrouvée *in extremis*, prouvait que Louis d'Orléans devait avoir un héritier. Or sa femme était réputée stérile. Jeanne perdit son procès, fut faite duchesse de Berry, et prit le voile en 1503. Elle mourut dans le monastère qu'elle avait fait construire pour le nouvel ordre de l'Annonciade. Béatifiée au XVIIIe siècle, canonisée au XXe, celle qui n'avait pu demeurer reine devint ainsi sainte Jeanne de France.

Depuis la mort de Charles VIII, Anne de Bretagne, n'ayant point d'enfants survivants, ne se sentait qu'à demi-reine, comme le dit Brantôme. Le curieux traité de Langeais l'oblige à convoler avec le successeur de Charles VIII. Bien décidée à n'épouser qu'un empereur ou un roi, elle est toute disposée à rester sur le trône de France en donnant sa main à Louis XII s'il réussit à se débarrasser de son encombrante épouse. Elle n'est plus soumise à l'autorité des juristes de Louis XI ou à celle des Beaujeu comme à quinze ans, au début de son mariage. Et elle va s'efforcer, en attendant, de récupérer l'administration de son duché et de trouver des preuves de ses droits et privilèges. Bretonne de cœur, elle restera toujours soucieuse de soustraire sa province à l'annexion française, gardant la nostalgie de sa souveraineté perdue.

C'est sur ses terres, à Nantes, qu'en janvier 1499 elle épousa Louis XII. La veille, ils avaient signé le contrat de mariage, beaucoup plus avantageux pour la duchesse que le précédent : elle gardait le douaire accordé par Charles VIII, auquel viendrait s'adjoindre celui qu'elle recevrait en cas de veuvage. Et le droit de gouverner son duché, dont elle touchait les revenus, lui revenait de plein droit. La Bretagne restait autonome et conservait ses libertés. Comme la loi salique n'y avait pas cours, la transmission de la province par héritage était dissociée de celle du trône de France, le second enfant du couple, ou le second enfant d'un fils unique devant être l'héritier de la Bretagne.

A la différence de ses prédécesseurs, Louis XII associa largement sa femme à sa vie publique. Ils donnaient l'image d'un couple réussi. Anne, plus expérimentée et plus indépendante que sous le règne de Charles VIII, ne se contenta pas d'arracher à son royal époux pensions, présents, gratifications qui lui permettaient de fidéliser une clientèle. Elle s'ingéra dans les affaires d'État. Le mariage de leur fille aînée Claude, héritière de la Bretagne, mit aux prises les deux époux. Le roi réussit à promettre sa main à l'héritier présomptif du trône, le futur François Ier. Anne le détestait et aurait préféré le futur Charles Quint. Elle dut pourtant assister en 1506 aux fiançailles de Claude avec le prétendant choisi par Louis XII.

Lors du conflit qui opposa celui-ci à Jules II, le pape guerrier qui avait mené une guerre impitoyable pour chasser les Français d'Italie, et dont le roi de France voulait voir dénoncer les «crimes», il réunit l'assemblée des évêques du royaume. Celle-ci suggéra de s'en remettre à la décision d'un concile, si le pape refusait de transiger.

A l'audace surprenante du roi, la reine Anne répondit par une audace plus grande : elle prit publiquement le parti adverse de celui de son mari, défendit au clergé breton de se joindre aux revendications de l'Église gallicane, et mena délibérément une politique personnelle, en désaccord avec celle du roi : intervention en vue d'une réconciliation auprès du pape, par l'intermédiaire de l'évêque de Marseille, Seyssel, correspondance avec l'Espagne, opposée à la France, etc.

Anne avait une forte personnalité, et une volonté tenace. Mais si elle put faire preuve de tant d'indépendance désinvolte, c'est qu'elle offrait en dot à la France une province. Elle sera la dernière à le faire. Désormais, si le territoire s'accroît, ce sera grâce aux alliances ou aux guerres de conquête, non plus par les annexions matrimoniales. Le pouvoir des reines sera de ce fait bien réduit sous les successeurs de Louis XII.

Parmi celle qui vont se succéder dès lors sur le trône de France, les unes, françaises ou françaises à demi, sont trop jeunes pour s'intéresser au pouvoir ou peu tentées de le faire. Étrangère, la reine est mal acceptée à la Cour ou peu soucieuse de s'y adapter. Du vivant du roi, aucune des souveraines du XVIᵉ siècle n'eut de réelle influence sur la politique du royaume.

MARIE, L'ANGLAISE FRIVOLE

Louis XII avait abondamment pleuré la reine Anne. Elle fut vite remplacée, car il songea bientôt à se remarier avec quelque jeune princesse susceptible de lui donner un fils. Son choix se porta finalement sur la sœur du roi d'Angleterre Henri VIII. Marie, très tôt orpheline, avait dix-neuf ans. Séduisante, très gaie, peu intelligente, et frivole, elle s'était amourachée de Charles Brandon, d'origine modeste, que Henri VIII avait fait duc de Suffolk. Aussi dut-il convaincre sa sœur des avantages d'épouser un roi déjà vieux, qui la couvrirait de bijoux et de cadeaux, en lui faisant espérer un veuvage rapide.

Henri était bon prophète : Marie fut trois mois reine de France. Louis XII ne tarda pas à dépérir après les noces ; il se dépensait fort auprès de sa jeune épouse et les clercs de la basoche disaient que le roi d'Angleterre lui avait envoyé une haquenée (jument de selle) pour le porter plus doucement en enfer ou en paradis. Elle épousa Suffolk venu la rejoindre en France, ils repartirent pour l'Angleterre, furent heureux et eurent trois enfants. Marie n'avait cherché que son plaisir, et ne s'était jamais souciée de jouer le moindre rôle politique.

CLAUDE, LA GÉNITRICE ACCABLÉE

Ce fut aussi le cas des deux épouses de François Iᵉʳ, pour des raisons toutes différentes. Claude de France était pour le jeune François d'Angoulême un parti prestigieux : la fille aînée du roi de

France ne pouvait être unie qu'à l'un des grands souverains d'Europe. En outre la Bretagne lui appartenait en propre, et elle détenait les droits de son père Louis XII, héritier de Valentine Visconti, sur le duché de Milan. D'autre part, en cas de rupture dans la succession royale en ligne directe, le collatéral héritier présomptif du trône acquérait une sorte de légitimité symbolique en épousant une fille de France. Louis XII, d'ailleurs, en souhaitant ce mariage désignait François comme son successeur.

Hélas! la pauvre Claude, douce, bonne, pieuse, n'était point belle, et ses grossesses répétées l'enlaidirent encore. Louise de Savoie qui ne l'aimait pas plus qu'elle n'avait aimé sa mère, mais finit par trouver commode son insignifiance, la rudoyait fort, au dire de Brantôme. Trois mois après son mariage, Louis XII mourut et Claude alors, privée de clientèle et de courtisans, se trouva très seule, sans appui autre que son époux, face à une belle-mère redoutable, avide de pouvoir et d'argent, qui lui dénia toute initiative, prenant en main la direction de sa maison et l'éducation de ses enfants. Elle n'avait guère de liens avec sa belle-sœur Marguerite, qui la surpassait de toute son intelligence et de sa culture et qui assuma, au début du règne, le rôle de reine à la Cour.

Durant les dix années de sa vie conjugale, Claude fut mise à l'écart, cantonnée dans son rôle de procréation (sept enfants de 1514 à 1524). Elle mourut à vingt-quatre ans, épuisée, malade, pleurée du peuple, regrettée d'un époux qui lui témoignait des égards et lui épargna l'humiliation de voir une maîtresse royale régner à la Cour. Sa vie officielle nous est seule connue. De ses regrets, de ses ambitions, si elle en eut, nous ne savons rien.

ÉLÉONORE, LA MAL-AIMÉE

Pendant les six années suivantes, années difficiles, le pouvoir en France fut aux mains de femmes qui n'étaient pas reines. En vertu du traité de Cambrai (1529), dit «paix des Dames», qui mettait fin au deuxième affrontement entre Valois et Habsbourg, François Ier payait deux millions d'écus d'or pour sa rançon et épousait en secondes noces Éléonore, sœur aînée de Charles Quint, en gage de réconciliation.

Née en pays flamand où elle vécut avant de se muer en Espagnole, sans rien d'autrichien que son patronyme, veuve d'Emmanuel, roi de Portugal, elle accepta docilement, sans doute avec plaisir, le bel époux et le séducteur qu'était le roi de France. Le mariage eut lieu par procuration en juillet 1530. Les fils de François Ier, otages en Espagne depuis quatre ans, furent échangés contre les tonnes d'or de la rançon... C'est Éléonore, désormais reine de France, qui les menait par la main lorsque leur cortège arriva à Saint-Jean-de-Luz.

Aux yeux du peuple, elle était messagère de paix, mais à la Cour sa situation demeura fort inconfortable. En dépit de sa touchante bonne volonté, elle ne réussit jamais, en dix-sept ans de mariage, à vaincre l'indifférence de François Ier pour qui elle restait la sœur de l'ennemi, du vainqueur qui avait pendant plusieurs mois refusé de voir son prisonnier, et traité rudement les petits princes donnés en otages.

Il ne lui témoigna guère d'égards. La brillante et insolente Anne de Pisseleu, bientôt duchesse d'Étampes, était sa maîtresse en titre et il l'imposa à la Cour jusqu'à la fin de son règne, sans se soucier de blesser Éléonore. Honorait-il sa femme, comme c'était son devoir ? Il le fit quelque temps sans doute. Mais il s'en lassa vite, et la délaissa : « Aucun homme ne se plaît moins avec sa femme », écrivait l'ambassadeur d'Angleterre. D'ailleurs sa première épouse avait donné au roi assez d'enfants pour qu'il ne se souciât pas d'en avoir de la seconde. Il pouvait, sans scrupule, la négliger et ses beaux-enfants lui montrèrent la même indifférence que leur père.

Aussi Éléonore dut-elle se résigner à remplir seulement son rôle obligé de représentation : participation aux entrées, aux banquets, aux cérémonies officielles, aux spectacles, aux voyages de la Cour. A la mort du roi, il ne lui restait plus qu'à repartir d'abord pour les Pays-Bas, puis pour l'Espagne. Elle ne s'était jamais vraiment sentie chez elle en France, le nouveau roi, Henri II, souhaitait son départ, et elle avait en vain cherché à réconcilier son pays d'origine et son pays d'adoption.

CATHERINE DAUPHINE ET REINE, L'IGNORÉE

Personnages bien effacés que ces deux épouses du grand prince français de la Renaissance, souvent oubliées par l'histoire. Celle de son fils Henri, tant qu'il règne, semble partager le destin obscur de Claude et d'Éléonore. Lorsque Catherine de Médicis, à quatorze ans, devient l'épouse du second fils de François Ier, cette union parait une mésalliance. Si l'on avait pu prévoir la mort du dauphin et l'accession au trône de son cadet, celui-ci n'aurait jamais épousé une Médicis. Mais le Roi-Chevalier, qui rêvait toujours de conquêtes italiennes, escomptait l'appui du pape pour récupérer Milan, Gênes et poursuivre ses conquêtes en Italie du Sud. Les Médicis étaient des négociants et des banquiers d'origine roturière, n'appartenant même pas à l'aristocratie florentine, mais extrêmement riches.

La source véritable de leur pouvoir était à Rome. Lorsque l'un d'eux, élevé au pontificat sous le nom de Léon X, chercha pour son neveu Laurent une épouse française, il trouva en la personne de la belle Madeleine de La Tour, fille du comte d'Auvergne et de Boulogne, un parti prestigieux. Tous deux moururent peu après la naissance de la petite Catherine, seule héritière légitime de la branche aînée des Médicis, et détentrice de ses biens. Le cardinal Jules de Médicis, élu pape sous le nom de Clément VII, s'intéressa à celle qu'il nomma sa «nièce», selon l'usage, et le mariage avec Henri fut décidé, puis célébré à Marseille. Le pape partit lorsqu'il fût dûment consommé (ce qu'il alla vérifier). Mais il mourut moins d'un an après le mariage, en 1534, à la grande déception de François Ier, qui voyait disparaître ses espoirs d'entreprises sur la Péninsule.

Catherine «l'Italienne» devait toute sa vie porter comme un fardeau le poids de ses origines roturières. Dauphine et reine en 1536 après la mort de l'héritier du trône, puis, après celle de François Ier en 1547, reine de France, pendant ses vingt-six années de mariage, Catherine, point belle mais intelligente, s'emploiera à se faire accepter des dames de la Cour, et aussi du roi François, qui appréciait en elle une excellente cavalière, une des meilleures du siècle. Mais c'est en vain qu'elle s'efforcera de se faire aimer de son bel époux. Toute sa vie, Henri restera épris de Diane de Poitiers, la sénéchale de Normandie, veuve en 1531. Catherine dut subir toutes les humiliations de la part d'une maîtresse adorée, fort belle en dépit des ans, possessive et aimant le pouvoir.

Dix ans durant, Catherine, à son grand désespoir, resta stérile. Elle redouta la répudiation, jusqu'au jour où enceinte, elle mit au monde un garçon en janvier 1544. Plus de dix ans de fécondité (dix enfants) succédèrent à dix ans de stérilité. Sa situation se modifia du tout au tout lorsqu'elle fut mère. En mars 1547, la mort de François Ier fit d'elle la reine de France.

Le changement de règne n'améliora pas la situation de Catherine. Diane, maîtresse officielle et toute-puissante, confina dans une position subalterne la petite Florentine d'origine roturière, qui sans le roi n'était rien, elle le savait. Elle se tut, voua publiquement à son époux un amour ostentatoire, feignit d'être l'amie de Diane. Celle-ci encourageait son amant à aller dans le lit de sa femme : les maternités répétées l'enlaidiraient et l'occuperaient assez pour l'empêcher de se mêler des affaires. Elle s'arrangea même pour la déposséder de ses droits de mère en donnant à des fidèles la haute main sur l'éducation de ses enfants.

Quant aux affaires politiques, le roi, sur les instances de Diane, se gardait bien d'en informer sa femme, délibérément écartée du pouvoir. La régence que Henri II lui confia à deux reprises, selon l'usage, lorsqu'il partit en campagne en 1552 et en 1554, ne lui conféra qu'un semblant d'autorité : la favorite avait pris ses précautions.

Par la mort accidentelle du roi, blessé par la lance de Montgomery, le pouvoir revenait à son fils François II, légalement majeur : il avait quinze ans. Contrainte pendant toute sa vie conjugale à rester dans l'ombre, à s'effacer devant la maîtresse, la reine mère à présent, en apparence, était une fois de plus sans pouvoir.

MARIE, L'ÉTOILE FILANTE

Marie Stuart, la reine régnante, épouse de François II depuis quinze mois, apparaissait comme une personnalité prestigieuse. Elle apportait en dot la couronne d'Écosse et théoriquement, celle d'Angleterre et d'Irlande. Sa beauté, ses qualités d'esprit, sa culture en faisaient une vraie princesse de la Renaissance. Sa mère Marie de Guise, régente à la mort de Jacques, roi d'Écosse, aux prises avec une situation difficile, l'avait envoyée en France, à cinq ans. Élevée avec les enfants royaux, auprès de son fiancé, François, elle fut traitée avec tous les égards dus à une future souveraine. En avril 1558, elle épousait le dauphin, passionnément épris, de treize mois son cadet, et bien inférieur à elle à tous égards.

De la vie mouvementée de Marie Stuart, véritable héroïne de roman, nous ne retiendrons ici que les années où elle fut reine de France : dix-huit mois. C'est bien peu. A l'avènement de François, ni le roi, ni la reine n'étaient en mesure de gouverner. Les grands allaient donc s'affronter, comme il arrive d'ordinaire lorsque le pouvoir royal est faible, pour satisfaire leurs ambitions et se disputer la prééminence, dans la tradition des puissants féodaux. Or les rivalités des grandes familles se doublaient alors d'antagonismes religieux. Aux Montmorency qui passent à la Réforme s'opposent les Guise, champions du catholicisme. Les Bourbon réformés leur sont également hostiles. Marie Stuart méprise sa belle-mère, une Médicis, fille de marchands enrichis. Elle possède tous les atouts qui manquent à Catherine, et celle-ci la déteste. Mais Marie est toute-puissante sur l'esprit de son époux et grâce à elle ses oncles, le cardinal de Lorraine et le duc de Guise, disposent des affaires du royaume, manipulant François II à leur gré. A sa mort, Marie, veuve à dix-huit ans, n'est plus qu'une reine douairière, sans enfant. Il lui reste le trône d'Écosse, son atout principal pour retrouver un mari digne d'elle et pour rétablir son autorité, très compromise, sur son pays natal. C'est elle qui décida d'y retourner et, en août 1561, elle dit adieu à la France, non sans regret.

ÉLISABETH, L'ÉTRANGÈRE

A son avènement, en 1560, Charles IX, le second fils d'Henri et de Catherine avait dix ans. Déclaré majeur à treize ans, c'est seulement en novembre 1570 que son mariage donna une reine à la France. Élisabeth d'Autriche avait quatre ans de moins que Charles. Elle était la fille cadette de l'empereur Maximilien, neveu de Charles Quint. Élevée dans un catholicisme très strict, par une mère dont la foi était profonde, elle était très pieuse elle-même. En famille, elle parlait l'allemand et l'espagnol, mais personne ne s'était soucié de lui enseigner le français. Catherine ne fit rien pour l'acclimater dans son pays d'adoption, se contentant de lui permettre d'assumer son rôle de représentation et d'assurer l'avenir de la dynastie.

Élisabeth avait plu au jeune roi. Mais il retourna vite à sa maîtresse Marie Touchet, une jolie bourgeoise, dont l'ambition n'avait pas paru inquiétante à Catherine. Les époux étaient de tempérament très différent. Elle était, nous apprend Brantôme, «froide et tempérée, alors que le roi était prompt, mouvant et bouillant». D'ailleurs comment Élisabeth aurait-elle pu s'entretenir avec son époux? Elle ne réussit pas, durant ses trois ans et demi de règne, à parler le français, se bornant à échanger quelques mots en espagnol avec Charles. Elle demeura étrangère à la Cour, et son éducation très stricte l'empêcha de souhaiter s'y intégrer.

Veuve à vingt ans et mère d'une fille née deux mois après la Saint-Barthélemy, Marie-Élisabeth, elle dut l'abandonner en France et retourna à Vienne. Elle refusa de se remarier, souhaitant entrer au couvent, et sans faire profession, mena la vie d'une religieuse dans le monastère de clarisses qu'elle avait fondé.

LOUISE, LA BIEN-AIMÉE

La mort de Charles IX, en mai 1574, délivra son frère Henri de ce pénible exil en Pologne que fut pour lui son règne de cent quarante-six jours. A son retour en France, quand il fut question de prendre une épouse, le nouveau roi déclara que son choix était fait.

L'élue était Louise de Lorraine-Vaudémont, fille de Nicolas de Mercœur, cadet de la maison de Lorraine, l'aînée des quatorze enfants qu'il avait eu de trois mariages successifs. Henri, encore tout à sa passion pour Marie de Clèves, l'avait rencontrée l'année précédente en Lorraine, sur le chemin de Cracovie. Sa modestie, sa douceur l'avaient touché. Louise était un parti plus que modeste pour un roi de France. Mais Henri confia à son chancelier Cheverny qu'il voulait prendre «une femme de sa nation qui fût belle et agréable, disant qu'il en désirait une pour la bien aimer et en avoir des enfants, sans aller en chercher d'autres au loin, comme ses prédécesseurs avaient fait». L'union d'Henri III et de Louise est en effet le seul mariage royal du siècle conclu par inclination, sans aucune considération d'intérêt ni avantage politique.

Catherine qui, pour son fils préféré visait très haut, trouva bon d'approuver ce qu'elle ne pouvait empêcher. Elle se félicita, dit le chroniqueur L'Estoile, de «l'esprit paisible et dévot de cette princesse qu'elle jugeait devoir plutôt s'adonner à prier Dieu qu'à se mêler de l'état et affaires du monde, comme il est advenu», souligne-t-il, avec raison. Et les deux femmes s'entendirent très bien.

La postérité a oublié injustement Louise qui, de petite princesse destinée à une vie médiocre, a su faire très bonne figure quand elle est montée sur le trône de France.

Si Louise resta le plus souvent dans l'ombre de sa belle-mère, s'effaçant délibérément, elle était sans cesse associée à la vie de son époux, présente à ses côtés dans toutes les cérémonies officielles,

les fêtes, mais aussi lors des réceptions des ambassadeurs. Leurs initiales entrelacées figurent dans les insignes de l'ordre du Saint-Esprit, créé par le roi en 1579. Henri III recherchait la compagnie de sa femme, et ses infidélités troublèrent fort peu leur entente. Mais le drame de leur couple fut la stérilité de Louise, due sans doute à une fausse couche, mal diagnostiquée. La reine se désola, redouta la répudiation, les époux recoururent à toute espèce de médecines, multiplièrent les pèlerinages. Leur foi, leur commune tendresse consolidèrent leur union dans les épreuves.

A la différence de sa famille lorraine, de ses cousins de Guise, ultracatholiques, Louise n'était pas hispanophile, bien au contraire. Elle s'affligea de les voir prendre le parti de la Ligue, celui des rebelles. Son frère notamment, le duc de Mercœur, fut un des plus ardents ligueurs. Tout en restant attachée à sa parenté, en faveur de qui elle intervint à plusieurs reprises, elle embrassa sans hésiter la cause du roi quand il fut sérieusement menacé, montra dans plusieurs circonstances délicates qu'elle avait le sens de l'État. Pendant la journée des Barricades, le 12 mai 1588, lorsque le roi s'enfuit pour ne pas se laisser capturer par le duc de Guise, elle fit preuve de courage en quittant le Louvre pour rejoindre la reine mère et participer avec elle aux négociations. Puis, dès qu'elle le put, elle partit rejoindre le roi, le suivit, de Chartres à Blois, présente pour le soutenir tandis que son règne s'achevait dans le désastre.

Inconsolable après l'assassinat d'Henri III qu'elle imputait aux ligueurs, elle consacra la fin de sa vie à défendre sa mémoire, fit en vain des démarches à Rome pour obtenir un service solennel en son honneur, et la punition des Jacobins. Son loyalisme fut sans faille. Elle rompit avec les siens après 1589, chercha à appuyer le pouvoir légitime et reconnut Henri IV dès son avènement, en lui apportant le soutien de son ascendant moral de reine catholique, d'une irréprochable vertu. De 1589 à 1601, l'épouse d'Henri III fut la seule reine reconnue. En dépit des procédés indélicats d'Henri IV (il lui prit Chenonceaux), elle le défendit, se réjouit de sa conversion et de son mariage, car il contribuait à la réunion des Français autour d'un souverain qui avait fait retour à la religion de ses ancêtres. Henri III n'avait-il pas été assassiné parce qu'il refusait de renier son successeur légitime pour ne pas ruiner l'État?

Durant le règne de son époux, la reine Louise, comme les autres épouses des Valois, s'était bornée à remplir les fonctions dévolues à son sexe et à son rang, sans se mêler de politique. Veuve à trente-six ans et sans enfant, cette femme de caractère, bien oubliée, s'est affirmée et a su s'imposer dans les troubles de la fin du règne. Formée à l'école de la reine mère, elle aurait pu, si elle avait eu une progéniture, se montrer une régente très capable.

Marguerite, l'ambitieuse déçue

Malheur à celles qui refusent de se plier aux contraintes obligées de la condition féminine. Marguerite de France, la septième des enfants d'Henri II et de Catherine, en donne la preuve. Elle possédait tous les atouts dont était dépourvue la reine Louise, sa belle-sœur : haute naissance – elle fut fille, sœur, épouse de rois – éducation d'une princesse destinée à régner, talents littéraires, aisance mondaine très tôt acquise. Douée par la nature de la beauté, de la santé, d'une intelligence vive et d'une belle énergie, c'était une princesse remarquable qu'attendait un bel avenir. Des circonstances malheureuses qui la mêlèrent à toutes les intrigues et à tous les conflits politiques et religieux de la famille royale, elle ne fut pas entièrement responsable. Mais les passions auxquelles elle s'abandonnait, tant dans le domaine de la vie publique que de la vie privée, la conscience de sa valeur – elle s'estimait l'égale de ses frères – l'amenèrent à jouer les Amazones, à se conduire en femme libre et en souveraine indépendante, voire à se rebeller, ce qui était impardonnable. Plus qu'à ses désordres, ou même au nombre de ses amants, c'est à son orgueil et aussi au comportement de son époux qu'il faut imputer l'échec de sa vie. Elle fit ses premières armes dans la vie politique à seize ans pendant la troisième guerre de Religion. Le futur Henri III, le vainqueur de Jarnac, vint lui demander à Plessis-lès-Tours de parler pour lui en son absence à leur mère, et de le tenir au courant de «tout ce qui se passait», conte-t-elle dans ses *Mémoires*.

La Saint-Barthélemy, qui suivit ses noces avec le roi de Navarre, la mit dans une situation difficile : catholique, épouse d'un huguenot, elle était suspecte aux deux partis. Au Louvre, dans les années 1572-1574, elle collabora fort intelligemment avec son mari et servit ses intérêts. Elle participa activement avec son mari et son jeune frère, le duc d'Alençon, aux complots de 1574, qui auraient permis aux deux princes, en cas de succès, de s'enfuir de la Cour et de prendre la tête du mouvement des Malcontents. C'est elle, on l'a vu, qui, après l'échec du complot, rédigea le *Mémoire justificatif* prononcé pour sa défense par Henri de Navarre. La fidélité conjugale pour Marguerite était la fidélité en politique, non la fidélité dans les mœurs. Conception du mariage qui admettait l'infidélité réciproque et reflétait la mentalité masculine du temps plus que la féminine. Elle avait d'ailleurs refusé la proposition de sa mère de la «démarier» après le massacre et elle continua à servir les intérêts du Béarnais jusqu'en 1583.

A Nérac, pendant la seconde époque de sa vie conjugale, elle montra, en organisant sa cour, en présidant avec brio un cercle de lettrés et d'écrivains qu'elle avait tous les talents pour être une grande reine. Pendant le séjour qu'elle fit à Paris en 1582-1583, Navarre l'utilisa à distance comme informatrice dans son jeu politique axé sur les Pays-Bas (le nombre des messagers entre la capitale et Nérac et les comptes l'attestent). Il utilisa aussi les passions de sa femme (son amour pour Champvallon entre autres), son goût de l'intrigue et son désir de jouer un rôle, sa rancœur à l'égard d'Henri III, quitte à la désavouer ou à nier ultérieurement ses services. Il tira parti de ses inconséquences et de ses violences, même de celles auxquelles il l'avait poussée.

Marguerite fut souvent prise entre les intérêts du roi de France, ceux de son mari et ceux du duc d'Alençon, le benjamin auquel elle voua une indéfectible affection. A plusieurs reprises, elle courut de grands risques pour favoriser ses ambitions, comme elle l'avoue dans ses *Mémoires*. Elle prit en tout cas résolument le parti de François contre Henri III, qu'elle finit par haïr après en avoir été très proche, aida par deux fois sa fuite de la Cour. Et ce fut toujours sous l'influence d'un homme de l'entourage du prince, La Mole, Bussy d'Amboise, Champvallon, ses amants successifs, qu'elle opta pour la révolte. Marguerite et d'Alençon se comportaient, à l'égard de leur frère, comme des vassaux plutôt que des sujets.

En 1577, elle remplit une mission diplomatique qui comblait son désir de jouer un rôle politique : une ambassade aux Pays-Bas pour préparer la voie au duc d'Alençon qui comptait y faire une expédition. L'entreprise fut un échec, dont elle ne fut pas responsable, mais Marguerite prit l'admiration qu'elle suscita pour un succès politique.

Après son retour auprès d'Henri à Nérac en 1583, l'attitude de son époux, épris de la comtesse de Guiche, à qui il avait promis le mariage, son refus de remplir le devoir conjugal (L'Estoile le signale dans ses *Mémoires-Journaux* et tout Paris le savait) firent subir à la femme et à la souveraine quelques dures humiliations, blessèrent son orgueil et la poussèrent à bout. Montaigne et Matignon tentèrent en vain de négocier la reprise d'une véritable vie conjugale du couple Navarre.

Dès mars 1585, Marguerite se rend à Agen, son fief, sous prétexte de faire ses Pâques. Elle réunit des troupes, organise la ville pour la guerre. La prise d'armes de la Ligue éclate lors de son départ. La mort du duc d'Alençon avait ouvert la crise de succession au trône, et Marguerite s'était liée, dès 1584 avec les ligueurs en Guyenne. La reine de Navarre entra alors en révolte ouverte contre son époux, le futur Henri IV, et contre Henri III, son frère, répondit avec insolence aux appels à la raison de sa mère. Elle s'était entendue avec le duc de Guise qui en avait fait l'instrument de ses desseins politiques et demanda même – mais en vain – à Philippe II des subsides en sa faveur. Marguerite envoya elle-même un mémoire au roi d'Espagne, chargé d'accusations contre Henri III et le Béarnais. Fut-elle réellement menacée à Nérac en 1585 comme elle le crut ? Elle se refusa toujours à jouer les victimes, même lorsque son époux lui en donnait de bonnes occasions, et préféra prendre les armes que d'accepter la protection de son frère, ou de paraître se soumettre à son mari.

En 1588, Henri IV écrivait à Corisande qu'il n'attendait «que l'heure d'ouïr dire que l'on aura envoyé étrangler la feue reine de Navarre. Cela, avec la mort de sa mère me ferait bien chanter le cantique de Siméon». Marguerite était vivante, certes, mais après la série d'aventures qui l'amena en exil à Usson, c'était pour elle la déchéance.

Après un difficile «démariage», leurs rapports devinrent amicaux et, de retour à Paris, Marguerite de Valois opéra, on l'a vu, un rétablissement spectaculaire. Accueillie à la Cour, elle y tint, aux côtés de la famille royale, le rôle d'une espèce de reine douairière, excentrique, mais respectée, et redevint l'une des premières personnalités du royaume. Amie de Marie de Médicis, elle lui rendit nombre de services et intervint dans des tractations politiques lorsque la reine devint régente après l'assassinat d'Henri IV. Ses deux veuves s'entendirent au mieux dans l'intérêt de l'État. Et Marguerite fit don à la couronne de tous les biens récupérés de la succession de Catherine de Médicis.

La dernière des Valois, vraie princesse de la Renaissance, a perdu ses chances de tenir le rôle d'une brillante reine de France pour lequel elle était faite. Elle aurait pu être une caution utile auprès des catholiques lors de l'avènement contesté d'Henri IV et assurer le lien entre la dynastie éteinte des Valois et celle des Bourbons. Mais elle se jugeait digne d'exercer le pouvoir sans pour autant renoncer à sa liberté de mœurs et à l'obligée sujétion conjugale. Et la postérité n'a longtemps retenu d'elle que la scandaleuse légende de la «reine Margot».

XX

Femmes au pouvoir

Si les reines pouvaient être amenées à jouer un certain rôle politique et à exercer un pouvoir occulte en tant qu'épouse ou mère de roi, les femmes françaises au XVIᵉ siècle n'interviennent guère dans la vie publique. La conclusion des *Six Livres de la République* (1586) du célèbre juriste Jean Bodin, examinant les ordres (classes sociales) et conditions des citoyens d'un État, exprimait l'opinion générale : «Quant à l'ordre et condition des femmes je ne veux pas m'en mêler. Je pense simplement qu'elles doivent être tenues à l'écart de toute magistrature, poste de commandement, tribunal, assemblées publiques et conseils, de sorte qu'elles puissent accorder toute leur attention à leur tâches féminines et domestiques».

La naissance, le rang, la fortune écartent sans doute beaucoup d'hommes de la vie publique, et peuvent permettre à certaines femmes d'exercer une influence politique au travers de la famille et des relations mais le gouvernement de la cité reste une affaire d'hommes. Point de femmes qui prennent les armes (à moins d'endosser un habit masculin). Celles qui en grand nombre accompagnent toutes les armées de l'époque sont des servantes, des cuisinières ou des prostituées. Point de femmes non plus dans le monde des tribunaux ou exerçant un de ces offices qui ont contribué à la croissance de l'État moderne. Point de femmes qui siègent dans un conseil municipal.

Des conseils des anciens dans les villages et des conseils de fabrique (fermés aux pauvres de la paroisse), les femmes sont exclues. La participation aux assemblées provinciales, le droit d'élire les députés des états généraux leur sont refusés, à trois exceptions près : l'abbesse pour le premier ordre, l'héritière de fiefs pour le deuxième, la femme membre d'une corporation féminine ou chef de famille pour le tiers état. En fait, elles ont toujours envoyé des représentants à leur place lors des états généraux importants du XVIᵉ siècle, où elles se seraient fait difficilement entendre, les femmes ne pouvant exposer elles-mêmes aucun grief.

Quant aux cahiers de doléances, ce sont des hommes qui les rédigent. Mais lors des émeutes populaires où s'expriment des revendications justifiées par la misère, la hausse des prix, les grèves, des impôts trop lourds, comme la gabelle, les femmes, concernées au premier chef, sont aux côtés des hommes, souvent aux premiers rangs.

Tout différents sont la situation et le rôle des femmes dans l'aristocratie. Dans la société féodale, l'épouse noble pouvait transmettre et recevoir l'héritage familial. Veuve, elle pouvait récupérer ses biens et en disposer à son gré. De ce fait, elle occupait une place importante aux côtés de son mari, qu'elle pouvait remplacer si besoin était. Aussi les femmes étaient-elles associées de très près à la politique familiale. Elles le sont encore au XVIᵉ siècle.

DES ARISTOCRATES RESPONSABLES

Mais leur rôle, non moins important que celui des hommes, est différent. A ceux-ci les tâches militaires, les rapports officiels avec les chefs politiques. Aux femmes la diplomatie, les négociations, la propagande. Fortes de cette tradition, les dames de la haute aristocratie du XVIᵉ siècle s'engagent pleinement dans la politique de leur clan, en partagent toutes les responsabilités, et s'associent étroitement aux luttes politiques du temps avec les hommes. Éléonore de Roye, première épouse du premier prince de Condé, et sa mère, Madeleine de Mailly, sont impliquées en 1566 dans la conjuration d'Amboise. Marguerite de Valois et la duchesse de Nevers, on l'a vu, participent activement, en 1574, aux complots des Politiques, la comtesse de Sault en Provence défendra le parti de la Ligue, la duchesse de Longueville dans le Nord celui des huguenots.

La solidarité avec le clan familial s'accompagne, chez les grandes dames protestantes, d'une communauté de foi qui renforce l'union des époux, des parents et des enfants dans l'adversité. La Réforme a souvent gagné ses soutiens les plus efficaces grâce aux mères et aux épouses. L'union de Charlotte Arbaleste et de Philippe Duplessis-Mornay, apparaît particulièrement efficace dans ses *Mémoires*. Tout en soulignant le rôle capital joué par son mari, elle met en évidence leur étroite collaboration et sa participation directe aux combats religieux. Elle a partagé la vie, les convictions de Duplessis-Mornay, prodiguant encouragements et conseils, souvent sollicités.

Au cours des guerres qui ont ravagé le pays, de grandes dames ont dû remplir leur devoir nobiliaire, en l'absence d'une présence masculine. Ainsi, Jacquette de Montbron, belle-sœur de Brantôme, qui la range parmi les héroïnes au courage exemplaire, refusant de livrer à Condé les gens de sa terre réfugiés au château de Matha, et se préparant au siège plutôt que de céder. Ou la belle huguenote Madeleine de Saint-Nectaire, dame de Miraumont, menant à cheval une troupe de soixante gentilshommes contre le lieutenant du roi en basse Auvergne, les cheveux flottants sous son casque. Brantôme la condamne de se déguiser en homme (interdit qui remonte à la Bible), mais D'Aubigné salue sa bravoure d'amazone et son «honnêteté».

Des «femmes d'État»

Plus conforme aux habitudes de l'époque est le rôle de négociatrices joué par des femmes de la haute aristocratie princière. La «paix des Dames» en 1529 fut signée par Marguerite d'Autriche et Louise de Savoie. La sœur de François Ier, Marguerite de Navarre, dirigea plusieurs années la diplomatie anglaise. La princesse de Condé s'entremit lors de la paix d'Amboise, Diane d'Angoulême travailla, en 1588, à la réconciliation d'Henri de Navarre et de son demi-frère Henri III.

Les femmes de la maison de Lorraine ont joué un rôle de premier plan. Elles se sont particulièrement engagées dans l'action au cours de la Ligue, mouvement insurrectionnel déclenché en 1584 par la crise de la succession au trône, après la mort du duc d'Alençon et d'Anjou. La Ligue des princes et des gentilshommes dont Henri, duc de Guise, avait pris la tête avec les princes de Lorraine, le cardinal de Bourbon et leurs clients, se doublait d'une Ligue bourgeoise et parisienne. Les Guise, forts du soutien politique et financier de l'Espagne, espéraient faire abolir la loi salique et monter sur le trône de France.

Trois femmes, la mère, la fille et la belle-fille ont partagé avec les hommes du clan la direction de la Ligue des princes. La duchesse de Nemours, Anne d'Este, fille de Renée de France et du duc de Ferrare, était une personnalité marquante à la Cour. De ses premières noces avec François de Guise, assassiné en 1563, elle avait eu huit enfants, dont les deux victimes de Blois et la duchesse de Montpensier. Remariée avec le séduisant Jacques de Savoie, duc de Nemours, elle lui avait donné deux fils et fut veuve en 1585. Catherine Marie de Clèves était l'épouse de son fils, Henri, duc de Guise.

La duchesse de Montpensier fut la Pasionaria de la Ligue. A peine mariée, elle s'était jetée dans les intrigues politiques. Veuve en 1582, elle entretenait à Paris, après la formation de la Ligue, des auteurs de libelles pour attaquer violemment le roi et des hommes de main, soupçonnés de vouloir l'enlever quand il se rendait à Vincennes. Mme de Montpensier, écrit Pierre de L'Estoile «est la gouvernante de la Ligue à Paris, qui entretient ses frères aux bonnes grâces des Parisiens». Elle payait des prédicateurs fort efficaces pour travailler l'opinion en faveur des Guise. Eux-mêmes avouaient qu'ils ne prêchaient plus que d'après les bulletins que leur envoyait la duchesse.

Elle avait fait placer, dans le cimetière Saint-Séverin un tableau appelé par les Politiques «le tableau de Mme de Montpensier», que le roi fit enlever en juillet 1587. Il représentait «plusieurs cruelles et étranges inhumanités exercés par la reine d'Angleterre contre les bons et zélés catholiques» : c'était un avertissement de ce qui attendait les Parisiens si le Béarnais et les réformés arrivaient au pouvoir. En septembre 1587, elle provoqua une émeute, la «journée Saint-Séverin», en appelant aux armes contre les huguenots. Elle achète, dit L'Estoile, du taffetas pour faire faire des enseignes pour les trophées du duc de Guise, et se vante tout haut, impudemment, de faire plus par la bouche de ses prédicateurs qu'ils ne font tous ensemble avec leurs pratiques, armes et armées.

Elle n'hésite pas à braver directement Henri III, lorsque, excédé, il lui demande de quitter Paris. Peu avant la journée des Barricades, en mai 1588, des gentilshommes et des capitaines ligueurs viennent se loger auprès de sa demeure. Les femmes de la maison de Lorraine avaient exigé de participer aux décisions politiques de leurs frères et époux. En octobre 1588, elles siégèrent dans le conseil de famille qui estima qu'Henri de Guise, malgré la haine d'Henri III, devait rester avec lui à la Cour. Il revint à Paris, contre l'ordre du roi. Ses prétentions étaient exorbitantes. Le peuple se souleva et Henri III fut contraint de s'enfuir.

Après l'exécution à Blois du duc et du cardinal de Guise, Mme de Nemours, leur mère, veuve et tenue pour chef de clan, est arrêtée, mais rapidement libérée. En compagnie de sa mère, Mme de Montpensier appelle ouvertement les Parisiens à la révolte. Elle a trente-six ans. Sa belle-sœur, la veuve du duc assassiné, qui en a quarante, en janvier 1589, va solliciter le parlement de Paris d'ouvrir une enquête sur la mort de son époux. La ville en corps va l'assurer de l'affection de tout le peuple envers elle et ses enfants. Et le fils posthume du duc de Guise, porté sur les fonts baptismaux par le prévôt des marchands et les échevins, est nommé Paris de Lorraine.

A la mort des deux chefs de la famille de Guise, le duc de Mayenne, second fils de Mme de Nemours, reprend la direction de l'opposition ultracatholique, le duc d'Aumale son cousin est gouverneur de Paris. Mais les femmes s'associent à eux pour diriger. Et Mme de Montpensier, active propagandiste, entretient la rébellion du peuple parisien. En juin, elle est l'objet d'une déclaration royale l'accusant de lèse-majesté. Elle contribue, selon L'Estoile, à répandre les propos injurieux sur les mœurs du roi.

A l'annonce de l'assassinat d'Henri III, en août, la fille et la mère se promènent à travers Paris en carrosse, toutes joyeuses d'apprendre au peuple, qu'elles haranguent, la mort du « tyran ». La duchesse de Montpensier a-t-elle été à l'origine de l'attentat ? Elle s'en est flattée. Réalité ou fanfaronnade ? Des Politiques, en tout cas, y ont vu l'œuvre des femmes de la maison de Lorraine.

Pendant les quatre années de troubles où Henri IV tente de reconquérir son royaume, l'ardeur de Mme de Montpensier ne se dément pas. Elle prêche pour l'abolition de la loi salique. En 1590, dans Paris assiégé, elle entretient la résistance au roi par de fausses nouvelles, faisant sauter les murs la nuit à des hommes porteurs de lettres supposées, promettant de prochains secours.

Ce sont pourtant les femmes, dans la famille de Guise, qui vont montrer le plus d'intelligence politique et comprendre les premières que la partie est perdue. L'insurrection a échoué. Elles condamnent Mayenne qui négocie à la fois avec Navarre et avec l'Espagne. Mme de Nemours se désolidarise de ses fils, qu'elle incite à transiger, avouant « n'avoir rien au cœur que la paix ». Elle reste loyale pourtant à son clan jusqu'au bout.

La veuve du duc de Guise va trouver Henri IV après la capitulation (ce que les catholiques jugent une trahison) et est fort bien accueillie. Le roi, lorsqu'il entre à Paris, après le sacre, envoie un messager aux princesses de Lorraine, dont il ne sous-estime pas l'influence, pour leur demander leur appui dans la pacification du royaume. Il va visiter la duchesse de Nemours et la duchesse de Guise qu'il avait longtemps redoutée. Celle-ci, d'abord inquiète, est aussitôt conquise et invite son frère et son neveu à « s'accommoder » avec lui.

Les dames de Lorraine prêtent serment de fidélité peu après et négocient avec Henri IV. Le duc de Guise se soumet en 1595, le duc de Nemours en 1596. Mayenne ne se rendra plus tard qu'après les objurgations de sa mère et de sa sœur. Et ce sont encore deux « femelles habiles à cajoler le roi », selon Sully, Gabrielle d'Estrées et l'épouse du duc de Mercœur, le dernier rebelle, qui négocient sa reddition en 1598.

C'est dire que la participation des femmes au jeu politique était reconnue et acceptée par les princes et la noblesse d'épée. Elle ne l'était guère, ou pas du tout, dans la noblesse de robe ou dans la bourgeoisie. Quand le juriste Étienne Pasquier, dans un pamphlet, impute aux princesses de Lorraine la responsabilité de la mort d'Henri III, c'est à la fois condamner l'intervention des femmes dans les affaires d'État et discréditer les princes ennemis de les laisser s'en occuper. En elles survivait encore l'esprit d'indépendance des grandes dames de la féodalité en possession de leur fief.

Il faudra attendre la Fronde pour voir une nouvelle génération d'intrépides aristocrates s'engager dans la lutte et dans l'intrigue. Ce sera la dernière.

LE « RÈGNE DE DIANE »

Les seules femmes que les rois ont associées au pouvoir sont celles qui leur étaient attachées par les liens du sang, mères ou sœurs, ou celles qu'ils ont choisi d'aimer, leurs maîtresses. Celles-ci tenaient leur pouvoir de la faveur du roi. Il leur fallait pour la garder, s'assurer des appuis, mettre des fidèles dans les postes clés, entretenir des réseaux de clientèle. En général, elles se souciaient surtout de leurs intérêts, de leur fortune, de l'établissement des membres de la famille, non des affaires de l'État.

Elles pouvaient y intervenir parfois. Ainsi Françoise de Châteaubriant dut-elle jouir d'une certaine influence politique puisqu'on lui demanda d'intercéder auprès de son frère, le maréchal de Lautrec, pour mettre fin aux incursions de ses troupes sur le territoire de Mantoue.

Quant à la duchesse d'Étampes, les rapports des ambassadeurs l'indiquent, l'influence politique qu'elle exerça sur les dix dernières années du règne de François Ier fut considérable. Elle a prêté aux controverses. Fut-elle heureuse ou néfaste ? Ses visées politiques s'accordaient souvent avec ses inclinations personnelles : favorable aux luthériens, comme Marguerite de Navarre, sa sympathie allait à l'Angleterre, alors que Diane, catholique ultra, encourageait la répression des hérétiques.

Mais elle cherchait surtout à s'assurer des fidélités et des avantages. Inconstante, elle remplaçait souvent un favori par un autre, et ne parvint pas toujours à ses fins, tentant de faire renvoyer un ancien protégé au profit du dernier en date. Longtemps opposée à la guerre contre l'Angleterre, elle se déclara favorable au conflit pour discréditer l'amiral. Elle échoua de même à faire chasser du gouvernement le cardinal de Tournon, ami de l'amiral de France. Ami du plaisir, toujours entouré de sa «petite bande» de dames, de la duchesse et d'autres favorites, François Ier ne laissait pas entamer l'autorité royale, et les décisions concernant la paix et la guerre relevaient de lui seul.

Mais aucune favorite ne disposa aussi complètement du pouvoir que Diane de Poitiers, déjà fort remarquée à la cour de François Ier.

A la mort de celui-ci, en 1547, Diane, maîtresse du nouveau roi Henri II, triomphait. Elle devenait la première grande dame de la Cour. Épouse irréprochable d'un haut dignitaire, le sénéchal de Normandie, Louis de Brézé, de quarante ans son aîné, auquel elle avait donné deux filles, elle appartenait à la maison de Louise de Savoie. Le père de Diane, Jean de Poitiers, comte de Saint-Vallier, avait été gravement compromis dans la trahison de son seigneur, le connétable de Bourbon. Arrêté, puis condamné à mort, il montait sur l'échafaud lorsqu'on lui signifia qu'il était gracié. Le grand sénéchal, son gendre, qui d'ailleurs avait révélé le complot, intercéda en sa faveur, et sa fille alla supplier le roi : d'où les romans tout à fait faux auxquels a prêté l'intervention de Diane, capable, disait-on, de séduire le père et le fils.

En fait, veuve à trente-deux ans, décidée à ne pas se remarier, elle avait accepté, à la demande de François Ier, de former à la vie de cour son fils cadet, au sortir de la prison d'Espagne. Diane avait donné au jeune garçon désemparé, lorsqu'il était parti pour l'exil à Bayonne, un baiser dont il devait se souvenir. Après l'avoir savamment laissé languir quelques années, elle devint sa maîtresse lorsque la mort du dauphin en 1536 fit d'Henri l'héritier du trône.

Diane était fort belle, et s'entendait à entretenir cette beauté. Mais ce qui paraît surprenant, aujourd'hui encore, c'est la force et la durée de l'emprise de cette femme de vingt ans plus âgée sur son amant. Passe encore qu'un adolescent de quinze ans s'éprenne d'une femme de trente-cinq. Que devenu roi et fort bel homme, Henri II ait persévéré dans l'adoration d'une maîtresse plus que mûre a déconcerté les contemporains. Et Brantôme d'assurer que « son hiver valait plus certes que les printemps, étés et automnes des autres ».

En quelques semaines, après la révolution de palais de 1547, Diane met la main sur des biens considérables. Les présents accordés par le roi sont à la mesure de son extrême faveur : joyaux de la couronne, château de Limours et hôtel parisien, terres (certaines confisquées à la duchesse d'Étampes), une partie de la taxe sur les clochers (soit 20 % du revenu annuel du clergé), et, en don de joyeux avènement, environ 100 000 écus provenant de la taxe sur les privilèges.

En juin, elle reçoit le château de Chenonceaux, en août elle scelle son union avec les Guise en mariant sa fille Louise à Claude de Lorraine. Elle se fait remettre la jouissance des « terres vagues » (terrains sans propriétaires indiscutables) et des biens confisqués aux protestants et saisis chez les juifs. En octobre 1548, Henri II lui confère le titre de duchesse de Valentinois, la plus haute dignité avant le titre de princesse, et en 1549 elle figure parmi les princesses du sang au couronnement de Catherine. Pour avoir le contrôle du Trésor public, elle fait nommer une de ses créatures au poste de trésorier et chaque matin s'informe des dépenses et des rentrées.

Dans la redistribution générale des places, Anne de Montmorency est rappelé par le roi. Il était important pour Diane de trouver un contrepoids au crédit exorbitant du connétable. Pour ce faire, elle se confia aux Guise. Elle paraissait pourtant partager le pouvoir à égalité avec Montmorency, qui était, selon les *Mémoires* (posthumes) de Tavannes, «le patron du navire dont Mme de Valentinois tenait le timon».

Lorsque Henri n'était encore que dauphin, Diane entretenait déjà autour d'elle une petite cour, une maison assez importante, s'occupait d'une foule d'affaires concernant sa famille ou de grands seigneurs, avait des indicateurs et des messagers. Désormais, par l'intermédiaire de ses alliés et de ses créatures elle participe aux délibérations politiques, et en suit la réalisation dans ses entretiens journaliers avec le roi. Elle réussira peu à peu à faire tomber entre ses mains tous les leviers du pouvoir, qu'elle aimait avec passion, et, directement ou par personne interposée, à exprimer son avis au Conseil royal.

Le roi, selon le témoignage de l'ambassadeur de Charles Quint, est entièrement sous l'influence de la favorite. La seule personne avec laquelle il s'entretienne en dehors de ses conseillers est Diane. Il la tient au courant de tout, débat avec elle de tout. Après lui avoir rendu compte de ce qu'il a négocié dans la matinée avec des ambassadeurs ou autres personnages notables, «il s'assied au giron d'elle avec une guitare en mains, de laquelle il joue [...] lui touchant les tétins et la regardant attentivement comme homme surpris [émerveillé] de son amitié».

Henri II avait jugé sévèrement le dévergondage de la cour paternelle. Diane réussira à entourer leur amour d'une aura mythologique, en utilisant le goût du temps pour la culture antique : leur liaison devient la conjonction des divinités jumelles, Phébus et Diane, soleil et lune, feu et eau. Diane joue en effet de son passé irréprochable comme de la réputation de chasteté de la déesse homonyme pour les confondre. La transfiguration mythologique accrédite la fable d'une liaison platonique, de type chevaleresque.

Le chiffre du roi est symbolique de leur union : les jambages de deux D majuscules entrecroisés, l'un émaillé de blanc, l'autre de noir – les couleurs de Diane –, se fondent dans ceux du H de part et d'autre, ce qui permet de voir également en eux des C : hommage à la maîtresse, et à l'épouse.

Celle-ci est continuellement reléguée dans l'ombre, tandis que poètes et artistes célèbrent la maîtresse à l'égal de la divinité antique prise comme emblème. Catherine, jalouse à bon droit, conte Brantôme, se cacha dans la pièce qui surplombait la chambre des amants pour observer par un trou du plancher leur «jeu», leurs «caresses et folâtries bien grandes». Elle pleura de dépit, s'avouant incapable de rivaliser avec une maîtresse qui s'entendait si bien à combler la sensualité du roi.

Au demeurant, Diane feignait, elle, de n'être pas jalouse, tout en veillant au grain, laissant Henri «aller au change», tolérant les passades sans conséquences. En 1537, au cours de la campagne d'Italie, Henri avait séduit une Piémontaise, Filippa Dulci, qui eut de lui une fille dont la maîtresse en titre fut la marraine et s'occupa avec sollicitude, en renvoyant sa mère. Mais lorsque, provisoirement retirée à Anet après une chute de cheval, elle fut supplantée par la pulpeuse lady Fleming, suivante de Marie Stuart, et que la jeune Anglaise, enceinte, crut sa fortune faite, Diane le prit très mal. On la congédia en gardant l'enfant, selon l'usage.

Elle envoyait d'ailleurs le roi dormir auprès de sa femme, tant pendant sa stérilité temporaire que pour neutraliser la reine par ses maternités. Présente dans la vie de la famille royale, elle assista Catherine dans ses couches, choisit et dirigea la gouvernante des enfants de France, s'occupa aussi de leur éducation.

Rien n'était laissé au hasard dans la gestion de ses biens et la surveillance de ses serviteurs. Aussi la fortune de Diane augmenta-t-elle prodigieusement d'année en année.

Fort avide, Mme de Valentinois était aussi ambitieuse, et elle tint à se mêler de grande politique. Elle voulait voir le roi imposer au monde entier le respect de sa grandeur, et une fois la paix conclue avec l'Angleterre, ruiner le pouvoir de l'empereur, et de son allié Jules III. Le traité du Cateau-Cambrésis mit fin à l'interminable lutte entre la France et l'Espagne. Diane, acquise à la paix, avait suivi de très près le cours des négociations. Elle prend alors l'initiative de deux mariages qui vont la consolider : celui d'Élisabeth, fille aînée d'Henri II, avec Philippe II d'Espagne, celui de Marguerite, sa sœur avec le duc de Savoie. On sait l'issue tragique du tournoi qui achevait les festivités des noces.

Diane s'éloigna prudemment de Paris après les obsèques d'Henri II. Mais elle continua de peser sur la politique du royaume par l'intermédiaire de parents, d'alliés recrutés parmi les plus puissantes familles, du réseau d'amitiés qu'elle avait su se créer. Elle put ainsi échapper aux vengeances, et sa mort n'interrompit en rien l'ascension de sa descendance.

Diane démontra comment une maîtresse habile et bien douée pouvait capter à son profit le pouvoir du monarque. Jamais, au cours de toute l'histoire de France, aucune favorite ne connut une aussi éclatante réussite, ne réduisit aussi parfaitement le roi à sa merci, contrôlant tout – finances, affaires d'État –, accumulant une énorme fortune, et chantée de surcroît par les plus grands poètes.

LES RÉGENTES

Les épouses des rois n'ont en principe aucun rôle politique. Le pouvoir éphémère des maîtresses dépend entièrement de la faveur du souverain. Il disparaît avec l'âge. Au contraire, le temps travaille pour les reines, les soustrait aux maternités épuisantes et la maturité accroît leur dignité de mère et d'éducatrice. Mieux encore., il peut en faire, quand elles sont veuves, des régentes au nom d'un roi mineur.

Seules les régences permettent aux femmes d'exercer un réel pouvoir politique, d'autant mieux que l'âge leur confère une autorité refusée aux plus jeunes. La mère du roi devient le symbole de la mère du royaume. Le XVIe siècle, a-t-on dit, est l'âge d'or des reines et aussi des régentes, des gouvernantes de toutes espèces, presque toutes des veuves, en France comme en Europe. Mères, sœurs ou tantes, elles sont plus dévouées aux souverains que de hauts dignitaires toujours prêts à s'approprier le pouvoir.

En devenant régente, les femmes assurent sa conservation et, pendant une minorité royale, font le lien d'un roi à l'autre. Le roi n'est pas maître de son royaume comme un seigneur féodal l'est de son fief. Il est dépositaire de la couronne, dont il ne dispose pas à son gré : la transmission du trône n'est pas en son pouvoir. Elle est réglée par la loi salique, qui affirme l'hérédité de la charge royale par les mâles.

Dans les premiers temps de la dynastie capétienne, les régents étaient des personnages qui bénéficiaient de la confiance du roi, prélats ou chevaliers. Au XIVe siècle, ils sont choisis parmi les membres de la famille royale, oncles, frères du souverain ou princes du sang. Deux ordonnances de Charles V et Charles VI, en 1374 et en 1407, ont alors pour but de limiter dans le temps le pouvoir des régents, puis leur étendue. A partir du XVe siècle, priorité est donnée aux femmes.

Mais au XIVᵉ siècle, lors d'une minorité royale, l'éducation du prince et le gouvernement du royaume sont nettement distingués. Celui-ci revient aux princes du sang et aux magistrats. Il reste une affaire d'hommes. Quant à la tutelle du prince, elle est réservée à la reine comme à toute veuve, «par droit commun».

L'ordonnance de Charles VI sur les modalités de la régence visait à restreindre le pouvoir des régents et à affirmer l'autorité des jeunes rois sur le royaume dès leur avènement, sans considération d'âge. Au roi mort succède immédiatement son héritier, doté de tout son pouvoir. Tel est le sens des formules : «Le mort saisit le vif» et «Le roi est mort, vive le roi!» La régente, simple dépositaire d'un pouvoir détenu par le roi seul, assure la transition d'un règne à l'autre.

Aucune loi ne fixait la dévolution de la Régence en cas de minorité du roi. Les lois civiles admettaient que la veuve exerce l'entière tutelle d'un fils mineur, ce que la reine ne pouvait se voir refuser. Mais la direction des affaires militaires était-elle de son ressort? Les princes collatéraux la revendiquaient et, dans la foulée, réclamaient la responsabilité du gouvernement.

En faveur du choix de la reine mère joue l'argument de l'amour maternel, dont la vigilance est préférable à tout autre. Elle a pour elle aussi les institutions, les grands corps de l'État qui redoutent l'ambition des princes et les troubles qu'ils déclenchent. Qui alors est habilité à arbitrer les différends entre la reine mère et les princes du sang, et à décider de la nomination au gouvernement lors d'une minorité royale? Trois instances en fait : le roi lui-même, vivant ou mort, les états généraux et le Parlement.

Le roi défunt a pu indiquer, verbalement ou dans son testament, sur qui se portait son choix; d'ordinaire sa mère ou sa femme, à laquelle, s'il se défie d'elle, il adjoint un conseil de régence. Ce que fit Henri IV. Mais le roi n'avait pas le pouvoir de lier son successeur et les testaments étaient aisément cassés.

Les princes de la famille royale estiment avoir leur mot à dire sur l'attribution de la régence. Ils peuvent faire valoir les droits de la parenté à décider de l'avenir du petit roi. Mais ils sont à la fois juge et partie. Aussi les états généraux et le parlement de Paris, instances chargées de veiller sur les «lois fondamentales» du royaume, s'estiment-ils habilités à donner leur avis. Or les états généraux, qui représentent l'ensemble du royaume, ne se trouvent pas toujours réunis lors d'une succession. Et le Parlement, instance permanente lui, n'est pas une assemblée représentative, il n'a pas de titre à la nomination à la régence. Il ne tient pas non plus à s'attirer l'hostilité des princes et des grands.

Sur son lit de mort, Louis XI, jugeant son fils trop jeune pour gouverner seul, avait désigné sa fille Anne de Beaujeu pour veiller sur lui (il avait treize ans et deux mois et était donc majeur selon l'édit de majorité de 1374, quand il accéda au trône en 1483). Ce que contestèrent Charlotte de Savoie, la reine mère, et le duc d'Orléans, qui firent appel aux états généraux. Ceux-ci proposèrent que le roi fût sacré aussitôt et déclaré ainsi pleinement majeur. Anne de Beaujeu n'en continua donc pas moins à accaparer la réalité du pouvoir, puisqu'elle « gouvernait » le jeune roi.

Avec son successeur, Louis XII, s'affirme l'intronisation au pouvoir des reines mères. En vue d'une éventuelle régence, le roi avait envisagé de confier le pouvoir à deux femmes, la reine Anne, mère de Claude, et Louise de Savoie, mère du futur François Ier. Assistées de quelques conseillers, elles devaient assumer ensemble la double fonction de mère et de chef du gouvernement. Les reines mères obtiendront désormais toujours la régence sans qu'elle leur soit pourtant dévolue en vertu de règles précises.

Si la régence est instaurée en raison d'une absence du roi, celui-ci a toute liberté pour organiser la gestion des affaires d'État, les dispositions qu'il prend ne concernant que son propre règne. Le processus de désignation reste le même dès le XVIe siècle : choix du roi spécifié dans les lettres de régence lors d'une séance du Parlement, puis vérification et enregistrement par le Parlement de la volonté exprimée.

La loi salique réservant le trône aux hommes depuis la succession de Philippe le Bel, une régence féminine paraît incompatible avec une telle loi. Une femme peut pourtant remplacer le souverain dans certains cas : d'abord lors d'une absence momentanée, s'il part en guerre. Il ne délègue alors à la régente que ses responsabilités politiques, se réservant d'assumer les responsabilités militaires. L'impossibilité pour une femme d'assurer la défense du royaume par les armes étant la principale justification de la loi salique, cette forme de régence n'y contrevient pas.

Le choix d'une femme de la famille, pour remplacer temporairement le seigneur, seul habilité à prendre la décision, était d'ailleurs traditionnel dans la noblesse féodale : lors de son départ pour la guerre ou la croisade, l'épouse veille à l'administration du domaine et à la gestion des biens. La mère de François Ier, maîtresse femme s'il en fut, veuve à vingt ans, ne s'était pas remariée pour consacrer ses efforts à favoriser l'accès du trône à son fils. Avide de pouvoir, âpre en affaires, elle était plus qualifiée pour tenir les rênes du gouvernement que sa très jeune épouse en l'absence du roi, et jouissait de sa totale confiance.

Louise de Savoie

François Iᵉʳ, intimement lié à sa mère et à sa sœur, avait tenu à leur donner, à défaut du titre, les prérogatives d'une reine mère et d'une fille de France. Louise de Savoie occupait le premier rang après le roi au Conseil privé, dirigeait la politique intérieure et extérieure, et la trésorerie. Lorsque le roi s'apprêta à partir pour l'Italie en juin 1515, il confia la régence à sa mère pendant toute la durée de son absence. En août 1523, elle fut de nouveau chargée de la régence, et disposait, sur ordre exprès du roi, de tous les pouvoirs. Durant la captivité de son fils, Louise s'établit au monastère de Saint-Just, près de Lyon. Entourée de conseillers et d'une équipe de ministres, avec le chancelier Duprat en tête, elle gouverna la France et se montra parfaitement capable d'assumer de lourdes responsabilités.

Il lui fallait à la fois défendre le royaume contre une agression étrangère, maintenir l'autorité de François Iᵉʳ en son absence, et veiller à sa libération dans les conditions les meilleures possibles. Elle s'efforça de prévenir une invasion en provenance de la Franche-Comté, tout en veillant à ne pas froisser les Bourguignons, dont beaucoup tenaient Charles Quint pour leur légitime souverain, et s'en remit au Parlement pour prévenir une invasion anglaise, tout en s'efforçant de gâter les relations entre Charles Quint et Henri VIII.

Le traité de Moore (août 1525) restaurait la paix entre la France et l'Angleterre, et renforçait à la fois l'autorité de la régente en France et sa position face à l'empereur. En Italie, elle favorisa – discrètement – l'opposition à Charles Quint, et proposa une alliance au pape et à Venise. Son activité diplomatique ne se limitait pas à l'Europe. Peu après Pavie, elle dépêcha un ambassadeur à Constantinople pour demander l'aide du Grand Turc, Soliman le Magnifique.

La régence, déléguée par le roi en son absence, permettait de lui obéir par procuration. Mais en cas d'absence prolongée (ainsi celle de François Ier après le désastre de Pavie, sa captivité et sa maladie à Madrid), son autorité risquait d'être contestée. Celle de Louise de Savoie le fut par le Parlement et par la Sorbonne.

Le parlement de Paris présenta ses remontrances à la régente en avril 1525 : il blâmait l'ensemble des mesures politiques prises depuis le début de son règne, déplorait le recours aux expédients fiscaux, l'ingérence excessive de Louise dans l'administration de la justice, la diminution des libertés gallicanes, et la clémence à l'égard des évangéliques jugés hérétiques par la faculté de théologie de Paris, que le Parlement soutint dans sa lutte contre le cercle de Meaux et dans la défense de l'orthodoxie. Le Parlement et la Sorbonne estimaient avec raison que la régente était le membre le plus traditionnel de la famille royale en matière de religion : libraires et imprimeurs furent persécutés.

Consciente de la faiblesse de sa position, elle négocia rapide-ment le retour du roi, allant jusqu'à consentir à livrer en otages ses deux fils aînés. Déjà associée au gouvernement avant d'être régente, elle le sera encore après le retour du roi de captivité.

François Ier eut recours à l'aide de sa mère lors d'une trêve signée en 1528 entre la France, l'Angleterre et la gouvernante des Pays-Bas, Marguerite d'Autriche. C'était l'occasion de reprendre les négociations de paix avec Charles Quint. Marguerite, tante de l'em-pereur, était aussi la belle-sœur de Louise de Savoie : Philibert de Savoie, tant pleuré de Marguerite, était le frère de Louise.

Veuves toutes deux, au service d'un fils et d'un neveu dont elles protégeaient les intérêts, elles étaient également soucieuses d'éviter la guerre et son cortège d'horreurs. Après six mois de négociations, qui permirent à l'un et l'autre pays de sauver la face, fut signé le 3 août 1529 le traité de Cambrai, surnommé, à juste titre la paix des Dames. Malgré quelques termes humiliants pour François Ier, la France gardait la Bourgogne, ce qui constituait un triomphe diplomatique.

CATHERINE DE MÉDICIS, RÉGENTE TEMPORAIRE

Catherine de Médicis se vit, elle aussi, confier la régence lors des campagnes militaires d'Henri II, en 1552 et 1554, en Lorraine et en Italie. Le roi était au plus mal avec Antoine de Bourbon, prince du sang, et s'en méfiait. Mais Catherine était dépourvue de toute éducation politique. Elle comprit vite, en demandant à voir le texte qui lui attribuait la régence que, sous le couvert de son incompétence supposée, on lui avait adjoint un simple magistrat tout dévoué à Diane, la favorite : c'est celle-ci qui allait donc gouverner. Mais Catherine refusa énergiquement que le document fût enregistré par le Parlement.

L'attribution de la régence n'était donc pas nécessairement une preuve de confiance : on fit entendre à la reine qu'elle n'avait à prendre aucune initiative. En 1557, après la prise de la ville de Saint-Quentin, c'est elle pourtant qui alla à l'Hôtel de Ville de Paris demander un secours exceptionnel.

CATHERINE DE BOURBON

A défaut d'une mère, c'est à une sœur que le roi pouvait confier la régence. Catherine de Bourbon, la sœur cadette d'Henri de Navarre, élevée par la reine Jeanne d'Albret avec une grande sollicitude, avait vécu à la cour de France depuis le mariage de son frère, à demi prisonnière comme lui, et contrainte d'abjurer le protestantisme. Après son évasion en 1576, Henri l'avait fait chercher et elle le rejoignit au cours de son retour en Béarn.

Catherine partageait la ferveur et la rigueur des convictions de leur mère. Les projets d'alliance les plus contradictoires avaient été envisagés pour elle. Sans succès. Pourvue par son frère de la lieutenance générale du Béarn, elle alla s'installer seule au château de Pau, dont les jardins étaient célèbres dans toute l'Europe. Son amie Corisande, la comtesse de Guiche, y venait souvent séjourner.

Tandis que le roi de Navarre chevauchait et guerroyait en Poitou, en Saintonge, Catherine lui conserva courageusement ses États, contre vents et marées. En 1585, alors que la Ligue gagnait du terrain en Béarn, « Madame » se retrancha dans la citadelle de Navarrenx avec Corisande ; le château de Pau était mis en défense ; Henri revint en hâte fortifier Pau et Sauveterre et repartit aussitôt. Assistée du lieutenant Saint-Géniès, elle s'employa à assurer la défense du Béarn ; les missives de son frère et celles qu'il adressait à Corisande lui indiquaient la conduite à tenir.

Sa vaste correspondance tant privée qu'officielle montre une princesse consciente de ses responsabilités, prenant une part active à l'administration du pays, veillant notamment au libre transport des marchandises entre le Béarn et les provinces voisines, soucieuse aussi d'assurer la sécurité de ses sujets, protestant contre les malversations des soldats à l'encontre des paysans. Huguenote militante et combattante, elle s'efforça de défendre sa province, menacée par la proximité de l'Espagne, et de ramener à son parti certains ligueurs. Dévouée à ses sujets et à Henri, énergique et habile diplomate, Catherine apparaît digne de la confiance du roi de Navarre.

L'avènement de son frère au trône de France lui apporte la régence de Navarre. Dès lors, elle s'emploie à le faire reconnaître comme le vrai successeur d'Henri III. Les rapports du frère et de la sœur tourneront à l'aigre lorsque Henri, d'abord favorable à l'union de Catherine avec son cousin, le comte de Soissons, découvre avec fureur que les deux amoureux ont échangé une officielle promesse de mariage. Le roi lui imposera de rompre avec un homme qu'il juge trop séduisant, ambitieux, donc dangereux.

Elle résistera de même lorsque, en 1598, Henri décidera de lui faire épouser un catholique, le duc de Bar. Les noces seront célébrées, mais Catherine, en dépit des menaces du roi, refusera, avec une belle obstination, de se convertir au catholicisme. Même une princesse royale qui avait prouvé sa valeur et sa fidélité n'était pas libre de ses choix et devait bon gré mal gré s'incliner devant les décisions du souverain.

CATHERINE AU POUVOIR

La reine veuve et mère d'un fils mineur devait affronter de grandes difficultés. Pendant le court règne de François II, incapable de gouverner, mais majeur, Catherine de Médicis ne joua aucun rôle officiel et le pouvoir appartenait aux Guise. Son véritable avènement politique date de la mort de François II, le 5 décembre 1560. Charles IX monte sur le trône à dix ans et demi, une régence s'impose. Catherine a quarante et un ans, une santé à toute épreuve, de la lucidité et du bon sens, une certaine expérience de la conduite des affaires, à laquelle elle s'est préparée discrètement pendant vingt-quatre ans. Elle va faire preuve d'une belle habileté pour garder le pouvoir. Une femme ne pouvant assumer des responsabilités militaires, la régence fait alors l'objet d'une double revendication : les princes du sang réclament la direction des affaires militaires, et aussi celle du gouvernement. En faveur de la régence d'une reine mère, tutrice d'un mineur de par la loi, Catherine invoque dans une de ses lettres le lien étroit qui unit la mère à l'enfant en bas âge et l'incite à la conservation du royaume. Les princes, au contraire, étant ses héritiers, entourés d'une ambitieuse clientèle, peuvent avoir intérêt à le perdre.

En 1560, Catherine se fait précipitamment reconnaître régente par le Conseil privé et les princes du sang, avant la réunion des états généraux, pourtant convoqués par le roi défunt, François II. Mais, consciente de leurs prérogatives, elle va sans tarder obtenir leur confirmation. Elle conserva la régence jusqu'à la majorité de Charles IX, déclarée en août 1563. Il lui avait fallu la conquérir.

C'est surtout sous son règne que l'influence politique de la reine mère a été considérable. Selon l'ambassadeur de Venise, elle gouverne avec un plein et absolu pouvoir comme si elle était reine, assiste au Conseil étroit, ouvre la première les plis apportés par les secrétaires d'État, et lit toutes les lettres avant que le roi ne les signe, écrit elle-même abondamment. « C'était elle qui faisait tout, dit Pierre de L'Estoile, et le Roi ne tournait pas un œuf qu'elle n'en fût avertie. » On réunit d'ailleurs un lit de justice où le petit roi déclarait confier le gouvernement à sa mère, dont les décisions dans les assemblées avaient alors force de loi.

Catherine savait qu'Antoine de Bourbon, roi de Navarre et premier prince du sang, avait des droits, et le soutien des réformés. La réalité de la puissance résidait dans la possession du cachet royal. On évita de prononcer le mot de régence. La reine mère conserva le cachet, quitte à le laisser au roi de Navarre en cas de maladie ou d'empêchement. En mars 1561 celui-ci renonça à être régent en échange du titre de lieutenant général du royaume. Catherine lui promit aussi la grâce de son oncle, le prince de Condé, emprisonné et condamné à mort pour avoir conspiré contre le roi.

Les états généraux – qui venaient de se réunir – avaient eu leur mot à dire sur l'attribution de la régence. La reine mère fit donc régler par le Conseil privé un partage des responsabilités qui lui assurait l'essentiel du pouvoir. Les états entérinèrent la décision du Conseil. Catherine faisait fonction de régente, sans en avoir le titre. On la nomma « gouvernante de France », preuve que son autorité ne lui était pas concédée sans quelque réticence.

Elle le resta plusieurs années encore. Charles IX, majeur à treize ans, lui laissait la direction des affaires. Mais c'était lui qui détenait le pouvoir et en était l'incarnation vivante. Elle eut alors plus de liberté d'action que durant la régence puisque le souverain était censé imposer son autorité, incontestable. L'adolescent pouvait toujours souhaiter échapper à la tutelle de sa mère et, dans son entourage, bien des grands, ambitieux ou gagnés à quelque cause, étaient prêts à l'aider à s'émanciper. Autorité précaire donc, aisément battue en brèche par le jeune roi dès qu'il lui en prendrait l'envie. Pendant le règne de Charles IX, Catherine pourtant garde le pouvoir et finit par redouter l'influence de Coligny, que le roi appelle son père. Elle ne portera officiellement le titre de régente, de par la volonté du roi, qu'entre la mort de Charles IX et le retour de Pologne d'Henri III.

Le roi, en mourant, désigne pour successeur son frère le roi de Pologne. Dans l'attente de son retour, la reine, mère des deux rois, reçoit une double consécration : celle de Charles, qui rédige des lettres de régence en sa faveur, et celle d'Henri III, qui confirme par lettres envoyées de Cracovie le choix de son prédécesseur.

Confrontée à la question brûlante du schisme religieux, elle se montre dès l'édit de 1560, favorable à une relative tolérance civile. L'édit de Janvier (1562) qui instaure une tolérance légale partielle est marqué par son influence, autant que par celle de Michel de L'Hospital. Bonne catholique, le retour à une foi unique lui paraît la solution idéale, la tolérance civile limitée une solution provisoire pour arrêter la violence. Il reste d'ailleurs très difficile d'apprécier avec certitude dans quelle mesure elle fut complice ou non de l'attentat de Coligny et du massacre de la Saint-Barthélemy. Elle désirait à coup sûr la paix, mais après l'échec des tentatives de conciliation, elle chercha avant tout à préserver la couronne de France de ses ennemis.

Sous le règne de son fils préféré, le pouvoir de la reine mère fut moins grand que sous celui de Charles, Henri III étant fort jaloux de son autorité. Néanmoins, au milieu des orages familiaux et de la tourmente des guerres de Religion, Catherine de Médicis, durant vingt-huit ans de vie politique, s'est mise tout entière au service de la grandeur et de la continuité monarchique, héritage des Valois, reçu d'Henri II qu'elle voulait transmettre intact à ses enfants. Le sentiment maternel se confond aisément chez elle avec le souci de la sauvegarde du royaume, dont ses fils sont tour à tour responsables. Mère de trois rois, régente ou conseillère du trône, Catherine, de 1559 à 1589, a assumé l'écrasante tâche de gouverner la France au milieu de guerres civiles et de troubles à peu près continus.

Catherine de Médicis n'eut jamais sur les sujets du roi l'autorité d'une Jeanne d'Albret, veuve, elle aussi, forte personnalité dont l'ambition maternelle égalait la sienne. Car Jeanne, fille d'Henri d'Albret et de Marguerite d'Angoulême, la sœur de François Ier, était reine, héritière de plein droit, la loi salique n'ayant pas cours en Navarre française. Douée d'une énergie peu commune, elle avait osé se rebeller, à treize ans, en refusant l'époux que voulait lui imposer son royal oncle. Mariée de force, puis «démariée», au gré des intérêts de François Ier, elle avait épousé Antoine de Bourbon, premier prince du sang. Celui-ci, d'abord gagné à la Réforme, revint au catholicisme.

Reine à sa mort, Jeanne, qui avait solennellement opté à la Noël 1560 pour le calvinisme, l'imposera par la force à ses Béarnais avec l'intolérance des intégristes, en même temps qu'une austérité sévère dans les mœurs et le costume. Elle interdit le culte catholique dans ses États. Jeanne, reine et mère vigilante, âme de la résistance huguenote, porte-parole des réformés, et Catherine s'affrontèrent, notamment lors des négociations pour le mariage d'Henri de Navarre et de Marguerite, et la reine mère ne sous-estimait pas l'énergique détermination que Jeanne communiquait au parti protestant.

Catherine mit une énergie et une ténacité sans faille au service de la royauté et de la défense de la paix : négociations, entrevues plus ou moins périlleuses, interventions auprès de ses fils, frères ennemis, ou de son gendre, Henri de Navarre, longs voyages dans le royaume.

LA DIFFICULTÉ D'ÊTRE RÉGENTE

On ne saurait retracer ici la longue carrière politique de cette reine qui eut une participation si active aux destinées du royaume. De pertinentes biographies ont contribué à l'éclairer. Nous souhaiterions simplement insister sur les difficultés auxquelles se heurte une régence féminine, les limites de son pouvoir, et de sa marge d'action. Catherine a suscité des jugements passionnés chez ses contemporains, et c'est encore l'une des figures historiques les plus controversées. Du pamphlet le plus véhément du XVIe siècle, *Le Discours merveilleux de la vie, actions et déportements de la reine Catherine de Médicis*, aux portraits de la veuve terrible, maléfique et cruelle des romanciers du XIXe siècle, du discours admiratif consacré par Brantôme à cette veuve exemplaire, au portrait enthousiaste fait par Balzac, pour qui, «homme d'État, grand roi en même temps que femme extraordinaire, elle a sauvé la couronne de France en contenant la plus inféconde des hérésies», le mythe de la «reine noire» a traversé les siècles.

La personnalité de la reine mère, l'époque de troubles où elle vécut, – huit guerres civiles! – s'y prêtaient. Mais pour être exceptionnelle dans l'histoire de France, Catherine n'en présente pas moins les caractères qui font de toutes les régentes des mal-aimées. Celui, ou celle qui assure tant bien que mal un gouvernement de transition entre deux règnes, de qui on n'attend aucune initiative, occupe une position inconfortable : il s'efforce de maintenir une autorité royale qui ne lui vient pas de Dieu (il n'a pas reçu l'onction sacrée) et dont il n'est que le représentant. Catherine exerçait au nom de son fils une autorité que le jeune roi pouvait toujours remettre en question. La plénitude du pouvoir royal ne lui appartenait donc pas.

Aucun régent ne jouit de la même autorité qu'un roi de plein exercice. A plus forte raison une régente. Femme, elle est victime de tous les préjugés de la misogynie traditionnelle qui lui dénie les qualités d'esprit nécessaires à la fonction, et lui prête les faiblesses supposées de son sexe.

La reine mère est le plus souvent une étrangère. Catherine (à demi française par sa mère) est injuriée en tant qu'Italienne, de la race de Machiavel, fourbe, empoisonneuse, adonnée à l'astrologie, et favorisant scandaleusement des Italiens (ils étaient pourtant déjà nombreux à son arrivée à la Cour). Mais le veuvage confère à la mère du roi une dignité plus grande, son âge fait accepter plus aisément qu'on lui obéisse. Catherine, toujours vêtue de noir avec une austérité voulue s'appliquait à donner l'image d'une veuve inconsolable et d'une matrone respectable.

«Les régences, disait Michel de L'Hospital, bien placé pour en juger, sont toujours et partout fécondes en désastres.» Solution de fortune, pis-aller, attente entre deux autorités mâles, la régence favorise toujours les rivalités et les factions nobiliaires. Les grands sur lesquels la régente ne s'appuie pas s'estiment lésés, ils profitent de la faiblesse du pouvoir pour se rebeller. Elle doit alors jouer des divisions entre les adversaires, s'attirant les reproches de fourberie, de duplicité. Associée aux troubles qui l'ont appelée au pouvoir, on l'accuse de les avoir causés. Dépourvue de pouvoir réel, puisque ce pouvoir est toujours menacé, il lui est à peu près impossible de se consacrer aux affaires d'État, à plus forte raison dans les époques troublées. Même aux commandes du pouvoir, la reine mère subit le handicap d'être une femme.

En fin de compte...

Une conclusion ne pourrait qu'être très incomplète et provisoire. Tout au plus peut-on dégager quelques constatations de cette brève revue d'aspects divers de la condition féminine au XVIe siècle.

Pour le plus grand nombre des femmes françaises, celles des classes défavorisées, la Renaissance n'a pas apporté de changements notables dans leur vie ni dans leur statut. Les forces conservatrices du passé continuent à faire prévaloir la notion de l'infériorité féminine.

De même que l'égalité des hommes entre eux, l'égalité des sexes, à la Renaissance, demeure un paradoxe. Les hommes ne sont pas moins convaincus qu'aux siècles précédents de l'infériorité féminine. Les femmes auteurs en conviennent, alors même qu'elles contestent l'injuste répartition des rôles ou revendiquent le droit au savoir au même titre que les hommes.

Au nombre des apports de l'humanisme, Rabelais compte l'accession des femmes et des filles à la «louange et manne de bonne doctrine (connaissance)». Nombre d'auteurs masculins indiquent, dans les «Bibliothèques», le chiffre élevé de «femmes illustres». Vanter la femme docte, souligner sa promotion dans l'acquisition du savoir, n'est-ce point le signe d'une mutation de sa condition en un siècle qui vit tant de remises en cause passionnées?

Les novateurs, qui insistent sur les dangers de l'ignorance, ne dénient pas aux femmes le droit à l'éducation et à la vie intellectuelle. Mais le savoir reste à leurs yeux une affaire d'hommes, les espaces littéraires concédés aux femmes sont soigneusement limités.

Leur «institution», convenablement filtrée et contrôlée, vise uniquement à les préparer au rôle que leur assignent dans la famille les impératifs de la morale masculine. Institution qui, bien évidemment n'est prévue que pour les femmes de «condition», et qu'on juge parfaitement inutile, inaccessible d'ailleurs, à toutes les «méca-niques», celles qui travaillent de leurs mains. Les revendications féminines, élevées par celles qui écrivent, ne les concernent pas. Ce féminisme élitiste, limité à la noblesse et à la bourgeoisie, ne réclame d'ailleurs que l'accès au savoir et à la création littéraire. Il n'a aucune résonance politique ou sociale, ne traduit aucun désir d'une mutation de la condition féminine.

Le changement le plus important dans la vision de la femme tient à la valorisation du mariage, qui entraîne la reconnaissance de sa dignité. L'actualité du problème se mesure à la place prépondérante de l'image de l'épouse et des débats qu'elle suscite en littérature. Mais sa nouvelle dignité lui est accordée à la seule condition de se conformer au modèle de la femme épouse et mère qui garantit la stabilité de la cellule familiale nécessaire à la stabilité de l'État.

L'institution matrimoniale divine, naturelle et sociale suppose le respect de la hiérarchie des sexes et la soumission de l'épouse, distinguée toutefois d'un consentement passif à l'autorité tyran-nique. Si les justifications psychologiques de sa dépendance, l'injus-tice de certains aspects de l'union conjugale prêtent à la discussion, l'institution elle-même n'est pas remise en cause et la «naturelle» infériorité féminine est invoquée pour maintenir le statu quo.

Les préjugés, les traditions, les lois assignent aux femmes les places subalternes à tous les échelons de la société. Mais dans la vie pratique, familiale et professionnelle, les affirmations misogynes se voient battues en brèche.

Qu'il s'agisse des femmes d'État à la personnalité exceptionnelle, comme une Catherine de Médicis ou une Marguerite de Valois, ou de celles qui dans les villes et les campagnes sont partout associées au travail masculin, celles aussi qui ont su, veuves ou provisoirement seules, se montrer d'excellents chefs de famille ou d'entreprise dans des situations difficiles, leur capacité a été reconnue. La réalité dément ainsi les représentations tenaces de l'imaginaire.

Avec l'explosion de la «Renaissance» vers 1500, qui faisait naître l'espoir d'un monde neuf, affranchi des erreurs du passé, avec l'influence des modèles italiens (car la Péninsule comptait nombre de femmes remarquables), l'élite des femmes françaises pouvait s'attendre à jouer sa partie dans ce concert de nouveautés. La voix des «écrivaines» s'est élevée pour réclamer l'affranchissement des contraintes qui pesaient sur elles, et affirmer leur droit à l'épanouissement du corps et à l'enrichissement de l'esprit.

Mais les espoirs de libération entrevus au début du siècle par les conteuses et les poétesses, les rêves du féminisme intellectuel et sentimental ne tardent pas à être déçus. Dans la seconde moitié du XVIe siècle s'amorce un retour en force des préjugés et de l'autorité masculine pour rappeler les femmes à leur vocation traditionnelle. La femme savante à l'esprit indépendant, tenue pour un bas-bleu ridicule, ou soupçonnée de vouloir conquérir une équivoque liberté, est frappée de discrédit.

Au début du XVIIe siècle, l'ardent plaidoyer féministe de Marie de Gournay, la «fille d'alliance» de Montaigne, *L'Égalité des hommes et des femmes* (1622), passe inaperçu. Il reste sans écho, comme son *Grief des dames*, paru quatre ans plus tard, tandis que critiques et railleries s'abattent sur son auteur.

Époque exemplaire, somme toute, dans l'histoire du féminisme, qui s'éveille alors, époque aussi pleine de contradictions et d'ambiguïtés, la Renaissance a-t-elle permis à la condition féminine de profiter de l'épanouissement qu'elle a suscité dans bien d'autres domaines, des libérations intellectuelle et morale qu'elle apportait?

A la vie des plus humbles, elle n'a rien changé, ou guère... Quant à l'élite des femmes françaises, elle en est restée au stade de l'espérance et des interrogations sur les rapports complexes entre les sexes. Il importait pour l'avenir qu'elles eussent été formulées, avant le «grand renfermement» du Grand Siècle. Peut-être leur jaillissement passionné au XVIe siècle, le premier des siècles modernes, permet-il de mieux comprendre des débats qui restent toujours d'actualité.

Bibliographie

GÉNÉRALITÉS

Sources

Aubigné, Agrippa d', *Œuvres*, éd. Henri Weber et *al.*, Paris, Gallimard (Bibl. de la Pléiade), 1969.

Brantôme, *Recueil des Dames, poésie et tombeaux*, éd. Vaucheret, Paris, Gallimard (Bibl. de la Pléiade), 1991, 2 vol.

—, *Œuvres complètes*, éd. L. Lalanne, 1864-1882, 11 vol.

L'Estoile, Pierre de, *Registre-Journal du règne de Henri III*, éd. Madeleine Lazard et Gilbert Schrenck, Genève, Droz, t. I, 1990; t. II, 1996; t. III, 1997; t. IV, 2000; t. V, 2001.

—, *Mémoires-Journaux* (Journal d'Henri IV), éd. Bruret et *al.*, Paris, Librairie des bibliophiles, 1888, t. V à XI.

Médicis, Catherine de, *Lettres*, éd. Hector de La Ferrière et Gustave Baguenault de Puchesse, Paris, Imprimerie nationale, 1880-1909, 10 vol. Montaigne, Michel de, *Essais*, éd. Villey-Saulnier, Paris, PUF, 1965.

Navarre, Marguerite de, *L'Heptaméron*, éd. Michel François, Paris, Garnier, 1967 (pour une bibliographie détaillée, se reporter à celle de Pierre Jourda, in *Marguerite d'Angoulême*, Genève, Slatkine, 1978, t. II, p. 1141-1142, et à celle mise à jour par Nicole Cazauran pour la réimpression de l'édition de Michel François, Garnier, 1975).

—, *Poésies chrétiennes*, éd. Nicole Cazauran, Paris, Cerf, 1995.

Rabelais, François, *Œuvres complètes*, éd. Guy Demerson, avec translation, Paris, Seuil, 1973.

—, *Œuvres complètes*, éd. Mireille Huchon, Paris, Gallimard (Bibl. de la Pléiade), 1974.

Études

Albistur, Maïté et Armogathe, Daniel, *Histoire du féminisme français*, Éditions des Femmes, 1977.

Atlantis, A Women's Studies Journal, Institute for the Study of Women, vol. 19, n° 1, Saint Vincent Univ. Halifax, Canada Edit, 1993.

Berriot-Salvadore, Évelyne, *Les Femmes dans la société française de la Renaissance*, Genève, Droz, 1990.

Boucher, Jacqueline, *Société et Mentalités autour de Henri III*, reprod. thèses univ. de Lille, 1981, 5 vol.

Duby, Georges et Perrot, Michelle, *Histoire des femmes*, t. III : *XVIe-XVIIIe siècles*, Paris, Plon, 1991, 5 vol.

Grimal, Pierre, *Histoire mondiale de la femme*, vol. 2, *La Femme de la Renaissance*, Paris, Nouvelle Librairie de France, 1966.

Haase-Dubosc, Danielle et Viennot, Éliane, *Femmes et Pouvoirs sous l'Ancien Régime*, Paris, Rivages/Histoire, 1991.

Jouanna, Arlette, *Histoire et Dictionnaire des guerres de Religion*, Paris, Robert Laffont, 1998.

Viennot, Éliane et Wilson-Chevalier, Kathleen, *Royaume de Fémynie. Pouvoirs, contraintes, espaces de liberté des femmes, de la Renaissance à la Fronde*, Paris, Honoré Champion, 1999.

Sullerot, Évelyne, *Le Fait féminin*, Fayard, 1978.

CHAPITRES I-II

Sources

Agrippa, Henri Corneille, *De nobilitate et præcellentia fœmininei sexus*, éd. R. Antonioli, Genève, Droz, 1990.

Bodin, Jean, *Les Six Livres de la République*, Lyon, 1579, V, 2.

Brinon, Pierre de, *Le Triomphe des dames*, Rouen, J. Osmond, 1599.

Castiglione, Baldassare, *Le Livre du courtisan*, trad. et éd. Alain Pons, Ivrea, 1987.

Digeste, *De regulis juris antiqui, in* Ian MacLean, *The Renaissance Notion of Woman*, Cambridge, Cambridge University Press, 1980, p. 77.

Le Caron, Louis, *Responses du droit français*, Lyon, 1594, livre I.

Rabelais, François, *Œuvres complètes*, éd. M. Huchon, *Tiers Livre*, chap. XXXII.

Tiraqueau, André, *Tractatus varii*, Lyon, 1587.

—, *Ex commentaribus in Pictonum consuetudines : sectio de legibus connubialibus et jure maritali*, Lyon, 1586.

Études

Ascoli, Georges, « Essai sur l'histoire des idées féministes en France du XVIe siècle à la Révolution », in *Revue de synthèse historique*, t. XIII, 1905.

Berriot-Salvadore, Évelyne, « La femme incapable », in *Les Femmes dans la société française de la Renaissance,* Genève, Droz, 1990.

Delumeau, Jean, *La Peur en Occident, XIVe-XVIIIe siècle*, Paris, Fayard, 1978.

—, *Une histoire du paradis*, Paris, Fayard, 1992.

La Femme, Recueil de la Société Jean-Bodin, t. XII, 2e partie.

Guillerm, Jean-Pierre *et al.*, *Le Miroir des femmes*, Villeneuve-d'Ascq, P.U.L., 1983, t. I et II.

Laigle, Mathilde, *Le* Livre des trois vertus *de Christine de Pisan*, Paris, 1912.

Lefranc, Abel, « Le Tiers livre du *Pantagruel* et la Querelle des femmes », in *Les Grands Écrivains français de la Renaissance*, Paris, Champion, 1914.

MacLean, Ian, *The Renaissance Notion of Woman*, Cambridge, Cambridge University Press, 1980.

Matthews-Grieco, Sara, *Mythes et Iconographie dans l'estampe du XVIe siècle français*, thèse de 3e cycle, E.H.E.S.S., 1982.

—, *Ange ou diablesse. La représentation de la femme au XVIe siècle*, Paris, Flammarion, 1991.

Olivier-Martin, François, *Histoire du droit français des origines à la Révolution*, Paris, 1948.

CHAPITRES III-IV-V

Sources

Benedicti, Jean, *La Somme des péchés*, Lyon, 1594, IV, 6.

Brantôme, *Recueil des dames, poésie et tombeaux*, *op. cit.*, t. II.

Crenne, Hélisenne de, *Les Angoisses douloureuses qui procèdent d'amour*, éd. J. Vercruyste, Minard, 1968, 1re partie.

Épître aux Corinthiens, I, 79.

L'Estoile, Pierre de, *Registre-Journal* […], t. II.

Montaigne, *Essais*, livre III, chap. V, « Sur des vers de Virgile ».

Roches, Madeleine et Catherine des, *Les Œuvres*, éd. Anne R. Larsen, Genève, Droz, 1993.

Tommaseo, Nicolo, *Relation des ambassadeurs vénitiens sur les affaires de France au XVIᵉ (1557-1579)*, Paris, 1838, 2 vol., t. II.

«Les Misères de la femme mariée, où se peuvent voir les peines et tourments qu'elle reçoit durant sa vie, mis en forme de stances par Mme Liébault», in *Variétés historiques et littéraires*, éd. Edouard Fournier, Paris, Pierre Jeannet, 1855, t. III, p. 321-331.

Venette, Nicolas, *Tableau de l'amour conjugal*, Paris, Ledentu, 1818 (1ʳᵉ éd. 1685), t. II, p. 218-219.

Vives, Juan Luis, *L'Institution de la femme chrétienne*, Paris, G. Linocier, 1587, trad. anonyme.

Études

Antonioli, Roland, *Rabelais et la médecine*, Études rabelaisiennes, t. XII, Genève, Droz, 1976.

Aubert, Jean-Marie, *La Femme. Antiféminisme et christianisme*, Paris, 1975.

Berriot-Salvadore, Évelyne, *Images de la femme dans la médecine du XVIᵉ siècle et du début du XVIIᵉ siècle*, thèse de 3ᵉ cycle, université de Montpellier, 1979.

Boucher, Jacqueline, *Société et Mentalités autour d'Henri III, op. cit.*, t. V.

Crawford, Patricia et Mendelson, Sara, *Women in Early Modern England (1550-1720)*, Oxford, Clarendon Press, 1993.

Febvre, Lucien, *Amour sacré, amour profane. Autour de l'Heptaméron*, Paris, Gallimard, 1971.

Flandrin, Jean-Louis, *Les Amours paysannes (XVIᵉ-XIXᵉ siècle)*, Paris, Gallimard, 1975.

—, *Familles, parenté, maison, sexualité dans l'ancienne société*, Paris, Hachette, 1976.

—, *Le Sexe et l'Occident*, Paris, Seuil, 1981.

—, «La vie sexuelle des gens mariés dans l'ancienne société», in *Communications*, n° 35, Paris, Seuil, 1972.

Lazard, Madeleine, *Pierre de Bourdeille, seigneur de Brantôme*, Paris, Fayard, 1995, chap. XVII et XVIII : «Le rapport Kinsey du XVIᵉ siècle».

Nolde, Dorothea, «Violence et pouvoir dans le mariage. Le rapport conjugal à travers les procès pour meurtre du conjoint devant le parlement de Paris (1580-1620)», in Danielle Haase-Dubosc, *Royaume de Fémynie, op. cit.*, p. 121-133.

Telle, Émile V., *L'Œuvre de Marguerite d'Angoulême, reine de Navarre, et la Querelle des femmes*, Toulouse, Lion et fils, 1937; rééd. Slatkine, 1969.

CHAPITRE VI

Sources

Brantôme, *Recueil des Dames, poésie et tombeaux*, éd. Vaucheret, Paris, Gallimard, 1991, t. II, Discours IV : «Sur les femmes mariées, les veuves et les filles».

Études

Arbour, Romeo, *Les Femmes et les Métiers du livre (1600-1650)*, Chicago, Garamond Press / Paris, Didier érudition, 1977.

Balsamo, Jean, «Abel L'Angelier et ses dames», in Dominique de Courcelles et Carmen Val Jullián éd., *Des femmes et des livres*, Paris, École des Chartes, 1999.

Davis, Natalie Z., «Women in the crafts in Sixteenth-Century Lyon», *Feminist Studies*, vol. 8, n° 1, 1982, p. 66-67.

Haase-Dubosc, Danielle, «Les femmes, le droit et la jurisprudence dans la première moitié du XVIIᵉ siècle», in *Royaume de Fémynie* [...], *op. cit.*, p. 57 *sq.*

Parent-Charon, Annie, «A propos des femmes et des métiers du livre dans le Paris de la Renaissance», in *Des femmes et des livres*, op. cit.

Pontemer, Jean, «Réflexions sur le pouvoir de la femme selon le droit français au XVIIᵉ siècle», *Revue du XVIIᵉ siècle*, n° 144, juillet-septembre 1984, p. 189-202.

Simonin, Michel, «Trois femmes en librairie» (1571-1645), in *Des femmes et des livres*, op. cit.

CHAPITRE VII

Sources

Estienne, Charles et Liébault, Jean, *L'Agriculture et maison rustique de maistres Charles Estienne et Jean Liébault*, (éd. orig. 1564), Lyon, I, XI, «De la fermière».

Guyet de Masso, *Correspondance*, Bibliothèque municipale de Lyon, ms. 5394. 500 lettres environ. Ces lettres ont été étudiées par Évelyne Berriot-Salvadore dans *Les Femmes de la société française de la Renaissance*, Genève, Droz, 1990, p. 197-202.

Joubert, Laurent, *Les Erreurs populaires et propos vulgaires touchant la médecine et le régime de santé*, Paris, 1578 et Bordeaux, Simon Millanges, 1579.

Larivey, Pierre de, *Les Desguisez*, in *Ancien théâtre français*, Paris, Pierre Jeannet, 1856, tome VII.

Montaigne, *Essais*, livre III, chap. IX, p. 976; livre II, chap. VIII, p. 396.

Pasquier, Étienne, *Les Lettres d'Estienne Pasquier*, Avignon, 1590, livre X, fol. 374; t. VII, fol. 280, « A.M. de Bite, juge général de Mayenne ».

Serres, Olivier de, *Le Théâtre d'agriculture et mesnage des champs par le sieur Olivier de Serres, Sieur du Pradel*, Lyon, (éd. orig. 1600), 1675, t. I, chap. 89.

Villamont, *Les Voyages du seigneur de Villamont, chevalier de Jérusalem, gentilhomme du pays de Bretagne* […], Paris par Claude de Monstroeil et Jean Richier, 1595.

Études

Davis, Natalie Z., « Women in the crafts in Sixteenth-Century Lyon », in *Feminist studies*, vol. 8, n° 1, 1982.

Hauser, Henri, « Le travail des femmes aux XVe et XVIe siècles », in *Revue internationale de sociologie*, Paris, Giard et Brière, 1897.

Hufton, Olwen, « Les femmes et le travail dans la France traditionnelle », in Danielle Haase-Dubosc et Éliane Viennot, *Femmes et Pouvoirs sous l'ancien régime, op. cit.*, p. 271.

—, « Le travail et la famille », in Georges Duby et Michelle Perrot, *Histoire des femmes, op. cit.*

Jeannin, Pierre, *Les Marchands au XVIe siècle*, Paris, PUF, 1957.

Lazard, Madeleine, *La Comédie humaniste et ses personnages*, Paris, PUF, 1978.

—, *Images littéraires de la femme à la Renaissance*, Paris, PUF, 1985.

Longeon, Claude, *Bibliographie des œuvres d'Étienne Dolet, écrivain, éditeur et imprimeur*, Genève, Droz, 1980, p. XXXVI.

Paupert, Anne, *Les Fileuses et le Clerc. Une étude des Évangiles des Quenouilles*, Paris, Honoré Champion, 1990. (Sur la culture populaire féminine, cf. chap. III, IV et V).

CHAPITRES VIII-IX

Sources

Boursier, Louise, *Récit véritable de la naissance de Meisseigneurs et Dames les enfants de France, Instructions à ma fille*, Paris, 1626.

De secretis mulierum, édité en latin à Venise en 1508, fut souvent traduit en français. Nous avons consulté un exemplaire «tranlaté du latin en françoys» (Lyon, J. Moderne, vers 1540), figurant dans un recueil du XVIe siècle, *La Recreation. Devis et Mignardise amoureuse* (Paris, Veuve Bonfons), comprenant vingt-deux pièces dont des ventes et demandes d'amour, des recettes de cuisine, des explications de pas de danses, etc. (catalogues Rothschild, t. 97, n° 190 [VI, 3bis, 66]).

Estienne, Charles et Liébault, Jean, *L'Agriculture et maison rustique* (1re éd., 1561, puis Lyon, 1587).

Joubert, Laurent, *Les Erreurs populaires et propos vulgaires touchant la médecine et le régime de santé.* Première et seconde parties de l'édition de Claude Micard (1578); — Seconde partie des *Erreurs populaires* [...] (Lucas Breyer, 1578; réédition chez Simon Millanges, Bordeaux, 1579). Les références renvoient à cette édition : livre IV, 3. — Les *Erreurs* de Laurent Joubert connurent de nombreuses éditions, à Bordeaux, à Lyon et Avignon. Suivirent des traductions italienne (1592), latine (1600) et une continuation du médecin Gaspard Bachot, sous le titre de *Partie troisième des Erreurs populaires* (1626). Le livre fit naître une lignée d'œuvres de vulgarisation d'inspiration semblable : en France, *La Police et science de Médecine contenant la réfutation des erreurs et insignes abus qui s'y commettent pour le jour d'huy* de A. du Breuil (1580), en Italie le *De gli errori populari, libre sette de Scipione Mercuti* (1603*).* Le *De Vulgi erroribus in medecina livri IV* (1609) du médecin James Primrose est traduit en anglais en 1651, en français en 1689.

Leroy, Alphonse, *La Pratique des accouchements, première partie contenant l'Histoire critique de la doctrine et de la Pratique des principaux accoucheurs qui ont paru depuis Hippocrate jusqu'à nos jours,* Paris, 1776.

Paré, Ambroise, *Briefve Collection de l'administration anatomique. Avec la manière de conjoindre les os : et d'extraire les enfans tant mors que vivans du ventre de la mère, lors que nature de soy ne peult venir à son effect. Composée par Ambroise Paré, maistre Barbier Chyrurgien à Paris,* G. Catellat, 1550.

Rodion, Euchaire (Rosslin, dit), *Des divers travaux et enfantements des femmes,* Paris, 1536.

Sainte-Marthe, Scévole de, *La Manière de nourrir les enfants à la mamelle,* traduction d'un poème latin de Scévole de Sainte-Marthe, *Scævolæ Sammarthari Pædotrophia,* par Abel de

Sainte-Marthe, chez Guillaume de Luyne, Claude Barbion et Laurent d'Houry éd., 1698.

Vallambert, Simon de, *Cinq livres. De la manière de nourrir et gouverner les enfants dès leur naissance*, par les de Marnerfs et Bouchetz frères, Poitiers, 1595. Manuscrit signalé, décrit et analysé par Paulin, in *Les Manuscrits de la bibliothèque du Roy*, t. I, p. 286-290, et t. IV.

Études

Bergues, Hélène, *La Prévention des naissances dans la famille. Ses origines dans les temps modernes*, cahier n° 35, I.N.E.D., Paris, PUF, 1968.

Berriot-Salvadore, Évelyne, «Le discours de la médecine et de la science», in Georges Duby et Michelle Perrot, *Histoire des femmes, op. cit.*, t. III, chap. XI.

Céard, Jean, «Paradoxe et erreur populaire», in Jones-Davis, Marie-Thérèse, éd., *Le Paradoxe au temps de la Renaissance*, Touzot, 1982.

Crawford, Patricia et Mendelson, Sara, *Woman in Early Modern England (1550-1570), op. cit.*

Davis, Natalie Z., *Les Cultures du peuple*, Paris, Aubier-Montaigne, 1979, chap. 8.

Lazard, Madeleine, «Nourrices et nourrissons d'après le traité de Vallambert (1565) et *Pædotrophia* de Scévole de Sainte-Marthe (1587)», in Jean-Claude Margolin et Robert Sauzet, *Pratiques et Discours alimentaires à la Renaissance*, Paris, Maisonneuve et Larose, 1982.

—, «Médecins contre matrones au XVIᵉ siècle», in Marc Bertrand, éd., *Popular Traditions and Learned Culture in France*, Stanford University, 1985.

Nisard, Charles, *Histoire des livres populaires*, Burt Kranklin, New York/Paris 1864, t. II.

Pérouse, Gabriel-André, *Nouvelles françaises du XVᵉ siècle*, Genève, Droz, 1977.

Sullerot, Évelyne, *Le Fait féminin*, Paris, Fayard, 1978.

Venette, Nicolas, *Tableau de l'amour conjugal*, Paris, Ledentu, 1818, t. II.

Wickersheimer, Ernest, *La Médecine et les Médecins en France à l'époque de la Renaissance*, Paris, 1906, p. 149.

Winn, Colette H., «De sage(-)femme à sage(-)fille : Louise Boursier : *Instructions à ma fille* (1626)», *P.E.S.C.L.*, n° 46, 1997.

CHAPITRE X

Sources

Anonyme, *Les Ramoneurs*, éd. Gill, Paris, Didier, 1957.

Bellay, Joachim du, *Divers jeux rustiques*, éd. Verdun Louis Saulnier, Genève, Droz, 1947.

Brantôme, *Œuvres complètes*, éd. L. Lalanne, 1864-1882, t. VI.

Larivey, Pierre de, *La Veuve*, in *Ancien théâtre français*, Paris, Jannet, 1854-1857, t. V.

Le Pileur, Dr. Louis, *La Prostitution du XIIIe au XVIIe siècle. Documents tirés des Archives d'Avignon, du Comtat Venaissin, de la principauté d'Orange et de la ville impériale de Besançon*, Paris, Honoré Champion, 1908.

Turnèbe, Odet de, *Les Contens*, éd. Norman Spector, Paris, S.T.E.M., rééd. 1993.

Études

Babelon, Jean-Pierre, *Nouvelle Histoire de Paris, Paris au XVIe siècle*, Paris, Hachette, 1986, IIe partie : « Les classes dangereuses ».

Bontarel, M., « La prostitution au Moyen Age », *Pro Medico*, 7, 1930, p. 152-158.

Delumeau, Jean, *La Peur en Occident, op. cit.*, IIe partie : « Les agents de Satan, la femme ».

Favier, Jean, *Paris au XVe siècle (1380-1500)*, Paris, Hachette, 1974.

Flandrin, Jean-Louis, *Le Sexe et l'Occident*, Paris, Seuil, 1981, annexe I, p. 385-386.

Knecht, Robert J., *Un prince de la Renaissance, François Ier et son royaume*, Paris, Fayard, 1998.

Lazard, Madeleine, *Images littéraires de la femme à la Renaissance, op. cit.*, chap. X et XI.

Otis, Lea Lydia, *Prostitution in Medieval Society : The History of an Urban Institution in Languedoc*, Chicago, University of Chicago Press, 1985.

Rossiaud, Jacques, *La Prostitution médiévale*, Paris, Flammarion, 1958, p. 67-70. Cet excellent ouvrage comprend des notes très nombreuses et très précises. Voir notamment « Pièces justificatives », p. 195-204.

CHAPITRE XI

Sources

Aubigné, Agrippa d', *Œuvres complètes*, éd. Réaume, t. I : *Lettres diverses, à M. de La Rivière*, p. 428-429.

Bellay, Joachim du, *Œuvres poétiques*, éd. Daniel Aris et Françoise Joukovsky, Paris, Garnier, *Jeux rustiques*, XXXII, «Contre une vieille».

Bodin, Jean, *La Démonomanie des sorciers*, Paris, Jacques du Puys, 1580.

Érasme, *Éloge de la folie*, in *Œuvres choisies*, éd. Jacques Chomarat, Paris, LGF, coll. Le Livre de Poche classique, 1991, p. 147.

Les Évangiles des Quenouilles, éd. Pierre Jeannet, Paris, 1855.

Larivey, Pierre de, *Le Fidèle*, in *Ancien théâtre français*, 1855, t. VII.

Lavardin, Jacques de, *La Célestine* [...], *tragi-comédie jadis espagnole*, Paris, N. Bonfons, 1578.

Malleus maleficiorum (1487), «Le Marteau des sorcières». Édité à la suite de la *Démonomanie des sorciers*, Paris, Jacques du Puys, 1580.

Montaigne, *Essais*, livre III, chap. XI.

Rabelais, *Tiers Livre*, chap. XVII.

Ronsard, *Œuvres complètes*, éd. G. Cohen, Paris, Gallimard (Bibl. de la Pléiade), Ode XIV : «Contre Denise sorcière».

Études

Bailbé, Jacques, «Le thème de la vieille femme dans la poésie satirique du XVIe et du début du XVIIe siècle», *Bibliothèque d'humanisme et Renaissance*, t. XXVI, 1964, p. 98-119.

Caro Baroja, Julio, *Les Sorcières et leur monde*, Paris, Gallimard, 1972.

Delumeau, Jean, *La Peur en Occident (XIVe-XVIIIe siècle), op. cit.*, chap. 11 et 12 : «La grande répression de la sorcellerie», p. 346-388.

—, *La Civilisation de la Renaissance*, Paris, Arthaud, 1967.

Dunn-Lardeau, Brenda, «La vieille femme chez Marguerite de Navarre», *Bibliothèque d'humanisme et Renaissance*, t. LXI, 1989, n° 2, p. 378-379.

Lazard, Madeleine, *Agrippa d'Aubigné*, Paris, Fayard, 1998, chap. IX.

Mandrou, Robert, *Magistrats et Sorciers*, Paris, 1968.

Minois, Georges, *Histoire de la vieillesse en Occident de l'Antiquité à la Renaissance*, Paris, Fayard, 1987.

Muchembled, Robert, *Culture populaire et Culture des élites*, Paris, Flammarion, 1978.

Pérouse, Gabriel-André, *Nouvelles françaises du XV*ᵉ *siècle*, Genève, Droz, 1977, p. 493-494.

Sallman, Jean-Michel, «Sorcière», in Georges Duby et Michelle Perrot, *Histoire des femmes, op. cit.*, chap. 14, p. 455-467.

Soman, Alfred, «Des procès de sorcellerie au parlement de Paris (1565-1640)», in *Annales E.S.C.*, juillet-août 1977, p. 790-814.

CHAPITRE XII

Sources

Amboise, François d', *Dialogues et devis des demoiselles pour les rendre vertueuses et bienheureuses en la vraye et parfaicte amitié* [...] par Thierry de Timophile, gentilhomme Picard [pseudonyme de François d'Amboise], Paris, Victor Norment, 1581 [traduction d'Alessandro Piccolomini, *Dialogo de la belle creanza de le donne*].

Aubigné, Agrippa d', *Œuvres*, éd. Henri Weber, Paris, Gallimard (Bibl. de la Pléiade), 1969, Lettre VIII, «A mes filles touchant les femmes doctes de notre siècle», p. 854.

Bouchet, Jean, *Les Triomphes de la noble et amoureuse dame et l'art de honnestement aymer*, in Jean-Pierre Guillerm *et al.*, *Le Miroir des femmes*, t. I, Villeneuve-d'Ascq, P.U.L., 1983, p. 46-50.

Launoy, Mathieu de, *Discours chrestien contenant une remonstrance charitable aux parens*, Paris, chez Jean de Carroy, 1578.

Marot, Clément, *Œuvres*, Paris, éd. Garnier, s.d., t. II.

Montaigne, *Essais*, livre III, chap. III et V.

Rabelais, *Pantagruel*, chap. VIII.

Ronsard, *Discours des misères de ce temps*, éd. M. Smith, Genève, Droz, 1979.

Études

Berriot-Salvadore, Évelyne, *Les Femmes dans la société française, op. cit.*, 1ʳᵉ partie : «Le projet moral : l'apprentissage d'un rôle», p. 46 *sq.*

Boucher, Jacqueline, «L'éducation en milieu royal français dans la deuxième moitié du XVIᵉ siècle», in *L'Éducation au XVIᵉ*, Actes du colloque du Puy-en-Velay, 1993, p. 77-95.

Davis, Natalie Z., *Les Cultures du peuple, op. cit.*, chap. III.

Fagniez, Gustave, *La Femme et la société française dans la première moitié du XVIIe siècle*, Paris, Gamber, 1929.

La Femme à la Renaissance, n° spécial des *Acta Universitatis Lodziensis*, *Folia Litteraria*, n° 14, 1985.

Garrisson, Janine, *L'homme protestant*, Paris, Hachette, 1980, p. 153.

Guillerm, Jean-Pierre *et al.*, *Le Miroir des femmes*, Villeneuve-d'Ascq, P.U.L., 1983, t. I, 1re partie : « Doctrines morales ».

Lazard, Madeleine, « Nourrices et nourrissons d'après le traité de Vallembert (1565) et la *Pædotrophia* de Scévole de Sainte-Marthe (1587) », in Jean-Claude Margolin et Robert Sauzet, *Pratiques et Discours alimentaires à la Renaissance*, Paris, Maisonneuve et Larose, 1982.

—, *Images littéraires de la femme à la Renaissance, op. cit.*, chap. VI : « L'éducation des filles ».

—, « Deux féministes poitevines au XVIe siècle », *Albineana* (Cahiers D'Aubigné), n° 3, Niort, 1990, p. 143-153.

—, « Les dames des Roches, mère et fille, une dévotion réciproque et passionnée », in Roger Duchêne et Pierre Rouzeaud, éd., « Autour de Mme de Sévigné », *Papers on French Seventeenth Century*, n° 105, Paris/Seattle/Tübingen, 1997.

—, « Femmes, littérature et culture au XVIe siècle », in Danielle Haase-Dubosc et Éliane Viennot, *Femmes et Pouvoirs sous l'Ancien Régime, op. cit.*, p. 101-119.

—, « Protestations et revendications féminines dans la littérature française du XVIe siècle », *Revue d'histoire littéraire de la France*, 1991, p. 859-877.

—, « Jacquette de Montbron, une bâtisseuse humaniste », in Éliane Viennot et Kathleen Wilson-Chevalier, *Royaume de Fémynie. Pouvoirs, contraintes, espaces de liberté des femmes, de la Renaissance à la Fronde, op. cit.*, p. 17-26.

Rivet, André, éd., *La Femme au XVIe siècle*, Actes du colloque du Puy-en-Velay, Imprimerie départementale, 1992.

Maulde de La Clavière, René de, *Les Femmes de la Renaissance*, Paris, Perrin, 1898.

Pérouse, Gabriel-André, *Nouvelles françaises du XVIe siècle*, Genève, Droz, 1977, IIe partie, chap. IX, p. 280 *sq.*

Rousselot, *Histoire de l'éducation des femmes en France*, Paris, Didier, 1883.

Timmermans, Linda, *L'Accès des femmes à la culture (1598-1715)*, Paris, Honoré Champion, 1993, chap. I, p. 20-52.

CHAPITRE XIII

Sources

Anthologies : Keralio, Louise de, *Collection des meilleurs ouvrages français composés par des femmes*, Paris, 1786-1788.

Moulin, Jeanine, *La Poésie féminine du XIIe au XIXe siècle*, Paris, Seghers, 1966, t. I.

Amboise, Catherine d', *Les Dévotes Épîtres de Catherine d'Amboise, publiées par l'abbé Bourrassé*, Tours, Mame et Cie, 1861.

Bourbon, Catherine de, *Lettres et Poésies (1570-1605)*, éd. Raymond Ritter, Paris, Champion, 1927.

Brabant, Marie de, dame de Blacy, *Annonces de l'esprit et de l'âme fidèle* [...], à S. Gervais, chez E. Vignon, 1602.

Coignard, Gabrielle de, *Œuvres chrétiennes*, éd. Colette H. Winn, Droz, 1995.

Crenne, Hélisenne de, *Les Angoisses douloureuses qui procèdent d'amour*, Paris, chez D. Janot, 1538 ; rééd. Minard, 1968.

—, *Les Épitres familières et invectives*, à Paris, chez D. Janot, 1539.

—, *Le Songe*, Paris, chez D. Janot, 1541.

Flore, Jeanne, *Contes amoureux*, éd. Gabriel-André Pérouse, Lyon, P.U.L., 1980.

Gournay, Marie de, *Le Proumenoir de M. de Montaigne*, Paris, Abel L'Angelier, 1594.

—, *Égalité des hommes et des femmes*, Paris, 1622.

—, *Les Advis ou les Présens*, éd. Jean-Philippe Beaulieu et Henri Fournier, Rodopi, 1997.

—, *Fragments d'un discours féminin*, éd. Élyane Dezon-Jones, Paris, Corti, 1988.

Labé, Louise, *Œuvres complètes*, éd. François Rigolot, Paris, Flammarion, 1986.

L'Aubespine, Madeleine de, *Les Chansons de Callianthe*, éd. R. Sorg, Paris, L. Pichon, 1926. Les sonnets de Madeleine de L'Aubespine sont restés manuscrits jusqu'au XXe siècle, date de leur publication.

—, *Le Cabinet des saines affections* (1595) [attribué à], éd. Colette H. Winn, Paris, Honoré Champion, 2000.

Le Gendre, Marie, dame de Rivery, *L'Exercice de l'âme vertueuse (1595-1597)*, éd. Colette H. Winn, Paris, Honoré Champion, 2000.

Marquets, Anne de, *Sonnets spirituels*, éd. Gary Ferguson, Droz, 1997.

Navarre, Marguerite de, *L'Heptaméron*, *op. cit.*

—, *Théâtre profane*, éd. Verdun Louis Saulnier, Genève, Droz, 1983.

—, *Poésies chrétiennes*, éd. Nicole Cazauran, Paris, Cerf, 1996.

—, *Chansons spirituelles*, éd. Georges Dottin, Genève, Droz, 1971.

Roches, Madeleine et Catherine des, *Les Œuvres, op. cit.*

—, *Les Secondes Œuvres*, éd. Anne R. Larsen, Genève, Droz, 1995.

—, *Les Missives*, éd. Anne R. Larsen, Genève, Droz, 1999.

Romieu, Marie de, *Les Premières Œuvres poétiques de Mademoiselle Marie de Romieu, Vivaroise*, Paris, Lucas Boyer, 1581.

Valois, Marguerite de, *Correspondance (1569-1614)*, éd. Éliane Viennot, Paris, Honoré Champion, 1998.

—, *Mémoires et autres écrits (1574-1614)*, éd. Éliane Viennot, Paris, Honoré Champion, 1999.

Études

Balsamo, Jean, «Abel L'Angelier et ses dames», *Des femmes et des livres*, Paris, École des Chartes, 1999, p. 132-134.

Beaulieu, Jean-Philippe et Desrosiers-Bonin, Diane, «Dans les miroirs de l'écriture. La réflexivité chez les femmes écrivains d'Ancien Régime», *Paragraphes*, vol. XVII, 1999. Articles sur Christine de Pisan, Pernette du Guillet, Catherine des Roches, Marguerite de Valois, Marie de Gournay.

Berriot-Salvadore, Évelyne, «La problématique histoire des textes féminins», *Atlantis*, vol. 19, n° 1, 1993.

Demerson, Guy, *Louise Labé. Les Voix du lyrisme*, Saint Étienne, Éd. du C.N.R.S., 1990. Articles de Dadley B. Wilsen, Gabriel-André Pérouse, Charles Lauvergnat, Jean-Pierre Ouvrard, Évelyne Berriot-Salvadore, Caridad Martinez, Kazimiez Kupisz.

Davis, Natalie Z., «Women as historical writers», in P. H. Labalme, *Beyond Their Sex, Learned Women of the European Past*, New York/Londres, New York University Press, 1980.

Esprit créateur, L', «Écrire au féminin à la Renaissance», vol. XXX, n° 4, hiver 1990. Articles de François Rigolot, Anne R. Larsen, Françoise Charpentier, J. Nash, J. Borney, Giselle Mathieu-Castellani, J. Jones Wright, Robert D. Cottrell, Cathleen Bauschatz, Kenneth Read. Bibliographie des textes féminins, p. 106-111.

Feugère, Léon, *Les Femmes poètes au XVIᵉ siècle*, Paris, Didier, 1860; rééd. Slatkine, 1969.

La Porte, abbé Jean de, *Histoire littéraire des femmes françaises*, Paris, 1769.

Larsen, Anne R. et Winn, Colette H., *Renaissance Women Writers*, Detroit, Wayne State University Press, 1994.

Lazard, Madeleine, *Images littéraires de la femme à la Renaissance*, *op. cit.*, chap. 4 : « La poésie au féminin ».

MacLean, Ian, « Marie de Gournay et la préhistoire du discours féminin », in Danielle Haase-Dubosc et Éliane Viennot, *Femmes et Pouvoirs sous l'Ancien Régime*, *op. cit.*

Mac Kinley, Mary, « Les fortunes précaires de M. Dentière au XVIᵉ siècle », in Éliane Viennot et Kathleen Wilson-Chevalier, *Royaume de Fémynie* [...], *op. cit.*, p. 27-39.

Mathieu-Castellani, Gisèle, *La Quenouille et la Lyre*, Paris, Corti, 1998.

Rigolot, François, *Louise Labé, Lyonnaise, ou la Renaissance au féminin*, Paris, Honoré Champion, 1997.

Sankovitch, Tilde, *French Women Writers and the Book*, Syracuse University Press, 1988.

Winn, Colette H., « Les femmes poètes au temps de la Renaissance », in *Revue des amis de Ronsard*, VII, 1994, p. 53 *sq.*

—, « La femme écrivain », in *Poétique*, 1991.

— et Kuizenga, Donna, éd., *Women Writers in Pre-revolutionary France*, New York/Londres, Garland, 1997.

CHAPITRES XIV-XV

Sources

Brantôme, *Recueil des Dames, poésie et tombeaux*, *op. cit.*, t. II, Discours I « Sur la reine Anne de Bretagne » ; Discours II « Sur la reine Catherine de Médicis » ; Discours III « Sur la reine d'Écosse, jadis reine de notre France », « Sur la reine d'Espagne, Élisabeth de France », « Sur la reine de France et de Navarre, Marguerite », « Sur Mesdames, filles de la noble maison de France (Jeanne, Claude, Renée) et sur Marguerite, reine de Navarre (Charlotte, Louise, Madeleine, Marguerite, Élisabeth, Victoire), Diane de France (bâtarde et légitimée) et Ysabelle ». Liste des dames d'honneur de Catherine de Médicis, p. 60-66.

Coste, Hilarion de, *Les Éloges des hommes illustres*, 1647, t. II.

Journal de Louise de Savoie, in *Nouvelle collection des* Mémoires *pour servir à l'histoire de France*, éd. Michaud et Poujoulat, Paris, 1938, t. V, p. 83-93.

Mémoires et poésies de Jeanne d'Albret, publiés par le baron de Ruble, Paris, 1893.

Thou, Jacques de, *Histoire universelle*, éd. de 1734, t. VII.

Valois, Marguerite de, «Discours docte et subtil» et «Mémoire justificatif», in Éliane Viennot, *Mémoires et autres écrits, op. cit.*

—, *Correspondance (1569-1614)*.

Études

Bertière, Simone, *Les Reines de France*, Paris, Fallois, 1994, t. I et t. II.

Boucher, Jacqueline, *Société et Mentalité autour de Henri III, op. cit.*, t. I.

—, *Deux épouses et reines à la fin du XVIᵉ siècle : Louise de Lorraine et Marguerite de France*, Publications de l'université de Saint-Étienne, 1995.

Cazauran, Nicole et Dauphiné, James, *Marguerite de Navarre (1492-1992)*, Actes du colloque international de Pau, 1992, Éditions Interuniversitaires, 1995.

Couchman, Jane, «What is "Personal" about XVIᵗʰ Century French Women's Personal Writings», *Atlantis*, vol. 19, n° 1, 1993.

Cubelier de Beynac, Jean et Lazard, Madeleine, éd., *Marguerite de France, reine de Navarre*, Actes du colloque d'Agen 1991, Agen, Centre Bandello, 1994.

Dejean, Jean-Luc, *Marguerite de Navarre*, Paris, Fayard, 1987.

Duchein, Michel, *Marie Stuart*, Paris, Fayard, 1985.

Elias, Norbert, *La Société de cour,* Paris, Calmann-Lévy, 1974.

Jourda, Pierre, *Marguerite d'Angoulême, duchesse d'Alençon, reine de Navarre*, Paris, 1930.

—, «Le mécénat de Marguerite de Navarre», in *Revue du XVIᵉ siècle*, 17, 1931.

Kelso, Ruth, *Doctrine for the Lady of the Renaissance*, Urbana, University of Illinois Press, 1956.

Lazard, Madeleine, «Le corps vêtu : signification du costume à la Renaissance», in *Le Corps à la Renaissance*, Paris, Vrin, 1990.

—, «The memoirs of Marguerite de Valois and the birth of women's autobiography», in Colette H. Winn et Donna Kuizenga, *Women Writers in Pre-revolutionary France*, New York, Garland, 1997.

—, «Un manifeste féministe de Marguerite de Valois. Le *Discours docte et subtil*», in Madeleine Lazard et Jean Cubelier de Beynac, *Marguerite de France, reine de Navarre*, Agen, 1994.

Merki, Charles, *La Marquise de Verneuil*, Paris, 1912.

Murat, Inès, *Gabrielle d'Estrées*, Paris, Fayard, 1992.

Ritter, Raymond, *Charmante Gabrielle*, Paris, 1947.

Rodoconachi, E., *Une protectrice de la Réforme en Italie et en France, Renée de France, duchesse de Ferrare*, Genève, Slatkine reprints, 1970.

Royer, Louis-Charles, *Les 51 Maîtresses du Vert Galant*, Paris, 1956.

Telle, Émile V., *L'Œuvre de Marguerite de Navarre et la Querelle des femmes*, *op. cit.*

Tetel, Marcel, *Les Voix et les Visages de Marguerite de Navarre*, Colloque de Duke University, Paris, Klincksieck, 1992.

Viennot, Éliane, *Marguerite de Valois. Histoire d'une femme, histoire d'un mythe*, Paris, Payot, 1993.

Chapitre XVI

Sources

Pasquier, Étienne, *Œuvres*, Amsterdam Libr. associés, 1723, 2 vol.

—, *Recueil de diverses pièces pour servir à l'histoire de Henri III*, Cologne, P. Ch. de Marteau, éd., 1660.

—, *Choix de lettres sur la littérature, la langue et la traduction*, éd. D. Thickett, Genève, Droz, 1966, chap. VI, lettres 7 et 8, « Lettres à M. Pithou ».

Sainte-Marthe, Scévole de, *Éloges des hommes illustres*, in *Les Œuvres*, Poitiers, J. Blanchet, éd., 1600.

Études

Babelon, Jean-Pierre, *Henri IV*, Paris, Fayard, 1982.

Berriot-Salvadore, Évelyne, « Les femmes dans les cercles intellectuels de la Renaissance », in *Études corses, études littéraires. Mélanges François Pitti-Ferrandi*, Publications de l'Université Corse, 1992.

Diller, Edward, *Les Dames des Roches. Étude sur la vie littéraire à Poitiers dans la deuxième moitié du XVIe siècle*, Paris, 1936.

Droz, Eugénie, « La reine Marguerite de Navarre et la vie littéraire à la cour de Nérac (1579-1582) », in *Bulletin de la Société des bibliophiles de Guyenne*, juillet-décembre 1954, p. 77-120.

Frémy, Édouard, *L'Académie des derniers Valois*, Slatkine reprints, Genève, 1969.

Keating, C., *Studies on the Literary Salons in France (1550-1615)*, Cambridge, Mass., Harvard University Press, 1941.

Lavaud, José, *Un poète de cour au temps des derniers Valois, Philippe Desportes*, Paris, 1936.

Lefranc, Abel, *La Vie quotidienne au temps de la Renaissance*, Paris, Hachette, 1938, chap. IV : «La sociabilité féminine».

Mathieu-Castellani, Gisèle, *Les Thèmes amoureux dans la poésie française (1570-1600)*, Paris, Klincksieck, 1975, chap. 8 : «Les salons».

Raymond, Marcel, *L'Influence de Ronsard sur la poésie française*, Genève, Slatkine reprints, 1995.

Ratel, Simone, «La cour de la reine Marguerite», in *Revue du XVIᵉ siècle*, t. XI (1924) et t. XII (1925).

Réchou, Marie-Henriette, *Claude Catherine de Clermont, maréchal de Retz*, thèse dactylographiée, Université de Saint-Étienne, 1996.

Timmermans, Linda, *L'Accès des femmes à la culture*, Paris, Honoré Champion, 1994, chap. I : «Une période de transition : le règne de Henri IV».

CHAPITRES XVII-XVIII

Sources

Dentière, Marie, *La Guerre et délivrance de la ville de Genève*, in *Mémoire et documents*, n° 20, Société d'Histoire et d'archéologie de Genève, A. Rillet, éd., 1881.

—, *Epistre utile faicte et composée par une femme Chrestien/ne de Tornay Envoyée à la Roy/ne de Navarre seur du Roy de France Contre : les Turcz, Juifz, Infidèles, Fauls Chrestiens/Anbaptistes et Luthériens / Lisez et puis Jugez / Nouvellement imprimée à Anvers / chez Martin l'empereur / M. Ve XXXIX.* Cette épître prétendument publiée à Anvers parut en 1539. Reprise dans A.T. Hermingard, *Correspondance des Réformateurs*, 1888, t. V, p. 295-304.

Érasme, *Opera*, «Ichtuophagia», trad. Léon Ernest Halkin, Bruxelles, Presses académiques européennes, 1971, t. III, p. 516.

—, *Les Colloques d'Érasme*, trad. Léon Ernest Halkin, rééd., Québec, 1971.

Jussie, Jeanne de, *Le Levain du calvinisme au commencement de l'hérésie de Genève*, Genève, Jullien, 1865.

Larivey, Pierre de, *Les Esprits*, in *Ancien théâtre,* éd. Viollet-le-Duc, Paris, Jannet, 1885, t. V.

—, *Les Escoliers, ibid.*, t. VI.

Marot, Clément, *Œuvres complètes*, Paris, Garnier, s.d., t. II, p. 267-292.

Romanet du Cros (pseudonyme de Du Roc Sort Manne), *Nouveaux écrits*, Paris, Bonfons, 1574, chap. 17, f° 145.

Études

Cooper, Richard, «Marguerite et la Réforme italienne», *Marguerite de Navarre*, Actes du colloque de Pau, 1992, Éditions Interuniversitaires, 1995, p. 159-204.

Davis, Natalie Z., *Les Cultures du peuple, op. cit.*, chap. III : «Les huguenotes».

—, «Scandale à l'Hôtel-Dieu de Lyon (1537-1543)», in *La France d'Ancien Régime. Études réunies en l'honneur de Pierre Goubert*, Toulouse, 1984, p. 175-187.

Derréal, Hélène, *Un missionnaire de la Contre-Réforme, saint Pierre Fourrier et l'institution de la congrégation de Notre-Dame*, Paris, Plon, 1965, préface de Philippe Ariès.

Fèvre, Lucien, *Le Problème de l'incroyance au XVIᵉ siècle*, Albin Michel, 1942, rééd. 1968, p. 306-314.

Keltso, Ruth, *Doctrine for the lady of the Renaissance*, Urbana, University of Illinois Press, 1956.

Lazard, Madeleine, «Deux sœurs ennemies, Marie Dentière et Jeanne de Jussie, nonnes et réformées à Genève», in Bernard Chevalier et Robert Sauzet, *Les Réformes [...] enracinement socio-culturel*, Paris, Éditions de la Maisnie, 1985, p. 239-249. — Repris dans *Joyeusement vivre et honnêtement penser. Mélanges M. Lazard*, Honoré Champion, 2000, p. 281-296.

Mandrou, Robert, *Introduction à la France moderne, 1500-1640*, Paris, Albin Michel, 1974.

Melot, Michel, «Le pouvoir des abbesses de Fontevraud et la révolte des hommes», in Éliane Viennot et Kathleen Wilson-Chevalier, *Royaume de Fémynie [...], op. cit.*, p. 135-145.

Pontenay de Fontenette, Micheline, *Les Religieuses et l'Age classique du droit canon*, Paris, Vrin, 1969, p. 154.

Rodocanachi, E., *Une protectrice de la Réforme en Italie et en France, Renée duchesse de Ferrare, op. cit.*

Roelker, Nancy, «The appeal of calvinism to French noble women in the XVIᵗʰ century», *The Journal of Interdisciplinary*, 2, 1972, p. 402 et p. 407.

Rillet, Auguste, «Notes sur le couvent de Sainte-Claire», in *Mémoires de la société d'histoire de Genève*, t. 20, p. 119-145.

Venard, Marc, *L'Église d'Avignon en France*, thèse Lille-III, 1977, t. III, p. 1197; t. IV, p. 1699.

CHAPITRES XIX-XX

Sources

Babelon, Jean-Pierre, *Lettres d'amour et Écrits politiques de Henri IV*, Paris, Fayard, 1988. Choix et présentation de lettres. Voir en particulier chap. III, «Le règne de Corisande (1585-1589) : 45 lettres d'Henri IV à la comtesse de Guiche», p. 90-140; chap. V, «Lettres à Gabrielle d'Estrées (1593-1594)», p. 171-236; chap. VII, «Entre Henriette et Marie (1599-1600)», p. 241-273.

Bourbon, Catherine de, *Lettres et poésies (1570-1605)*, *op. cit.*

Brantôme, *Recueil des dames, poésies et tombeaux*, *op. cit.*, t. I : *Dames illustres*, et t. II : *Dames galantes*, chap. 7.

Cheverny, *Mémoires d'estat*, Paris, 1664, t. I.

L'Estoile, Pierre de, *Registre-Journal du règne d'Henri III*, *op. cit.*, t. I, février et juin 1575.

Valois, Marguerite de, *Mémoires et autres écrits*, *op. cit.*

Études

Babelon, Jean-Pierre, *Henri IV*, *op. cit.*, IIe partie, chap. XI : «Gabrielle d'Estrées»; IIIe partie, chap. V : «Henriette d'Entragues».

Bertière, Simone, *Les Reines de France*, Paris, de Fallois, 1994, t. I : *Le Beau XVIe Siècle*, t. II : *Les Années sanglantes*.

—, «Régence et pouvoir féminin», in Éliane Viennot et Kathleen Wilson-Chevalier, *Royaume de fémynie [...]*, *op. cit.*, p. 63-70.

Boom, Ghislaine de, *Éléonore de Portugal, reine de France*, Bruxelles, 1943.

Boucher, Jacqueline, *Deux Épouses et reines à la fin du XVIe siècle. Louise de Lorraine et Marguerite de France*, Publications de l'université de Saint-Étienne, 1995.

Cloulas, Ivan, *Catherine de Médicis*, Paris, Fayard, 1979.

—, *Henri II*, Paris, Fayard, 1985.

—, *Diane de Poitiers*, Paris, Fayard, 1997.

Cosandey, Fanny, *La Reine de France, symbole et pouvoir*, Paris, Gallimard, 2000.

Duby, Georges et Perrot, Michelle, *Histoire des femmes*, *op.cit.*, Paris, Plon, p. 175-184.

Duchein, Michel, *Marie Stuart*, Paris, Fayard, 1987.

Henry-Bordeaux, Paule, *Louise de Savoie, régente et roi de France*, Paris, 1954.

Jouanna, Arlette *et al., Histoire et dictionnaire des guerres de Religion*, «Catherine de Médicis», p. 771-774; «Louise de Savoie», p. 1283; «Louise de Lorraine», p. 1050-1061; «Marguerite de France», p. 1074-1078; «Gabrielle d'Estrées», p. 898-899, Paris, Laffont (coll. Bouquins,) 1998.

Knecht, Robert J., *Renaissance Warrior and Patron. The Reign of Francis I*, Cambridge University Press, 1994.

—, *Catherine de Medicis*, Londres/New York, Longman, 1998. Sur Catherine dauphine et reine, voir chap. 2 et 3.

—, *Un prince de la Renaissance* [...], *op. cit.*, Paris, Fayard, 1998.

Lazard, Madeleine, *Pierre de Bourdeille, seigneur de Brantôme*, *op. cit.*, chap. XX : «Dames du temps jadis et filles de France», et chap. XXI : «Les reines françaises».

Maulde de La Clavière, René de, *Jeanne de France*, 1883.

Mayer, D.M., *The Great Regent (Louise de Savoie)*, Londres, 1966.

Ritter, Raymond, *La Sœur d'Henri IV, Catherine de Bourbon (1599-1604)*, 2 vol., Paris, 1985.

—, *Cette Grande Corisande*, Paris, 1937.

Ronzeaud, Pierre, «La femme au pouvoir ou le monde à l'envers», in *Revue du XVIIᵉ siècle*, 1975, n° 108, p. 9-16.

Viennot, Éliane, «Des femmes d'État au XVIᵉ siècle : les princesses de la Ligue et l'écriture de l'histoire», in *Femmes et Pouvoirs sous l'Ancien Régime*, Paris, Rivages/Histoire, 1991, p. 77-92.

Zeller, B., *Claude de France*, 1892.

Repères chronologiques

DATES	ÉVÉNEMENTS HISTORIQUES	VIE CULTURELLE
1477	Naissance d'Anne de Bretagne.	
1484		Naissance de Rabelais (ou 1494).
1491	Mariage de Charles VIII et d'Anne de Bretagne.	
1492	Colomb en Amérique. Naissance de Marguerite de Navarre.	
1494	Début des guerres d'Italie. Naissance du futur François Ier.	
1498	Mort de Charles VIII. Avènement de Louis XII. Procès en annulation du mariage de Louis XII et de Jeanne de France.	
1499	Mariage de Louis XII et d'Anne de Bretagne. Naissance de Claude de France.	
1500	Naissance du futur Charles Quint.	
1510	Naissance de Renée de France.	
1513		Machiavel, *Il Principe*. Tiraqueau, *De legibus connubialibus*.
1514	Mort d'Anne de Bretagne. Mariage de Louis XII et de Marie d'Angleterre. Mariage de Claude de France et du futur François Ier.	
1515	Mort de Louis XII. François Ier roi. Victoire de Marignan.	*Les Cent Nouvelles nouvelles* de Philippe de Vigneules sont achevées.

1516	Charles Quint roi d'Espagne.	Briçonnet évêque de Meaux. Érasme, Nouveau Testament (grec et latin). Arioste, *Orlando furioso*.
1517	Luther affiche à Wittenberg ses 95 thèses contre les indulgences.	
1518		Ficin, trad. de Platon imprimée à Paris.
1519	Charles Quint empereur. Naissance du futur Henri II. Naissance de Catherine de Médicis.	
1521	Luther excommunié.	Briçonnet appelle Lefèvre d'Étaples à Meaux.
1523	Le Parlement fait brûler les œuvres de Luther.	Lefèvre d'Étaples, trad. du Nouveau Testament.
1524		Naissance de Ronsard.
1525	François Ier battu et prisonnier à Pavie. Louise de Savoie régente.	Lefèvre condamné en Sorbonne.
1526	Traité de Madrid et retour de François Ier.	Érasme, *Institutio christiani* *matrimonii*.
1527	Marguerite épouse Henri d'Albret.	
1528		Castiglione, *Il Cortegiano*.
1529	Cambrai : paix des Dames.	Érasme, *De pueris*.
1530	François Ier épouse Éléonore, sœur de Charles Quint.	Fondation du Collège des lecteurs royaux, futur Collège de France.
1531	Mort de Louise de Savoie.	Marguerite de Navarre, *Miroir de* *l'âme pécheresse*.
1531 1535⁻		Jeanne Flore, *Comptes amoureux*.
1532		Marot, *Adolescence clémentine*. Rabelais, *Pantagruel*.
1533	Mariage d'Henri II et de Catherine de Médicis.	La Sorbonne condamne le *Miroir* *de l'âme pécheresse*. Naissance de Montaigne.
1534	Affaire des Placards.	Marot fuit Paris. Rabelais, *Gargantua* (ou 1535).
1535	Genève adopte la Réforme.	Marot à Ferrare.
1536		Mort d'Érasme et de Lefèvre d'Étaples. Calvin, *Chirsianae religionis institutio*.
1538		Marot, *Œuvres*. Hélisenne de Crenne, *Angoisses douloureuses*.

1540		Herberay des Essarts, trad. *Amadis de Gaule.*
1541		Querelle des Amyes. La Borderie, *L'Amie de cour.* Calvin, *Institution de la religion chrétienne.*
1542		Héroët, *Parfaite Amie.*
1543		Fontaine, *Contr'amie de cour.* Vésale, *De humani corporis fabrica.*
1544		Mort de Marot. Scève, *Délie.*
1545	Ouverture du concile de Trente. Massacre des vaudois en Provence.	Pernette du Guillet, *Rimes.* Mort de P. du Guillet. Jean Bouchet, *Épîtres morales et familières.* Antoine Le Maçon, trad. *Décaméron.*
1545 1546	Persécution des réformés du groupe de Meaux.	
1546	Supplice de Dolet. Mort de Luther.	Rabelais, *Tiers Livre.*
1547	Mort de François Iᵉʳ et d'Henri VIII. Henri II crée la Chambre ardente pour réprimer l'hérésie.	Marguerite de Navarre, *Les Marguerites de la Marguerite des princesses.*
1548	Mariage de Marie Stuart et du futur François II.	Rabelais, *Quart Livre.* Marguerite de Navarre, *Comédie de Mont-de-Marsan.*
1549	Mort de Marguerite de Navarre.	Du Bellay, *Défense et Illustration, Olive.*
1550	Naissance du futur Charles IX.	
1551	Naissance du futur Henri III.	
1552		Ronsard, *Amours, Odes.* Rabelais, *Quart Livre.*
1553	Supplice à Genève de Michel Servet. Marie Tudor, catholique, reine d'Angleterre. Naissance de Marguerite de France, future reine de Navarre. Naissance à Pau du futur Henri IV.	Mort de Rabelais.
1555	Naissance de François, futur duc d'Alençon, puis d'Anjou.	Ronsard, *Continuation des Amours.* Louise Labé, *Œuvres.* Anonyme, *Comptes du monde aventureux.*
1556	Abdication de Charles Quint. Philippe II roi d'Espagne.	

1558	Reprise de Calais. Mort de Marie Tudor. Avènement d'Élisabeth d'Angleterre.	
1559	Traité du Cateau-Cambrésis. Édit d'Écouen contre l'hérésie. Henri II meurt en tournoi.	Marguerite de Navarre, *Heptaméron*. Amyot, trad. Plutarque, *Vies parallèles*.
1560	Mort de François II. Catherine de Médicis régente. Conjuration d'Amboise.	Étienne Pasquier, *Recherches de la France* (I).
1561	Échec du colloque de Poissy. Retour en Écosse de Marie Stuart.	Jacques Grévin, *La Trésorière, Les Esbahis*.
1562	Édit de Janvier autorisant le culte réformé en dehors des villes. Massacre de Wassy. Première guerre de Religion.	Ronsard, *Discours sur les misères de ce temps*.
1563	Assassinat de François, duc de Guise. Fin du concile de Trente. Majorité de Charles IX.	Ronsard, *Réponse aux injures*. Remi Belleau, *La Reconnue*.
1564	Mort de Calvin. Voyage en France du roi et de sa mère.	Rabelais, *Cinquième Livre*.
1566		Mort de Louise Labé.
1567	Deuxième guerre de Religion.	
1568		Du Tronchet, *Lettres missives et familières*.
1569	Troisième guerre de Religion. Victoires catholiques de Jarnac et de Moncontour.	
1570		Création de l'Académie de poésie et de musique.
1571	Don Juan d'Autriche bat la flotte turque à Lépante.	Montaigne commence les *Essais*. Maurice de La Porte, *Épithètes*.
1572	Massacre de la Saint-Barthélemy. Quatrième guerre de Religion. Mort de Jeanne d'Albret.	Ronsard, *La Franciade*. Jacques Yver, *Le Printemps*. Jacques Amyot, trad. Plutarque, *Œuvres morales*.
1573	Henri d'Anjou roi de Pologne.	Desportes, *Premières œuvres poétiques*.
1574	Mort de Charles IX. Henri d'Anjou roi de France (Henri III). Complot du Mardi gras. Exécution de La Mole et Coconas.	Du Roc Sort Manne, *Nouveaux récits*.

1575	Mariage d'Henri III et de Louise de Vaudémont. Cinquième guerre de Religion. Le duc d'Alençon, frère du roi, s'enfuit de la Cour.	Paré, *Œuvres*.
1576	Henri de Navarre s'enfuit de la Cour. Formation de la Ligue.	Bodin, *La République*.
1577	Voyage en Flandre de Marguerite de Valois. Sixième guerre de Religion.	Gabriel Chappuys, trad. *Amadis de Gaule*.
1578		Ronsard, *Sonnets pour Hélène*. Guy Le Fèvre de La Boderie trad. Ficin, *Commentaire sur le «Banquet» de Platon*. Dames des Roches, *Les Œuvres*.
1579	Catherine ramène sa fille Marguerite à Nérac.	Henri Estienne, *De la précellence du langage français*. Pierre de Larivey, *Les Esprits*. Dames des Roches, *Les Secondes Œuvres*.
1580	Septième guerre de Religion.	Montaigne, *Essais* (I-II). Bodin, *Démonomanie des sorciers*.
1581	Montaigne maire de Bordeaux.	Ballet comique de la reine.
1582	Grégoire XIII réforme le calendrier julien.	
1582 1583	Séjour de Marguerite de Valois à la Cour.	
1584	Mort du duc d'Anjou. Henri de Navarre héritier présomptif du trône.	La Croix du Maine, *Bibliothèque française*. Odet de Turnèbe, *Les Contents*.
1585	Huitième guerre de Religion. Henri III allié à la Ligue. Traité de Nemours. Marguerite à Agen, puis en fuite à Carlat.	Mort de Ronsard. Cholières, *Matinées*. Du Verdier, *Bibliothèque française*.
1586	«Guerre des trois Henri». Marguerite de Valois à Usson.	
1588	Chassé de Paris par la journée des Barricades, Henri III fait assassiner Henri de Guise à Blois.	Montaigne, *Essais* (III). Nicolas de Cholières, *Guerre des Masles contre les Femelles*.
1589	Mort de Catherine de Médicis. Assassinat d'Henri III.	
1590	Henri IV vainqueur à Ivry.	Benoist de Troncy, *Le Formulaire fort récératif de Bredin le Cocu*.
1590 1592	Dictature des Seize à Paris.	

1591	Grégoire XIV excommunie Henri IV.	
1593	Abjuration d'Henri IV.	
1594	Henri IV entre à Paris.	
1595		Villamont, *Voyages*.
1595 1597		François Le Poulchre, *Le Passe-Temps*.
1598	Mort de Philippe II. Traité de Vervins. Édit de Nantes.	
1599	Mort de Gabrielle d'Estrées. Annulation du mariage d'Henri IV et de Marguerite de Valois.	
1600	Mariage d'Henri IV et de Marie de Médicis.	Olivier de Serres, *Théâtre d'agriculture*.
1601	Naissance du futur Louis XIII.	Shakespeare, *Hamlet*.
1603	Mort d'Élisabeth Ire.	
1604		Jacques de Thou, début de *Historia mei temporis*.
1605	Marguerite s'installe à Boulogne, puis à l'hôtel de Sens.	Cervantès, *Don Quichotte*.
1606		Shakespeare, *Macbeth*.
1607	Marguerite s'installe rue de Seine. Elle lègue ses biens au dauphin.	Honoré d'Urfé, *L'Astrée*. Monteverdi, *Orfeo*.
1610	Assassinat d'Henri IV. Louis XIII roi. Marie de Médicis régente.	
1615	Mort de Marguerite de Valois.	

Index des noms de personnes

Table des matières

Cet ouvrage a été composé en Times par Palimpseste à Paris

Impression réalisée sur CAMERON par
BRODARD ET TAUPIN
La Flèche

pour le compte des Éditions Fayard
en septembre 2001

Imprimé en France
Dépôt légal : septembre 2001
N° d'édition : 15767 – N° d'impression : 9273
ISBN : 2-213-61022-3
35-66-1222-01/5